Obsessie

Opgedragen aan De Cirkel

TED DEKKER

Thriller

Obsessie

Vertaald door Willem Keesmaat

uitgeverij

KOK

© Uitgeverij Kok – Kampen, 2006
Postbus 5018, 8260 GA Kampen
www.kok.nl

Oorspronkelijk verschenen onder de titel *Obsessed* bij WestBow Press, a Division of Thomas Nelson, Inc., P.O. Box 141000, Nashville, Tennessee, 37214
© Ted Dekker, 2006

Vertaling Willem Keesmaat
Omslagillustratie Stephen Gardner, PixelWorks Studio
Omslagontwerp Douglas Design
ISBN 90 435 1254 0
ISBN-13 978 90 435 1254 1
NUR 332

1

Hamburg, Duitsland
17 juli 1973
Dinsdagmorgen

Roth Braun draaide langzaam aan de deurknop en duwde zachtjes tegen de deur. Een vertrouwde medicinale geur prikkelde zijn neus. Buiten verwarmde de zon een mooie midzomerdag, maar hier in de kerker onder het huis woonde de oude man in een voortdurende schemer.

Roth beeldde zich in dat hij een Jood was die een ontluizingsdouche binnenstapte en koesterde het afgrijzen dat hij zou voelen op het moment dat hij zich zou realiseren dat er in deze ruimte niet alleen maar luizen dood zouden gaan.

Roth was in een zeer goede bui.

De verstikkende stilte werd doorbroken door het geluid van de door teer aangetaste, achtenzeventig jaar oude longen van de verdroogde zuurpruim, die snakten naar adem. Gerhards piepende gehijg irriteerde Roth en verziekte zijn verder perfecte bui.

De enige levende ziel die hij meer verachtte dan de Jood die hem zijn macht had ontnomen, was Gerhard, die toegestaan had dat de Jood hem zijn macht had ontnomen.

Hij wierp een blik op Klaus, de slungelige mannelijke verpleegkundige die nu al meer dan drie jaar voor zijn vader zorgde. De in het wit geklede man stond in de hoek van de kamer over Gerhard gebogen en weigerde Roth aan te kijken. Gerhard zat in een donkerrode gemakkelijke stoel en zijn blauwe ogen staarden woest over de slangetjes heen die uit zijn neus staken.

'Goedemorgen, vader,' zei Roth. Hij deed de deur zachtjes dicht en kwam de kamer binnen, waarbij hij een tinkelend kralengordijn opzijduwde dat de kamer vanuit de ingang aan het oog onttrok. 'U wilde me zien?'

Zijn vader keek naar een bediende, die in de belendende eetkamer bezig was.

'Laat ons alleen.'

Zijn stem beefde. Dat betekende dat hij nu echt doodging, of dat hij ergens door van streek was, wat op zijn manier ook een soort dood inluidde. Hoeveel mensen die nu nog in leven waren, waren verantwoordelijk voor zoveel doden als zijn vader? Die kon je waarschijnlijk op twee handen tellen.

Maar Roth haatte hem hoe dan ook.

De bediende gaf een kort knikje en verdween door een zijdeur. De stalen deur ging dicht en de verpleegkundige kromp iets ineen. Het glas in een kast achter de tafel rinkelde, ondanks de massieve betonnen muren van de kamer. Het Russische kristal uit de negentiende eeuw – een van de vele collecties die in de oorlog waren gejat – was ooit eigendom geweest van een tsaar. De ondergang van de nazi's had Gerhard de kop moeten kosten. In plaats daarvan was zijn vader bizar rijk uit de oorlog tevoorschijn gekomen. Alleen de schilderijen hadden al een fortuin opgebracht en dat was dan nog kunst die legaal van hem was. Hij had ze naar Zürich overgebracht, waar een zwaar aangevochten wet ervoor had gezorgd dat ze van hem waren geworden nadat ze vijf jaar lang niet waren opgeëist. Met de complimenten van de Zwitserse federatie van kunsthandelaren.

Tot de dag dat ik de energie uit je gebeente zuig, zal ik van je houden omdat je me de weg hebt gewezen.

Tot de dag dat ik de energie uit je gebeente zuig, zal ik van je walgen om wat je hebt gedaan.

Gerhard stak een krant omhoog. 'Heb je dit al gelezen?'

Roth liep over het ruige ronde tapijt dat het zwarte beton bedekte en bleef anderhalve meter bij Gerhard vandaan stilstaan. Boven de dunne, bevende lippen van zijn vader hing een haviksneus. Boven zijn schedel zweefden wat plukken piekerig grijs haar, die van achteren werden verlicht door een gele lamp. Skeletachtige vingers, die overdekt waren met blauwe aderen, hielden iets vast wat op de *Los Angeles Times* leek. Een stapel kranten van een halve meter dik – de *New York Times*, de *Chicago Tribune*, de Londense *Daily Telegraph* en een tiental andere – lag op het kleine bijzettafeltje links van hem. Gerhard las steevast elke dag zes uur lang de krant.

Met een snelle polsbeweging gooide Gerhard de krant naar Roth toe, waarbij hij zijn blik geen moment van Roth afwendde. Hij landde met een klets op de vloer.

'Lezen.'

De verpleegkundige deed net of hij bezig was met de zuurstoffles. Roth bleef staan. Deze houding van Gerhard verziekte niet alleen zijn goede bui, maar maakte daar echt een eind aan.

'Ik zei: "Lezen!"'

Roth boog zich op zijn gemak voorover en pakte de krant op. De *Los Angeles Times* was om een artikel op de pagina *Leven* heen gevouwen. 'Fortuin gaat naar museum,' stond er met grote letters boven. Roths ogen vlogen over de tekst. Een rijke vrouw, een Jodin die Rachel Spritzer heette en tweeënzestig jaar oud was, was drie dagen geleden in Los Angeles overleden. Ze had de rest van de familie overleefd en had haar hele bezit vermaakt aan het Holocaustmuseum van Los Angeles.

'Er is dus weer een Jood dood.' Roth liet de krant zakken. 'Uw erfenis leeft voort.'

Zijn vader greep de armleuningen van zijn stoel beet. 'Lees de rest.' Zijn borstholte suisde.

Als Roth geen controle had gehad over zijn instincten, zou hij iets stoms kunnen hebben gedaan, zoals hem doden. In plaats daarvan legde hij de krant op een andere stoel en wendde hij zich af. 'U hebt het al gelezen, vader. Vertel me maar gewoon wat erin staat. Ik heb om tien uur een afspraak.'

'Zeg maar af.'

Roth liep naar het drankenkabinet. Zelfbeheersing. 'Vertel me nu maar gewoon waarom u zich zo druk maakt.'

'Ik maak me druk om de Stenen van David.'

Roth knipperde met zijn ogen. Hij schonk wat cognac in een groot glas.

'Ik ben het zat om uw verbeelding na te jagen.' Hij liet de cognac langzaam door het glas ronddraaien voor hij een slokje nam. 'Als de Stenen nog steeds bestaan, zouden we ze lang geleden al hebben gevonden.'

Het lukte Gerhard om te gaan staan. Hij beefde van top tot teen en zijn nek werd vuurrood.

'Ze *zijn* gevonden. En je weet wat dat betekent.' Zijn zin eindigde in een hoestbui.

Roths hartslag versnelde iets en kwam toen weer tot rust. Als de man al niet stervende was, was hij in elk geval bezig zijn verstand te verliezen. Natuurlijk waren de Stenen na al die tijd niet gevonden.

Gerhard strompelde de drie stappen naar de stoel toe, duwde de geschrokken verpleegkundige uit de weg en greep de krant. Hij hield met één hand de krant beet en gebruikte de andere om zich in evenwicht te houden tegen de muur. Hij gooide de krant naar Roth toe. Hij fladderde luidruchtig en belandde op het zwarte beton.

'Lezen!' Gerhards ogen doorboorden hem. Misschien was er toch iets van waar.

Roth raapte voor de tweede maal de krant op, vond het artikel en las het op zijn gemak door. Wat als Gerhard gelijk had? Wat als die relikwieën toch nog bleken te bestaan? Ze zouden van onschatbare waarde zijn. Maar Gerhard was niet geïnteresseerd in wat de stenen konden opbrengen – hij had genoeg om zijn resterende tijd ruimschoots mee door te komen.

Gerhard was geobsedeerd door het dagboek dat samen met de Stenen verloren was gegaan.

En Roth was geobsedeerd door de macht die verloren was gegaan met de Jood die het dagboek had meegenomen.

Hij was al dertig jaar bezig de ontelbare sporen na te trekken, allemaal zonder succes. Niemand wist hoeveel rijkdommen er van de Joden waren afgepakt toen Hitler hen had laten oppakken om ze naar de kampen te laten afvoeren. Het grootste deel van dat fortuin was door de Gestapo in beslag genomen en na de oorlog teruggevonden, maar een aantal zeer kostbare voorwerpen – relikwieën van onschatbare waarde die in een museum of in een kluis thuishoorden – was verdwenen. Sommige van die voorwerpen waren in dit huis terechtgekomen, maar elke zichzelf respecterende verzamelaar wist dat de meest waardevolle collectie in 1945 voorgoed was verdwenen.

De Stenen van David.

Een van de meest waardevolle voorwerpen uit Spritzers verzameling is een extreem oud gouden medaillon, beter bekend als een van de vijf Stenen van

David. Volgens de legende zijn de medaillons de stenen die David had uitgeko-
zen om de reus Goliath mee te doden. De gladde stenen zijn op een gegeven
moment verguld en gewaarmerkt met de ster van David. De laatste keer dat de
stenen zijn gezien was in 1307, toen ze in het bezit waren van de tempeliers.
Er gaan geruchten dat de collectie voor de Tweede Wereldoorlog in handen was
van een rijke Jood, maar dat ze verloren gingen voor die bewering kon worden
gestaafd.

De medaillons worden per stuk op zo'n tien miljoen dollar geschat, maar de
complete collectie op honderd miljoen. Het relikwie zal worden tentoongesteld in
een museum dat nog moet worden geopend, op verzoek van Rachel met het vol-
gende cryptische opschrift: 'De Stenen lijken op de verloren weeskinderen. Ze
zullen elkaar uiteindelijk terugvinden.'

Het zweet stond Roth in zijn handen. Hij legde de krant op het drankenkabinet neer, zette een onvaste vinger bij de laatste alinea en las verder.

Rachel Spritzer woonde in haar eentje in een eigen appartementencomplex aan
de La Brea Avenue en stierf als weduwe. Het complex zal, samen met Spritzers
andere bezittingen, door de staat worden verkocht.

Rudy en Rachel Spritzer zijn zestien jaar geleden naar de Verenigde Staten
geëmigreerd, vijf jaar voor Rudy het leven liet bij een auto-ongeval (Zie verder
B4).

Heel even duizelde het Roth. Zijn mond was op slag droog.

'Heb ik nu je aandacht?' wilde Gerhard weten.

Roth las het artikel nog eens door, op zoek naar een zin die de mogelijkheid zou kunnen uitsluiten dat deze Jodin iemand anders was dan
wie Gerhard leek te suggereren.

'Ze was tweeënzestig,' zei Gerhard. 'De leeftijd klopt.'

Roths gedachten flitsten terug naar de oorlogsjaren, toen hij pas twaalf
was. Ook al leken de overeenkomsten toeval, hij kon ze niet echt negeren.

'Ik *wist* dat die Jood het had overleefd,' zei Gerhard.

'Ze heeft maar één Steen nagelaten. Er waren er vijf.'

'Als er één Steen bestaat, bestaat het dagboek ook. Iemand moet dat
dagboek hebben!'

'Ze is dood.'

'Jij gaat ervoor zorgen dat ze zelfs vanuit het graf nog spreekt.' Gerhard stond te zwaaien op zijn benen en zijn rechtervuist beefde. Zijn ogen leken wel zwart in de schaduwen van de kelder. 'Ze wist het. Ze wist van het dagboek.'

'Ze is dood!' beet Roth hem toe. Hij haalde diep adem, geïrriteerd dat hij zijn zelfbeheersing had verloren. Feit was dat Gerhards verleden met de Stenen hem een bepaalde kennis had bezorgd die verder niemand kon hebben.

'Jij weet heel goed dat in dat dagboek de hele lijn van oudsten staat opgeschreven. Al onze namen en de namen van de vrouwen die we hebben gedood staan erin. Het moet worden gevonden!'

Toen Gerhard over de vrouwen begon, veroorzaakte dat een koperachtige smaak achter in de mond van Roth. De laatste keer dat hij dat dagboek had gezien, stonden er 243 namen in. Roth zou ooit over dat aantal heen gaan, had hij zichzelf beloofd.

Maar zelfs duizend of tienduizend zou degene die Gerhard was ontsnapt niet goedmaken.

'Die vrouw zou zelfs nog in haar dood de draak met me steken,' zei de oude man. 'In haar huis, tussen haar spullen − ergens heeft dat oude mokkel een spoor achtergelaten. Jij gaat naar Los Angeles.' De verpleegkundige, Klaus, kwam in beweging om Gerhard naar zijn stoel terug te brengen, maar de oude man schudde hem van zich af. Klaus trok zich weer terug.

Gerhard had gelijk. De Stenen zouden hen naar het dagboek leiden. En het dagboek zou hen naar de Jood leiden. En de Jood zou hen weer naar de macht leiden, een bovennatuurlijke macht die zijn vader nooit had kunnen verkrijgen. Maar dat zou Roth wel lukken.

Het vooruitzicht om na zoveel jaren de Jood terug te vinden, voelde heerlijk obsceen aan.

Roth merkte dat zijn vingers beefden.

'De Verenigde Staten,' zei Roth afwezig. 'We kunnen ons daar niet dezelfde vrijheden veroorloven.'

'Dat heeft jou nog nooit tegengehouden.'

Het idee zwermde om Roth heen als bijen uit een verstoord nest. Hoop. Meer dan hoop − een wanhopige haast om te bezitten. Bonkend hart, droge mond. Hij was niet gek. Hij zou niet tegen de emotie vechten, maar haar ook niet laten zien. Nadat het zo lang langs de randen van zijn geest had rondgehangen, werd hij verzwolgen door het verlangen om in het bezit te komen van die ene, laatste hoop. Dit was waar Roth voor leefde, de puurste vorm van rauwe kracht, die te vinden was in die ene emotie die nu door zijn lichaam raasde.

In gedachten zat hij al in het vliegtuig naar Amerika. Hij zou snel in actie moeten komen en onmiddellijk de val op moeten zetten. Hij had geen idee hoe lang ze de verzameling van die oude Jood in Los Angeles zouden houden.

Roth staarde enkele seconden lang in de blauwe ogen van zijn vader, verdeeld door de idiote obsessie van de man voor het verleden en die van hemzelf voor de toekomst. Wat Roth voor morgen deed, deed Gerhard vanwege gisteren. Wie was beter?

Hij herinnerde zich de eerste dode Jood die hij achtentwintig jaar geleden in de kampen had gezien. Hij had eieren met worst zitten eten die waren klaargemaakt door een van de Poolse bedienden uit het dorp. Dat was het heerlijkste ontbijt dat hij ooit had gehad. Misschien was het achteraf toch wel goed geweest dat zijn moeder in Duitsland was achtergebleven en hij samen met zijn vader de zomer in Polen doorbracht.

'Papa?'

'Wat is er?' vroeg zijn vader terwijl hij naar het raam toe liep dat uitzicht bood over het concentratiekamp.

'Waarom smaken Poolse eieren beter dan Duitse eieren?'

Zijn vader trok het gordijn open en Roth zag een vrouw aan de hoofdpoort hangen. Gerhard gaf antwoord, maar Roth hoorde het niet eens. Het was 1942 en het dode lichaam van de vrouw was het eerste van de vele andere dode lichamen die Roth in Polen zou zien. Maar het eerste had toch iets speciaals.

Roth koesterde de herinnering, waarna hij zijn aandacht weer op de Stenen richtte. De ogen van zijn vader leken vochtig te worden. Zijn gezicht vertrok.

'Die Jodin heeft me mijn ziel afgenomen. Ze heeft me mijn *ziel* afgenomen! Ik smeek je, zoon.' Roth voelde een diep medelijden voor hem. Er welde een enkele traan op in Gerhards ogen, die langs zijn rechterwang naar beneden rolde.

'Als de Jood nog leeft, zal hij worden aangetrokken door de Steen,' zei Roth.

'Vergeet die Jood. Ik moet dat dagboek hebben. Dat snap je wel, toch? Ik moet het gewoon hebben, meer dan wat dan ook.' Hij stak een stakerige arm uit, vol opbollende blauwe aderen. 'Beloof het. Beloof dat je terug zult brengen wat van mij is.'

Roth keek naar de zwarte swastika aan de grijze muur, misselijk door Gerhards zwakheid. Hij zou dit rechttrekken, omdat de Stenen voor hem van veel grotere betekenis waren dan ze ooit voor zijn vader konden zijn.

'Kom hier,' zei Roth tegen de verpleegkundige.

Klaus wierp een blik op Gerhard en kwam toen uit de schaduwen tevoorschijn.

Roth liep naar achteren, van het tapijt af. Er was een juiste manier en een foute manier om dit te doen, en alleen de puristen kenden het verschil.

'Verder, naar het midden van het tapijt,' zei hij.

Klaus deed nog een stap vooruit, zodat hij ongeveer midden op het tapijt stond.

'Ik wil iets terugdoen voor het feit dat je zo goed voor mijn vader zorgt,' zei Roth. 'Er zijn maar weinig mensen die zo met een jammerende oude man kunnen omgaan als jij. Is er iets wat je graag zou willen hebben?'

Geen reactie. Natuurlijk niet.

'Weet je echt niets?'

De verpleegkundige liet zijn hoofd zakken. 'Nee, meneer.'

Roth trok zijn pistool en schoot Klaus door zijn schedeldak. De kogel bleef waarschijnlijk ergens in zijn keel steken.

De man zakte geluidloos in elkaar.

Roth keek zijn vader aan. 'U had hem moeten wegsturen.'

'Je vernietigt je eigen soort,' reageerde Gerhard. 'Hij was zuiver.'

'Dan heb ik hem een gunst bewezen door hem zuiver zijn graf in te helpen.'

2

Los Angeles
18 juli 1973
Woensdagmorgen

Stephen Friedman beende langs de zuidelijke rand van de verlaten parkeerplaats in Santa Monica en zijn gedachten draaiden overuren. Dit was een megadeal. Dit was echt absoluut een van de grootste deals die hij was tegengekomen in de zeven jaar dat hij zich over de onroerendgoedmarkt bewoog.

Zijn tijdelijke partner, Dan Stiller, liep vlak achter hem, een zwart dossier onder zijn arm.

Stephen sprong over een ketting en liep energiek over het ongelijke asfalt. Door de scheuren groeiden plukken stug bruin gras. De afbrokkelende stenen muur aan de andere kant van de parkeerplaats was versierd met honderden witte schijtplekken. Zeemeeuwen. Iemand had wat graffiti op de muur gespoten: BIG DADDY ROCKS. Voor een argeloze voorbijganger zou de parkeerplaats er verlaten uit hebben gezien en misschien zelfs waardeloos.

Voor Stephen zag dit stuk grond eruit als een stuk potentieel paradijs.

Hij glimlachte naar Dan, die om de ketting heen liep. De overheersende wind uit Santa Ana rukte aan de brede revers van Dans polyester jasje en verwaaide zijn haar. Dat accentueerde zijn terugwijkende voorhoofd en veranderde zijn bolle neus in iets wat een Boeing 747 niet zou misstaan. Maar achter die neus zaten hersens die in verhouding al net zo groot waren. Ze waren een goed team voor deze investering – twee jonge Joden, allebei immigrant, die een leven opbouwden in dit geweldige land vol mogelijkheden. Waar Dans conservatisme hen met beide benen op de grond hield, dreef Stephens enthousiasme hen voort.

'Dit is een buitenkans,' zei Stephen.

'Net zoals dat appartementengebouw in Pasadena?' Dan doelde op het complex waarvan Stephen steeds maar weer had gezegd dat ze dat in een klein pretpark voor de buurt moesten veranderen. Maar ze zaten al in de schulden voor de bouw kon beginnen.

'Ik heb ons daaruit gekregen, waar of niet?' zei Stephen.

'Een vrek als Joël Sparks inschakelen om ons uit de moeilijkheden te helpen is niet echt iets waar ik op zat te wachten.'

'Dat gezeur over dat hij in de criminaliteit zit, het zijn alleen maar geruchten. Het is gewoon een zakenman; hij heeft geld. En hij heeft ons uitgekocht.'

'We zijn honderdduizend dollar kwijtgeraakt.'

'Heb je nooit eerder honderdduizend dollar verloren? Je wint iets en je verliest iets.' Stephen richtte zijn aandacht weer op de verlaten par-keerplaats. 'En trouwens, dit wordt ge-ga-ran-deerd een klapper.' Hij snoof overdreven hard de lucht in zich op. 'Ik kan het bijna ruiken. Ruik je dat, Dan? Dat is geld.'

'Ik ruik alleen maar uitlaatgassen. En ik maak me druk om de kool-monoxide die daarin zit, het spul dat je juist *niet* kunt ruiken.'

'Ik kan me vergissen, maar ik krijg een klein beetje het idee dat jij nog twijfelt. Vertrouw je mijn neus niet meer?'

Dan veegde over zijn voorhoofd. 'Ik twijfel niet aan jouw kundigheid om de juiste plekken uit te kiezen, Stephen, maar ik heb inderdaad wel zo mijn bedenkingen bij dit idee.'

Stephen had al tientallen keren een miljoen dollar verdiend en verlo-ren, en dat wisten ze allebei. Dezelfde impuls die hem ertoe dreef om zijn kans te grijpen als die zich voordeed, zorgde er ook van tijd tot tijd voor dat hij in moeilijkheden kwam. Hij verdiende gemakkelijker dan wie dan ook een miljoen dollar. Hij verloor het ook gemakkelijker dan de meesten.

Maar dat maakte niet uit. Het feit dat hij dat nu zelf doorhad, maak-te dat de balans nu in zijn voordeel uitsloeg. Hij zat op het moment in de plus – achthonderdduizend, om precies te zijn. Niet slecht voor een eenendertigjarige immigrant uit Rusland. Dan was, door zijn voorzich-tigheid, maar de helft waard. En dat was de reden dat hij Stephen nodig had. Het enige wat hen verdeelde, was wat ze met het stuk grond aan-moesten.

Stephen tikte tegen zijn slaap. 'Probeer het je voor de geest te halen,

Daniël. Zet je geest wijd open!' Hij bekeek het stuk grond en sprak verder met levendige gebaren. 'Amerikanen zijn gek op entertainment.
Suikerspinnen, ijs, een achtbaan.' Hij wees naar de halfvergane stenen
muur. 'Jij ziet hier meeuwenstront, maar ik zie ballonnen. Deze parkeerplaats is echt een pretpark aan de kust in spe, dat erom smeekt om
gebouwd te worden.'

Er liepen drie tieners voorbij, die naar Stephen keken toen die in zijn
enthousiasme steeds harder ging praten.

'Ik zeg niet dat dat niet zou kunnen, maar een museum is logischer.
Misschien niet in jouw ogen, maar wel in die van de stadsplanners.
Stephen, denk eens na. We zullen onze plannen ondergeschikt moeten
maken aan de aanbetaling van komende woensdag. Er staan nog twee
andere partijen te trappelen. Als de stad ons plan niks vindt, liggen we
eruit. Dus het enige wat ik voorstel, is dat we een wat conservatiever
plan lanceren.'

'En ik beweer dat de mensen hier stiekem zitten te hopen op een
achtbaan. Ze bidden elke nacht dat wij de gedachten aan musea en der-
gelijke uit ons hoofd zetten, omdat ze willen dat hun buurt wordt overspoeld door clowns en lachende kinderstemmen.'

Dan staarde hem aan.

Stephen zag een kans en greep die. Hij liep naar de tieners toe en
gebaarde naar een jongen met blond haar en een schelpenketting. 'Neem
me niet kwalijk, Sir Hamlet! Ja, jij daar. Kan ik even jouw mening ergens
over horen?'

De blonde jongen wisselde een blik met een broodmager meisje met
grote sproeten en een geborduurde blouse, en een magere jongen die
boven hen beiden uit torende.

Stephen viste een tiendollarbiljet uit zijn zak. 'Ik geef je tien dollar
voor vijf minuten van je tijd.'

'Tien dollar?'

'Tien dollar.'

'Waarvoor?'

'Gewoon om iets voor mij en mijn zakenpartner hier uit te beelden.'

Dan protesteerde. 'Kom nou, Stephen.'

'Wat moet ik dan uitbeelden?' vroeg de blonde jongen.

'Wij zijn investeerders en we weten niet of deze parkeerplaats nou een pretpark moet worden of een museum.' Stephen wees naar het meisje met de sproeten. 'Ik wil graag dat jij hier gaat staan' – hij wees en gebaarde toen naar de andere twee – 'en jullie twee hier en daar.'

'Tien dollar de man?' vroeg de jongen met een klein stemmetje.

Stephen zag dat ze slordig gekleed gingen. Niet *cool* slordig, maar armoedig slordig. De sandalen van het meisje waren aan elkaar geknoopt met touw en de broek van de lange jongen was een paar maatjes te kort. Heel even staarde hij hen alleen maar aan, geraakt door een vreemd soort medeleven dat hij niet kon plaatsen. Er liepen hordes van dit soort kinderen door de stad – waarom deze drie hem nou plotseling aan het hart gingen, wist hij niet.

Nee, hij wist het wel. Op dit moment waren ze als hij. Dit waren fatsoenlijke kinderen met grote ogen, die waren gefascineerd door het idee dat ze even gemakkelijk tien dollar konden verdienen.

'Hoe heet je?' vroeg Stephen aan de blonde jongen.

'Mike.' Als de jongen een wijsneus was geweest, had Stephen weleens van gedachten kunnen veranderen. Maar dan zou hij de vraag niet zo argeloos hebben beantwoord. Verscheidene andere kinderen op het trottoir stonden nu ook stil en keken toe.

'Goed, Mike, ik zal je dit vertellen. Ik geef jullie alle drie *twintig* dollar als jullie me hier even mee helpen. Dat is een hoop geld voor vijf minuten, maar mijn vriend en ik zijn van plan flink geld te verdienen met dit stuk grond, dus ik denk dat het niet meer dan eerlijk is. Wat denk je ervan?'

'Meent u dat? Twintig dollar?' vroeg het meisje met grote ogen.

'Ik meen het.'

Ze wierpen elkaar een laatste blik toe en klauterden toen over de ketting heen en liepen naar de aangewezen plekken.

'Wat moeten we doen?'

'Ik wil dat jullie doen alsof jullie een pretpark zijn.' Hij wees hen stuk voor stuk aan. 'Jij bent een reuzenrad, jij bent een carrousel en jij bent een achtbaan. Steek gewoon je armen zo uit' – hij stak zijn armen recht omhoog – 'of zo' – hij zwaaide ze naar de zijkant – 'en wanneer ik ja zeg, moet je doen alsof jullie die apparaten zijn.'

'U kunt ons maar beter niet belazeren met die twintig dollar,' zei de blonde jongen.

'Erewoord,' reageerde Stephen.

De kinderen staken hun armen in de lucht.

'Perfect!' Stephen keek naar Dan. 'Goed, Dan, nu moet jij hier gaan staan…'

'Ik doe niet mee, Stephen.'

'Je moet wel! Ik heb je gewoon even nodig. Jij moet hier als een standbeeld gaan staan. Hoe kunnen we anders vergelijken?'

'Geen denken aan.'

Stephen nam hem bij een arm, draaide hem weg van de kinderen en fluisterde: 'Doe even sportief, Dan. Voor hen. Luister, jij hebt vijfhonderdduizend van mij nodig, waar of niet? Geef me nou gewoon even mijn zin.'

Dan wierp een blik op de drie kinderen en ging toen op zijn plek staan.

'Doe alsof je een standbeeld bent, Dan,' zei Stephen.

'Ik ben zo al een standbeeld.'

'Steek een arm in de lucht of zo, zodat je meer op een standbeeld lijkt.'

Dan aarzelde even, stak toen een hand in de lucht en bleef stokstijf staan, als een saluerende Duitse soldaat.

Het verbaasd kijkende publiek op het trottoir was nu aangegroeid tot een tiental kinderen en een paar volwassenen. Stephen richtte zich tot hen.

'Dames en heren, we zijn hier bezig met een eenvoudig onderzoek. We moeten beslissen of we hier een pretpark of een museum willen neerzetten. En jullie zijn de jury.'

Hij draaide zich weer om en keek naar de drie kinderen, als een dirigent die zijn orkest tot de orde roept. 'Klaar?'

Het meisje met de sproeten grinnikte. 'U bent behoorlijk maf, meneer.'

'Zeker weten. Klaar?'

'Klaar!'

'Goed, doe dan nu maar een pretpark na.' Hij zwaaide met zijn armen in het rond.

De lange magere jongen was de achtbaan. Hij hield zijn armen zijwaarts uitgestrekt, wat niet helemaal Stephens idee van een achtbaan was, maar de jongen deed tenminste zijn best. Het meisje draaide langzaam rondjes, als een carrousel, en de blonde jongen maakte een verticale cirkel met zijn armen. Reuzenrad. Ze grijnsden breed.

'Geluid! Geluid!' riep Stephen.

'Geluid is vijf dollar extra,' zei de blonde jongen.

'Maak er tien van,' reageerde Stephen. Ach wat, hij zou hun waarschijnlijk zo veertig dollar geven als ze erom vroegen. 'Geef me wat geluid!'

'*Vroem, vroem. Wrrrrrr.*' Het was niet veel, maar het leverde gelach van het trottoir op. '*Toettoet!*' gilde het meisje.

'Neem me niet kwalijk,' zei Stephen, 'maar waar slaat dat *toettoet* op? Als ik tien dollar betaal voor geluid, moet ik wel weten wat het is.'

'Dat is de rij auto's die staat te wachten tot ze erin mogen,' zei het meisje.

Stephen glimlachte breed. 'Gelijk heb je. Auto's die wachten tot ze het pretpark in mogen!' Hij keek naar de mensen op het trottoir. 'Iedereen die een pretpark wil; handen opsteken graag.'

Al grinnikend werden dik twintig handen in de lucht gestoken.

'En wie hier een museum wil' – Stephen wees naar Dan – 'graag nu een hand omhoog.'

Een stel van middelbare leeftijd dat net langsliep, stak een hand op en grijnsde.

'We zijn eruit. De beslissing is genomen. Dank u voor uw medewerking. U kunt weer gaan.' Sommige mensen bleven nog wat rondhangen, maar anderen liepen verder.

De drie kinderen renden naar hem toe en Stephen gaf hun alle drie dertig dollar.

'Was dat alles?' vroeg Mike. 'Zijn we klaar?'

'Jullie zijn klaar. En gooi het niet allemaal meteen over de balk.'

Ze gingen er haastig vandoor en keken nog enkele keren achterom.

Dan schudde zijn hoofd. 'Goed, Mister Hot Shot. Je hebt dus de gave om de man van de straat te bespelen. Maar ik kan je verzekeren dat de bank, die de papieren van dit stuk grond in bezit heeft, totaal niet gevoelig is voor jouw maffe manier van doen. En ik kan je garanderen dat de stad meer gecharmeerd is van een museum dan van een pretpark. Vooral van een museum dat al donateurs heeft. Je weet dat het Comité voor

Algemene Joodse Aangelegenheden het er al over heeft gehad om het Holocaustmuseum onder zijn vleugels te nemen en het dan te verplaatsen. En waarom niet hierheen? Als ze hun plannen doorzetten, zitten we gebakken. Dat was het hele idee erachter.'

'Het feit dat we Joods zijn, wil nog niet zeggen dat alles wat we doen de Joodse zaak moet dienen,' zei Stephen. 'Dit is puur zakelijk.'

'Natuurlijk. Maar je bent nu eenmaal een Jood. Een seculiere Jood met misschien maar weinig interesse voor ons verleden, maar wel een Jood. Dat kun je niet negeren. Je bent onherroepelijk verbonden met de oorlog.'

Stephens uitstekende humeur begon af te brokkelen. Het probleem met Dan was dat hij te veel wist.

'Nee, Dan, niets is onherroepelijk. Vooral niet de herinneringen aan de oorlog. Dit zijn de Verenigde Staten van Amerika en niet Polen. Dat mijn betovergrootmoeder aardappels heeft gerooid in Polen, of waar dan ook, betekent nog niet dat ik hier een monument voor haar moet bouwen.'

Op twintigjarige leeftijd had Stephen Rusland en zijn verleden achter zich gelaten om een nieuw leven te beginnen, en daar was hij grotendeels in geslaagd. En alles wat hem terug dreigde te voeren, zelfs in zijn gedachten, was een bedreiging.

'Dat is niet helemaal eerlijk,' zei Daniël rustig. 'Jij hebt je leven aan je moeder te danken. En je weet heel goed dat zij waarschijnlijk haar leven heeft gegeven in een van de kampen. Hoe kun je dat nou negeren?'

'Omdat ik niet zeker weet of ze in een kamp is gestorven,' beet Stephen hem toe. 'Ik weet zelfs niet eens wie ze was. Waarom begin je hier eigenlijk over? Je krijgt geld van me voor je museum, maar doe niet net of wij de barricades op moeten. Ik heb twintig jaar lang geprobeerd mijn moeder te vinden, tot ik hier terecht ben gekomen en die zoektocht heb opgegeven. Ik heb gewoon de energie niet meer voor dat soort dingen.'

'Zoekt en gij zult vinden…'

Stephen gooide een arm in de lucht en zijn irritatie sloeg om in woede. 'Doe niet zo bevoogdend. Ik weet niet beter dan dat mijn vader en moeder inderdaad zijn gedood in de een of andere gaskamer. Wie me dan ook op deze aarde heeft gezet, heeft waarschijnlijk genoeg geleden

– maar is het dan meteen mijn plicht om *ook* maar te lijden? Wat mij betreft is het nooit gebeurd. Ik heb geen moeder. Ik ben zelfs geen Jood meer.'

Hij zweeg even, verbaasd door de emoties die hem de adem benamen.

'En als er een God in de hemel zou zijn die vindt dat ik verder moet zoeken, daag ik Hem uit om iets te creëren…' Hij drukte zijn duim en wijsvinger tegen elkaar. 'Al was het maar een minuscuul stukje hoop. Maar overal waar ik zoek, loop ik alleen maar tegen de dood aan.'

Dan knipperde met zijn ogen door de uitbarsting. 'Het spijt me…'

'Laat het dan rusten. Geef me wat ruimte. Bouw je museum, maar blijf van mijn geweten af.'

Dan stak beide handen op.

Enkele seconden lang, het werden er twintig, bleven ze zo op de verlaten parkeerplaats staan en deden hun best om te laten blijken dat ze hem uitgebreid bekeken. Stephen had geen flauw idee hoe het hun was gelukt om van pretparken op concentratiekampen te komen. Hij wist niet precies waarom, maar dat onderwerp liet altijd vervelende gevoelens opborrelen waar hij niets mee kon.

Eigenlijk kon hij er wel iets mee. Ze begraven. Ze diep wegstoppen en ze voor dood achterlaten in een naamloos graf. En er zéker geen monument voor bouwen.

'Weet je, misschien heb je wel gelijk,' zei Dan. 'Een pretpark zou deze buurt inderdaad wat kunnen opfleuren.'

'Vergeet het maar,' reageerde Stephen. 'Je hebt al ruggensteun voor een museum. Het is ook veiliger. Hoewel je moet toegeven dat dat lang niet zo leuk is.'

'Nee, lang niet zo leuk. Daar heb je gelijk in.'

'Kunnen we hier geen museum neerzetten dat deel uitmaakt van een pretpark?'

Dan grinnikte. 'Dat is pas een idee. Ik heb drie ton. We hebben er voor donderdag acht nodig. Kan ik op jou rekenen voor de resterende vijf?'

'Ja. En vergeet dat pretpark voorlopig maar even. Ik zal ervoor zorgen dat je het geld voor donderdag hebt.'

'Mooi.' Ze schudden elkaar de hand.

'Sorry, trouwens,' zei Stephen. 'Ik draaf soms een beetje door.'

'Hou even op. Ik had er gewoon niet over moeten beginnen.' Hij knikte naar de blauwe Chevy Vega van Stephen. 'Koop eens een nieuwe auto, dan voel je je meteen een stuk beter.'

'Waarom? Vind je deze dan niet mooi?'

'Het is een knikkerbak.'

'Het is mijn maatje. Misschien wel de enige die ik heb. Buiten jou en Chaïm, natuurlijk. En ik heb net een nieuwe stereo laten installeren.' Hij knipte met zijn vingers een paar maten van James Taylors liedje *You've Got a Friend*.

Ze keken elkaar aan. Om de een of andere reden welde er een diep verdriet op in Stephens borst. Hij voelde zich plotseling heel erg eenzaam. Hij stond midden op een parkeerplaats in Santa Monica, dacht na over een transactie die hem honderdduizenden dollars kon opleveren, en toch voelde hij zich vreemd genoeg aan zijn lot overgelaten.

Als een verschoppeling. Of als een kind dat zijn moeder niet kan vinden. Allebei.

Stephen moest slikken. *Begraaf het*. Hij grinnikte en sloeg Dan op zijn rug. 'Man, je moet eens wat minder serieus worden. Ik zie je.'

Dan glimlachte terug. 'Oké.'

3

Roth Braun stond boven op het uitgebrande gebouw dat aan de andere kant van de straat tegenover het appartement van Rachel Spritzer stond. De warme Californische wind streek langs zijn gezicht, door zijn haar en langs zijn armen. Hij haatte Amerika, maar hij hield van de zuiverheid van de natuur. En ondanks de uitlaatgassen bezat de wind nog wat van de kracht die in die zuiverheid verscholen lag. Zelfs degenen die dachten dat ze de bovennatuurlijke energie in de natuur begrepen, begrepen maar zelden echt hoe groot die onbedorven kracht was.

Het was de energie van een miljoen kernexplosies.

Het was de kracht van een miljard stervende baby's, die het tegelijkertijd uitschreeuwden.

Het was de essentie van de schepping – rauw, onthutsend. Het pleitte ervoor de chaos terug te draaien, die was veroorzaakt door een gevallen mensheid.

Zuiverheid. Dat was de ware betekenis van de swastika van de nazi's.

Roth maakte de bovenste drie knoopjes van zijn zwartzijden overhemd los en liet de wind binnen. De anderen wachtten in de auto, samen met de makelaar die hun het gebouw van Rachel Spritzer wilde laten zien. Roth had erop gestaan dat ze zouden wachten terwijl hij de buurt bekeek. De makelaar had geprotesteerd en Roth had zijn strottenhoofd willen verbrijzelen, maar zijn geoefende en overvloedige zelfbeheersing had ervoor gezorgd dat hij zijn eis rustig had kunnen herhalen, waarna hij een instemmend knikje kreeg.

De makelaar nam ongetwijfeld aan dat Roth nu om het gebouw heen wandelde om een idee te krijgen van de waarde van het omliggende stuk grond. In plaats daarvan had hij de trappen van dit verlaten gebouw beklommen en stond hij ongezien hoog boven hen.

Als een god.

Maar ze zaten wel op hem te wachten; zo niet, dan had hij misschien nog een ritueel uitgevoerd voor de geest van de lucht, hier op dat zwart geteerde dak.

Hij had minder dan vier uur slaap gehad sinds hij de verpleegkundige van Gerhard had neergeschoten, maar hij had het gevoel alsof hij zo nog een week zou kunnen doorgaan zonder zijn ogen dicht te doen. Deze keer lag het succes van zijn missie binnen bereik.

Roth zette beide handen in zijn zijden en liep naar rechts, waarbij hij zijn blik op het appartement van Rachel Spritzer hield gericht.

'Wie ben je, Rachel Spritzer?' Hij sprak zacht. 'Welke geheimen houd je verborgen, hm? Wie komt je opzoeken? Wie, wie, *wie*? Ik weet wie.'

Hij twijfelde er niet aan dat het vier verdiepingen hoge appartementencomplex de sleutel bevatte tot meer macht dan de buren beseften, die hier al dertig jaar als ratten om haar heen leefden. Dat wist hij omdat hij zijn geest had getraind om verbinding te leggen met de bovennatuurlijke energiebron die zei dat het zo was.

De Stenen waren weer opgedoken door de dood van de zoveelste Jood. Treffend. Hij moest het fortuin van Gerhard zien te vinden, maar er zat meer aan vast. Veel meer.

Roth hief zijn ogen op en bekeek de skyline van de stad, die in de verte oploste in de waas van de stad zelf. Hij haalde diep adem en sloot zijn ogen. In zijn jongere jaren, voor hij zijn enorme zelfbeheersing had ontwikkeld, zou hij waarschijnlijk hebben toegegeven aan de drang om te doden. De ontdekking van Rachels Steen verdiende een feestje. Maar hij zou wachten tot de zon was ondergegaan. Wat hij hier van plan was, mocht niet in gevaar worden gebracht door kleinzielige uitspattingen.

Wat hij hier van plan was, zou een willekeurige moord reduceren tot een lachertje. Hij zou zijn slachtoffer zorgvuldig uitzoeken.

Roth ademde helemaal uit en stond toe dat er een huivering van verlangen door zijn lichaam trok, waarna hij zich omdraaide en naar de toegang tot het dak liep.

Het spel kon beginnen.

4

Twee à drie keer per week kwam Stephen thuis lunchen. Vandaag was een van die dagen en daar was Chaïm Leveler blij om. De jongen zat duidelijk in zijn maag met een onenigheid die hij met Dan Stiller had gehad.

Blijkbaar had Stephen een en ander gezegd waar hij nu spijt van had. Ondanks al zijn ambities was hij eigenlijk een behoorlijk gevoelig type. Hij probeerde de diepe wonden van een ongelukkig verleden weg te moffelen, maar niets kon dat verleden uitwissen. Stephen zou altijd een oorlogskind blijven: overal geweest, maar nergens thuis. Verloren lopend in de plooien van de geschiedenis, zonder een echte moeder, een echte vader, of een echt thuis.

Stephen zat aan de met chroom omrande eettafel en smeerde mayonaise op zijn brood. 'Jij zou eens wat minder moeten nadenken over hoe je geld moet maken en wat meer over de liefde,' zei Chaïm, die even een hand op Stephens schouder legde terwijl hij naar zijn stoel liep, die met groen vinyl bekleed was. 'Moet je jezelf nou eens zien. Je bent slim en ziet er goed uit. Ook al zou je eens naar de kapper moeten, wat er dan ook op het ogenblik cultureel acceptabel is. Hoe dan ook, welke vrouw kan er nu een glimlach met kuiltjes weerstaan? Je bent eenendertig. Je had al drie kinderen moeten hebben.'

'Ja, natuurlijk. Sylvia.'

'Nu je het er toch over hebt…' Chaïm had altijd gedacht dat Stephen en zijn heldere jonge nicht, zoals hij haar altijd noemde, een prima paar zouden vormen.

'Alstublieft, rabbi, ik heb geen koppelaar nodig.'

Chaïm was technisch gezien geen rabbi, in elk geval niet in de ogen van de synagoge. Een messiaanse Jood kon nooit een echte rabbi worden. Maar de gepensioneerde brandweercommandant was nooit in staat geweest zijn religieuze vurigheid te onderdrukken. Niet dat hij dat ooit had geprobeerd. Hij glimlachte om Stephens gebruik van zijn koosnaam en liep om de tafel heen, waarbij hij over zijn volle baard streek. De geur van verse muntthee en broodjes zalm deed meer water in zijn mond lopen dan hij wilde toegeven. De jaren hadden hem beslopen als een wolf een haas; hij moest fit genoeg zien te blijven om de dichtklappende kaken voor te blijven. Hij wreef eens over zijn buik.

Chaïm had Rusland direct na de Tweede Wereldoorlog verlaten. Een verblijf van twee jaar in concentratiekamp Sobibor had zijn interesse in Europa doen vervagen. Zijn broer, Benadine Leveler, had de oorlog overleefd door zich bij een Poolse verzetsgroep aan te sluiten. Daarna was hij in Rusland gebleven en had hij een weeshuis opgezet, waar Stephen als kind was achtergelaten. Soms voelde Chaïm zich schuldig over het feit dat hij naar dit land van overvloed was gekomen, maar hoe kon hij zich nou rot voelen met Stephen aan tafel? Het joch zou waarschijnlijk nooit naar Amerika zijn gekomen als Chaïm de weg niet had gebaand.

Het telefoontje van zijn broer, waarin hem werd verteld dat Stephen naar Amerika zou komen, was zeer welkom geweest. Het was een genoegen geweest om Stephen, allang geen kind meer, te helpen hier zijn weg te vinden. Maar het bleek dat Stephen nauwelijks hulp nodig had. Hij had zijn opleidingen cum laude afgerond en was op vierentwintigjarige leeftijd binnengestapt in de wereld van het onroerend goed. En toch had Chaïm het gevoel dat hij daar een beetje een rol in had gespeeld.

De jongen had ervoor gekozen om al die jaren in Chaïms driekamerappartement te blijven wonen, ondanks de alternatieven die hij dankzij zijn ruime inkomen had. Zelfs in zijn beste jaren had Stephen nooit gekke uitspattingen gehad, zoals een nieuwe Mercedes of iets anders waarmee hij zijn rijkdom kon etaleren. Amerika begreep Stephen niet echt. Hij rende niet van de ene naar de andere vrouw, reed niet in snelle auto's en gaf niet de helft van zijn vermogen uit aan feestjes en kleding. Maar niet omdat hij krenterig of conservatief was.

Stephen kon in Las Vegas een *casino* binnenwandelen en binnen tien minuten duizend dollar erdoorheen jagen. Hij was zo impulsief als iemand maar zijn kon.

Stephen pronkte niet met zijn succes, om de eenvoudige reden dat de pracht en praal van Amerika hem niet zoveel zei. In elk geval niet de pracht en praal die je voor een paar miljoen dollar kon kopen. Wanneer Stephen droomde, droomde hij ervan om privéstraalvliegtuigen te bezitten en eilanden te kopen. Hij wilde het verleden verdoezelen en een nieuwe toekomst voor zichzelf kopen. Hij was een bijzondere dromer; hij droomde grootse, gedurfde en kleurrijke dromen die een bepaalde aantrekkingskracht hadden, zelfs al waren ze voor de meeste mensen absurde fantasieën.

'Wat jij nodig hebt, Stephen, is wat liefde in je leven,' zei Chaïm nogmaals.

'U geeft het niet snel op, hè?'

'Waarom zou ik? Kun je me de mayonaise even aangeven?'

Stephen schoof de pot naar hem toe.

'Het is helemaal nog niet zo lang geleden dat ikzelf verliefd was, weet je,' zei Chaïm. 'Sofia. Een schitterend Joods meisje uit St. Rothsburg. Toen ze mijn leven binnenkwam, begonnen stenen naar chocolade te ruiken. In één avond werd niets opeens alles.'

Stephen schudde zijn hoofd. 'Zo is het wel weer genoeg.'

Chaïm legde zich daarbij neer. Ze praatten verder wat over koetjes en kalfjes en aten hun vissandwiches. Heerlijk.

Stephen veegde ten slotte zijn mond af en stond op. 'Over liefde gesproken, had u Sylvia vanavond niet uitgenodigd voor het eten?'

'Och heden, helemaal vergeten!' Chaïm stond op en haastte zich naar het aanrecht. 'En ik zou koken, toch?'

'We zouden iets kunnen laten brengen en...'

'Onzin! Ze houdt van mijn kookkunst. Heb ik haar iets speciaals beloofd?'

'Italiaanse kalfsstoofpot? Of was het nou fondue?'

'Weet je het niet zeker?'

'Ik had toen meer aan mijn hoofd dan het menu.' Stephen hief zijn kin op, liep de keuken in en begon met een denkbeeldige partner te dansen. Zijn lippen krulden zich in die typische glimlach met kuiltjes. 'Liefde, beste rabbi, weet u nog? Ik ruik de liefde en ik word er compleet in meegezogen.'

'Wat een onzin. Ik denk dat jij de liefde niet eens zou herkennen, ook al liep je er vierkant tegenaan. Maar even serieus, Stephen. Was het kalfsvlees?'

Stephen draaide een keer om zijn as. 'Liefde, rabbi. Het voedsel van het leven zelf. Kook liefde voor ons.'

26

'Wees eens serieus, jongen! Ik ben vergeten wat ik haar heb beloofd!'

'Het maakt niet uit wat we eten. Voer ons stenen en we zullen denken dat het bonbons zijn, rabbi. U weet toch nog wel wat liefde is?'

'Ha! Ik ben geboren voor de liefde.' In een impuls stapte Chaïm om het aanrecht heen, greep de uitgestoken hand van de langere Stephen en danste mee. 'Hoewel ik betwijfel of ik een geschikte partner zou zijn.'

Stephen verblikte of verbloosde niet. Hij draaide Chaïm in het rond en deed alsof hij een flauwte kreeg. 'Laat alles toch los, rabbi. Vanavond zal ik me voeden met liefde.'

Chaïm liet Stephens hand los en schaamde zich plotseling een beetje. 'Och, och, wat is er van ons geworden? Wat moet ik nou met het eten?'

Stephen draaide de woonkamer in en liet abrupt zijn armen langs zijn zijden vallen. Hij liep naar de stereo-installatie toe en zette hem aan. 'Kalfsvlees klinkt heerlijk. Ik ben er vrij zeker van dat het kalfsvlees was. Eigenlijk was ik daar de hele tijd al van overtuigd. Ik wilde gewoon uw dansbewegingen zien.'

'Mijn dansbewegingen? Alsjeblieft, zeg!'

De telefoon liet zijn schrille gerinkel horen en Chaïm nam op.

De rabbi had gelijk, dacht Stephen. Hij zou best wat romantiek kunnen gebruiken. Hij draaide aan de afstemknop van de radio en stopte bij de alt van Carly Simon. Hij zette de mayonaise terug in de koelkast terwijl Chaïm nog steeds aan de telefoon was. Natuurlijk zou hij de juiste vrouw moeten vinden, of beter gezegd, zou de juiste vrouw door hem gevonden moeten willen worden. Op college had hij een heftige kalverliefde gehad. *'You gave away the things you loved, and one of them was me,'* zong Carly lijzig. Ze heette Betsy en ze was twee weken lang helemaal in de bonen geweest van hem voor ze een volgende prooi uitzocht. Die ervaring had hem zijn zelfvertrouwen op dat gebied gekost. *'You're so vain, you're so vain.'*

'Weet je dat zeker?' De klank in Chaïms stem trok Stephens aandacht. 'Hoe is het mogelijk?!'

'Wat is er?' vroeg Stephen terwijl hij de koelkast dichtdeed.

Chaïm reageerde daarop door hem de rug toe te keren.

Er was iets gebeurd. Stephen liep naar de tafel toe om die verder af te ruimen. Misschien ging het om Marjorie Stillwater, die oude dame uit Chaïms kerk. Zou ze zijn gestorven? Of was het Joël Sparks, die beweerde dat Stephen hem geld schuldig was? Wat als er iets met Sylvia was gebeurd?

De mogelijkheden stampten door zijn gedachten, maar er bleef er geen een stilstaan. Waarschijnlijk was het niks bijzonders.

'Dank je, Gerik.' De rabbi legde de telefoon weer neer.

'Waar ging dat nou over?'

Chaïm draaide zich nog steeds niet om.

Er ging een alarmbelletje af bij Stephen. Dit was niks voor Chaïm. Helemaal niet.

'Wat is er aan de hand? Vertel het nou.'

Toen de rabbi zich omdraaide, was het bloed uit zijn toch al bleke gezicht weggetrokken – hij zag eruit als een geest. Hij greep de krant, bladerde erdoorheen, staarde even naar een van de pagina's en keerde hem toen om naar Stephen. 'Had je hier al iets over gehoord?'

De krant was opengevouwen bij het verhaal over de dood van Rachel Spritzer. Ze hadden natuurlijk allemaal van de teruggetrokken levende vrouw gehoord, in elk geval van haar reputatie. Stephen wierp een blik op het papier en richtte zich toen weer op Chaïm.

'Ik heb ervan gehoord, ja. Ze woonde alleen in een oud, verlaten appartementencomplex bij La Brea. Dat perceel is ongeveer vijfhonderdduizend dollar waard, sloopkosten meegerekend. Wat is daar zo bijzonder aan? Weet u toevallig iets wat ik niet weet?'

'Ze was in het bezit van een van de Stenen van David, die ze heeft vermaakt aan een museum.'

Stephen keek op. 'Nee, dat wist ik niet.' Verbazingwekkend. Verbijsterend zelfs. Maar daar kon Chaïm nooit zo bleek van zijn geworden. 'Meent u dat? De Stenen van David?' Hij greep de krant weer. Chaïms slappe hand liet hem los.

Stephen vloog door het artikel heen, bleef hangen bij het stuk over het relikwie en las het. Zijn interesse voor de Stenen van David was gewekt door zijn pleegvader. Hij keek op, zag dat Chaïm hem aanstaarde en liet zijn blik weer naar het krantenartikel zakken.

'Ik wist dat het gebouw in de verkoop was gegaan,' zei hij. 'Maar ik wist niets van de Steen. Dit is dan het bewijs. Ze bestaan.' Stephen citeerde uit het artikel: *De Stenen lijken op de verloren weeskinderen. Ze zullen elkaar uiteindelijk terugvinden.*

De rabbi zei nog steeds niets. Stephen sloeg de krant dicht en liet hem op tafel vallen. 'En?'

'Ze was een immigrante uit Hongarije,' zei Chaïm uiteindelijk. 'Een zeer rijke emigrante die een van de Stenen van David bezat. Er zijn maar weinig rijke Joden die de oorlog hebben overleefd.'

'Dat heb ik zelf ook allemaal kunnen lezen.'

'Ze kwam nogal eens langs in de antiekwinkel van Gerik. Ze heeft een briefje bij hem achtergelaten dat hij pas mocht openen als ze overleed.' Chaïm zweeg even. 'Ze was blijkbaar al een tijdje ziek.'

'En?'

'Vind je het erg... zou je me je litteken even willen laten zien, Stephen?'

Vreemd verzoek. Hij had een litteken onder een van zijn sleutelbenen – een ruwe halve cirkel met drie punten erin, als een halve maan waar het een of andere wezen een hap uit had genomen. Hij had naar de betekenis van het litteken gezocht. Chaïm had er Gerik ooit eens naar gevraagd, maar de oude man had hun het antwoord schuldig moeten blijven. Het was een brandmerk uit de oorlog; meer konden ze er niet van maken.

Stephen trok zijn kraagje naar beneden, waardoor het litteken zichtbaar werd.

Chaïm keek ernaar en leek ineen te schrompelen.

Stephen liet het shirt weer los. 'Wat is er? Zeg nou wat er aan de hand is!'

'Stephen, in het briefje van Rachel Spritzer staat dat ze haar zoon, die in een werkkamp van de nazi's is geboren, heeft gebrandmerkt met het beeld van een halve Steen van David.'

Het zei Stephen helemaal niets. Rachel Spritzer heeft haar zoontje gebrandmerkt. Een halve Steen van David. Het was duidelijk dat dit niets met hem te maken had.

De ogen van de rabbi vulden zich met tranen. 'Ze was al sinds de oorlog op zoek naar haar zoon, maar dat moest ze in het diepste geheim doen.'

'U wilt toch niet beweren…'

Stephen voelde de lucht langzaam uit zijn longen lopen. Er stroomde een warme gloed langs zijn nek en rug naar beneden.

'Wat ik wil beweren, is dat ik denk dat ik je moeder heb gevonden, Stephen. Ik denk dat Rachel Spritzer je moeder was.'

De kamer werd even onscherp. Stephen stak een hand uit naar een stoel om overeind te blijven.

Hij kon geen adem krijgen.

5

Polen
24 april 1944
Vroeg in de morgen

Martha drukte voor de duizendste keer in vier dagen haar oog tegen de smalle spleet tussen twee planken van de veewagon. Buiten kleurde de zonsopgang de horizon grijs. Ze wist niet waar in Polen ze zich bevonden. En ook niet waarom ze naar Polen waren gebracht. Maar ze wist wel dat, als ze niet snel zouden stoppen, enkele vrouwen in deze wagon daar ook nooit meer achter zouden komen.

Hoe lang hield een mens het uit in zo'n volgepropte ruimte zonder water en voedsel?

Boven hen een grijze lucht en onder hen het constante *trakang, trakang, trakang* van het spoor. En er was zoveel verdriet, dat bij hen allemaal de laatste tranen er al dagen geleden uit waren geperst. En dat was het wel zo'n beetje. Er viel niets te zeggen, niets te doen en zelfs niet veel meer te voelen.

Behalve dan de baby. Ze *moest* voelen, voor de baby binnen in haar.

Martha klemde haar kaken op elkaar, draaide zich om naar de donkere wagon en liet zich op de grond zakken. Ze had al twee dagen niet geplast, maar ze hield de doffe pijn nog wel even uit. Er stonden drie emmers aan de andere kant, maar die waren na de eerste dag allemaal al vol. Het had zo zijn voordelen als je niets te eten of te drinken had, ook al was dat maar een heel klein voordeeltje.

In de veewagon zaten ongeveer zeventig vrouwen, bestaande uit twee groepen: een bonte mengeling van vijftig die haar hadden vergezeld uit de gevangenis van Boedapest en twintig die er veel later waren bijgekomen, ver in Polen. Laat op de tweede avond in de wagon was de trein een grote fabriek met enorme rokende stapels ingereden. Martha had door de kieren heen naar honderden, misschien wel duizenden mannen, vrouwen en kinderen gestaard. Ze hadden uitgemergelde gezichten en liepen langzaam in lange rijen naar de grote stenen gebouwen die in de buurt van de locomotief stonden. Er zweefde muziek over het tafereel heen – Bach. Er was daar iets vreselijk mis, maar ze had er haar vinger niet op kunnen leggen.

Soldaten gooiden de emmers leeg, dwongen de nieuwe gevangenen in te stappen, knalden de schuifdeur dicht en sloten hem goed af. Ongeveer een uur later kwam de wagon weer in beweging.

Ruth hoorde bij de tweede groep, die voornamelijk was samengesteld uit Joden uit Slowakije. De fragiele jonge vrouw had een hele dag naar Martha zitten kijken voor ze langs de anderen heen naar haar toe was gekropen. Ze had Martha bij een arm gegrepen en was stilzwijgend naast haar blijven staan.

Martha had zo bemoedigend mogelijk geglimlacht en haar hand op die van Ruth gelegd. En zo waren ze urenlang blijven staan. Praten was niet nodig. Een menselijke aanraking was alles wat de jonge vrouw leek te verlangen en Martha vond het onbeschrijfelijk vertroostend. *Alles zal goed komen omdat ik je kan aanraken en met jou zal het ook goed komen. Zie je, zo erg is het niet – je arm is warm.*

Ruth was uiteindelijk op haar tenen gaan staan om Martha in haar oor te fluisteren: 'Kom jij uit Hongarije?'

Martha knikte. 'Ja.'

'Ik ben Ruth Kryszka,' zei ze in redelijk vloeiend Hongaars. 'Ze hebben een week geleden mijn man opgepakt op een boerderij waar we ons in Slowakije verborgen hielden. Ik denk dat ze hem hebben vermoord.' Haar stem beefde licht, maar ze leek een moedige vrouw.

Martha trok haar dichter tegen zich aan en gaf haar een kus op haar hoofd.

'En wie ben jij?' vroeg Ruth.

Die vraag was het begin van het eerste normale gesprek dat Martha in weken had gehad en ze begon bijna te huilen.

'Ik heet Martha,' fluisterde ze. 'Martha Spieler.' Ze wist niet precies waarom ze fluisterden. Misschien wel omdat ze zich vastklemden aan hun verleden, als laatste bastion van zin in een wereld die waanzinnig was geworden. En het voelde aan alsof dat hun diepste geheim was.

'Ik kom uit Boedapest,' zei Martha.

'Ik heb ooit in Boedapest gestudeerd,' zei Ruth. 'Een mooie stad. Vermoorden ze in Hongarije ook Joden?'

Joden vermoorden? Ze zei het alsof ze brood bestelde.

'Het gebeurt wel. In Boedapest niet zoveel, maar mijn vader was in goeden doen. Een week of vier geleden kwam de Gestapo, samen met de politie. Ze namen ons huis in beslag en ook de verzamelingen van mijn vader. Ze hebben mij meegenomen naar een gevangenis buiten Boedapest en nu zit ik dus hier.'

'Ben jij getrouwd?'

Martha had zichzelf twee weken lang in die gevangenis in slaap gehuild, met de wrede herinneringen aan die dag. Ze hadden zitten lunchen – geïmporteerde Zwitserse kaas en aardbeien, met een heerlijke witte wijn – en luisterden naar haar vader, die vol zelfvertrouwen praatte over een terugkeer naar de tijd dat alles nog beter was. En toen werd er op de deur gebonkt. Niet gewoon geklopt, maar gebonkt en geschreeuwd. Heel even versteenden ze allemaal, zelfs haar vader. En toen had hij zijn lippen gedept, zijn stoel achteruitgeduwd en hun verzekerd dat er niets aan de hand was. Ja, natuurlijk, hij had samengewerkt met hoge officieren van Kallay. Hun gezin zou niets overkomen.

Maar ze wisten allemaal dat ze op zekere dag ook in moeilijkheden zouden komen te verkeren. De meeste gezonde Joodse mannen waren al naar werkkampen gestuurd. En alle Joodse bezittingen waren al in beslag genomen.

Martha sloot haar ogen en betwijfelde of ze die herinneringen wel aan iemand anders kon vertellen. 'Mijn man en mijn vader zijn thuis vermoord,' zei ze met een gemak dat haar verbaasde. 'Ze hebben mijn moeder en mijn zusje meegenomen, maar die heb ik niet meer gezien.'

Dat was genoeg voor de daaropvolgende uren. Na een periode van zacht meeschommelen met de cadans van de trein liet Martha haar wang tegen het hoofd van de kleinere vrouw rusten en huilde zacht, voor het eerst sinds ze was ingestapt.

De daaropvolgende dag fluisterden ze meerdere keren boven het geluid van het spoor uit tegen elkaar en wisselden kostbare geheimen uit die eigenlijk helemaal geen geheimen waren. Ze waren beiden Joods. Ze waren beiden hun man en hun thuis kwijtgeraakt. Ze waren beiden jong – Ruth vijfentwintig en Martha tweeëndertig – en buiten dat zaten ze ook beiden in dezelfde trein, die rollend en kreunend en fluitend zijn weg zócht naar de een of andere onbekende bestemming.

En nu was het haar vierde zonsopgang in de veewagon en de trein reed nog steeds rammelend naar het noorden, altijd maar naar het noorden. Ruth zat naast Martha, haar knieën opgetrokken tot haar kin, heldere bruine ogen, een doorzetter die alle troost aanpakte die Martha haar maar kon geven.

Ruth keek haar aan en fluisterde: 'Denk je dat ze ons naar dezelfde plek toe zullen brengen?'

'Ik weet niet eens waar we naartoe gaan.'

'Naar een werkkamp.'

'Een werkkamp? Hoe weet je dat?'

'Dat denk ik.' Ruth aarzelde. 'Weet je waar ze mee bezig zijn? De Duitsers?'

'Met de oorlog?'

'Nee, met ons. Met de Joden.'

Martha had natuurlijk de geruchten gehoord. Honderden. 'Ze doden er een aantal en dwingen de rest om te werken.'

'Ze zijn ons aan het uitroeien,' zei Ruth. 'Dat is de reden dat Paul en ik ons hadden verborgen. Het station waar wij werden ingeladen – ik denk dat dat een kamp met de naam Auschwitz was, waar ze ons als vee afslachten. Er zijn nog andere dodenkampen, maar volgens mij niet zover naar het noorden.'

Martha staarde in het duister. Ruth overdreef natuurlijk. 'Ze kunnen ons toch niet zomaar vermoorden?'

'Maar ze doen het wel. Dat hoorde ik van iemand die was ontsnapt uit een kamp dat Sobibor heet. Ze doden je met gas en verbranden dan de lichamen.'

Er liep een koude rilling over Martha's rug. Gas?

Ze voelde dat Ruth haar aankeek. 'Ben je zwanger?'

'Wat?'

'Je bent zwanger, toch?'

Martha ging rechtop zitten, doodsbang dat haar geheim bekend was. Was het dan zo duidelijk? Een katoenen shirt en een losse wollen trui hielden haar buik goed verborgen. Dit was haar eerste kind en zelfs zonder de losse trui zag je niet veel.

34

'Ik ook,' fluisterde Ruth.

'Jij… ben je zwanger?'

'Ik denk dat ze dat maar beter niet kunnen weten.'

Martha wist niet wat ze moest zeggen. Als Ruth in dit halfduister kon zien dat ze zwanger was, zouden anderen dat ook kunnen zien. Ze had geweigerd na te denken over wat de Duitsers zouden kunnen doen als ze erachter zouden komen, maar ze besefte heel goed dat ze het niet voor altijd verborgen kon houden.

'Hoe wist je dat?' vroeg ze uiteindelijk.

'Maak je geen zorgen, zo duidelijk is het niet. Ik zie dat soort dingen gewoon.'

'En zij niet, dan?'

'Zo wel, dan weten ze ook dat ik zwanger ben,' zei Ruth. Er lag een troostende beminnelijkheid in haar stem. Ze had een hart van goud, deze vrouw.

'Hoeveel maanden ben jij?' vroeg Martha.

'Zes.'

'Zes? Ik ben bijna zes!'

'Vijf? Je ziet het nauwelijks! Is dit jouw eerste? Het moet je eerste zijn.'

Martha vroeg zich af of de anderen hun opgewonden gefluister konden verstaan. Ze ging zachter praten.

'Ja, mijn eerste. En jij?'

'Ook.'

Heel even oversteeg het leven dat ze met zich meedroegen het gevoel van aanstormende verschrikkingen. Martha kon Ruth naast zich voelen glimmen.

'Hoe ga jij je kind noemen?' vroeg Ruth.

'Ik…' De wanhoop van hun situatie kwam weer bovendrijven. Martha wendde haar blik af. 'Ik weet het niet.'

Ruth legde haar hand op Martha's buik. 'Ik vind hem aanvoelen als een David,' zei ze.

'En als het een meisje is?'

Ruth aarzelde. 'Esther. David of Esther.'

De fluit van de trein doorsneed de betrekkelijke stilte. De cadans van de wielen vertraagde onmiddellijk. Martha's gezicht verstrakte iets. Ze stond op en gluurde door de smalle kier.

'Wat is er?' vroeg Ruth over haar schouder. 'Gaan we stoppen?'

'Weet ik niet.'

'Zie je gebouwen?'

'Ja. Ja, ik zie gebouwen!'

Er werd door de hele wagon heen gemompeld. Een vrouw links van hen eiste dat iemand hun zou vertellen wat er aan de hand was. Het leek Martha dat de vraag aan haar was gericht. Zij had het beste zicht naar buiten.

'Ik denk dat we gaan stoppen,' zei ze. 'Ik zie gebouwen en een hek.'

'Een hek?'

Er werd luider gemompeld. Een luid sissen bevestigde haar vermoeden. De trein ging stoppen.

Martha's handpalmen waren al vochtig. Zou hun iets goeds te wachten staan? Een slok water. Wat soep met brood – muf, klef; het maakte niet uit. En er zou een toilet zijn. Zelfs een gat in de grond zou een welkom iets zijn.

Ruth verstrengelde haar vingers met die van Martha en hield haar stevig vast. 'Dit is het! Dit moet het zijn.'

'Ik denk het ook.'

De lucht voelde elektrisch geladen aan.

Alleen Martha en een andere vrouw, die haar hoofd langs Martha's knieën perste, konden duidelijk iets zien. De trein passeerde bewakers die een strak gespannen riem vasthielden waar een hond aan vastzat. Er stonden soldaten op de weg die langs het spoor liep, hun geweren over hun rug. Sommigen staarden wat voor zich uit en anderen rookten een sigaret. Er werd ook een hoog hek zichtbaar, met rollen prikkeldraad erop, dat langs de rand van een kamp stond, waarin tientallen rechthoekige gebouwen waren opgetrokken.

Martha wierp een blik over haar schouder. De vrouwen die nog op hun benen konden staan, stonden achter haar. Ze waren weer in stilzwijgen vervallen. Hun ogen waren groot, glinsterend in het zwakke licht, en ze staarden naar haar of naar de schuifdeur. Hun deur naar de vrijheid.

Ruth boog zich naar Martha's oor toe en fluisterde: 'De sterkste vrouwen worden aan het werk gezet. Ga rechtop staan en houd je buik in.'

Martha sloeg haar arm om de vrouw heen en drukte haar dicht tegen zich aan. 'Dank je, Ruth.' Ze kuste haar nogmaals op haar hoofd.

Ze wist eigenlijk niet precies waarom ze de jonge Ruth bedankte.

'Beloof me dat je me niet alleen zult laten,' zei Ruth.

'Dat beloof ik.'

De wagon kwam met een ruk tot stilstand.

En toen hoorden ze de honden, een koor van geblaf dat op bevel leek te zijn begonnen. Het slot ratelde. Martha's hart bonkte twee keer zo snel als normaal.

De schuifdeur vloog open en er stroomde licht de wagon in. Martha kneep haar ogen bijna dicht om in het felle licht iets te zien.

Het eerste wat haar aandacht trok, was een Duitse officier die tien meter verderop naast een rij vrachtwagens stond. Hij droeg een strak geperst SS-uniform met een helderrood met zwarte armband. Zijn handen hield hij op zijn rug, zijn in een wijde broek gestoken benen stonden iets uit elkaar en aan zijn riem hing een glimmend zwarte holster. Maar wat nog meer opviel, waren zijn ogen. Zelfs vanaf deze afstand kon ze die duidelijk zien. Ze waren blauw. En ze waren dood.

Het volgende wat Martha zag, was het bord boven de ingang.

Toruń

'Eruit. Stap uit de trein en ga bij de vrachtwagens in een rij staan.' Een bewaker wees naar een rij van een stuk of acht vrachtwagens met open bak, achter hem.

Heel even bewoog geen van de vrouwen zich.

'Jullie hoeven niet bang te zijn. Schiet op!'

Ze haastten zich zo snel uit de trein als hun pijnlijke gewrichten dat toelieten. Ruth liet Martha's arm los en ze liepen zij aan zij over de loopplank de frisse morgenlucht in. Langs de hele trein kwamen er vrouwen uit de veewagons tevoorschijn, wat er minder waren dan Martha zich kon herinneren van toen ze in Hongarije was opgestapt. Er waren misschien nog maar tien wagons over.

'Ga in de rij staan. Ga in de rij staan!' De bewakers zetten de vrouwen snel naast elkaar in een lange rij, meerdere vrouwen achter elkaar. Ze sloegen of schoten niet, maar brachten eenvoudigweg orde in een situatie die dat vereiste. Dit was niet de manier van doen van soldaten die hen wilden uitroeien.

Martha haastte zich naar de rij toe, met Ruth naast zich. De ochtend voelde fris aan; ze rook iets, misschien wel versgebakken brood. Misschien hadden ze zelfs wel warme douches. Ze had al een maand niet meer gedoucht.

Of misschien zouden ze worden vergast.

'Volg de bewakers het kamp in. We hebben voedsel en dekens. Volg de bewakers het kamp in.'

Ze haastten zich zo snel mogelijk door de poort en het kamp met de naam Toruń in. Martha staarde naar het uitgestrekte kamp en probeerde kalm te blijven. De andere vrouwen waren niet hysterisch. Ruth huilde niet en toonde ook geen angst. Ze moest sterk zijn. Martha rechtte haar rug tegen een vreselijke angst.

De binnenplaats was een terrein van bruine modder dat door duizenden voeten in vorm was getrapt. Er groeide geen enkel groen grassprietje tussen de gebouwen. Er rezen vier wachttorens boven het hek uit, alle vier bemand door drie bewakers. Op een verhoging rechts van hen stond een rood huis dat de hele binnenplaats overzag. Een grote Duitse vlag wapperde loom aan een vlaggenmast die aan de hoogste gevel was gemonteerd.

'Vorm een rij! Vorm een rij!'

'Ik denk dat we wel wat moeilijkheden kunnen verwachten,' zei Ruth, die naar de grote stenen gebouwen aan hun linkerkant staarde.

'Stilte! Enkele rij!'

De vrouwen maakten hun rij langer tot ze schouder aan schouder midden op de binnenplaats stonden. Een tiental vrouwen in gerafelde shirts en broeken, die hier blijkbaar woonden, liepen in een rij langs de nieuwkomers en bekeken hen. Enkele anderen in grijze uniformen waren bezig met de nieuwelingen en zetten ze netjes op rij. Ze gaven wel bevelen, maar leken zelf ook gevangenen te zijn.

Martha zag vanuit haar ooghoeken een SS-officier en draaide zich om. Ruth keek ook, zag de man en bleef doodstil staan. Het was de officier die Martha als eerste had gezien, die met de dode ogen.

De officier beende van links op de groep af. Er hing nu een lange overjas over zijn schouders en hij hield met beide handen een stok vast. Hij liep naar het midden van de binnenplaats en keek hen aan.

'Jullie zijn zojuist aangekomen in Toruń, een subkamp van Stutthof, in Polen. Ik heet Gerhard Braun en ik ben god.' Hij sprak Hongaars en zijn blik bleef uitdrukkingsloos. Zijn ogen hechtten zich aan Ruth en bleven daar hangen terwijl hij verder praatte.

'Ik heb jullie stuk voor stuk geselecteerd, en daar mogen jullie je gelukkig om prijzen. Zoals jullie weten, is jullie trein via Auschwitz gekomen. En in Auschwitz zouden jullie nooit zulke persoonlijke aandacht krijgen.

Goed, ik neem aan dat de meesten van jullie graag een kom warme soep zouden lusten en ook graag de mogelijkheid zouden krijgen om jullie blaas te legen. Heb ik gelijk of niet?'

Niemand reageerde.

'Geef antwoord wanneer ik iets zeg!' Het gezicht van de officier werd rood.

'Ja,' zei Ruth luid en duidelijk. Martha aarzelde, van slag door het stoutmoedige antwoord van haar vriendin, en mompelde toen met de anderen mee.

Hij begon te ijsberen om te kalmeren. 'Ik ben alleen maar naar dit stinkhol gestuurd omdat ik vloeiend Hongaars spreek en ik zal jullie vertellen dat er maar erg weinig voor nodig is om me hier een slechte bui te bezorgen. Eigenlijk ben ik het grootste deel van de tijd in een slechte bui. Het is dus niet nodig dat erger te maken. Op dit moment staat mijn dertien jaar oude zoon vanachter het raam van ons huis toe te kijken. Hij is op bezoek vanuit Duitsland. Hij heet Roth. Ik zou graag willen dat jullie allemaal even naar hem zwaaien.'

Martha wierp een blik op Ruth en toen op het rode huis, honderd meter verderop. Eerst zwaaiden een paar vrouwen in de richting van het raam en toen allemaal, ook al zagen ze niemand achter het glas.

'Prima. Goed, nu zal ik een beslissing moeten nemen,' zei Braun. 'Ik kan jullie naar de barakken sturen, waar jullie een taak krijgen toegewezen en dan van eten zullen worden voorzien. Maar ik kan jullie ook naar het gebouw rechts van jullie sturen.' Zonder zich om te draaien liet hij zijn stok in de richting van het grote stenen gebouw schieten. 'Dat is het gebouw waar we jullie laten douchen. Heeft iemand al eens iets gehoord over de douches?'

Martha voelde haar spieren verstijven, maar ze durfde niets te zeggen.

'Nee? De douches in Auschwitz zijn tien keer zo groot als die van ons. Ze zeggen dat je nooit je adem moet inhouden als je aan het douchen bent.' Hij ijsbeerde verder, hief zijn gezicht op naar de lucht en keek hen toen weer aan.

Martha's maag draaide zich om. Hij bedoelde toch niet dat hij hen wilde doden? In een grote populier naast de poort tjilpten enkele vogeltjes; het vroege zonnetje stond helder aan de horizon; ze hadden niets verkeerd gedaan. En trouwens, hij zou nooit zo met hen spelen als hij van plan was hen te vermoorden. Ze liet haar adem langzaam ontsnappen.

Geen van de vrouwen had iets gezegd.

'Doe je kleren uit en laat ze samen met je spullen op de grond liggen. Nu!'

'Houd je buik in!' fluisterde Ruth.

Martha trok haar trui en shirt uit en toen haar broek, waarbij ze haar buik zo goed mogelijk inhield. Binnen dertig seconden waren ze allemaal naakt.

Braun wees naar de douches. 'Opschieten!'

Ze draaiden zich om en liepen in een rij door de modder, als een troep witte ganzen. Twee vrouwelijke bewakers joegen hen aan beide zijden op. De commandant met de dode ogen keek hen na.

Martha weigerde haar gedachten over de situatie te laten gaan. Gedachten aan warme douches en nog warmere soep waren verdwenen. Misschien was het zelfs wel beter om als vee te worden behandeld en in een veewagon te worden gestopt.

Ze marcheerden het stenen gebouw in, langs een rij houten toiletten, en een grote betonnen ruimte in, waar een tiental douchekoppen uit de muur stak. Martha voelde de paniek in zich opwellen. Ze moest sterk zijn!

Ze botste tegen Ruth aan, die voor haar stilstond.

'Doorlopen!' gilde een van de bewaaksters. 'Opschieten!'

Ruth draaide zich met grote ogen om. 'Douches!' Ze rende naar een van de douchekoppen toe, waar een gestage stroom helder gekleurde vloeistof uitdruppelde. Ze ving iets op met haar handen, rook eraan en draaide zich met een ruk om.

'Water! Martha, het is water!'

Plotseling kwamen de douches sputterend tot leven. Ruth ving handenvol water op en gooide dat in haar gezicht en mond. Martha stond als aan het beton genageld toen de vrouwen zich juichend naar het neerstromende water haastten. Ze wist niet hoeveel van hen iets anders hadden verwacht dan water, maar ze voelde hun verrukking.

Rechts van haar keken twee bewaaksters met een uitdrukkingsloos gezicht toe.

'Martha!' riep Ruth.

En ook Martha rende het koele water in. Het leven stroomde over haar huid heen en zo haar ziel in. Ze hief haar handen op en gaf een gilletje van enthousiasme. Ze kon zich niet herinneren dat ze zich ooit zo goed had gevoeld.

Er was een God in de hemel en Hij kuste hen met Zijn water.

Toch?

6

Los Angeles
18 juli 1973
Woensdagavond

Stephen en Chaïm naderden het verlaten appartementengebouw van Rachel Spritzer vanuit het noorden. Normaal gesproken reed Stephen met het gemak van iemand die al duizenden adressen in Los Angeles had gevonden – één hand aan het stuur, de andere op de armsteun; één oog op de kaart, het andere op het verkeer. Maar vandaag reed hij met de zenuwen van een kersverse automobilist. Beide handen aan het stuur en beide ogen op de weg voor hen.

Ze waren bij de antiekwinkel van Gerik gestopt om de brief op te halen, een verrassend onbenullig briefje, met een fijne blauwe pen op wit papier geschreven. De woorden stuiterden nog steeds door Stephens gedachten.

Ik heb heel Europa afgezocht naar mijn zoon. Misschien een oorlogswees. Hij heet David en zijn vader is in de oorlog gestorven. Ik heb de helft van Davids Steen onder zijn sleutelbeen aangebracht.

Dat stond boven de schets die een exacte kopie was van Stephens litteken.

En: *Ze mogen niet weten dat hij mijn zoon is. Ik vrees voor zijn leven als ze er ooit achter komen.*

En ook nog: *Ik hoopte dat hij naar me toe zou komen vanwege de Stenen, maar dat kon ik niet algemeen bekendmaken. Dit briefje is mijn enig overgebleven hoop. Zeg het tegen niemand, behalve tegen hemzelf. Moge God me vergeven.*

Dat was het.

Dus wie was Rachel Spritzer?

Hoe was ze in het bezit gekomen van een Steen van David?

En nu hij erover nadacht, wie was *hij*? Stephens pleegvader had hem een naam gegeven nadat hij hem had opgehaald bij een weeshuis in Polen. Maar in werkelijkheid heette hij dus David. Dat moest wel.

Gerik had hen niet veel verder kunnen helpen. Hij was net zo verbaasd geweest als iedereen dat Rachel al die jaren in het bezit was geweest van zo'n kostbare schat. Rachel had Gerik het briefje zes maanden geleden al gegeven, toen ze ziek werd. Maar hij had het pas opengemaakt toen ze overleden was, zoals ze hem had opgedragen. Als Chaïm geen opmerking had gemaakt over het litteken op Stephens borst, zou Gerik dat briefje nooit hebben gekoppeld aan Stephen.

Wat de reden er ook van was dat ze nog ergens een kind had, het had haar tot aan haar dood toe beziggehouden.

Stephen had de brief met bevende vingers aangepakt en had daarna een kwartier lang lopen ijsberen en eindeloos vragen gesteld. Maar er waren geen antwoorden. Niet van Gerik, die Rachel beter kende dan de meesten, zei hij. Rachel was een vrouw die niet veel over zichzelf losliet.

Drie blokken bij La Brea vandaan werd het verkeer een stuk rustiger. Ongelofelijk hoe je van de ene straat na de andere opeens in zo'n andere buurt terecht kon komen. Op het ene moment rijd je langs een huis van meer dan een miljoen, met elegante palmen en een zeemerminnenfontein in de voortuin, en amper tien seconden later passeer je een huis waarvan de dakgoten bijna naar beneden komen.

'Het zou toeval kunnen zijn,' zei Stephen.

'Ja, dat zou inderdaad kunnen,' reageerde Chaïm. 'Maar het lijkt me sterk. Het zou wel heel erg toevallig zijn als die schets in haar brief en jouw litteken per ongeluk identiek zijn, of niet?'

'Maar toch. Zou er niet ergens een waterdicht bewijs te vinden zijn?'

'Ze hebben haar al begraven. Ik weet het niet.'

'En hoe zit het met het testament? Heeft ze niet iets in haar testament gezet?'

'Gerik zei van niet.'

Stephen kloof op een vingernagel en probeerde helder na te denken. Al die jaren had zijn moeder dus nog geen dertig kilometer bij hem vandaan gewoond? Hij wist niet of dat nou absurd was of gewoon tragisch. Waarom had ze hem niet kunnen vinden? Waarom had hij *haar* niet gevonden?

Dit kon natuurlijk nooit zijn moeder zijn. Niet deze rijke vrouw die was overleden en het plaatselijke nieuws had gehaald. De vrouw mocht hem dan in Polen hebben achtergelaten om hier een luxe leventje te gaan leiden, terwijl hij heel zijn leven van de grond af aan had moeten opbouwen, maar kennen deed hij haar niet. Deze vrouw kon hem op de wereld gezet hebben, maar ze kon niet zijn moeder zijn.

'Het zou ergens verderop aan de linkerkant moeten zijn,' zei Chaïm.

Stephen vocht tegen de plotselinge drang om een ruk aan zijn stuur te geven en om te keren, bang voor wat hij zou kunnen vinden. Of voor wat hij niet zou vinden.

Jij bent mijn Steen van David, zei zijn pleegvader, Benadine, altijd, waarbij hij hem op zijn voorhoofd kuste. Hij had Benadine gevraagd wat dat betekende. Zijn pleegvader had geglimlacht. 'Jij bent een doordouwer, Stephen. Zelfs een Goliath zou nog niet bij je in de buurt kunnen komen.' En dat was genoeg om een jongen van zes de rest van de dag met opgeheven hoofd te laten rondlopen.

Jij bent mijn Steen van David.

Maar hij had nooit de Steen van David van Rachel Spritzer gezien.

Voor hen doemde een hoog grijs gebouw op. Hij wierp een blik op de kaart en keek toen weer naar het gebouw. Vier verdiepingen. Een gestuukte zijkant, die gebarsten en verkleurd was. Brokkelig dak van rode dakpannen. Mexicaanse tegels waar de huisnummers op stonden, ingemetseld in het stucwerk, onder een loshangend peertje. Op de oprit stond een bord van makelaardij Caldwell.

'Dit is het,' zei Chaïm. 'Ik krijg het vage gevoel dat jouw ontkenning het moet afleggen tegen de werkelijkheid. En misschien is dit allemaal wel goed.'

'Ik loop niks te ontkennen,' zei Stephen. 'Ik leef gewoon niet in het verleden.'

Chaïm reageerde maar niet.

Stephen parkeerde langs de stoeprand en keek omhoog naar het gebouw. Er hingen verdorrende hangplanten over de rand van bloembakken die onder de vuile ramen waren gemonteerd. Een enkele palm helde iets over en de struiken eromheen moesten hoognodig worden gesnoeid. Betonnen treden leidden naar een enkele bruine deur. Het gebouw, dat op een hoek stond, werd omgeven door een vergeeld gazon, dat het gebouw scheidde van het volgende – een vervallen appartementengebouw met dichtgespijkerde ramen aan de overkant van de straat. Het leek erop dat de gebouwen in dezelfde tijd waren gebouwd, hoewel Rachels gebouw in een veel betere staat verkeerde dan zijn tweelingbroer.

Ze stapten uit en Stephen hield een krant in zijn handen geklemd, met de oude zwart-witfoto van Rachel Spritzer en haar man, Rudy, kort voor hij stierf. Drie tuinen naar rechts stond een hond naar hen te kijken. Zijn korte staartje ging als waanzinnig heen en weer, en zijn tong hing slap uit zijn bek. Het was een cocker spaniël, nog niet helemaal volgroeid, misschien een jaar oud.

'Gaat het wel?' vroeg Chaïm.

Stephen staarde omhoog naar het vier verdiepingen tellende gebouw. 'Ja.'

'Wraf!'

'Rustig aan maar, jongen.'

De hond jankte kort, rende op hen af, ging op zijn achterpoten staan en probeerde met een grote natte tong zijn hand te likken.

Stephen keek om zich heen, zag niemand die de eigenaar van de spaniël zou kunnen zijn, en krabbelde de hond aarzelend tussen de oren, blij met de afleiding.

Hij ging weer rechtop staan en knipte met zijn vingers. 'Hup, naar huis. Kssst!'

De hond ging zitten, hield zijn kop schuin en staarde hem met zijn grote bruine ogen aan.

'Wegwezen! Hup!'

De hond draaide zich om en rende een stukje bij hen vandaan voor hij terugkwam en weer ging zitten. Ach…

'Misschien is het beter om later terug te komen, als je meer tijd hebt gehad om het nieuws te verwerken,' zei Chaïm.

'Nee.' Stephen liet zijn adem langzaam en luidruchtig ontsnappen. 'Ik snap niet waarom ik zo zenuwachtig ben. Het is maar een huis.'

Chaïm zei niets, maar Stephen wist zeker dat hij dacht: ontkenning.

Ze liepen naar de ingang. De afgebladderde en gescheurde bruine verf van de deur maakte duidelijk dat dit een oud gebouw was. Er hing een sleutelkastje aan de deurknop. Volgens het artikel had Rachel Spritzer de laatste maand van haar leven doorgebracht in een verpleeghuis voor terminale patiënten, vanwaar ze de voorbereidingen had getroffen om haar bezittingen te verkopen. Het complex stond nu een week te koop. Stephen voerde zijn code in, waardoor hij bij de verweerde bronzen sleutel kon, en deed de deur open.

Chaïm keek even naar binnen en keek toen Stephen onderzoekend aan. 'Ik denk dat ik maar in de auto blijf wachten.'

'Dat hoeft helemaal niet.'

'Ik denk van wel. Jij moet gewoon even alleen zijn.'

Stephen knikte. 'Goed. Ik heb niet lang nodig.'

'Neem de tijd.' Hij liep de trap weer af. 'Echt, neem alsjeblieft de tijd.'

Plotseling begon de hond te blaffen, waarna hij de trap oprende en naar binnen vloog.

Die hond had binnen niets te zoeken, maar op het moment dat Stephen ook over de drempel stapte, maakte de gedachte om het beest er weer uit te werken plaats voor een gevoel van verbazing. De hele begane grond was omgebouwd tot een parkeergarage, zoals je die onder kantoorgebouwen tegenkomt. In plaats van draagmuren, stonden hier stalen profielen. Afgaand op twee grote spinnenwebben, moest die garagedeur al zeker een maand niet open zijn geweest. Hij zag dat rechts van hem zich een lift bevond, naast een deur waarop stond: *Trap*.

Was dit het huis van zijn moeder?

De hond stond drie meter verderop stil en staarde weer met schuin gehouden kop naar Stephen.

Stephen deed de deur achter zich dicht. 'Jij mag hier niet in,' zei hij. Maar nogmaals, hij was blij met het gezelschap van de hond. Ondanks dat Chaïm erop had gestaan, wist hij niet zo zeker of hij wel alleen wilde zijn.

De hond rende op de lift af, ging voor de deur zitten en staarde verlangend naar de liftknoppen. Hij leek het gebouw te kennen. Hoe groot was de kans dat dit Rachels hond was? Dan zou ze hoogstwaarschijnlijk wel iets voor hem hebben geregeld, net zoals ze met de rest van haar bezittingen had gedaan.

Stephen liep ook naar de lift toe en verbrak de stilte met het geklak van zijn schoenen op het harde beton. Als je er het een en ander aan zou verbouwen, zou het appartementengebouw kunnen worden gerestaureerd. Maar goed, als de roestige pijpen boven hem de staat van het geheel aangaven, zou het hele gebouw moeten worden gerestaureerd. Slopen en nieuw bouwen zou goedkoper zijn.

Zie je nou wel, dit voelde helemaal niet aan als een gebouw dat van zijn moeder was geweest. Hij was een makelaar die het gebouw aan het bekijken was, niet een zoon die thuiskwam. Misschien wel omdat hij niet echt haar zoon was.

En licht schuldgevoel knaagde aan de randen van zijn gedachten. Hij zou zich meer zoon moeten voelen.

'Jij blijft hier,' zei hij tegen de hond. Maar op het moment dat hij de deur naar het trappenhuis nog maar een kiertje open had, vloog de cocker spaniël eropaf, wrong zich tussen Stephens benen door en rende de trap af.

'Hé!' Zijn stem echode door het trappenhuis. Hij dacht erover om de hond in het duister onder hem te volgen. 'Ik ga naar boven.' Hij praatte tegen de hond alsof die hem kon verstaan. 'Hoor je me? Ik ga naar boven. Waag het niet om daar te gaan zitten schijten.'

Stephen beklom de betonnen treden. Hij zou de hond er wel uitzetten voor hij vertrok. Het zou wel geen kwaad kunnen om hem een paar minuten door de kelder te laten rondsnuffelen.

Op de tweede verdieping bevonden zich nog steeds drie appartementen, maar ze zagen eruit alsof ze al tien of misschien wel twintig jaar niet meer werden gebruikt. Groen tapijt. Jaren vijftig.

Derde verdieping. Hetzelfde als de tweede. Ze had een maand geleden nog in dit gebouw gewoond, maar waar? Caldwell mocht dan haar bezittingen hebben weggehaald, maar de eerste drie verdiepingen waren al heel lang niet meer gebruikt.

Stephen nam de laatste paar treden, zag de zwaar eiken deur die naar de vierde verdieping leidde en stond stil. Hier was het. Het bonken van zijn hart werd eerder veroorzaakt door de zenuwen dan door de klim.

De hond zat al voor de deur. Hij moest naar boven zijn gerend toen hij op de derde verdieping rondkeek. Misschien was dit echt Rachels hond wel. Was het dan nu *zijn* hond? Het was een mooi beest en aan zijn ogen te zien ook behoorlijk intelligent. Nee, deze hond was niet van hem. Rachel had alles aan iemand anders vermaakt. Aan een museum.

'Doe jij daar beneden altijd je behoefte?'

De hond blafte en Stephen schrok. 'Sst.'

Dit was belachelijk. Hij zou gewoon naar binnen moeten gaan, bekijken wat die Rachel had nagelaten en dan weer vertrekken.

Hij raapte zijn gedachten bij elkaar, pakte de krant over met zijn linkerhand, duwde de deur open en betrad de vierde verdieping. Zijn neus vulde zich met een geur die hem deed denken aan kersenbloesem met een vleugje zoethout. De geur van… Rusland. Het appartement van zijn pleegoma in Moskou. En het zou hem niets verbazen als hij ook nog ergens mottenballen zou tegenkomen.

De hond rende om hem heen en ging recht op het achterste deel van het appartement af. Stephen tuurde de schemerig verlichte woning in. Hij ademde door zijn neus. Luidruchtig. Hij deed zijn mond open. Beter.

Deze hele verdieping was omgebouwd tot één appartement. Pluchen tapijt, gewerkt goudkleurig behang, lavendel gordijnen – Turks, dacht hij.

Een lichtknop rechts van hem bracht een grote kristallen kroonluchter in de entree tot leven. Hij liep verder naar binnen, verrast door het contrast tussen de verdiepingen onder hem en deze. Gezien het aantal lijsten dat tegen de muren aan leunde, had iemand selectief enkele schilderijen weggehaald. Het museum had ongetwijfeld haar collectie bekeken en alleen meegenomen wat ze echt waardevol vonden. Er zouden hoe dan ook geen Stenen van David meer rondslingeren.

Jij bent mijn Steen van David.

Stephen bleef een minuut lang staan waar hij stond, keek wat om zich heen en probeerde op een rijtje te krijgen wat dit voor hem betekende. Bestond er een diepe, mysterieuze band tussen dit appartement en zijn leven? Hij probeerde zich voor te stellen dat Rachel Spritzer hier woonde. Hij vouwde de krant open en staarde naar de foto van Rachel en Rudy Spritzer. De zwart-witfoto was niet helemaal scherp. Donker haar in een knotje. Een vriendelijk gezicht. Mager. Voor hij naar de Verenigde Staten was gekomen en tijdens zijn eerste jaar hier had hij gezocht naar gegevens van zijn echte ouders. Niets. Geen snipper informatie in de honderden oorlogsdocumenten die hij had uitgeplozen.

Hij vouwde de krant weer op, haalde diep adem en liep de kamer in. Hij zou in elk geval goed rondkijken. Het zou goed zijn om te weten wie hem ter wereld had gebracht. Maar om nou net te doen alsof er een verdere relatie bestond tussen deze vrouw en hem, was niets meer dan misplaatste sentimentaliteit. Hij had deze deur achter zich dichtgedaan en dat had hem een zekere rust gegeven. Hij kon het zich niet veroorloven die deur nu weer open te doen. Dit was een afsluiting, geen nieuw begin.

Stephen slenterde door het grote vijfkamerappartement, maar het zei hem niet veel.

In de kast van de grootste slaapkamer hingen nog steeds enkele van haar kleren, duidelijk de bron van de mottenballen die hij had geroken. In het midden van de kamer stond een kingsize bed dat was afgezet met kant. De keuken was voorzien van de modernste apparatuur. In een koekjespot met een met bladgoud ingelegde roos zaten nog steeds een paar biscuits. Hoewel het museum duidelijk geen interesse had in het meubilair, was dat in de huiskamer grotendeels antiek, waarschijnlijk uit Europa. Bij de juiste antiekhandelaar zou dat nog wel wat opbrengen. De eettafel was houtsnijwerk. Kersenhout.

De geschiedenis leek van elke snuisterij en onderlegger af te stralen. Maar Stephen wilde nu niets met die geschiedenis te maken hebben. Aan alles viel af te lezen dat ze smaak had gehad. Maar geen foto's. Ze had hem niet eens een foto nagelaten.

Stephen bleef midden in de kamer stilstaan en vocht tegen een vreselijke drang om in huilen uit te barsten. Dat kon natuurlijk niet. Hij was een volwassen vent. Hij wist niet eens zeker of ze wel zijn moeder was. En zelfs al was ze zijn moeder…

Er welde een diep verdriet in hem op. Hij deed zijn best om zijn tranen binnen te houden, maar slaagde daar niet in.

Hij ging rechtop staan en snoof. Zo was het wel genoeg. Hij kwam, hij zag en hij huilde. Meer kon hij niet opbrengen.

Stephen liep naar de eettafel toe, knalde de krant neer en knakte met zijn vingers. Goed, dat was het dan. Klaar. Chaïm zat te wachten. Hij liep naar de deur toe.

De hond.

'Hé, ho...' Zijn stem kraakte en hij schraapte zijn keel. 'Hé, puppy?' Hij ging terug naar de grote slaapkamer. 'Hallo? Puppy?'

Er kwam een bruine neus onder het bed vandaan. Geen ogen, alleen maar de neus. 'Kom op, Neus. Tijd om te vertrekken.'

De spaniël reageerde daarop door zijn kop iets verder onder het bed vandaan te steken. Hij lag nog steeds plat op de grond en zijn ogen rolden naar boven om naar Stephen te kijken. Deze hond was hier geen vreemde. Als hij niet van Rachel was geweest, was hij in elk geval met haar bevriend geraakt.

'Kom.' Stephen draaide zich om en liep de woonkamer in, in de hoop dat de hond hem zou volgen. Het beest rende langs hem heen, stopte bij de lift en blafte.

'Wil je met de lift? Is dat de manier waarop je normaal gesproken naar beneden gaat?' Hij drukte op de knop. 'Ach, waarom ook niet?' Hij voelde zich al iets beter.

Hij drukte op de knop, stapte achter een gelukkige cocker spaniël naar binnen en drukte op de onderste knop voor hij zich realiseerde dat die voor de kelder was. Het nummer op de knop erboven was eraf gesleten en toen hij hem indrukte, ging er geen lichtje branden. De liftgondel rammelde op zijn gemak naar de kelder. Met de trap was hij twee keer zo snel geweest.

Stephen liet zijn hoofd tegen de houten wand rusten. Wat zou hij tegen Chaïm zeggen? Hij zou niet onredelijk doen. Hij had dit deel van zijn leven kunnen afsluiten. Misschien zouden ze later terugkomen en samen door het appartement heen lopen. Misschien zou hij eens wat beter naar haar testament moeten kijken – misschien zou er in de kleine lettertjes iets over hem staan. Iets zinnigs.

Hij probeerde zich nogmaals de Joodse vrouw voor te stellen die zorgvuldig haar schatten had ingepakt en de oceaan was overgestoken om hier een nieuw leven te beginnen. Rachel Spritzer. Ze had het vreselijke bewind van Hitler overleefd. Hij was de afgelopen tien jaar bezig geweest het uit zijn gedachten te bannen.

De gondel bereikte de kelder en de deur gleed open. Hij mepte al op de knop om de deur te sluiten, maar de hond was alweer vertrokken.

'Nee, Neus, niet daarheen! Hé!' Stephen stapte uit de lift, tikte op de knop rechts van hem en liet zijn ogen wennen aan het flauwe schijnsel.

De hond stond voor een deur, aan de andere kant van de lege ruimte waar de lift op uitkwam, en keek verwachtingsvol heen en weer van de deur naar Stephen.

'Jij kent deze plek, nietwaar? Slijp je hier altijd?'

Nieuwsgierig geworden, wierp Stephen een snelle blik in drie andere ruimtes. Twee waren lege voorraadruimtes en de andere een oude kolenopslag. Hij deed de deur waar Neus voor zat op een kiertje open – stookhok. De hond haastte zich naar een plompe boiler van zwart gietijzer die tegen de verste muur stond en vond in de hoek een oude deken. Neus had hier duidelijk vaker geslapen.

Stephen bekeek de ruimte. Het gebouw was in de veertiger of vijftiger jaren gebouwd, nog voor elektriciteit de warmwaterhuishouding domineerde. Uit de boiler liepen zwarte waterleidingen het plafond in. In de andere hoek stond een nieuwere, elektrische boiler. Het rook hier een beetje naar petroleum. Of rook hij kolen?

Hij liep naar de stalen vaten toe en klopte erop. Twee ervan klonken hol, leeg. Het derde gaf een dof geluid en de vloeistof die rondom tegen de rand aan stond, vibreerde. Het rook een beetje muf. Er spetterde een druppel op het vat en Stephen keek op. De schuldige bleek een lekkende pijp te zijn.

Hij bromde iets en wilde zich al omdraaien, toen de hond zijn aandacht trok. Neus stond aan een ronde plaat te snuffelen die in de betonnen vloer achter de boiler verzonken lag. Het leek net het deksel van een mangat, maar dan kleiner, misschien maar vijfenveertig centimeter.

'Heb je iets gevonden?' Hij liep naar de hond toe en leunde over hem heen om het beter te kunnen zien. Neus klauwde nu met een poot aan de randen van het deksel. Voorzichtig, om de oude boiler niet te raken, kroop Stephen erachter, hurkte neer naast de hond en bestudeerde het met vuil aangekoekte oppervlak. Er was een patroon in het staal geslagen, maar hij kon er geen wijs uit worden. Het deksel bood waarschijnlijk toegang tot de riolering of iets dergelijks. Je wist natuurlijk nooit met die oude gebouwen.

Hij ging weer staan, pakte zijn sleutels uit zijn zak en probeerde het open te krijgen. Helaas. Met een schroevendraaier of koevoet zou het waarschijnlijk wel lukken, maar die had hij normaal gesproken niet op zak. Wel interessant. De hond was daar in elk geval van overtuigd.

En toen realiseerde hij zich dat hij samen met een hond achter een prehistorische boiler over een rioolput gebogen stond. De gebeurtenissen van vandaag waren er met zijn verstand vandoor gegaan. Hij gromde en stond op. Er zat zwart stof op zijn rechterhand, wat hij zo goed mogelijk aan de betonnen muur afveegde.

Er was iets aantrekkelijks aan het stookhok. Misschien wel het feit dat het na al die jaren nog steeds intact was. Of misschien de doodse stilte. Vrede en rust op de bodem van een put. Of was het misschien isolatie en de dood? Verlatenheid. Misère houdt van gezelschap.

'Zo is het wel genoeg, Neus.'

De hond keek droevig omhoog; hij wierp weer een lange blik op de cirkel in het stof.

'Was mijn leven maar zo eenvoudig als dat van jou. Laten we gaan.'

Verrassend genoeg gehoorzaamde Neus.

Ze kozen deze keer voor de trap. Die middeleeuwse lift verdiende een sloopbal. Het was niet te geloven dat het ding nog steeds werkte. Stephen liep de garage in en stond stil. Er stond een zwarte Cadillac met getinte ramen in het licht te glimmen – een huurauto van *California Limousine Service*, volgens de belettering op zijn portieren.

'Stephen Friedman, wat doe jij nou toch in een slooppand als dit?'

Stephen draaide zich om naar Mike Ryder, een makelaar waar hij vorig jaar tegenop had geboden voor een stuk grond in Hollywood. De hond rende langs Mike heen de garage uit.

'Hé, Mike. Je weet maar nooit waar je leuke handel vindt. Laat je het gebouw aan iemand zien?'

'De tweede keer al, vandaag. Aan dezelfde mensen. Was die hond je naar binnen gevolgd?'

'Hij glipte naar binnen voor ik hem kon tegenhouden,' zei Stephen. Chaïm was nergens te bekennen. 'Weet jij waar hij thuishoort?'

'Ik denk dat hij een zij is,' reageerde Mike. 'Ze was van de eigenaar, maar ik denk dat ze ergens anders onderdak heeft gevonden. Ik heb er nog aan lopen denken om het asiel te bellen.'

'En wie is de gelukkige koper?' vroeg Stephen terwijl hij om zich heen keek.

'Een Duitse investeerder. Hij heeft al geboden.'

Stephen trok een wenkbrauw op. 'Oh? Hoeveel?'

'Vraagprijs. Hij bevindt zich nu met twee zakenpartners op de bovenste verdieping. Vergeet deze bouwval, Stephen – hier is niet snel geld mee te verdienen.'

De gedachte dat iemand dit gebouw zou kopen, voelde opeens aan als heiligschennis. Hij mocht er dan juridisch gezien geen recht op hebben, maar als Chaïm gelijk had en hij Rachels zoon was, was zijn eigen verleden verweven met dit gebouw.

Stephen knikte en keek nogmaals naar de limousine. Vreemd dat een buitenlandse investeerder zo snel toehapte bij een gebouw als dit.

'Jij doet de verkoop, hè? Kun je me een dag speling geven?'

'Ben je echt geïnteresseerd?' Mike grijnsde schuins. Hij haalde zijn schouders op en liep toen naar de lift toe. 'Er wordt hoe dan ook nooit iets in een dag geregeld, dus je krijgt je dag. Maar kom achteraf niet zeuren dat ik je niet heb gewaarschuwd. Je mag dan af en toe een neus hebben voor een leuke deal, maar geloof me, hier zit geen geld in.'

'Bedankt, dat waardeer ik.'

Stephen verliet het gebouw en voelde zich duizelig en verward, en hij wist niet eens waarom. Het was gewoon een gebouw uit het verleden. Net als de Holocaust moest hij ook dit gewoon laten rusten. In het verleden, waar het thuishoorde.

Die gedachte maakte hem ziek.

7

Los Angeles
18 juli 1973
Woensdagavond

Stephen werd begroet door de heerlijke geur van kalfsvlees toen hij om half zes het huis binnenstapte. Hij had Chaïm afgezet na hun bezoek aan het appartement, waarna hij een eind was gaan rijden voor hij wat inlichtingen ging inwinnen bij de rechtbank en het museum waaraan Rachel haar bezittingen had vermaakt. Uiteindelijk was hij geen snars wijzer geworden. Deze middag was complete tijdverspilling geweest. Hij moest die idiote aanslag op zijn emoties zo snel mogelijk achter zich zien te laten.

Maar Chaïm en Sylvia zouden erover willen praten. Misschien was dat maar beter ook.

Hij stond bij de deur en besloot niets te laten merken van wat hij van binnen voelde; het laatste wat hij wilde, was de avond verknoeien met zijn problemen. Feit was dat hij eigenlijk helemaal geen problemen had. Er was eigenlijk helemaal niets veranderd. Alleen het verleden. Hij was dus geboren uit een vrouw met de naam Rachel Spritzer. Misschien. Nou en?

Hij liep in de richting van twee stemmen, die uit de keuken bleken te komen.

'De worteltjes en de uien doen het hem, zeker weten,' zei Chaïm.

'Het ruikt heerlijk.' Sylvia's zachte stem. 'Je had echt niet zoveel moeite hoeven doen voor...'

'Onzin. En trouwens, Stephen stond erop.'

Ze grinnikte. 'Het spijt me voor u, lieve rabbi, maar Stephen is alleen maar een vriend. En ik denk dat dat gevoel wederzijds is.'

Stephen bleef staan waar hij stond.

'Beschuldig je me er nu van dat ik loop te koppelen?' wierp Chaïm tegen. 'Hoe zou een oude man als ik me durven mengen in het leven van twee jonge honden?'

Er stond een pan te pruttelen op het vuur.

'Twee heerlijke, wonderschone jonge honden, moet ik toevoegen,' zei Chaïm. 'Een eenzame man en een eenzame vrouw, op zoek naar de liefde, praktisch gemaakt voor elkaar.'

'Alstublieft, zeg! Ik weet niet waar u het idee vandaan haalt dat ik geïnteresseerd zou zijn in Stephen. Natuurlijk wel als vriend. Maar geloof me, hij is niet mijn type.'

'Oh? En wat is dan wel jouw type? Jullie zijn allebei Joods.'

'Er komt bij een relatie meer kijken dan een godsdienst.'

'Je vindt hem dus fysiek niet aantrekkelijk? En hij is ambitieus, intelligent, heeft een sterke wil – aan zo'n man kun je je nooit een buil vallen.'

'Begrijp me niet verkeerd. Ik mag hem graag, echt. Ik kan me hem alleen niet voorstellen als meer dan een broer.'

Het was even stil. Lang genoeg voor Stephen om zich te realiseren dat hij stond te zweten.

'Ik denk dat je je in hem vergist,' zei Chaïm.

'Alstublieft. Wat is er mis met een broer?'

Stephen deed zachtjes een paar stappen achteruit en liep toen weer naar de keuken toe, in de hoop dat ze hem zouden horen. Hij liep de hoek om en zag dat Sylvia Chaïm op het voorhoofd kuste. Haar bruine haar viel tot op haar schouders. Ze had een kleine neus – dwergachtig klein vergeleken met die van de rabbi. Chaïm was geen beest, maar op dat moment was Sylvia de *beauty* die het *beast* kuste.

'En u bent net een vader voor me,' zei Sylvia.

'Wat is die heerlijke geur die ik hier ruik?' vroeg Stephen, die hun gezichtsveld binnenliep.

Chaïm en Sylvia schrokken.

Hij knipoogde naar hen. 'Ruik ik gepraat over liefde? Of is het kalfsvlees op z'n Italiaans?'

'Hallo, Stephen.' Sylvia wisselde een snelle blik met Chaïm. 'Het lijkt erop dat God de rabbi heeft verteld dat wij hevig verliefd op elkaar moeten worden en samen in een gezegend huwelijk een tiental kinderen moeten grootbrengen.'

'Ooh, dat heb ik helemaal niet gezegd!'

Stephen liep naar Sylvia toe en kuste haar op haar wang. 'Dank je dat je bent gekomen.'

'Graag gedaan.'

Stephen haalde een doos onder zijn arm vandaan en gaf die aan Sylvia. 'Voor het geval dat de stenen nog steeds een grondsmaak hebben.'

'Chocolaatjes.' Chaïm trok een wenkbrauw op.

'Stenen?' vroeg Sylvia.

'Chaïm vertelde me vanmorgen dat zelfs stenen naar chocolade smaken wanneer je hevig verliefd wordt. Natuurlijk vanuit zijn eigen overweldigende ervaring.'

Sylvia pakte de doos aan. 'Dank je. Ze zien er heerlijk uit.'

Chaïm keek hem aan. 'Gaat het?'

'Prima. Hoezo? Ik heb vandaag mijn moeder gevonden. Ze heette Rachel Spritzer. Ze was een zeer vermogende vrouw. En een paar dagen geleden is ze gestorven en ze heeft me niets nagelaten.' Hij haalde zijn schouders op. 'Dus wat is er eigenlijk veranderd? Niks.'

'Ze was wel je moeder,' reageerde Sylvia.

'Is dat zo? En wat is dan een moeder?'

Ze keken hem allebei aan.

'En hoe ging het vandaag met de officier van justitie?' zei Stephen. 'Heeft hij de criminelen weer van de straat weten te houden?' Hij maakte geen geheim van zijn scepsis wanneer het over haar baas ging, de kale, dikbuikige officier van justitie die zeven maanden geleden van de Oostkust naar Los Angeles was gekomen. Sylvia wist nog steeds niet of ze de man nou wel of niet aardig moest vinden, zelfs al werkte ze als kersverse advocaat al vier maanden voor hem.

'Dat is de verantwoordelijkheid van de commissaris,' zei ze. 'Wij sluiten ze alleen maar op.'

'Opsluiten… ze van de straat houden… dat is hetzelfde. Ze waarderen je niet genoeg. Zonder jou zou die hele afdeling in elkaar storten.'

Ze moest lachen. 'De laatste keer dat ik erop lette, zat ik nog steeds vastgeketend aan het onderzoeksbureau, maar bedankt voor het vertrouwen.'

Ze vermeden de daaropvolgende twintig minuten het onderwerp Rachel Spritzer. Ze dachten er allebei aan, wist Stephen. Hij zag het in hun ogen en hij zag het ook op het puntje van hun tong liggen. Maar ze gaven hem de ruimte die hij van hen verlangde.

Het kalfsvlees smaakte uitstekend, maar Stephen proefde het bijna niet. Ze praatten wat over de kerk waar Chaïm naartoe ging, over het onderzoek van Sylvia en over de transactie waar Stephen samen met Dan Stiller mee bezig was.

'Ik ben naar het Holocaustmuseum geweest,' zei Stephen ten slotte na een lange stilte.

Chaïm legde zijn vork neer. 'Echt?'

'Ja. En het testament rept met geen woord over een andere partij.'

'Heb je hun verteld wie je bent?' vroeg Sylvia.

'Ik heb hun verteld dat ik Stephen Friedman ben.'

'Maar weten ze dat je familie van haar bent?'

'Natuurlijk niet. Hoe zou ik dat moeten bewijzen? "Hoi, ik heet David Spritzer, zoon van Rachel Spritzer; kan ik de spullen meteen meenemen?"'

'Er moet een manier zijn.'

'Ik weet zelfs niet eens of ik wel echt haar zoon ben.'

'Dat moet wel,' reageerde Chaïm. 'Hoe kon ze anders van dat litteken afweten? Nee, geen twijfel mogelijk.'

'Juridisch gezien wel,' zei Stephen.

'Huur een advocaat in,' zei Sylvia.

'Ik *wil* helemaal geen advocaat inhuren. Ik wil dit achter me laten. En ik denk dat ik het plaatje nu rond heb. Ze was mijn moeder; dat kan ik waarschijnlijk wel accepteren. Einde verhaal.'

'Dat kan het einde van dit verhaal nog niet zijn,' zei Chaïm. 'Ze waarschuwde voor een bepaald gevaar. Sylvia, kun jij het er niet eens met de politie over hebben?'

'Alsjeblieft niet, zeg,' protesteerde Stephen. 'Echt, wat in haar verleden thuishoort, moet daar maar blijven. Klaar. Ik wil gewoon verder met mijn leven.'

Stephen stak een stuk vlees in zijn mond. 'Ik ben niet de enige die ze heeft achtergelaten. Haar hond loopt ook op straat.' Hij had meteen spijt van die opmerking.

Chaïm trok beide wenkbrauwen op. 'Was dat haar hond?'

'Ik denk dat hij in de kelder woont.'

'Heeft dat gebouw een kelder?'

'Niet zo ongewoon voor een gebouw van die grootte. Maar er bevinden zich daarbeneden alleen maar een oude boiler en wat andere nutsvoorzieningen.'

'Hoe oud is dat gebouw?'

'Gebouwd in 1947. De boiler wordt natuurlijk niet meer gebruikt. Misschien heeft ze al haar goud wel in de riolering verstopt.' Hij leek zijn vloedgolf aan cynische opmerkingen niet tegen te kunnen houden.

Sylvia keek op van het vlees dat ze aan het snijden was. 'Welke riolering?'

'Er bevond zich een mangat in het stookhok. Ik vermoed dat dat naar een soort rioleringssysteem leidt.'

Chaïm wierp een blik op Sylvia en keek toen weer naar hem. 'Een mangat? Hoe groot?'

Stephen legde zijn lege vork neer en wees het aan met zijn handen. 'Zo ongeveer.' Het was een absurd idee dat Rachel Spritzer iets in een afvoer zou verstoppen. En trouwens, dat deksel was al in geen jaren meer aangeraakt.

'Sinds wanneer maken ze in privégebouwen een toegang tot het rioleringsstelsel van een stad?' vroeg Chaïm. 'In Rusland misschien, maar hier in elk geval niet.'

'Dat doen ze ook niet,' zei Stephen. 'Maar als de riolering er al eerder was dan het gebouw misschien wel. Ik heb het weleens meer gezien. Tegenwoordig zouden ze die riolering gewoon dichtgooien en hem omleiden, maar in de jaren veertig nog niet.'

'Het zouden verzonken hoofdkranen kunnen zijn,' zei Sylvia.

De rabbi begon weer te eten. 'Het zou een schuilkelder kunnen zijn.'

'Het zou een geheime ingang van Fort Knox kunnen zijn,' zei Stephen. 'Alsjeblieft, zeg. Hij zit in het stookhok.'

'Hoe groot zei je ook alweer?' vroeg Chaïm.

'Vijfenveertig centimeter?'

'Ik zou denken dat het een vloerkluis was,' zei Chaïm.

'Nee, het was het een of andere mangat,' hield Stephen vol.

'Hoe weet je dat?'

'Eh, dat weet ik niet.'

'Daar heb je het al. Een vloerkluis.'

'Klinkt niet onlogisch.' Sylvia knipoogde. 'Je hebt zonder het te weten een fortuin laten liggen.'

'Er zat zeker twee centimeter troep op aangekoekt,' zei Stephen. 'En ik heb ook geen sleutelgat gezien.'

'En toch vind ik het idee van een kluis niet gek. En een vrouw die een van de Stenen van David in bezit had, zou er hetzelfde over denken.'

Stephen rolde met zijn ogen. 'Doe niet zo belachelijk. Dat deksel is al in geen jaren meer aangeraakt – dan kan het toch geen kluis zijn? Niet te geloven dat we er nog serieus over zitten te praten ook.'

Chaïm knikte. 'Je hebt gelijk, het is een riool.' Hij zette zijn mes in een aardappel. 'Ik vind dit allemaal erg vervelend voor je, Stephen. Misschien heeft Sylvia gelijk en moet je een advocaat inhuren.'

'Ik heb geen advocaat nodig. Ik heb Sylvia. En eerlijk gezegd is er ook geen zaak waarbij ik een advocaat nodig zou hebben, of wel?'

'Dat weet je niet als je niet dieper graaft,' zei Sylvia.

'Maar van wat je nu weet?'

'Nee, waarschijnlijk niet. Maar dat weet je pas als je dieper graaft.'

Het beeld van dat mangat, of wat er ook achter de buikige boiler verborgen lag, zette zich vast in Stephens gedachten.

'Ik denk niet dat ik het aankan om dieper te graven. Ik zal alleen… het komt wel goed. Ik ben samen met Dan met een uitstekende transactie bezig; ik heb een geweldig thuis, geweldige vrienden.' Hij probeerde zijn beste glimlach te produceren. 'Dit gaat allemaal weer voorbij en alles komt weer goed. Je zult het zien.'

Sylvia vertrok om negen uur en om tien uur trok Stephen zich terug op zijn kamer.

Hij stapte in bed en deed het licht uit, maar kon niet in slaap komen. Wat als Chaïm gelijk had, met die kluis? Absurd. Vijfenveertig centimeter – zou kunnen kloppen met een kluis. Wel een flinke kluis, trouwens. Eigenlijk te klein voor een mangat. Vloerkluizen waren niet echt ongewoon, hoewel een kluis achter een boiler dat wel was. Misschien zou hij met wat gereedschap terug moeten gaan en de afdekplaat schoon moeten maken. Gewoon voor de zekerheid. Een kluis zou een slot of iets dergelijks moeten hebben.

Hij ging verliggen. Draaide zich om. De kleine wijzer van de wekker met de witte wijzerplaat naast zijn bed kroop over de twaalf heen.

Goed. Stel, puur hypothetisch, dat zich een kluis achter de boiler bevond. En stel dat er meer was dan in Rachels testament werd vermeld. Zou het dan mogelijk zijn dat ze het in een kluis had achtergelaten? Misschien wel zodat haar echte zoon het zou vinden? Hij dacht na over haar briefje.

Ik had gehoopt dat hij zou komen…

Zelfs al hoorde de cirkel achter de boiler bij een kluis, dan zou het nog weleens zo kunnen zijn dat er geen enkele manier was om hem open te krijgen. Hij kon hem moeilijk gaan openbreken, behalve dan als het gebouw van hem zou zijn. Zou ze een sleutel in de kelder hebben verborgen? Of in haar appartement?

Stephen kroop om één uur uit bed, ging naar het toilet en kwam weer terug, waarbij hij zijn best deed niet de slaperigheid van zich af te schudden die na drie uur wakker te hebben gelegen toch was ingetreden. *Slaap. Alstublieft, laat me slapen.* Hij liet zich in bed vallen en sloot zijn ogen.

Wat zou ze hoe dan ook in zo'n kluis verbergen?

De Stenen van David.

Nee, ze had de enige Steen die ze had aan het museum geschonken. Als ze er twee of drie, of ze alle vijf had gehad, zou ze haar hele collectie aan het museum hebben vermaakt.

Voor ze stierf had ze een maand gehad om haar zaakjes te regelen – dan zou ze haar bezittingen toch wel allemaal op een lijst hebben gezet? Rachel leek hem niet iemand die iets kostbaars in een kluis stopte en het dan vergat te vermelden bij haar nalatenschap. Vooral niet zoiets waardevols als de Stenen van David.

Of ze moest hebben gewild dat haar zoon ze vond, zonder dat degene, wie dan ook voor wie ze bang was, erachter zou komen. Dat was een idee. Een dwaas, stompzinnig idee. Maar wel een idee dat hem uit zijn slaap hield.

Roth Braun zat in de zwarte sedan en staarde naar de donkere nacht. Het was ver na middernacht en de lange reis vanuit Duitsland had hem uitgeput. Zonder het vooruitzicht op de bevrediging die voor hem lag, zou hij allang zijn ingestort.

Maar Roth werd niet op gang gehouden door gewoon vlees en bloed en spieren en zenuwen. Hij betrok zijn energie van het zwartste gedeelte van de nacht.

Hij pakte met zijn gehandschoende hand het potloodlampje en klikte het aan. Een lichtcirkeltje verlichtte het boek dat op zijn schoot lag.

Een telefoonboek van groot Los Angeles. Een monsterlijk ding dat hij liever in het hotel had achtergelaten. Maar hij wilde zijn opties openhouden, als de Jood die hij had uitgezocht niet beschikbaar was of moeilijk te bereiken.

Er bestond altijd een mogelijkheid dat hij de verkeerde vrouw had geselecteerd. Alleen een naam zei niet alles. Het zou net zo goed een indiaanse kunnen zijn die met een Joodse man met de naam Goldberg was getrouwd. Maar dat maakte niet echt uit. Hoewel een Jood hem meer bevrediging schonk.

Het moest wel een vrouw zijn. Zijn vader had vrouwen uitgezocht. Een vrouw was de ondergang van zijn vader geworden. Ja, het moest een vrouw zijn.

Zijn potloodlampje verlichtte de eerste naam die hij had uitgezocht. Hannah Goldberg. Dat klonk Joods. Het was in elk geval een vrouw. Hopelijk woonde ze alleen.

Volgens het telefoonboek woonde ze aan de overkant van de straat waar hij nu stond geparkeerd. Op haar brievenbus stond 123423. Wat een groot huisnummer. Er waren veel te veel Amerikanen.

Maar goed, voor het licht werd zou er weer een minder zijn.

Roth klikte het lampje uit en legde het telefoonboek naast zich neer. Zijn vingers beefden, maar hij wist dat hij dat verlangende beven kon onderdrukken door een keer in zijn handen te knijpen. Die macht had hij. Maar op dit moment wilde hij toegeven aan deze lichte fysieke reactie.

Roth pakte een rood sjaaltje, haalde de zijde onder zijn neus door, inhaleerde langzaam en stak het in zijn zak.

Hij deed het portier open, stapte uit, keek naar de verlaten straat en duwde het portier weer dicht. Hij liep om de motorkap heen en de straat over. Een enkele lamp verlichtte de ingang. Verder was het huis donker.

Het zou een heerlijke nacht worden.

8

Er stroomden verblindende zonnestralen door de ramen toen Stephen
de volgende morgen met moeite wakker werd. Hij zwaaide zijn benen
uit bed. Negen uur. Wanneer was hij in slaap gevallen?

Hij haastte zich naar de douche. Eerste adresje: Rachel Spritzers appartement. Hij dacht erover na of hij niet eerst het geld voor Daniël zou
regelen, maar besloot dat dat wel kon wachten. Hij moest eerst die andere zaak afhandelen.

Hij zou erheen gaan, niets vinden en zijn moeders appartement laten
rusten. Einde verhaal.

Hij kon zich niet herinneren dat hij ooit zo in de knoop had gezeten. De bizarre hoop die hem de afgelopen nacht uit zijn slaap had
gehouden, eiste nu van hem dat hij terugging naar het appartementencomplex en direct naar de kluis.

Wat als...

Nee, Stephen, niet wat als. Onmogelijk, idioot, dwaas.

Maar wat als?

Diana Ross gilde uit zijn klokradio: '*Ain't no mountain high enough*'.

Toen Stephen een uur later voor het gebouw parkeerde, was het makelaarsbord al uit de tuin verdwenen. Huh? Zelfs al hadden de Duitsers een
acceptabel bod gedaan, het bord bleef meestal staan tot de papierwinkel
was afgehandeld.

Een bruine auto, die Stephen herkende als het vervoermiddel van Mike
Ryder, stond langs de stoeprand. Geen voetgangers. En geen cocker spa-

niël. Die liep waarschijnlijk de hand van iemand anders af te likken.

Stephen stapte uit de Vega, pakte een flinke schroevendraaier en een hamer achter zijn stoel vandaan, stak de eerste in zijn broekzak en liet de hamer in de binnenzak van zijn jasje glijden. De vouwen van zijn broek maskeerden de schroevendraaier; de hamer wilde naar buiten hangen. Hij probeerde de hamer er andersom in te steken, zodat de kop naar beneden wees. Helaas. Hij zou hem met zijn linkerarm op zijn plek moeten houden.

Hij klopte op zijn linkerborstzak en ging op weg naar de voordeur. Als hij geluk had, zou hij Mike mislopen. Even snel naar de kelder en dan zou hij weer verdwijnen. Hij was een makelaar die legaal toegang had tot het gebouw en dus brak hij niet in. En toch glinsterde er zweet op zijn voorhoofd. Warme dag.

Stephen stond stil voor de deur. Geen sleutelkastje. Geen bord en geen sleutelkastje. Heel even borrelde er paniek in hem op. Hoe kon...

De deur zwaaide open en Mike verscheen in de deuropening. 'Stephen!' Hij had duidelijk niemand verwacht. 'Dat is vreemd. Ik stond op het punt je te bellen.' Hij liep naar buiten en trok de deur achter zich dicht. 'Sorry, maar hij is uit de verkoop.'

'Wat bedoel je met "uit de verkoop"? Teruggetrokken?'

'Verkocht.'

'Verkocht?'

'Morgenochtend is alles rond. Ik weet het, dat is onmogelijk, maar toch is het zo. Wat moet ik zeggen? Soms heb je geluk, soms ook niet.' Er speelde een flauwe glimlach om zijn lippen.

'Hoe kan het nou morgenochtend al rond zijn?' vroeg Stephen, die een nieuwe invalshoek zocht. Hij wilde nog steeds naar binnen, al was het alleen maar om zijn nieuwsgierigheid te bevredigen. 'Het papierwerk duurt altijd langer.'

'Hoeft niet. Er wordt contant betaald. Geen gekke dingen.'

'De Duitser?'

'Roth Braun. Vraagprijs. Hij heeft ook voor de inboedel betaald. Hij heeft gisteren de papieren getekend.'

'Is hij hier?'

'Niet op dit moment, maar hij zal vandaag wel komen. Het leek erop dat hij van plan is om een paar dagen op de bovenste verdieping door te brengen terwijl hij zijn zaakjes hier in de Verenigde Staten regelt.' Mike deed de deur op slot en liep de trap af.

'Kan ik er misschien nog even in?' vroeg Stephen.

'Erin? Hoezo? Het is verkocht.'

'Technisch gezien niet. Morgenochtend is het pas verkocht, wanneer de papieren rond zijn. Hoe dan ook, ik denk dat ik mijn portemonnee ergens heb laten liggen.'

'Wat mij betreft zijn de papieren rond,' reageerde Mike. 'Ze hebben de helft al betaald, in keiharde munten. Tweehonderdvijftigduizend ballen, beste vriend. Is dat rond of niet? Ik weet niet of ik wel daarbinnen wil rondlopen als Braun komt. Gezien de grootte van de aanbetaling krijgt hij de sleutel. Het verbaast me eigenlijk dat hij er nog niet is.'

Op dat moment liep Stephen bijna weg – hij had niet echt iets te winnen op dit punt.

Behalve misschien een erfenis die hem toebehoorde. Behalve misschien nog vier Stenen van David.

'Ik schiet echt op. Laat me er nou maar gewoon in. Ik sluit wel af. Ik ben tenslotte makelaar. Maximaal vijf minuten. Voor mijn portemonnee.' De hamer voelde zwaar aan in zijn jasje en hij wendde zich een beetje af.

'Als hij komt…'

'Mijn *portemonnee*, Mike! Hij komt echt nog niet.'

Mike keek om zich heen en haalde zijn schouders op. Hij haalde een sleutel tevoorschijn, haastte zich de trap weer op en deed de deur van het slot. 'Hij kan van binnen op slot. Schiet wel op. Geloof me, je wilt die Braun niet tegenkomen. Ik krijg de kriebels van die vent.'

'Als hij problemen maakt, zeg ik tegen hem dat ik ben binnengekomen toen jij nog binnen was. En toen ben jij vertrokken zonder te weten dat ik er was, en ik ben kort daarna vertrokken.'

'Ja. Prima. Heb jij een hamer in je binnenzak?'

Stephen bevroor een fractie van een seconde. 'Oh, ja. Ik was vergeten dat ik die nog steeds bij me had.' Hij trok hem eruit, met de gedachte dat het onmogelijk was om zo'n groot en zwaar voorwerp te vergeten. 'Ik heb net nog een paal in de grond geslagen.'

Mike staarde hem even aan. 'Heb jij altijd een hamer in de binnenzak van je jasje zitten?'

'Nee, joh. Geen idee waarom ik hem er niet heb uitgehaald. Ik had haast.' Hij liep ook naar de deur. 'Blijf jij in de buurt?'

'Bekijk het maar. Ik ga ervandoor. Vergeet de deur niet.'

Mike vertrok met een vraagteken in zijn ogen. Stephen deed de deur achter zich dicht en liet zijn adem ontsnappen. Dat was niet bepaald handig verlopen. Een paar leugentjes om bestwil. Hij *ging* inderdaad een paal in de grond slaan, als je een schroevendraaier tenminste een paal kon noemen. Hij had het nog niet gedaan, maar hij zou het geen harde leugen willen noemen. Wat maakte het ook uit, dit was het huis van zijn moeder. Dat was het in elk geval geweest.

Hij nam de trap naar de kelder, deed het licht aan en keek om zich heen. Een enkel peertje met een omhulsel van staalgaas wierp een gelige gloed over de vier deuren, die allemaal dichtzaten. Was de Duitser al beneden geweest? Hij liep naar het stookhok, ging naar binnen en deed ook daar het licht aan.

Drie vaten van vijfenvijftig gallon, de elektrische boiler en het oude exemplaar met de dikke buik. Er was niets veranderd. De zwarte vegen op de muur achter de oude boiler, waar hij zijn hand had afgeveegd, vielen best op. Een zacht gesis van de nieuwe boiler verbrak de stilte.

Stephen haalde de schroevendraaier tevoorschijn en liep naar de boiler. De cirkel in het beton was niet aangeraakt. Hij verschoof een van de lege vaten om wat ruimte voor zichzelf te creëren. Hij ging op een knie zitten en pulkte met de grote schroevendraaier aan het vuil dat zat aangekoekt op het deksel. Het brak er in kleine, brokkelige stukjes af. Met deze snelheid zou het zeker tien minuten duren voor hij hem schoon had.

Hij stopte even om te luisteren. Stilte. Waar was hij mee bezig? Dit was gekkenwerk. Er schoof een beeld door zijn gedachten – hijzelf die het gebouw uit rende, helemaal onder het vuil en doorgezweten. *Hallo, meneer Braun. De boiler doet het prima. Niks aan de hand. U hoeft geen loodgieter te laten komen. Oh ja, want dat ben ik zelf, een loodgieter.*

Hij viel weer aan op het deksel, omdat hij wilde dat deze idioterie snel voorbij zou zijn. De schroevendraaier bleef steeds hangen in de randen van het deksel. Het kon van alles zijn. Hij maakte de randen schoon en zag dat het deksel inderdaad gewoon een deksel was. Een stalen deksel dat was verzonken in het beton.

Onder het bikken stuiterden de vragen door zijn gedachten. Waarom zou iemand hier een kluis maken? Aangenomen dat het een kluis was, wat waarschijnlijk niet zo was. Maar goed, waarom zou iemand hier een toegang tot het riool willen maken? Of het moest geen toegang tot een riool of een afvoer of iets dergelijks zijn. Of het moest echt een kluis zijn...

Hij schudde zijn hoofd en gebruikte zijn vingertoppen om het oppervlak schoon te vegen. Het reliëf leek een enkel insigne te zijn dat in het metaal was geslagen. Nog steeds geen sleutelgat, wat betekende dat het waarschijnlijk geen kluis was. Dit was echt geen –

En toen, plotseling, werd er een sleutelgat zichtbaar.

Er sprong een flinke schilfer vuil van het deksel af, waardoor er een messingkleurige cilinder zichtbaar werd, met in het midden een zigzag-opening waar een sleutel in paste.

Stephen boog zich over het sleutelgat heen en knipperde met zijn ogen. Zijn ogen vlogen over de rand heen en richtten zich toen weer op het sleutelgat. Zijn hart bonkte. Het moest een kluis zijn!

Hij stak de schroevendraaier in het slot en probeerde te draaien, maar gaf het onmiddellijk op. Er moest een sleutel zijn.

Het was dus een oude vloerkluis, verborgen achter een oude boiler. Dat wilde nog niet zeggen dat er iets anders in zat dan bedorven lucht. Aan de andere kant, wat als? Wat als er echt iets in verborgen lag? Voor hem. Rachels zoon.

Stephen stond op en keek om zich heen voor de sleutel. De muur, de boiler, de nieuwe boiler. Niets. Hij bleef even staan luisteren. Niets. Hoe lang was hij hier al? Minstens tien minuten.

Hij haalde diep adem en zuchtte. En nu? Hij liep weer naar de kluis toe. Het peertje aan het plafond wierp zijn harde licht erover. Het was hem gelukt om het grootste deel van het vuil van het deksel te krijgen. En dat lag er nu allemaal omheen. Iedereen die deze ruimte zou betreden, zou het meteen zien. *Hier ben ik; open mij en vind verborgen rijkdommen.*

Wat hij in elk geval kon doen voor hij vertrok, was het vuil wegvegen en proberen zijn hakwerk te verbergen. Hij stond op het punt om een bezem te gaan zoeken, toen de stalen randen van het deksel plotseling een schakelaar in zijn gedachten omzetten. Iets bekends.

Stephen liet zich op zijn knieën vallen, greep de schroevendraaier en ging met hernieuwde energie het aangekoekte vuil te lijf.

Het vuil kwam er in taaie schilfers af, maar langzaam aan werden er letters en woorden zichtbaar. Hij gooide de schroevendraaier opzij en zette het werk voort met zijn vingernagels. Hij klauwde aan het oppervlak, veegde de schilfers nogmaals weg en schrok.

De Stenen lijken op de verloren weeskinderen. Ze zullen elkaar uiteindelijk terugvinden.

Stephens hart klopte in zijn keel. Aan de rand van zijn bewustzijn ging er een belletje rinkelen. *De Stenen.* Tussen zijn voeten bevond zich een verborgen kluis waarop een specifieke verwijzing stond naar de Stenen van David. Hij was een Steen van David. Hij was David. Wat moest dit betekenen?

Zijn ademhaling klonk luid in de stille ruimte. *Je bent een beetje voorbarig, Stephen. Dit is de plek waar ze ooit de enige Steen bewaarde die ze had. Je verbeelding gaat met je aan de haal.*

En klonk een licht gezoem door de muren. Stephen draaide zich met een ruk om. De garagedeur! Dat moest de Duitser zijn. En als hij niet blind was, moest hij de blauwe Vega voor de deur hebben zien staan.

Stephens gezicht baadde in het zweet. Instinctief veegde hij het weg en schold op zichzelf toen zijn hand zwart naar beneden kwam. Hij dook op de kluis af en landde hard genoeg op zijn knieën om er pijn van in zijn rug te krijgen.

Hij gebruikte zijn armen als bezems en veegde alle schilfers weer terug over het deksel. Het maakte niet uit dat zijn jasje verschrikkelijk smerig werd; hij moest zien te verbergen wat hij hier had gedaan. Het gebouw mocht dan eigendom zijn van iemand die Braun heette, maar wat hem betrof, was deze kluis van hem.

Boven zijn hoofd hoorde hij vaag voetstappen. Hij sprong overeind, pakte een van de lege vaten beet en rolde het zo zachtjes mogelijk op zijn rand langs de muur, hoewel dat al veel te lawaaierig was.

Als ze hem tegen het lijf liepen, wat moest hij dan zeggen? Dat loodgieterverhaal sloeg natuurlijk nergens op. Een controleur, misschien. Verplichte maar onbeduidende formaliteiten, die de wetgever in dit land nou eenmaal voorschrijft voor de transactie kan worden afgerond. Helaas liet hij zich nogal eens meeslepen door zijn werk, vandaar de vegen op zijn gezicht en de smerige armen.

Stephen gromde iets en zette het vat boven op de vloerkluis. Hij deed een stap achteruit. Dat zag er heel natuurlijk uit, behalve dan dat er een kring op de vloer stond op de plek waar het vat eerst had gestaan. Hij veegde er met zijn voet overheen en wist de plek aardig weg te werken.

Hij rende het stookhok uit, waarna hij nog sneller weer naar binnen rende om zijn hamer en schroevendraaier te pakken. Hij controleerde de ruimte nog een laatste keer en verdween weer. Hij bleef enkele minuten onder aan de trap staan en smeekte een God in wie hij niet echt geloofde om ervoor te zorgen dat de mensen boven hem zouden verdwijnen.

Ze namen de lift naar boven. *God zij dank. God zij dank.* Dat was mooi.

Stephen sloop op zijn tenen de trap op, keek om het hoekje van de deur de garage in, zag niemand, haalde diep adem en liep gehaast naar de voordeur toe.

Hij haalde het zonder adem te halen. Helaas moest hij een keer naar adem happen voor hij buiten was. Het echode zacht door de garage. Perfect.

Stephen rende naar zijn auto toe. Als de Duitser nu door het raam naar buiten zou kijken, zou hij een vuil geworden man naar een blauwe Vega zien rennen. Laat hem zijn conclusies maar trekken. Stephen was in elk geval nauwelijks herkenbaar.

'Wraf!'

Hij bleef tien meter voor zijn auto stilstaan. De hond zat bij zijn portier en hij kwispelde zeer enthousiast met zijn korte staart.

'Ksst! Ksst!'

Maar Neus ging niet *ksst*.

Stephen boog zich over hem heen en deed het portier van het slot. Hij verwachtte dat de hond ervandoor zou gaan, maar in plaats daarvan likte Neus aan zijn hand.

De hond had een slecht gevoel voor timing. Elk moment kon er iemand in de deuropening naar Stephen gaan staan gillen dat hij terug moest komen om uit te leggen wat hij daar in die kelder te zoeken had.

'Hé, ga nou niet moeilijk doen. Ik ben geen zoutblok of wat het dan ook mag zijn wat jongens zoals jij – ik bedoel meiden…'

De hond sprong in de auto, hipte op de passagiersstoel en keek de andere kant op.

'Eruit.' Hij wilde niet schreeuwen of een scène schoppen. 'Wegwezen, stomme hond!' fluisterde hij scherp.

Neus weigerde om zelfs maar te laten merken dat ze hem had gehoord.

'Eruit!' beet hij haar nogmaals fluisterend toe.

Helaas.

Stephen stapte in, deed zijn portier dicht en leunde naar rechts om het andere portier open te doen en het mormel eruit te duwen. Maar nu keek Neus hem met enorm grote en smekende ogen aan. De hond likte aan zijn hand toen Stephen die uitstak naar het knopje van het slot.

Misschien kon hij de hond maar beter meenemen. Stephen ging weer rechtop zitten en greep het stuur beet. Mike was van plan het asiel te bellen, wat betekende dat de cocker spaniël een nieuw thuis zou krijgen. Of een spuitje.

Maar dit was niet het moment om daar uitgebreid over te gaan zitten nadenken.

Neus blafte.

'Goed, goed, maar alleen vandaag. Meer niet.' Hij startte zijn auto en reed weg.

De hond keek door de voorruit en was duidelijk blij.

'En als je in mijn auto schijt, kom je er nooit meer in, begrepen?'

Ze jankte en ging liggen. Als Stephen niet beter wist, zou hij denken dat Neus woord voor woord snapte wat hij wilde.

Maar wat wilde hij eigenlijk?

Erachter zien te komen wat er in die kluis zat. Rachels kluis. De kluis van zijn moeder.

Zijn vingers wilden maar niet ophouden met beven. Hij keek ernaar. Volgens hem was hij niet echt iemand die snel beefde.

Hij vocht tegen de neiging om de auto in een honderdtachtig graden slip te gooien, terug te rijden naar het appartement, het binnen te glippen en zich weer op de kluis te werpen. Maar hij verwierp dat idee onmiddellijk. Zijn nieuwsgierigheid mocht hem dan de bibbers hebben opgeleverd, maar hij was zijn verstand nog niet kwijt. Toch?

9

'Wees maar dankbaar,' zei Golda met zachte hese stem. Ze moest Martha's zachte huilen hebben gehoord. Er was pas één dag voorbij, maar Martha kon er niet nog een aan. De maan wierp grijze schaduwen op de muur tegenover het kleine raam. Blok D werd bevolkt door zo'n honderd vrouwen, de barakken die waren gereserveerd voor Joden. De meesten sliepen, uitgeput van een dag hard werken in de zeepfabriek. Martha kon zich niet herinneren dat ze zich ooit zo hopeloos had gevoeld, nu ze hier op een van de planken lag die ze bedden noemden. In de gevangenis van Boedapest had ze in elk geval in een vertrouwde omgeving gezeten. Hier was ze van alles en iedereen verlaten en zo ver van huis. Golda had gelijk, ze zou dankbaar moeten zijn, maar ze kon haar emoties niet verenigen met haar gezonde verstand.

'Je leeft nog,' zei de leidster van de barak. 'Er rijden continu volle treinen van Stutthof naar Auschwitz. En jij bent per trein *uit* Auschwitz gekomen. Er wordt in mijn barak niet gehuild.'

Martha was niet in staat te antwoorden. Een verontschuldiging leek ongegrond en als ze iets ter verdediging zou aanvoeren, zou dat ongevoelig zijn ten opzichte van de ontberingen waarmee ze allemaal te maken hadden.

Op de brits tegenover Martha draaide Ruth zich om, waarna ze zich opdrukte op haar ellebogen en Golda aankeek. 'Jouw lichaam mag dan misschien nog leven, maar ze hebben je hart gedood. Wie heeft er nou ooit van zo'n regel gehoord, dat je niet mag huilen?'

'Binnen een week zul je om een dood hart smeken,' beet Golda haar fluisterend toe. 'Wanneer de oorlog voorbij is, mogen jullie huilen wat je wilt, maar hier houd je je gesnotter voor je. Jullie zijn niet de enigen die deze waanzin proberen te overleven.'

Ruth schrok niet terug, maar gaf ook geen reactie. Martha zag haar oogwit glanzen. Misschien was ze, net als Martha, geneigd de harde vrouw te vertellen dat zwangere vrouwen het zich niet kunnen veroorloven om hun hart uit te schakelen, uit angst dat ze daarmee ook het hart van hun kind uitschakelen.

Toruń was een werkkamp voor ongeveer vijfduizend vrouwen – voornamelijk Poolse dissidenten en politieke gevangenen uit de Baltische regio, maar de laatste tijd ook een aantal Joden. Het eten, een vloeistof die ze soep durfden te noemen en een sneetje van de een of andere kartonnen substantie die als brood werd aangemerkt, was niet genoeg om moeder en kind in leven te houden. Martha had haar eerste dag in de fabriek doorgebracht en had over het probleem nagedacht tot haar hoofd ervan bonkte. Zolang een vrouw kon werken, bleef ze in leven, maar te midden van alle ziektes en ondervoeding was de levensverwachting maar een paar maanden. En te midden van alle ziektes, ondervoeding en ook nog een zwangerschap hoefde ze niet te rekenen op meer dan de helft.

Behalve als zij en Ruth een manier vonden om aan meer eten te komen, zouden ze waarschijnlijk geen van tweeën een baby ter wereld brengen.

Ruth keek Golda weer aan. 'Denk niet dat we, omdat we hier nieuw zijn, niet weten wat het betekent om in stilte te lijden,' zei ze. 'Maar als je geen passies meer overhoudt in dit leven, dan kun je maar beter aan het volgende beginnen, of niet?' Ze had lef. 'Wat heeft het voor zin dit te overleven, als je het overleeft met een dood hart?'

Golda richtte zich op op een elleboog en bestudeerde Ruth. 'Zeg, ben jij soms een rabbi? Er *zijn* hier geen passies! Dat was het eerste wat de nazi's van ons hebben gestolen.'

'Niet van mij. Het verlangen om te leven en te gedijen is iets wat God ons heeft gegeven. Goed, we zullen leren niet te huilen, maar je verdoet je tijd als je ons onze passies probeert te ontnemen.'

De leidster staarde Ruth stilzwijgend aan.

'Ze heeft gelijk,' zei een stem boven Martha rustig. Rachel, een andere Jodin, uit Hongarije, die hier al een maand zat, leunde over de rand van haar brits heen. 'Dat was het meest zinnige wat ik heb gehoord sinds ik hier ben. Als we niet meer kunnen hopen, waarom zouden we dan leven?'

'Dieren voelen geen hoop,' zei Golda.

Toen er niet onmiddellijk een reactie kwam, ging Golda weer liggen, tevreden dat ze duidelijk had kunnen zeggen waar het op stond. 'We zouden maar voor één ding dankbaar moeten zijn en dat is dat we nog leven,' zei ze. 'Braun mag dan het kwaad in een blank omhulsel zijn, maar als je het spel volgens zijn regels speelt, zou je best nog een tijdje kunnen blijven leven. Maar als je je mond niet kunt houden over hoop en passie, zul je het niet lang maken.'

'Sommige dingen zijn het waard om voor te sterven,' zei Ruth.

'In elk geval niet je passies. Geloof me, je kunt het je hier niet veroorloven om gepassioneerd te zijn.'

'Ik kan het me niet veroorloven om *niet* gepassioneerd te zijn,' zei Ruth zacht en bijna tevreden. 'Ik ben zwanger.'

Martha voelde haar polsslag versnellen in het vacuüm dat werd gecreëerd door Ruths opmerking.

Golda ging zitten, zwaaide haar benen uit bed en staarde Ruth aan.

Rachel liet zich naar beneden zakken en ging bij Ruth op bed zitten. 'Ben je zwanger?' fluisterde ze.

'Ja.'

'Ik heb een kind. Een drie jaar oud jongetje. Ze hebben hem meegenomen naar een ander kamp.'

Martha kon niet langer haar mond houden. 'Ik ben ook zwanger,' zei ze.

Ze keerden zich alle drie tegelijk naar haar toe.

'Zes maanden,' zei Martha. Haar stem beefde licht.

'*Allebei* zwanger?' vroeg Rachel.

'Ja,' zeiden Ruth en Martha tegelijk.

'Dat betekent dus dat we allebei blijdschap en passie meedragen in onze buik,' zei Ruth.

'Doe niet zo dwaas! Grote kans dat je morgenavond niet eens haalt!'

'Doe niet zo grof, Golda!' zei Rachel. 'Dat weet je niet.'

'Er wordt van me geëist dat ik dit soort dingen onmiddellijk meld. Je hebt geen idee wat dit voor de barak betekent.'

'Je hebt niet het recht…'

'Als ze het ontdekken zonder dat ik het heb gerapporteerd, zullen er vijf van ons worden doodgeschoten voor het feit dat we het verborgen hebben gehouden!'

Martha voelde een welkome besluitvaardigheid door zich heen stromen. 'Vertel het hun dan maar,' zei ze. 'Ik kan het niet voor altijd blijven verbergen. Geef me maar aan en…'

'Geef ons allebei maar aan,' zei Ruth. 'We zijn niet bang, of wel, Martha?'

Martha dacht daar even over na. 'Ik ben doodsbang.'

Ruth staarde terug, bleek. 'Ik ook.'

Rachel en Golda verroerden zich niet en zeiden ook niets om hen gerust te stellen. Waren ze dan zo gevoelloos? Martha begreep Golda's dilemma wel, maar het stilzwijgen van de vrouw bezorgde haar koude rillingen.

'Wat heeft de commandant gedaan met andere zwangere vrouwen?' vroeg ze ten slotte.

'Sommigen stuurt hij weg.' Golda's stem klonk iets minder grof, misschien wel door de kracht die Ruth en Martha tentoonspreidden. 'Hij heeft er maar één toestemming gegeven om haar kind te houden. Die man vindt het heerlijk om te laten zien dat hij macht heeft over het leven. Iemand laten leven, maakt dat je hoop krijgt. Hij gebruikt je hoop als een wapen, om het lijden voor iedereen te verergeren.'

Martha haalde diep adem en vocht om de moed niet te verliezen. 'Zelfs al staat hij ons toe om te blijven leven, dan hebben we niet eens genoeg te eten om onze baby's in leven te houden.'

'We zullen afhankelijk zijn van de wil van God,' zei Ruth.

'De wil van God?' zei Golda. 'God is Zijn wil hier kwijtgeraakt. En ik ben er niet eens zeker van of God *Zichzelf* niet is kwijtgeraakt in deze oorlog.'

'Nee, Golda,' zei Ruth. 'Ga de zwakheid van een mens niet verwarren met die van God.'

Golda snoof. 'Braun zal je willen zien.' Ze zuchtte ongeduldig. 'Wat je ook doet, laat je schouders niet hangen en zorg ervoor dat je niet achterlijk overkomt. Maak hem niet kwaad. En probeer hem niet te verleiden. En als hij *jou* probeert te verleiden, bied dan weerstand, maar niet te veel. Dat is een gevaarlijk spelletje. Het is hem niet toegestaan een Jood aan te raken, maar dat wil nog niet zeggen dat hij dat dan ook niet zal doen.'

Martha werd misselijk van de gedachte alleen al. 'Ik... dat zou ik niet kunnen.'

'Denk aan dat bundeltje passie in je buik en dan kun je alles.' Golda keek naar Ruth. 'Dat krijg je van je sentiment.' Ze zwaaide haar benen weer binnenboord en bleef stil liggen.

'Ik zou alles doen om mijn kind te houden,' zei Rachel. Ze zweeg even en keek naar haar handen. 'Ik heb mijn zoon gebrandmerkt voor ze hem meenamen.' Haar lippen begonnen te beven van de emoties en ze hief een hand op om ze te bedekken. Ze onderdrukte een snik en fluisterde: 'Gebrandmerkt. Wat moest ik anders? Hij is te jong om zich te herinneren hoe hij heet. Hoe moet hij dan weten dat ik zijn moeder ben? Ik heb hem gebrandmerkt, zodat ik hem later zou kunnen vertellen dat dat teken betekent dat hij mijn zoon is. Ik zou brieven kunnen schrijven en op die manier naar hem kunnen zoeken. Ik wilde hem tatoeëren, zoals ze met ons allemaal doen, maar ik had geen inkt en ze zouden me de volgende dag al op transport zetten.'

Martha vroeg zich af hoe een vrouw ertoe kon komen om haar eigen baby te brandmerken. Er moest een betere manier zijn geweest. Ze kon zich niet voorstellen dat ze haar eigen kind zoiets pijnlijks zou kunnen aandoen. Maar het zou zo verschrikkelijk grof zijn om de daden van een vrouw die haar zoontje had verloren aan de kaak te stellen.

Rachel keek op, angstig, alsof ze zich realiseerde hoe schokkend haar bekentenis moest zijn. 'Het lijkt een beetje op je baby vaccineren, niet-waar? Je steekt een naald in een kind zodat hij niet ziek wordt. Hij krijst even, maar je hebt zijn leven gered. Dat is alles wat ik heb gedaan.'

'Ja,' zei Ruth terwijl ze over Rachels rug wreef. 'Dat is inderdaad wat je hebt gedaan, Rachel. Ik zou het ook doen. Dit zijn nou eenmaal rare tijden. We moeten ons aan elkaar vastklampen – aan onze kinderen, onze gezinnen – wat het ons ook kost. Dat is alles wat we nog hebben. Het is onze enige hoop.'

Martha ging weer liggen en ze had alle moed verloren die ze een minuut geleden nog wel had. Was ze maar niet zwanger. Hoe hadden zij en Paul zelfs maar kunnen denken dat het in orde zou zijn om midden in deze wrede oorlog een kind ter wereld te brengen? Het was haar idee geweest. Ze had hem er praktisch om gesmeekt en moest je haar nu zien! Wat was ze dwaas geweest, met haar idee dat een baby haar weer het gevoel zou geven dat ze leefde.

Martha staarde naar de niet al te beste planken boven haar, verblind door bitterheid. Ze haatte zichzelf; ze haatte de oorlog; ze haatte Golda; ze haatte de baby.

De baby? De tranen sprongen haar in de ogen. Lieve help, hoe kon ze zoiets denken? Nee! Ze zou nooit het leven kunnen haten dat in haar lichaam groeide. *Nooit!*

10

Toruń
26 april 1944
Einde van de werkdag

De volgende dag kroop voorbij, gekweld als ze werden door de last van de onwetendheid. Golda had de zwangerschappen gerapporteerd voor de bel van acht uur, het begin van hun werkdag. Ruth en Martha waren naar de vetvaten gestuurd, een hete, vreselijke plek waar de vrouwen zich binnen een dag zouden hebben doodgezweten als ze geen extra waterrantsoen hadden gekregen.

De bel aan het einde van de werkdag ging gewoonlijk om zes uur. Om vijf uur, toen een van de bewakers naar Ruth en Martha gebaarde dat ze hem moesten volgen, stond Martha met een vreselijke angst op van haar stoel.

De bewaker marcheerde met hen naar het rode huis op de heuvel.

De lucht voelde koel aan en het beloofde te gaan regenen. Vogels tjilpten, vol leven, een enorm verschil met het doodse sissen van de vetvaten. Martha wierp een blik over haar schouder naar het kamp onder hen. Vanaf dit uitkijkpunt zag het er schoon en fris uit, op de enorme modderplek op de binnenplaats na dan. Het zou zo kunnen doorgaan voor een Hongaarse fabriek of een grote jongensschool.

Een gevangene was bezig met een bloembed langs het pad dat naar de veranda liep. Haar blik kruiste heel even die van Martha, maar ze wendde zich meteen weer af. Wist ze iets? Nee, hoe zou dat ook kunnen? Behalve dan misschien dat de paar gevangenen die het huis binnengingen, geluksvogels waren.

Martha slikte en klom de trap op. Haar benen voelden slap aan en haar knieën knikten.

Wees sterk. Loop rechtop. Hij houdt van mooie vrouwen.

Zowel zij als Ruth waren knap. Misschien dat dat hun wat voordeel opleverde. Een tengere pop uit Slowakije en een lange brunette uit Hongarije. De gedachte alleen al maakte haar ziek.

Ruth greep haar hand en gaf er een kneepje in. Ze voelde de vingers van de jongere vrouw een beetje beven, de vrouw die niet moedig was omdat ze geen angst voelde, maar omdat ze die angst met verbazingwekkende kracht onder ogen zag. De kleine Ruth had haar nodig, toch? Dat was de reden waarom ze in de trein Martha had opgezocht. En dat was de reden dat ze nu Martha's hand had gegrepen.

Martha kneep terug. 'Wees moedig,' fluisterde ze. 'Hij zet twee van zulke mooie vrouwen nooit op transport. We zijn in Gods handen, weet je nog?' Ze wist niet welke hoop bewaarheid zou worden, die dat ze in Gods handen waren of die dat de commandant iets in hen zou zien wat hen goed van pas zou komen. Misschien allebei, misschien geen van beide.

De bewaker deed de deur open en duwde hen naar binnen. Een jonge jongen die achter een stoel stond, misschien wel de dertien jaar oude zoon van Braun, staarde hen even aan en rende toen de gang uit.

De deur ging achter hen dicht. Ze zagen een ruime woonkamer, schitterend gedecoreerd met kristal en schilderijen en goudkleurige fluwelen gordijnen, die veel weg hadden van die in het buitenhuis van haar vader, net buiten Boedapest. Om een groot turkoois Oriëntaals tapijt stonden leren banken. Het tapijt was zichtbaar belopen, maar was van uitstekende kwaliteit. Op een lange eettafel stonden zilveren kelken en lange rode kaarsen.

Zonder waarschuwing kwam Braun vanuit de keuken de kamer binnen. Hij had daar staan wachten en staarde hen met zijn dode blauwe ogen aan.

Martha besefte dat ze nog steeds de hand van Ruth vasthield. Ze probeerde hem los te trekken, maar Ruth hield haar te stevig vast. De commandant had zijn uniformbroek en kniehoge zwartleren laarzen aan, maar boven zijn middel droeg hij alleen een wit overhemd. Zijn wenkbrauwen gingen omhoog.

Zijn ogen gleden over hen heen. 'De twee schoonheden.' Hij liep naar een lage kast toe en haalde een fles rode wijn tevoorschijn. 'Willen jullie samen iets met mij drinken?'

Martha hoorde de vraag, maar ze had het gevoel alsof ze stroop probeerde in te ademen. Haar hart bonkte te hard in haar oren. Haar hand lag nog steeds in die van Ruth. Ze konden elkaar maar beter loslaten, toch?

'Dat zou lekker zijn,' zei Ruth vlak, die eindelijk Martha's hand losliet. 'Dank u.'

'Uitstekend. Het is geen Duitse wijn, maar hij smaakt best goed.' Braun ontkurkte de fles en rook eraan. 'Wanneer je in Polen bent, gedraag je je als de Polen.' Hij grinnikte, schonk iets in drie glazen en liep met twee ervan naar hen toe.

Ruth en Martha pakten allebei een glas aan.

'Dank u.'

'Dank u.' Martha vond dat haar stem piepte en ze besloot sterker te zijn.

Braun pakte zijn eigen glas. 'Ik begrijp dus dat deze twee speelse Joden zwanger zijn. Eerlijk gezegd had ik dat nooit verwacht. Jullie zien er allebei zo' – hij draaide zich om – '*pril* uit.'

Ruth liet haar blik zakken. 'Dank u, meneer.'

Dank u? Ging Ruth niet te ver?

Braun bekeek Ruth met een blij verraste blik. Misschien dat haar vriendin iets van plan was. Wat als de commandant ervoor koos om haar te laten leven, maar om Martha op transport te zetten?

'U vleit ons,' zei Martha, die net als Ruth haar blik liet zakken.

'Hmm. Ja, daar ben ik best goed in. Maar jullie moeten weten dat ik gruw van de dikke buiken van zwangere vrouwen. Vooral opgezwollen Joodse buiken. Als ik weet dat het resultaat van puur Arisch ras zal zijn, kan ik het nog wel aanzien, maar verder moet ik er alleen maar van kokhalzen.'

Martha staarde in haar glas. Heel even had hij bijna menselijk geleken. Maar nu moest ze zich bedwingen om hem niet haar wijn in zijn gezicht te smijten en hem zijn ogen uit te krabben. Zelfs Ruth had nu geen antwoord klaar.

Braun bekeek hen nauwkeurig. 'En dat is de reden dat ik, toen ik het overzicht had over de executies van de Joden voor ik hierheen werd overgeplaatst, persoonlijk de zwangere vrouwen neerschoot. Himmler staat erop dat we niet meer dan twee kogels per Jood gebruiken. Wanneer ik een zwangere hoer neerschiet, kan ik met één kogel twee

Joden te grazen nemen. Wat vinden jullie daarvan?'

'Dat vind ik nogal onmenselijk,' zei Martha vlak.

Ruth wierp haar een blik toe en keek toen weer naar de SS-officier. 'Ik vind het zelfs duivels. Alleen een lafaard zou zoiets bewonderenswaardig vinden.'

Brauns glimlach kwam niet van zijn plek. Ze wisten zeker dat ze zichzelf hiermee ter dood hadden veroordeeld.

Plotseling grijnsde hij breed en zette hij zijn glas neer. 'Gelukkig voor jullie hebben jullie geen van beiden een varkenspens. Til jullie hemden alsjeblieft even op.'

Martha aarzelde maar een fractie van een seconde voor ze haar hemd oplichtte om haar buik te ontbloten. Ruth deed hetzelfde.

'Ongelofelijk. Je ziet het nauwelijks. Ze zeiden tegen me dat jullie al zes maanden zwanger zijn.'

'Dat klopt.'

'Ik vind kinderen natuurlijk leuk. Ik *hou* zelfs van kinderen. Ik durf zelfs te zeggen: van het vreemde Joodse kind. Jonge, ontvankelijke geesten die erop wachten om gevormd te worden. Onschuld. Onschuld kan bedwelmend zijn. Dat is de reden dat we soms honderd Joden tegelijk doden, weet je. Zodat we, wanneer we er maar twintig doden, een soort onschuld tentoonspreiden.'

'Ik zie de logica,' zei Ruth. 'Maar zou *geen* Joden doden niet getuigen van een nog grotere onschuld?'

Braun staarde haar aan, alsof hij voor het eerst over dat argument nadacht. 'Maar dan worden we geconfronteerd met weer een ander kwaad,' zei hij.

'Toestaan dat de Joden blijven leven?'

'Precies.' Hij hield zijn ogen op haar gericht. 'Soms bekoelt de dood de toorn van een rechtvaardig God. Is dat niet de reden waarom God een bloedoffer van de Joden eiste?'

'De dood van een lam,' zei Ruth. 'Niet van een mens. Lang geleden.'

'Het laatste offer van de Joden was geen lam. Dat was een man. Jezus Christus. Weten jullie dat niet meer?'

'Gebruikt u de onbezonnenheid van een paar mensen om een slachtpartij te rechtvaardigen?'

Hij staarde haar nog steeds aan en wendde toen abrupt zijn blik af.

'Jullie blijven allebei in leven. Jullie krijgen dubbele rantsoenen en krijgen de gelegenheid om je kind te baren, mocht je het zo lang overleven. In ruil daarvoor vraag ik jullie alleen om me af en toe te bezoeken. Jullie hoeven niet bang te zijn; ik zal jullie niet aanraken, hoewel ik jullie allebei erg mooi vind. Ik wil alleen van tijd tot tijd genieten van jullie gezelschap.'

Ruth gaf een knikje met haar hoofd zonder haar ogen van hem af te wenden. 'Dank u, meneer. U kunt erg vriendelijk zijn.'

'Tja, ik vermoed dat we dat allemaal wel in ons hebben.' Hij liep naar de muur, plukte een rood sjaaltje van een haak en gaf dat aan Ruth. 'Ik zou graag willen dat je me een plezier doet. Neem dit mee naar jullie barak en leg het op het bed dat zich vijf plaatsen achter dat van jou bevindt. De vrouw weet wat het betekent.'

Ruth nam het sjaaltje aan. 'Gewoon op haar bed leggen?'

'Ja. Drapeer het gewoon over het bed. Wil je dat voor me doen?'

'Natuurlijk.'

Braun glimlachte. 'Mooi. Goed, dan. Jullie kunnen gaan.'

Ruth vouwde het sjaaltje op en stopte het onder haar gordel.

Martha wist niet goed wat ze moest denken van hun geluk.

De barak was nog steeds leeg toen ze daar aankwamen. Ze renden samen naar het raam en zagen de bewaker weglopen. Ruth was duidelijk meer uitgelaten dan Martha. Ze lichtte op als een kroonluchter en sloeg haar armen om haar vriendin heen.

'We zullen eens zien wat Golda hierop te zeggen heeft!' zei Ruth. 'Zie je wat passie kan doen?'

'Dit is nog niet voorbij, Ruth. Het is een begin, maar – och, je hebt gelijk! Dank je!' Ze kuste Ruth op haar wang. 'Dank je, dank je, dank je.'

Ruth trok het sjaaltje tevoorschijn en liep naar de brits, de vijfde van die van haar – die van Rebecca, als Martha het zich goed herinnerde – en vouwde het uit over de hoek van het bed.

'Kom, dan zal ik je iets laten zien,' zei Martha. Ze leidde Ruth naar haar brits toe en ging erop zitten, daar waar ze negentig tekentjes in de muur had gekrast. 'Zo kunnen we zien wanneer de baby moet komen. Elke dag streep ik er een af.'

'Ik kan nauwelijks geloven dat hij het ermee eens is.'

Martha begon even te twijfelen. Golda had beweerd dat de commandant alleen maar hoop toeliet om die daarna weer te vernietigen. Ze duwde die gedachte van zich af.

'Eind juli.'

Plotseling ging de deur krakend open. Er begonnen vrouwen binnen te stromen, volledig uitgeput. Ruth en Martha wierpen elkaar een blik toe en kwamen toen snel van het bed af.

'Waar is Golda?'

Golda was de achtste die binnenkwam. De eerste zeven stonden stil en staarden hen aan. Wisten ze het? Golda stond als versteend in de deuropening. Wisten ze het al? Wisten ze het *allemaal*?

Maar Golda staarde niet naar haar, of wel? Nee, haar ogen waren gericht op iets achter Martha, verderop in het gangpad tussen de bedden. Ze staarden allemaal naar iets in het gangpad achter haar.

Ze draaide zich samen met Ruth om, maar er viel niets te zien. Alleen maar het rode sjaaltje.

Martha keek Golda aan. 'Wat is er?' Het gezicht van de vrouw was bleek geworden. 'Wat is er nou?'

'Het sjaaltje,' zei Golda bijna langs haar neus weg. 'Het ligt op Rebecca's bed.'

'De commandant heeft gezegd dat ik het daar moest neerleggen,' zei Ruth. 'Is — wat betekent het?'

Golda liep langs hen heen, pakte het sjaaltje, staarde er even naar en legde het toen terug op bed. Er stond nu een twintigtal vrouwen in het gangpad bij de deur en alle ogen waren op het rode sjaaltje gericht. Een paar van hen lieten hun hoofd zakken en liepen weg.

'Wat is er nou?!' riep Ruth uit.

'Dat is een spelletje van Braun,' zei Golda zacht. 'Om de paar dagen geeft hij een bewaker het bevel om een sjaaltje op een bepaald bed te leggen. De geselecteerde vrouw moet om half zeven naar de commandant toe om met hem te dineren.'

'Dineren? Och, arme Rebecca. Dat wist ik niet! Ik wilde niet...'

'De vrouw keert niet meer terug. De volgende morgen is ze dood, aan haar nek opgehangen aan de hoofdpoort.' Martha voelde het bloed uit haar gezicht wegtrekken.

Ruth wilde naar het sjaaltje toe rennen, maar Golda hield haar tegen.

'Je kunt niets doen! Hou op!'

Achter hen hapte iemand naar adem en de groep viel stil. In de deuropening stond Rebecca, wier grote ogen op het rode sjaaltje waren gefixeerd. Ze hief langzaam een bevende hand op naar haar mond. Haar gezicht werd lijkbleek. Niemand verroerde zich.

En toen liepen er drie vrouwen naar haar toe. Ze sloegen hun armen om haar heen en streelden haar haar, als een soort stilzwijgend ritueel dat Martha doodsangst aanjoeg. Niemand maakte ook maar een klein beetje geluid.

Behalve Rebecca. Ze zakte opeens in elkaar en begon te jammeren.

'Je bent dertien – word eens volwassen! Dit is geen sprookjeswereld. Het is een wereld waarin leeuwen schapen verslinden en machtige mannen minderwaardige dieren zoals Joden verslinden.'

Roth keek naar zijn vader, tegelijkertijd doodsbang en vol ontzag. Hij sloeg zijn ogen neer en keek naar zijn blote knieën, tussen zijn korte broek en zijn kousen. Wat zijn vader ook zei, hij vond het nog steeds een beetje vreemd om jongens van zijn leeftijd als dieren te zien, ook al zou hij dat nooit toe durven geven.

Dit was zijn derde bezoek aan het kamp en elke keer werd het gemakkelijker om te accepteren wat hij zag. Maar hij betwijfelde of het wel de bedoeling was dat jonge jongens dingen zagen die hij te zien kreeg. Zijn vrienden in Berlijn liepen allemaal trots rond in hun uniform, maar ze hadden niet gezien wat hij had gezien.

'Kom hier,' zei zijn vader op vriendelijker toon terwijl hij naar het raam toe liep. Hij strekte een arm uit en wenkte met zijn vingers. 'Kom, ik wil je iets laten zien.'

Roth ging naar hem toe en keek uit over het werkkamp onder hen. Alles was bruin. Modder en vuile gebouwen en vrouwen die rond ploeterden in bruine kleren. Sommigen droegen witte sjaaltjes om hun hoofd.

Zijn vader legde een hand op Roths schouder. 'Wat zie je?'

Roth dacht daar even over na. 'Joden?'

'Ja, dat is wat de meesten zouden zeggen. Joden. Maar wanneer ik kijk, zie ik meer dan Joden. Wat ik zie, onderscheidt me van de meeste mannen.'

Roth keek op. Er was bijna iets magisch aan de manier waarop zijn vader hem met die hypnotiserende blauwe ogen aankeek.

'Wat ziet u dan?' vroeg Roth.

Zijn vader sloeg zijn ogen op. 'Wat ik zie, is niet voor kinderen bestemd.'

Roth voelde een steek van teleurstelling. Dat gevoel veranderde snel in vernedering.

'Maar ik ben geen kind,' reageerde hij. 'Hoe kan ik nou volwassen worden als u me geen dingen laat zien die andere kinderen niet zien?'

Daar moest zijn vader even over nadenken.

'Wanneer je eenmaal de drempel hebt overschreden, is er geen weg terug meer. Weet je zeker dat je daar klaar voor bent?'

Dat wist hij niet zeker. Absoluut niet. Maar hij knikte hoe dan ook. 'Ja.'

Zijn vader deed een stap terug en trok een wenkbrauw op. Zijn ogen zakten naar Roths voeten en kropen toen omhoog. Roth stond rechtop, zich er ongemakkelijk van bewust dat hij nogal klein uitgevallen was voor zo'n stoutmoedige opmerking.

Maar gezien de blik op het gezicht van zijn vader, was Gerhard trots op zijn antwoord. Hij had daar als een man gestaan en ja gezegd.

De commandant deed een stap naar voren en streek Roths blonde haar glad. 'Je hebt een prima afkomst, jongen.' Hij begon heen en weer te lopen voor het raam en streek met een hand over zijn kin. 'Weet je nog wat ik je over de swastika heb verteld?' vroeg hij.

'Ja.'

'Wat dan?'

'Dat het een oud symbool is dat is veranderd.'

'Het Sanskriet woord, *svastika*, betekent geluk. Het is een spiraal die meedraait met de zon. Alleen degenen die het occulte goed begrijpen, weten dat er een chaotische kracht kan worden vrijgemaakt door het symbool om te keren. Dat zit achter het ontwerp van *onze* swastika.'

Zijn vader zweeg en draaide zich naar hem om. 'Deze oorlog – alles wat het Derde Rijk doet,' hij strekte een hand uit naar het kamp beneden, 'in dit soort kampen – draait om macht. Het gaat om het omkeren van het effect van een vreselijke degeneratie die in tijdspannes van duizenden jaren hele beschavingen heeft verwoest. Dat is het voornaamste doel van de Führer. Begrijp je dat?'

Zijn vader was wat gespannen geraakt en zijn hand beefde een beetje. Roth werd er zenuwachtig van.

'Begrijp je dat?'

'Ja, vader.'

Zijn vader staarde weer naar het kamp. 'Wanneer ik naar dat modderhol daar staar, zie ik geen Joden. Ik zie een gedegenereerde mensheid. Ik zie iets verkeerds wat moet worden rechtgezet. En ik zie de perfecte oplossing. Ja, door de wereld van hen te verlossen, maar niet op dezelfde manier als ik in Auschwitz deed. Daar doden ze elke dag genoeg Joden om ons doel te bereiken. We laten ze als zombies de gaskamers in marcheren, zich niet bewust van het lot dat hun wacht.' De lippen van de man straalden walging uit. 'Hier… hier is onze taak veel nobeler. Hier zijn we op zoek naar een manier om de nieuwe wereld te voeden.'

Roth volgde zijn starende blik. Hij had geen idee hoe zijn vader de wereld wilde voeden met die triest kijkende Joden daarbeneden, dus zei hij maar niets.

'Het zijn net batterijen,' zei zijn vader.

'Batterijen?'

'Bovennatuurlijke brandstofcellen. Als je weet hoe je die kracht aan hen kunt onttrekken, wordt hij van jou en maakt je sterk. Alsof je de kracht uit een batterij haalt en in die van jezelf doet.'

Zijn vader had zijn ogen gesloten. Zijn lippen beefden. Roth keek snel naar beneden, bang dat zijn vader hem zou zien kijken.

'Weet je wat hoop en angst met elkaar gemeen hebben?'

Was het de bedoeling dat hij antwoord zou geven? Roth vroeg zich heel even af of zijn vader het nu tegen hem had, of dat hij in zichzelf stond te praten.

'Ze bezitten allebei een enorme kracht. Maar die kracht is afhankelijk van zowel hoop als angst. Samen. Denk maar eens na. Zonder de angst dat er iets vreselijks kan gebeuren, kun je niet de hoop hebben dat het niet gebeurt, snap je? En zonder de hoop dat er iets moois staat te gebeuren, kun je ook niet de angst hebben dat je het kwijt zult raken. Ze werken samen, de twee grootste krachten die we bezitten.'

Zijn vader wendde zich van het raam af, liep naar het drankenkabinet en schonk een glas vol. 'Ik speel hier een spel met een hoge inzet, Roth. Ik speel om het soort macht dat maar weinig mannen ooit zullen bezitten. Niet de macht om de beslissing te kunnen nemen wie zal blijven leven en wie zal sterven – dat is kinderspel. Maar de macht om de macht van een ander menselijk wezen af te pakken. De macht om hun ziel te oogsten.'

Hij zweeg even. Zijn ogen glommen, alsof dit een grootse openbaring was, waarvan Roth diep onder de indruk zou moeten zijn. En dat was hij ook. Zijn hart klopte zeer snel.

'Ik geef hun een hemelhoge hoop' – hij hief zijn hand hoog op, waarna hij hem hard naar beneden zwaaide – 'om die daarna te verpulveren. En waarom? vraag je je misschien af. Dat zal ik je vertellen. De angst die ze op dat moment voelen, verzwakt hun wil. Hun besluitvaardigheid verschrompelt. Hun angst wordt mijn macht.'

En toen zei zijn vader nog iets wat Roth nooit meer vergat.

'Dat is de manier waarop de Prins van de Duisternis altijd zijn macht heeft vergaard – door het lijden van zijn slachtoffers. Dat is de manier waarop hij de christelijke God, Jezus Christus, het leven heeft ontnomen. Hij verhief Hem en smeet Hem op de grond. En dat was ook een Jood.'

Zijn vader grinnikte, nam een slok en zette zijn glas toen met een tevreden zucht weer neer.

'We zijn met velen, Roth, niet alleen ik. Ons werk wordt zorgvuldig opgetekend en ooit zal ik je laten zien wat we hebben gedaan. De dood van onze vijanden – deze Joden – is een mooie bonus. Maar het gaat om de kracht die ons voedt. Vind je dat spannend?'

Toen pas realiseerde Roth zich dat zijn handen zich tot vuisten hadden gebald. Hij ontspande zich, maar merkte dat hij geen woord kon uitbrengen.

Zijn vader glimlachte hem geruststellend toe. 'Maak je geen zorgen. Het was voor mij ook allemaal wat vreemd. Ik herinner me nog steeds het eerste ritueel waarvan ik getuige was. Ik was doodsbang. Maar die kracht, Roth... die kracht was bedwelmend!'

Hij lachte en Roth deed mee, blij met de verademing.

'Wil je er vanavond bij zijn?' vroeg zijn vader plotseling.

'Erbij zijn?'

'Nou ja, niet echt erbij zijn. Je kunt naar me kijken door het kiertje van de deur. Ik heb een vrouw uitgezocht. Op dit moment bevindt ze zich ergens in het kamp en graaft ze in de diepste diepten van haar ziel naar nog meer angst. Vanavond zal ik haar ziel plunderen. Maak je geen zorgen, het wordt niet goor of wreed. Ik heb dat theatrale gedoe niet nodig. Een beetje bloed is alles wat je ziet.'

Roth zei het enige wat hem voor de geest kwam: 'Goed.'

Zijn vader straalde van trots, en wierp een blik op hem die zich onherroepelijk vastschroeide in Roths geest. 'Dat hoor ik maar wat graag, jongen!'

11

Los Angeles
19 juli 1973
Donderdagmiddag

Stephen kwam thuis en zag dat de rabbi was verdwenen. Ja, natuurlijk, Chaïm ging op donderdagmiddag altijd naar het Leger des Heils om soep uit te delen en de mensen op te vrolijken. Dat kwam mooi uit. Stephen zag het niet zitten om iemand iets over de kluis te vertellen, zelfs Chaïm niet.

Er waren twee dingen veranderd sinds zijn laatste bezoek aan het appartement van Rachel. Het eerste had met geheimhouding te maken. Sommige dingen in het leven moesten privé blijven. Liefdesperikelen. Heilige dingen. Als Rachel zijn moeder was en als ze was begraven met een duister geheim, zou hij dat geheim met diep respect moeten najagen.

De tweede verandering had te maken met doelstellingen. Wat hij wilde, was veranderd van een eenvoudig verlangen om te ontdekken, tot een verrassend groot verlangen om te bezitten. Als Rachel, als zijn moeder, naar hem had gezocht, zoals haar briefje aan Gerik beweerde, en als een oproep in de krant hem – David – in gevaar zou brengen, en als ze iets had verborgen dat hij zou moeten vinden, dan was het zijn recht om zich die laatste band met zijn moeder toe te eigenen.

De stenen lijken op de verloren weeskinderen. Hij was een weeskind. De andere wezen zouden dan de andere vier Stenen van David zijn. Hoe dan ook, hij had het teken; de kluis had het teken, of in elk geval de woorden. Die kluis zou van hem moeten zijn.

Stephen liet Neus op de veranda achter. Hij gaf de hond een kom water en wat ham, die Neus zonder te kauwen naar binnen werkte. 'Hier blijven.' Stephen wees naar hem. 'Verroer je niet.'

Hij haastte zich de badkamer in en stond stil voor de spiegel. Hij was het zwarte stof vergeten. Hij leek op een inlandse strijder die per ongeluk in een maatpak terecht was gekomen. Het was een wonder dat Neus niet de hele weg naar huis naar hem had zitten blaffen. Nu hij eraan dacht, er hadden verschillende andere automobilisten onderweg met vraagtekens in hun ogen naar hem zitten staren. *Wat is er? Nog nooit een schatgraver gezien? Ik kom net uit een kolenmijn, waar ik diamanten heb opgegraven.*

Hij trok zijn overhemd uit en bleef even staan om met een vinger over het kleine litteken onder zijn linker sleutelbeen te strijken. Hij had weleens zitten gissen naar de betekenis ervan, maar nu kende hij de waarheid.

Stephen nam een douche, kleedde zich aan en reed recht naar de bibliotheek toe, met Neus naast zich in de passagiersstoel. 'Je zult in de auto moeten blijven. Je mag geen hond meenemen de bibliotheek in.'

Hij parkeerde in de schaduw van een palissanderboom en deed het raam een klein stukje open. 'Ik ben zo terug.'

Zijn eerste uitdaging was om onderzoek te doen zonder open kaart te spelen. Hij kon moeilijk overal vragen over zijn moeder gaan stellen zonder de aandacht te vestigen op de mogelijkheid dat ze de andere vier Stenen in haar appartement had verborgen.

Het doorlichten van de tijdschriften leverde niets op in verband met Rachel Spritzer. Zoals Gerik al had gezegd, leefde ze nogal afgezonderd. Ze had haar geheim verborgen.

Wie was je, moeder?

Stephen richtte zich weer op de Stenen van David. Hij bladerde door kaartenbakken, vond tientallen boeken met informatie over de Stenen en pakte er vijf van uit de schappen. Hij ging in een stil hoekje zitten en begon te lezen.

Geen van de boeken maakte hem wijzer dan hij al was. Bijna tien jaar geleden had hij voor het vak geschiedenis al eens een onderzoeksproject gedaan over de Stenen. Maar nu las hij de informatie in elk boek met hernieuwde interesse.

Hoewel de Bijbel geen informatie verschafte over wat er met de vijf stenen was gebeurd die David had uitgekozen om Goliath te doden, werd er door geschiedschrijvers in 700 v.C. voor het eerst over hun bestaan geschreven, toen ze samen met andere schatten uit het koninkrijk van Juda meegenomen werden naar Babel.

De volgende keer dat erover werd gerept, was in het jaar 400 n.C., in Alexandrië. De christelijke folklore beweerde dat de Stenen het zaad van David vertegenwoordigden, het zuiverste symbool van Israël, Christus. Volgens Genesis had God vijandschap gebracht tussen het zaad van de slang en het zaad van de vrouw. En het zaad van de vrouw zou de kop van de slang vermorzelen. David had het hoofd van Goliath vermorzeld met een steen en de Messias was gekomen om de genadestoot te geven.

Hoe dan ook, de meeste christenen wisten niet eens af van het bestaan van de relikwieën. Ze gingen in 700 n.C. weer verloren en duizend jaar lang werd er getwijfeld aan hun bestaan. En op dat punt werden de gegevens wat onduidelijk. Er staken diverse geruchten de kop op en verdwenen weer, tot de Tempeliers beweerden dat ze al tweehonderd jaar het bezit waren van de orde, voor die in 1307 ter ziele ging, toen de Franse koning Philip IV de orde verbood. *Jij bent mijn Steen van David.* Waarom had zijn pleegvader juist die koosnaam voor Stephen gebruikt?

De meeste experts schatten de collectie tussen de vijfenzeventig en honderdvijftig miljoen dollar. Die gedachte bracht het lichte beven in Stephens vingers terug.

Rachel had een Steen van David aan het Holocaustmuseum in Los Angeles vermaakt. Hij liep naar de krantenafdeling van de bibliotheek. Praktisch elk groot dagblad in het land had het verhaal geplaatst en er waren er al diverse die discussieerden over het bestaan van zo'n relikwie. Andere twijfelden aan de echtheid van Rachels Steen. Maar het leek een beetje blasfemisch om te denken dat een overlevende van de Tweede Wereldoorlog, zoals Rachel, zou liegen over de Steen. Hij *moest* wel echt zijn.

Wat de familie Spritzer betrof; ze waren zestien jaar geleden vanuit Hongarije naar de Verenigde Staten geëmigreerd. Ze hadden het druk gehad met weeshuizen over de hele wereld. Ze vielen niet op. Waren rijk. Dat was het enige wat hij te weten kon komen.

Stephen liet drie boeken afstempelen en ging op van de zenuwen naar huis. Hij was niets nieuws te weten gekomen.

De rabbi was nog steeds niet terug. Stephen nam de hond mee zijn kamer in en gaf haar het bevel om in de hoek te blijven liggen. Neus sprong op zijn bed, keek hem aan alsof ze wilde weten of dat goed was, en toen Stephen niet protesteerde, krulde ze zich op naast het kussen.

Stephen keek naar de boeken. Wie probeerde hij nou voor de gek te houden? Er was maar één manier om dit te doen. Hij moest terug dat gebouw in, een sleutel zien te vinden en de kluis openen. Hij stelde het onvermijdelijke alleen maar uit, terwijl zijn onderbewustzijn de nodige moed bij elkaar probeerde te schrapen.

Maar hij kon moeilijk aanbellen en eisen dat ze hem naar de sleutel zouden laten zoeken. Op het moment dat de nieuwe eigenaar er ook maar een klein beetje lucht van zou krijgen dat er iets als een kluis zou zijn, zou hij die gekke makelaar om de oren slaan met een straatverbod en de schat voor zichzelf opeisen.

'Stephen?'

Stephen draaide zich met een ruk om. Chaïm stond in de deuropening.

'Sorry, ik wilde je niet laten schrikken.' De rabbi keek hem vragend aan. 'Gaat het wel?'

'Waarom niet? Tuurlijk. Hoezo, wat is er aan de hand?'

'Dat wilde ik graag van jou weten. Is dat niet de hond van het appartement?'

'Ik let gewoon een dag of zo op haar.'

'Je bent dus terug geweest?'

Stephen haalde zijn schouders op. 'Alleen maar om de hond op te halen. Het gaat best met me, rabbi. Echt.'

De blik van de rabbi gleed naar rechts en Stephen volgde hem. De boeken lagen op zijn bureau en één lag er open bij het hoofdstuk 'Stenen van David: Feit of Fictie?'.

'Misschien kun je maar beter een paar dagen vrij nemen,' zei Chaïm. 'Je moeder is gestorven. Je hebt de begrafenis gemist, maar je zou op je eigen manier moeten rouwen.'

'Rouwen om wat? Ik kende mijn moeder niet eens.'

'Rouw dan om het feit dat je haar niet hebt gekend.'

'Daar rouw ik mijn hele leven al om.'

'Volgens mij zit jij een beetje in een ontkenningsfase.'

'Dat blijft u maar zeggen.' Misschien zou hij Chaïm in vertrouwen moeten nemen. Alleen Chaïm. Zijn gevoel maande hem tot voorzichtigheid, maar sinds wanneer liet hij zich door voorzichtigheid leiden?

'Ik wil u iets vertellen, rabbi, maar ik wil wel dat u geheimhouding zweert. Kunt u dat?'

'Heb ik ooit je vertrouwen beschaamd?'

'Nee, dat niet, maar dit moet u echt zweren. Wat er ook gebeurt, u moet ermee instemmen er nooit iets over te zeggen. Heb ik uw woord?'

De rabbi glimlachte. 'Moet ik in mijn vinger prikken?'

'Ik maak geen geintje.' Stephen leunde tegen het bureau. 'Ik wil er gewoon absoluut zeker van zijn.'

Ze staarden elkaar aan. 'Dat kun je.'

'Zweert u het?' vroeg Stephen.

'Zweer niet bij de hemel of...'

'Zweer het nou maar gewoon.'

'Dan beloof ik het.'

'Zegt u het tegen niemand?'

'Stephen, ik zal niemand vertellen dat je terug bent gegaan naar het appartement van Rachel Spritzer en daar in de kelder een vloerkluis hebt gevonden.' Chaïm trok een wenkbrauw op.

'Wist u het?'

'Eenvoudige gevolgtrekking. En een paar vuile kledingstukken.' Chaïm wierp een blik op het met kolen besmeurde jasje op de vloer.

Stephen liet zijn enthousiasme naar de oppervlakte borrelen. Hij streek met beide handen door zijn haar. 'Goed dan, u had gelijk; het is een kluis.'

'Verbaast me niets. Ik ken de Joden. Vooral de Joden van dit tijdperk. Ik ga iets eten. Wil je ook iets?' De rabbi draaide zich om en liep naar de keuken.

Stephen haastte zich achter hem aan, verrast door de onverstoorbaarheid van de man. 'Het is een vloerkluis, rabbi! De vloerkluis van mijn moeder!' De hond sprong van het bed en scharrelde achter hem aan.

'Ik wil niet ongevoelig lijken, Stephen, maar ik denk dat je maar beter niets kunt doen zonder fatsoenlijke juridische steun. Rachel Spritzer heeft er alles aan gedaan om de Steen verborgen te houden die ze aan het museum heeft vermaakt.'

'Die Steen zou van mij moeten zijn! Ik zou het testament kunnen aanvechten.'

'Misschien als je zou kunnen bewijzen dat je haar zoon bent. Maar waarom heeft je moeder hem zo zorgvuldig verborgen gehouden? Er zijn er die zich nergens door laten tegenhouden om zoiets kostbaars in handen te krijgen. Rachel was bang. Je zult voorzichtig moeten zijn.'

Chaïms gebrek aan enthousiasme legde Stephen even het zwijgen op. Het was een vergissing geweest het hem te vertellen. Hoewel de opmerking van de rabbi wel steek hield.

'Het kan maanden duren voor ik de juiste advocaten bij elkaar heb. Dat is hopeloos. Hoe kan ik ooit bewijzen dat ik haar zoon ben?'

'Dat zal de rechtbank moeten beslissen.' Chaïm zuchtte. 'Hoewel je op termijn waarschijnlijk je gelijk zult krijgen. Ze heeft alles aan het museum vermaakt.'

'Maar niet' – het duizelde Stephen – 'niet per se wat zich in de kluis bevindt. Niet als de kluis niet opgenomen is in de lijst van bezittingen. Daar kan ik achter komen. Maar geloof me, als hij op de lijst stond, zou het museum hem al hebben opgeëist. En dat hebben ze duidelijk niet gedaan.'

'Misschien wel omdat hij leeg is.' Chaïm haalde het overgebleven kalfsvlees uit de koelkast en zette dat in de oven. 'Ik weet dat dit allemaal niet gemakkelijk is voor jou, maar je zult voorzichtig moeten zijn.'

Stephen besloot toen de rabbi niets te vertellen over de inscriptie op de kluis. Hij zou er nu alles aan moeten doen om de aandacht van de kluis af te leiden.

'Er zou een andere manier kunnen zijn,' zei Chaïm.

'Een andere manier voor wat?'

'Om in het bezit te komen van wat zich nog in het appartement van Rachel bevindt. Wie doet de verkoop?'

'Het gebouw is al verkocht,' zei Stephen.

'Nu al? We zijn er gisteren nog geweest.'

'Een Duitse investeerder.'

Chaïm bestudeerde Stephen met een geamuseerde uitdrukking op zijn gezicht. 'Koop dan het gebouw weer van die Duitse investeerder.'

Die opmerking raakte Stephen als een emmer met ijswater. Ja, natuurlijk! Hij zou die investeerder een snelle winst kunnen aanbieden. En wanneer het gebouw dan eenmaal op zijn naam stond, zou hij de kluis openen.

Hij wendde zich af, maakte zich zorgen dat de rabbi zijn enthousiasme zou zien. Hij zou het hele gedoe bagatelliseren.

'Misschien. Ach, u hebt waarschijnlijk gelijk. Misschien kan ik het maar beter vergeten. Wat win ik ermee? Ik heb gezien wat er staat, niet-waar?'

'Ik zeg niet dat je het maar beter kunt vergeten,' zei Chaïm. 'Het was je moeder. Je hebt tijd en wat ruimte nodig om dat te verwerken. En jouw echte erfenis zou jou moeten toekomen. Maar je moet gewoon erg voorzichtig te werk gaan.'

'U hebt gelijk.' Stephen klapte in zijn handen en keek verwachtings-vol naar de oven. 'Lekker – kalfsvlees.'

'Zo mag ik het horen. Goed. Is die receptie van het college van make-laars formeel?'

Stephen keek hem niet begrijpend aan.

'Die receptie waarvoor je mij en Sylvia hebt uitgenodigd?' zei Chaïm. 'Morgenavond, toch? Dat is nogal formeel, of niet?'

De receptie. Was dat dit weekend? 'Formeel, ja. Ik denk het wel.'

Ze begonnen samen aan hun kalfsvlees.

Het was al na tienen voor ze naar bed gingen. 'Welterusten, Stephen. Slaap lekker.'

'Welterusten. Dat zal wel lukken.'

Maar dat was niet zo. Hij sliep nauwelijks. Maar de hond wel. Als een roos. Tegen zijn schouder aan.

12

Los Angeles
20 juli 1973
Vrijdagmorgen

De slapende geest doet vreemde dingen wanneer hij ergens tussen alle-lichten-uit en klaarwakker in hangt, had Stephen altijd geloofd. In dit niemandsland marcheren de uitdagingen van de volgende dag langs als een niet aflatende stroom trompettisten. Er hangen mensen van de fiscus en incassobureaus rond. Een paar haastig gesproken woorden van een vriend echoën in de rondte en veranderen in vreselijke bedreigingen.

Maar vannacht werd Stephens niemandsland bevolkt door zijn moeder, een Duitse vrek zonder gezicht, Chaïm Leveler en een gat in de grond dat was gevuld met zwarte lucht. En hijzelf was op mysterieuze wijze niet aanwezig. De rabbi bracht het grootste deel van de nacht door met doelloos door de kluis heen wandelen, terwijl hij als een lepralijder met zijn armen zwaaide en maar bleef beweren dat er gevaar dreigde. Rachel Spritzer deed niet anders dan haar ene gouden Steen opheffen en vragen of hij David naar huis wilde leiden. De Duitser hield de wacht in het stookhok, zijn raketwerper op de lift gericht. En het gat…

Het gat was alleen maar een leeg gat, op de klein formaat rabbi na dan.

Stephen werd laat wakker, om een uur of acht. Hij sleepte zichzelf uit bed en trok een olijfgroene broek en een wit overhemd aan. Geen tijd om te douchen. Hij moest zich nodig scheren, maar had ook daar eigenlijk geen tijd voor. Hij had plannen voor vandaag.

De hond! Waar was Neus? Hij rende naar de woonkamer. De cocker spaniël zat geduldig bij de voordeur te wachten. 'Ah, daar ben je.' De rabbi moest haar hebben horen janken en had haar natuurlijk uitgelaten. Wat zou Stephen haar eens te eten geven? 'Kom, dan gaan we een eindje rijden.'

Stephen sprong na Neus de Vega in en startte de motor voor hij zich realiseerde dat hij was vergeten zijn tanden te poetsen. 'Wacht hier even, beest. Ik moet nog even mijn tanden poetsen.' Neus keek hem zelfvoldaan aan. 'Dat zou jij ook eens een keer moeten proberen.' De hond wendde haar kop af.

Stephen verliet neuriënd de auto, rende het huis binnen, poetste snel zijn tanden en kwam weer terug. Het vooruitzicht op de transactie die hij ging voorstellen, stroomde als pure adrenaline door zijn aderen. Een gebouw kopen waar in de kelder een schat lag verborgen, was niets meer dan iets uit een spannend jongensboek. En toch was dat precies wat hij van plan was.

De Duitser had het appartementengebouw van Rachel Spritzer voor vierhonderdnegentigduizend dollar gekocht. Met wat opknapwerk zou het gebouw zo zes à zeven ton opbrengen. En misschien wel meer. Misschien dat de bank het wel zou willen financieren zonder aanbetaling, afgaande op zijn portfolio. En hij zou er twee vliegen in één klap mee slaan. Hij zou nog steeds het geld hebben dat hij Dan had beloofd en hij zou vrije toegang hebben tot die kluis.

Aangenomen dat de Duitser wilde verkopen.

Het hele plan was dan misschien wat impulsief, maar hij hoefde alleen maar met wat fondsen te schuiven.

En als de Duitser niet zou willen verkopen?

Dat zou hij wel. Dat zou hij echt wel.

Hij zette zijn auto stil langs de stoeprand, recht voor het appartementengebouw. Het leek ondertussen al net zo vertrouwd als zijn eigen huis, hoewel dit nog maar zijn derde bezoek was.

'Goed, beest, dit is de afspraak. Ik kan je hier houden of je eruit laten, maar als je eruit gaat, ga je niet lastig lopen doen.'

Neus jankte en wierp een blik door de voorruit. Dit was haar terrein. Ze zou er waarschijnlijk gewoon vandoor gaan, wat misschien wel zo prettig was. Zover Stephen wist, had iemand anders haar in huis gehaald en wachtte nu waarschijnlijk tot de hond zou terugkeren.

'Kom op, dan gaan we even een kijkje nemen.'

Hij stapte uit en liep naar de voordeur toe. Neus liep trots met hem mee. Stephen drukte op de knop van de intercom. 'Hallo? Iemand thuis?'

Niets.

De deurknop stribbelde niet tegen toen hij eraan draaide. Was het gebouw open? Hij had de deur gisteren niet achter zich dichtgedaan – misschien was hun dat niet opgevallen. Ze waren binnengekomen via de garagedeur.

Stephen keek even om zich heen voor hij met Neus in zijn kielzog naar binnen stapte, de garage in. Die was leeg. Hij keek rond. Net een grafspelonk. Uitgehold. Zijn polsslag versnelde. Waar zou Rachel de sleutel van de kluis hebben verborgen?

'Laten we gaan,' fluisterde hij. Ze liepen achter elkaar naar de lift toe, de zoon en de hond. Stephens schoenen klakten luid over het beton en hij ging op zijn tenen lopen. De volgende keer zou hij sportschoenen aantrekken.

Hij kromp iets ineen toen de lift knarsend aan zijn opwaartse tocht begon. De vier verdiepingen hoge klim kostte hem twee keer zoveel tijd als wanneer hij de trap zou hebben genomen. Toen de deuren eindelijk opengingen, werd hij begroet door een lege ruimte. De stilte schreeuwde hem toe.

'Hallo?' Een zwakke echo van de lift. Hij stak zijn hoofd naar binnen. 'Hallo?'

De Duitser was vertrokken. Of hij verborg zich ergens om hem op zijn nek te springen. De overdracht misschien.

Neus liep behoedzaam naar binnen, met opstaande oren en gesloten bek, en ze stak onderzoekend haar gevoelige neus in de lucht.

'Wat is er?' fluisterde Stephen. De hond ontspande zich en rende naar de slaapkamer toe, net als gisteren.

Stephens neus vulde zich met de geur van zoethout. 'Hallo?' Leeg. Als de nieuwe eigenaar bij de overdracht zou zijn, was de verkoop nog niet rond, toch? En dus stond het gebouw technisch gezien nog steeds te koop. Als makelaar had hij het recht om het gebouw te inspecteren. En misschien om een sleutel te vinden. Een kluis te openen.

Hij liep langzaam de woonkamer in, weer onder de indruk van de historie die hier aanwezig was. Toen hij de vorige keer was vertrokken, was dat met de vastbeslotenheid om deze historie achter zich te laten. Maar nu voelde hij de onverklaarbare drang om die historie tot op de bodem uit te zoeken. Haar in de armen te sluiten. Zijn moeder tot hem te horen spreken, vanaf de andere kant van het graf.

Hij streek met zijn vingers over een witte onderlegger en pakte hem toen voorzichtig op. Zijn moeder had deze onderlegger ooit gekocht, misschien wel in een winkeltje ergens in Boedapest. Hij legde hem weer neer.

En daar, dat schilderij van een meisje dat aan een roos rook. Waarom had Rachel dat mooi gevonden? Was het echt uitgezocht, of had ze het gewoon gekocht om een lege plek aan de muur mee op te vullen? Waarschijnlijk het eerste. Rachel kwam op hem over als een zorgvuldig iemand.

Hij liep versuft over het tapijt. Hij zocht naar een koper- of zilverkleurige sleutel op elke plek waar mensen normaal gesproken sleutels verbergen – keukenlades, potten, boekenkasten – maar eigenlijk probeerde hij achter dit alles zijn moeder te vinden. Neuriede ze wanneer ze in de keuken bezig was? Wat voor eten kookte ze? Vulde haar appartement zich met de geuren van gevulde stoofpotten en versgebakken brood? Hij inhaleerde diep en probeerde haar te ruiken, achter de geuren van zoethout en kersen.

De muren kraakten. Hij schrok op. Wind? Of gewoon het geraamte van het gebouw, dat uitzette door de warmte van de zon? Hij zocht verder.

Rachel had overal tekenen van een nauwgezet leven achtergelaten. In de boekenkast stonden zilveren belletjes en kristallen vlinders, perfect in kleine groepjes neergezet. Ingewikkeld geweven tapijten, in verschillende tinten rood en blauw, lagen precies waar hij ze zou hebben neergelegd. Een schilderij van een gele madelief die op een verbleekt, rotsachtig landschap groeide, hing boven de bank.

Als de nieuwe eigenaren hier de nacht hadden doorgebracht, was daar niets van te zien. Maar waarom?

Stephen had het hele appartement gehad en liep op zijn tenen door de grote slaapkamer toen hij achter de gordijnen een vreemde strook ontwaarde. Hij liep om het bed heen en trok het gordijn opzij. Een deur? Hier, links van het raam, bevond zich een deur. Hij draaide aan de knop en duwde zachtjes de deur open.

Een zonnekamer. Stephen liep naar binnen.

Er hingen witte gordijnen voor drie ramen. Naast een eiken, met een kanten kleedje overdekt bijzettafeltje stond een enkele schommelstoel.

Aan de muur hingen tientallen ingelijste foto's, voornamelijk zwart-wit. Honderden. Het waren foto's van de oorlog. Van concentratiekampen. Van mensen, sommigen in gevangeniskleding en anderen in normale kleren.

Het leek wel een soort heiligdom. Rachels speciale kamer.

De lucht was geladen met verleden, genoeg om de haartjes op zijn onderarmen overeind te zetten wanneer hij zich bewoog.

Rechts van hem hing een foto van een massagraf waar honderden uitgemergelde lichamen in lagen, in elkaar verstrikt geraakt tijdens de val. Een onscherpe foto toonde een vrouw, twee kinderen en twee mannen, die in hun ondergoed met hun rug naar de put toe stonden, terwijl ze hun armen om zich heen hadden geslagen. Een van de kinderen keek achterom naar het graf. Erboven stond: *Joden wachten op hun executie in Belzec.*

Stephens beeld vertroebelde. Hij probeerde in beweging te komen, maar stond als vastgenageld aan het tapijt. Hij had al eerder dit soort foto's gezien, maar had altijd geweigerd zich in te leven in wat er was gebeurd. Hij was naar Amerika gekomen om een nieuw leven te beginnen, niet om zich te wentelen in dit vreselijke hoofdstuk van de menselijke geschiedenis. Maar hier…

Dit hoofdstuk van zijn moeders verleden – van *zijn* verleden – greep hem hier in Rachels schrijn behoorlijk aan, schudde hem door elkaar en liet hem niet meer los. Ze was hier, een van de gezichten op deze foto's. Hij zou er zelf bij kunnen staan.

Zijn ogen bewogen zich naar de foto van een jong meisje, misschien tien, dat met een tandeloze open mond in de lens van de camera keek. Ronde, onschuldige ogen. Armen en benen over elkaar, trots op haar eerbaarheid. Nauwelijks meer dan een skelet. Ze was kaal en ze was naakt.

Bij de foto stond vermeld dat het Susan was, de dochter van Greta. *Medisch laboratorium.* Hij had gehoord dat de nazi's experimenten hadden uitgevoerd op kinderen, maar hij had ze nooit gezien. Niet zo. Wat hadden ze dit kind aangedaan?

Stephen hief beide handen op naar zijn wangen, alsof dat op de een of andere manier zijn misselijkheid zou verdrijven. Dit waren Joden. Zijn volk. Hoe kon iemand die bij zijn verstand was, zoiets een ander mens aandoen? Hij wilde het liefst deze kamer uit rennen, maar zijn benen weigerden in beweging te komen. Een deel van hem haatte Rachel Spritzer dat ze dit groteske monument had achtergelaten.

Maar nee, het was ook iets goeds, iets moois. Het was een monument van liefde. Door deze foto van het tandeloze meisje te tonen, sprak Rachel tot haar door de tijd heen. *Ik zal je niet vergeten, Susan. Ik vind je niet lelijk. Je bent mooi en ik zal je voor altijd koesteren.*

En zijn moeder zou waarschijnlijk hetzelfde tegen hem zeggen. De tranen sprongen hem in zijn ogen. En dan te bedenken dat hij het lijden van zijn eigen moeder de rug had toegekeerd…

Hij zocht de muren af naar foto's die op die uit de krant leken. Hij wilde het uitschreeuwen: *Mama, mama!* En het feit dat hij het wilde uitschreeuwen, bracht een nieuwe tranenstroom op gang.

Stephens ogen bleven rusten op een foto die naast de lamp op het eiken tafeltje stond. De zwart-witfoto toonde een vrouw met lang zwart haar. Rachel? Hij strompelde er op verdoofde benen naartoe en tilde de foto op.

De vrouw leek door hem heen te staren. Ronde, melancholieke ogen. Argeloze lippen. Ze was mooi.

Hij draaide de foto om en zag dat er geen achterkant in de lijst zat. Op de foto stond:

Lieve Esther, ik vond deze foto na de oorlog in Slowakije. Het is je moeder, Ruth, een jaar voor je geboorte.
Er gaat geen uur voorbij dat ik God niet smeek dat jij en David elkaar terug zullen vinden. Ik zal het nooit vergeten. Jullie zijn de ware Stenen van David.

Stephens hart kookte bijna over. *Jullie zijn de ware Stenen van David?* Hij draaide de foto weer om. Deze vrouw heette Ruth. En haar dochter heette Esther. Was Esther ook een Steen van David? Maar ze was de dochter van Ruth, niet van Rachel Spritzer.

Het was dus de bedoeling dat Esther en David elkaar zouden vinden.

Stephen liet zich op de schommelstoel neerzakken. Heel even beeldde hij zich in dat Ruth eigenlijk Esther was. Leefde Esther nog? Ze waren verbonden door een geheim. Ruth en Rachel en Esther en David. Hij staarde in de ogen van de jonge Ruth en hij wist met absolute zekerheid dat zijn leven zojuist compleet was omgegooid.

Zijn lotsbestemming staarde hem aan. Niets zou er meer zo belangrijk zijn als te weten komen welke geheimen er achter deze ogen schuilgingen. Dat zwoer hij in stilte.

De lucht voelde zwaar aan. Hij veegde zijn ogen droog en haalde enkele keren diep adem.

De Stenen lijken op de verloren weeskinderen. Ze zullen elkaar uiteindelijk vinden.

De kluis.

Hij voelde de houten vloer licht beven. De lift?

Met bevende handen peuterde hij de foto uit de lijst, stak hem in zijn overhemd en schoof de lege lijst onder het tafeltje, waarna hij zich de kamer uit haastte.

De sleutel. Hij had de kamer niet afgezocht naar een sleutel.

Neus krabbelde onder Rachels bed vandaan, bleef even stokstijf staan en vloog toen de kamer uit.

Stephen rende de hond achterna. 'Neus! Kom hier.'

Maar de hond stond al bij de deur. Ze gromde zacht.

'Liggen, dame!'

––––––––––

De liftdeur gleed open. Stephen leunde nonchalant met zijn armen over elkaar geslagen tegen de muur en produceerde een semi-verveelde zucht. Twee mannen in donkere pakken stapten uit de lift en stonden stil toen ze de hond zagen.

'Nou, dat werd tijd,' zei Stephen. 'Let maar niet op Neus. Ze bijt niet.'

Ze keken hem onaangedaan aan.

Hij liet zijn handen zakken en ging rechtop staan. 'Ik hoop dat jullie het niet erg vinden – de deur was open en ik was op zoek naar de eigenaar.' Hij stak een hand uit. 'Stephen Friedman is de naam. Ik ben makelaar. Zitten, Neus.'

De man negeerde zijn hand.

Neus grauwde en ontblootte haar tanden. 'Nee, Neus. Af, meid.'

Verbazingwekkend genoeg kalmeerde ze en trok ze zich terug.

'U bent op verboden terrein.' Zwaar Duits accent.

Stephen liet zijn hand maar weer zakken. 'Het spijt me, maar misschien begrijpt u het niet helemaal. Ik ben hier met een aanbod. Ik heb een cliënt die bereid is een stuk meer te betalen voor dit pand dan wat u ervoor hebt betaald. Ik realiseer me dat het een beetje ongebruikelijk is, maar…'

'We zijn niet geïnteresseerd,' zei de man met een geamuseerde scheve glimlach. 'Zei u dat de deur open was?'

'Ja. Ik was op zoek naar Roth Braun.'

'Ik kan u verzekeren dat meneer Braun niet geïnteresseerd is. Het spijt me dat u hebt moeten wachten, maar u moet nu echt gaan. Hij komt zo.'

'Dan wacht ik wel even op hem,' zei Stephen.

'U luistert niet. Gaat u alstublieft weg. Nu.'

'Ik bied…'

'Al bood u het dubbele van wat we hebben betaald; we zijn niet geïnteresseerd.'

Stephen staarde hen aan en was even van slag door hun afwijzing. 'Hoor je dat, Neus? Ze zijn niet geïnteresseerd in het miljoen dat ik hun wilde aanbieden.' Niet dat hij van plan was een miljoen te betalen, maar misschien zou dat hen op andere gedachten brengen. 'Mag ik vragen waarom meneer Braun interesse in dit gebouw heeft?'

'Eigenlijk niet, nee. Dat is zelfs erg onbeleefd,' zei de donkerharige man. Zijn metgezel keek uitdrukkingsloos voor zich uit. Hij was licht genoeg om een albino te kunnen zijn. Blond haar en wenkbrauwen. Vaalblauwe ogen die Stephens starende blik een andere kant op dwongen. Ze waren duidelijk niet onder de indruk.

'Gaat hij het tegen de vlakte gooien?' vroeg Stephen.

De man met het donkere haar wisselde een blik met de blonde en keek toen weer naar Stephen, duidelijk geamuseerd. 'Zijn alle Amerikanen zo opdringerig als u?'

Misschien was de man toch meer geïrriteerd dan geamuseerd.

'Ik geef u precies dertig seconden om dit gebouw te verlaten, anders gooi ik u er hoogstpersoonlijk uit,' zei de Duitser.

Stephen hief beide handen op. 'Rustig aan. Ik ben alleen maar een zakenman die in handel geïnteresseerd is. Het is gewoon een kwestie van geld. Hoe kan iemand nou een verdubbeling van zijn investering negeren? En dan nog wel binnen een dag? Ik begin me zo langzaam aan af te vragen wat u hier komt doen. In Amerika.'

'Dat gaat u niets aan. Goed, verdwijnt u nu' – de man gaf een knikje met zijn hoofd, in een niet geslaagde poging om hoffelijk te lijken – 'alstublieft.'

Hij had brede gouden ringen aan meerdere vingers, waarvan één met een onyx, die was geslepen in de vorm van een leeuw. Om zijn hals hing een zware gouden ketting. En onder zijn jasje? Het zou Stephen verbazen als de man geen wapen droeg.

'Goed, ik ben al weg.' Hij deed een stap in de richting van de trap, bleef staan en draaide zich weer om naar de twee mannen. 'Is de eigenaar toevallig geïnteresseerd in Rachel Spritzer?'

De donkerharige man deed een stap naar voren, greep Stephen bij zijn bovenarm en trok hem ruw mee naar de trap. 'Nu gaat u te ver. Wegwezen!'

Er vloog een pijnscheut omhoog langs Stephens arm. 'Au! Ik ga al.'

Neus blafte en ontweek een trap. Ze rende vlug langs hen heen en dook de trap af.

'Dat weet ik. En ik ga met u mee.'

Stephen voelde aan zijn arm en verdraaide hem een beetje, verbijsterd door hun manier van doen. Wanneer was hij ooit door een bodyguard uit een gebouw verwijderd? *Au?* Had hij echt 'au' gezegd?

'Dit slaat nergens op. U wilt me dus letterlijk uit het gebouw gooien?'

'Ik bescherm de belangen van mijn werkgever. U, daarentegen, overtreedt de wet.'

Brauns bodyguard duwde hem door de garage heen en negeerde Neus, die weer wat moed had gevat en links van hen woest blaffend meeliep. De man gooide de voordeur open, schopte naar Neus, die maakte dat ze naar buiten kwam, en duwde Stephen erachteraan.

'De deur was open…'

'Vergeef ons de veroorzaakte verwarring. Hij zit vanaf nu op slot.' De deur knalde voor zijn neus dicht.

'Vuile… *idioot!*' Stephen draaide zich om en zag dat een oudere dame hem vanaf het trottoir stond te bekijken.

Hij forceerde een grijns en haalde zijn schouders op. 'Broers.'

Ze glimlachte veelbetekenend en zette haar wandeling voort.

Stephen haastte zich naar zijn auto toe, gevolgd door een gepikeerde hond. Ze stapten in en bleven naast elkaar door de voorruit zitten staren. Hij had Braun zelf niet gesproken, maar hij betwijfelde of hij dan anders zou zijn behandeld.

'Wat denk je, Neus – zouden we het misschien een beetje hebben overdreven?'

Hij haalde de foto van Ruth tevoorschijn en staarde haar zeker een minuut in de ogen.

'Nou, ik denk van niet,' zei hij. 'Ik moet daar weer naar binnen, Neus. Hoe dan ook. Ik moet weten wat er in die kelder verborgen ligt.'

De hond jankte.

Er reed een zwarte limousine langs, die bij de verkeerslichten linksaf sloeg en om het appartement heen reed. Braun. Stephen stopte de foto tussen de stoelen en greep met beide handen het stuur beet.

Er flitsten verschillende gedachten door zijn hoofd. Zijn afspraak met Dan Stiller. De receptie vanavond. Chaïm en Sylvia, die hij had uitgenodigd voor die receptie.

Het leidde hem allemaal af van de drang om wat betreft het appartement van Rachel Spritzer de onderste steen boven te halen. Letterlijk.

Stephen besloot om de rest van zijn plannen voor deze dag te vergeten en al zijn energie op maar één ding te richten: bij de kluis zien te komen.

Hij startte zijn auto en sloeg af naar La Brea.

'Een makelaar. Hij heette, eh…' Claude keek Lars aan.

'Stephen Friedman,' zei Lars.

'Ja, Stephen Friedman. Maar maakt u zich geen zorgen. Die komt niet meer terug.'

'Was hij binnen?'

'Ja. Hierboven. Hij beweerde dat hij een cliënt had die een miljoen wilde neertellen voor het gebouw.'

'Hoe is hij binnengekomen? Ik zei dat niemand hier binnen mocht. Is dat te ingewikkeld voor jullie?' Roth wilde het liefst een van hen een mep verkopen. Niet omdat die vent hier binnen was gekomen, maar omdat Claude en Lars zijn vertrouwen hadden beschaamd. Hij duwde die impuls onmiddellijk van zich af.

'Hij zei dat de voordeur open was,' zei Claude. 'Maar ik beloof u dat hij niet terugkomt.'

Aan de andere kant zou een afstraffing hier wel op zijn plaats zijn. En het feit dat die makelaar was komen opdagen, maakte duidelijk dat het spel was begonnen.

Zou het de Jood kunnen zijn?

Hij zou het spel nu foutloos moeten spelen. Eén uitglijder en alles zou verloren zijn.

'Als er iemand anders binnenkomt, dood je hem. Er staat te veel op het spel om te riskeren dat het bekend wordt.'

'Een makelaar doden trekt een hoop aandacht,' zei Lars.

'Niet die makelaar. Anderen. Als je die makelaar weer ziet, breng je hem bij mij.'

Roth wendde zich af en liep naar de woonkamer toe. Hij haalde een witte zakdoek tevoorschijn en depte het zweet weg dat zich op zijn voorhoofd had verzameld. Hij kon zich niet herinneren ooit zo bang te zijn geweest om te falen.

De Stenen bevonden zich hier. Ze hadden hem geroepen. Maar het ging om meer dan rijkdom. Met berekende en weloverwogen stappen zou hij afmaken wat Gerhard in Toruń was begonnen.

'We moeten snel zijn. Begin in de keuken. Ik wil dat elke lade tot op de laatste lepel en vork wordt geleegd.' Hij keek Claude en Lars aan, die met over elkaar geslagen armen stonden af te wachten. 'Elk woord dat ze heeft opgeschreven, hoe onbelangrijk het ook lijkt, moet naar mij toe.' Hij keek om zich heen naar de overgebleven kunst en snoof in de lucht. 'Ze bevinden zich hier ergens, ik ruik het. Ruiken jullie ze?'

Ze keken elkaar aan. Dwazen, pionnen, zich niet bewust van het spel. 'Ik ruik Joden,' zei Claude terwijl zijn ene mondhoek lichtjes omhoogging.

Roth negeerde de platvloerse reactie en wierp een blik uit het raam. Dat mens was in het bezit geweest van een van de Stenen van David. Niet te geloven. Hij had min of meer verwacht dat het museum al voor de deur zou staan met een sloopkogel om de andere vier te zoeken. Dat ze geloofden dat iemand die haar hele bezit aan hen had vermaakt niet een nog grotere schat zou hebben verborgen, maakte duidelijk dat ze dwazen waren. Ze waren door het appartement gelopen en hadden wat waardevolle spullen meegenomen, maar hadden verder niet goed gezocht. Zoals de meeste mensen waren ze geestelijk gedegenereerd.

Des te beter voor hem.

Hij deed zijn zwartzijden jasje uit. Zijn overhemd was ook van zijde. Zwarte zijde. Hij hield van hoe het aanvoelde op zijn huid, glad en vloeiend. Hij hing het jasje over een stoel. Ze zouden de ingang blokkeren. Er zouden alleen eten en de benodigde gereedschappen binnenkomen, en ze zouden op de derde verdieping wonen zolang ze aan het werk waren.

'Doe jullie jasjes uit,' zei hij.

Claude en Lars deden wat hun werd opgedragen en stonden nu in hun witte overhemden.

'Leg jullie wapens op tafel, waar we er zo bij kunnen. Gewoon als voorzorgsmaatregel.'

Ook dat deden ze.

'En wat moeten we met de zonnekamer?' vroeg Lars. De grijze ogen van de man hadden Roth altijd gefascineerd. Als je in die ogen keek, zou je denken dat hij meedogenloos was, maar op een ander moment stonden die ogen zo onschuldig als die van een kind.

'Ik ga zelf in de zonnekamer aan de gang,' zei Roth. Rachels privé-museum was een prettige verrassing geweest. De foto's wonden Roth op en gaven hem het onverwachte gevoel dat hij de jaren herbeleefde dat hij werd gevormd.

Hij draaide zich om en liep naar de grote slaapkamer toe.

13

Zelfs met een dubbel rantsoen soep en brood was Martha er nog niet zeker van of haar baby het nog twee maanden zou volhouden. Zij en Ruth waren allebei gewicht kwijtgeraakt in hun armen en benen – overal behalve in hun buik, die langzaam was gegroeid en duidelijk maakte dat daar nieuw leven aan het ontspruiten was.

Gevangenen kwamen en gingen, meestal met een wanhopige en hopeloze uitdrukking op hun gezicht. Met de nieuwkomers druppelde er ook nieuws uit de buitenwereld binnen, maar het was bijna onmogelijk om de waarheid te scheiden van de geruchten.

Er vlogen gevechtsvliegtuigen hoog over, waarschijnlijk om ergens in het zuiden te gaan bombarderen. Geruchten dat de Russen en hun bondgenoten oprukten om de Duitsers te vernietigen, spookten door het kamp, maar gaven weinig hoop. Hier in Toruń zagen die dingen geen kans uit te rijzen boven de berusting van vijfduizend vrouwen die over de opgedroogde modder ploeterden en die zich vastklampten aan een leven waarvan ze niet eens zeker wisten of ze dat nog wel wilden.

Ze zeiden dat de Duitsers alle Hongaarse Joden in het kamp bij Kistarcsa verzamelden, buiten Boedapest, maar Martha kon zich nauwelijks herinneren hoe haar vaderland eruitzag, laat staan dat ze zou huilen om wat er gebeurde in het verbleekte landschap van haar vervagende geheugen. Uitgezonderd haar zus, Katcha, en Antonette, haar moeder. Ze hengelde bij elke nieuwe gevangene uit het zuiden naar nieuws over de twee vrouwen, maar niemand wist iets. Hoe zou dat ook kunnen? Er werden hele treinladingen Joden verplaatst, dus hoe zouden ze zich dan een naam of een gezicht tussen al die mensen herinneren?

Martha stond buiten bij de barak en staarde naar de grauwe lucht. Een zware bewolking strekte zich uit van horizon tot horizon, donker als de modder onder haar voeten. Rechts van haar stond de poort van Toruń in het onheilspellende licht van de naderende storm, waar ze de afgelopen maand achttien vrouwen met een zak over hun hoofd had zien hangen. Links van haar rees het huis van de commandant op, als een monument dat rood was geverfd met het bloed van zijn slachtoffers.

Rebecca was de eerste die ze aan de poort had zien hangen, maar om de twee dagen, op zijn hoogst drie, ontwaakte het kamp wel met een volgend lichaam, dat als een zak aardappels aan een touw bungelde. Het was voor Braun niet genoeg om de vrouwen alleen maar te vermoorden. Hij hield vast aan zijn gewoonte om eerst met zijn slachtoffers te dineren en wie wist wat nog meer voor hij hen afslachtte. Het gegil van sommige slachtoffers sneed om middernacht door het kamp. Maar het gegil eindigde altijd abrupt, afgesneden door een plotselinge ruk van de strop.

Martha hoorde beweging achter zich. Ze draaide zich om en zag dat Ruth haar glimlachend vanuit de barak tegemoet kwam lopen. Niemand in het kamp kon glimlachen zoals de jonge moeder in de dop uit Slowakije. Helaas werd haar optimisme niet gedeeld door de meeste anderen. Af en toe voelde Martha zelfs een beetje irritatie, misschien zelfs wel een beetje jaloezie. Dat gepraat van Ruth over passie en vreugde vond Martha soms behoorlijk aanstootgevend op zo'n plek des doods.

Ruth stak in bij Martha en trok haar dicht tegen zich aan. 'Het wordt warmer,' zei ze. 'Het wordt spoedig zomer.'

Aan de andere kant spreidde Ruth een onophoudelijke drang naar gezelschap tentoon. Sinds hun ontmoeting in de trein was ze voor Martha meer een zus geweest dan een vriendin. Wanneer ze zo naast elkaar stonden, zoals ze vaak deden voor het avondappèl, voelde Martha meer levenslust en hoop dan tijdens de rest van de dag.

'Het gaat weer regenen,' zei Martha.

'Hmm. Moet je die bloemen daar zien,' zei Ruth, die naar het open veld staarde.

'Ze hebben de wachttorens geschilderd,' zei Martha. 'Waarom zouden ze die schilderen?'

'Misschien om de bewakers wat op te vrolijken?'

Haar optimisme was onuitputtelijk. Martha schoot bijna in de lach, maar de grauwe lucht hield haar tegen.

'De kleine David schopt me vandaag helemaal beurs,' zei Ruth. Ze legde haar hand op Martha's buik. 'En die van jou?'

'Die houdt zich rustig. Ik denk dat hij de dag en de nacht door elkaar haalt. Ik kon vannacht amper slapen. Maar goed, hoe weet je nou dat die van jou een David is?'

'Misschien is het wel een Esther en die van jou een David. Of misschien zijn het allebei Esthers.'

'Of allebei Davids.'

'Maar het zou beter zijn als de één een David is en de ander een Esther.'

'Hoezo?'

Ruth glimlachte breed. 'Dan kunnen ze verliefd worden op elkaar en met elkaar trouwen, natuurlijk. Zou dat niet leuk zijn?'

Martha grinnikte. 'Je bent onmogelijk. Er worden vrouwen opgehangen aan de poort en jij loopt met madeliefjes in je hoofd een bruiloft te regelen.'

Ruths glimlach vervaagde. Ze hief een hand op en streek een pluk haar van Martha's wang. 'Als jij een dochter krijgt, wordt ze erg mooi, net als jij. En dan rent ze door hele velden vol madeliefjes en trouwt ze met mijn mooie David.'

'Vergeet je niet iets?'

'Dat dode baby's niet kunnen opgroeien tot getrouwde mannen en vrouwen?'

'Ja.'

Ruth keek weer naar het veld en verzonk in een van haar zeldzame sombere buien. 'Je hebt gelijk. Dat is het probleem met deze wereld. Maar weten David en Esther dat? Die zitten warm en gezellig in onze buik, trappelend van vreugde, zich niet bewust van de treinen en de kampen. We zouden iets van hen kunnen leren.'

'Maar *wij* zijn ons *wel* bewust van de stank van de dood.'

'Ja, maar we zijn ons ook bewust van de vreugde die ons hoe dan ook wacht.'

'Vreugde? Je bedoelt de strop om onze nek? Of een ritje terug naar Auschwitz?'

'Nee, ik bedoel dat wat ons wacht als we worden geboren in het volgende leven.'

Martha zuchtte. 'Ja, natuurlijk, wat stom van me. Het volgende leven. Nadat we zijn vermoord.'

'Of nadat we een lang en vreugdevol leven achter de rug hebben. Iedereen gaat een keer dood, dus wat maakt het uit als die van ons niet helemaal soepel verloopt? Wat ons wacht zal er niet minder heerlijk door zijn.'

Ruth had nooit zo open over de dood gesproken en Martha wist niet of ze er wel zo blij mee was.

Vanaf de heuvel waarop het huis van de commandant stond, naderde een bewaker. Ruth keek naar hem en viel even stil. Braun had hen maar één keer allebei naar zijn huis laten komen sinds die eerste ontmoeting – een belachelijke sociale gebeurtenis, waarbij ze op de bank hadden gezeten en onzinnige praat hadden gedaan. En Ruth was nog drie keer opgeroepen, alleen.

'Hij mag je,' zei Martha, die nog steeds naar de bewaker keek.

'Ik weet niet of ik nog een keer kan opbrengen.' In Ruths stem klonk emotie door.

'Je moet wel. Maar zeg alsjeblieft tegen me dat je niet zult toestaan dat hij je aanraakt.'

'Er ligt een brievenopener op zijn bureau. Ik steek hem midden in zijn hart als hij me aanraakt.'

'Misschien moet je dat hoe dan ook maar doen.'

'Ik ben in de verleiding geweest.'

Ruth keek Martha weer aan. 'Ik wil je iets vragen. Als er iets met me gebeurt nadat mijn kind is geboren, wil jij het dan als je eigen kind aannemen?'

'Natuurlijk. Ik zou niet anders willen.'

'En als er iets met jou gebeurt, zorg ik voor jouw kind.' De ogen van Ruth keken onderzoekend in de hare, bezorgd, waardoor Martha zich zorgen begon te maken.

'Wat is er, Ruth? Weet jij iets wat ik niet weet?'

'Nee. Nee, natuurlijk niet. Ik beloof het, Martha. Ik zal voor jouw kind zorgen alsof het van mezelf was.'

Martha knikte. 'En ik zorg voor dat van jou.'

'Tegen elke prijs. Voor altijd. Beloof het.'

'Tegen elke prijs en voor altijd. Ik beloof het.'

'Ik ook,' zei Ruth.

De bewaker stond vijf meter bij hen vandaan stil. 'Jij. De kleine. De commandant wil je zien.'

Ruth gaf Martha een kneepje in haar hand. 'Dank je.'

'Wees sterk,' fluisterde Martha.

Die opmerking was meer voor zichzelf bedoeld dan voor haar vriendin.

14

Los Angeles
20 juli 1973
Vrijdagavond

Chaïm Leveler zocht nogmaals de receptiezaal af, maar Stephen was nergens te bekennen. Hij had de jongen niet meer gezien of gehoord sinds hij zich gisteravond had teruggetrokken op zijn kamer. De halfjaarlijkse receptie voor makelaars was een uur geleden begonnen en nog steeds was er geen spoor van hem te bekennen. Dit was helemaal niets voor Stephen en gezien de ontwikkelingen van de afgelopen dagen maakte Chaïm zich zorgen.

Driehonderd stemmen van makelaars en hun wederhelften vulden de ruimte met hun aanhoudende gemurmel. In zwarte kostuums en trendy avondjurken geklede gasten omringden enkele tientallen tafels, allemaal opgesmukt met miniatuurhuizen waarvan de rabbi niet wist of ze nou eetbaar waren of niet. De krabcake en de truffels waren in elk geval wel eetbaar en dat was zwak uitgedrukt.

'Hallo, rabbi.'

Hij draaide zich om en zag Sylvia staan, gekleed in een lange zwarte avondjurk en zacht glimlachend. 'Tjonge! Je ziet er adembenemend uit, liever.' Hij greep haar hand en kuste die. 'Heb jij Stephen toevallig gezien?'

'Nee. Is hij er dan nog niet?'

'Volgens mij niet. Hij is nogal afgeleid. Ik denk dat de ontdekking wie zijn moeder was, nu pas tot hem doordringt.' Hij had zijn woord gegeven dat hij niets over de kluis zou zeggen, zelfs niet tegen Sylvia. 'Niet dat ik hem dat kan verwijten.'

'Hij doet toch niets stoms, hè?'

Chaïm keek haar verrast aan. Ze had de vinger op de zere plek gelegd, maar hij vond het een beetje gevoelloos dat ze het zo onomwonden zei.

'Nee, nee. Waarom zeg je dat eigenlijk?'

'Omdat Stephen onvoorspelbaar en impulsief is. Ik acht hem tot alles in staat. Hebt u Gerik nog gesproken?'

'Ja,' zei Chaïm.

'En maakt hij zich druk over de veiligheid van Stephen?'

'Je kent Gerik. Natuurlijk is hij bezorgd, maar hij ziet dit ook als een persoonlijke zaak. En hij denkt dat Stephen zijn hart moet volgen, waar dat dan ook toe zal leiden.'

'Nou, als er gevaar aan mocht kleven, is Stephen gegarandeerd het type dat het zal vinden.'

'Moet je ons nu horen. Er is waarschijnlijk niets aan de hand.' Chaïm glimlachte. 'We zien leeuwen en beren. Stephen is een volwassen man en geen kind. Misschien heeft Gerik gelijk – laat hem zijn hart maar volgen.'

Sylvia zuchtte. 'Waarschijnlijk wel. Ik ben een beetje gespannen. Dat gedoe met die seriemoordenaar houdt de hele afdeling bezig.'

'Seriemoordenaar? Waar heb je het over?'

'U zou de televisie eens wat vaker aan moeten zetten, rabbi. In twee nachten twee vrouwen vermoord. Allebei met doorgesneden polsen.'

'Is dat een reden om aan te nemen dat het om een seriemoordenaar gaat?' vroeg Chaïm. 'Het is een grote stad…'

'Beide vrouwen waren Joods. Beiden waren in identieke staat achtergelaten. Er was een rood sjaaltje over het gezicht van beide vrouwen gelegd. Dit zijn vooropgezette moorden.'

'Tjongejonge.' De rabbi schudde langzaam zijn hoofd.

'De burgemeester was er niet bepaald blij mee dat de informatie naar de pers is gelekt. Het laatste wat we willen, is paniek onder Joodse vrouwen.'

'Maak jij je geen zorgen?' vroeg hij.

'Hoezo? Omdat ik Joods ben?' Ze keek even naar de vloer. 'Eerlijk gezegd had ik daar nog helemaal niet bij stilgestaan.'

'Nou, een goed feest is precies wat je nodig hebt om je gedachten even af te leiden van het werk.'

Chaïm gaf haar een klopje op haar hand en wilde net iets te drinken gaan halen toen hij abrupt weer stilstond. Ze volgde zijn blik. Stephen kwam naar hen toe vanuit de hoofdingang. Hij droeg een wit overhemd zonder jasje. Geen stropdas. Zijn donkere, dunner wordende haar was haastig naar achteren gestreken.

Sylvia zag hem aankomen. 'Afgeleid, zei u?'

Stephen zigzagde om nieuwsgierige blikken heen, groette iemand en haastte zich toen naar hen toe. Op zijn ongeschoren gezicht had zich een dun laagje zweet gevormd.

Hij wierp hun een jongensachtige glimlach toe. 'Hallo. Tjonge. Het spijt me dat ik zo laat ben. Ik werd opgehouden door' – hij zweeg even en keek van de een naar de ander – 'een onderzoek.'

Chaïm staarde hem aan.

'Ik voel me een beetje ongekleed,' zei Stephen. 'Maar goed, anders had ik alles gemist.' Hij keek om zich heen. 'Het ziet ernaar uit dat iedereen er is.'

'Daniël Stiller is naar je op zoek,' zei Chaïm. 'Iets over dat perceel in Santa Monica. Waar heb je gezeten?'

'Stiller…' Stephen staarde even voor zich uit.

'Gaat het wel met je?' vroeg Sylvia.

'Best. Prima. Ik was gewoon even de tijd vergeten. Hoe zie ik eruit? Ik moet me even wat opfrissen.'

'Een jasje zou ook geen kwaad kunnen,' zei Sylvia. 'Maar goed, wie let daar nou op? Niets mis met je, eh… holbewonerlook.'

'Denk je dat iemand een jasje heeft dat ik zou kunnen lenen?' Hij probeerde zijn verkreukelde overhemd glad te strijken.

'Dat betwijfel ik,' antwoordde Chaïm. Zo bleven ze enkele momenten zwijgend bij elkaar staan. Hij had Stephen nog nooit zo verwilderd gezien. Het ging hem nauwelijks iets aan, maar Chaïm voelde zich gedrongen om de vraag nog eens te stellen. 'Maar goed, waar heb je gezeten?'

Stephen keek van hem naar Sylvia en toen weer terug. Hij wierp een blik om zich heen, met grote ogen nu. Hij pakte hen beiden bij de arm en draaide hen om, zodat ze met hun rug naar de grote zaal stonden.

'Heeft Chaïm het je verteld, Sylvia?'

'Wat zou hij me verteld moeten hebben?'

'Over de kluis. Mooi, rabbi. Ik wist dat u een man van uw woord bent. Beloof me dat je het aan niemand zult vertellen, Sylvia.' Hij wierp een blik over zijn schouder. De kust was nog steeds vrij.

113

'Hoe kan ik je beloven wat…'

'Beloof het me gewoon.'

'Goed dan. Ik beloof het,' zei Sylvia.

'Het is inderdaad een kluis. En in haar huis bevindt zich ook een kamer vol foto's van de kampen. Ze moet wel een overlevende van een kamp zijn geweest. Ik heb een berichtje op een foto gevonden – er is een meisje waaraan ze refereerde als een Steen van David. Ze heet Esther. Ik denk dat ze nog steeds in leven zou kunnen zijn. Mijn pleegvader noemde me vaak zijn Steen van David.'

Hij keek hen aan met een blik alsof hij verwachtte dat deze stortvloed aan informatie hen zou vervullen met pure verbijstering. Chaïm had alles verstaan, maar hij was zo afgeleid geweest door Stephens bijna hondsdolle manier van doen, dat het niet bij hem was geland. Hij keek opzij naar Sylvia. Ze nam Stephen bij de arm.

'Stephen, ik heb geen flauw idee van wat je zojuist bedoelde, maar ik denk dat je hard aan wat rust toe bent. Misschien kunnen we maar beter gaan.'

'Wat bedoel je dat je geen flauw idee hebt van wat ik zei? Luister je wel?' Een volgende snelle blik over zijn schouder. Hij fluisterde hees: 'Het is een *kluis*! En ik garandeer je dat de mensen die het gebouw hebben gekocht, weten dat er iets is. Zie je het dan niet? Ik ben een oorlogswees. *De weeskinderen zullen elkaar terugvinden.* Ze wilde dat ik de kluis vond. Zover we weten, liggen daar de vier andere Stenen in.'

Hij stopte halverwege een gebaar, keek van Sylvia naar Chaïm en liet zijn armen zakken. 'Jullie begrijpen het niet, of wel?'

Chaïm vond eindelijk zijn stem terug. 'We zien wel dat je hier behoorlijk door wordt opgeslokt, jongen. Maar dit is niet het tijdstip en de plaats om de hele wereld te laten weten waar je mee bezig bent.'

'U hebt gelijk. Ik weet niet wat me bezielt. Het spijt me.'

'Dat hoeft niet,' reageerde Sylvia.

Hij sloot zijn ogen. 'Ik zal wel maf overkomen op jullie.'

'Doe niet zo gek. Misschien manisch krankzinnig, maar niet maf.' Ze glimlachte.

Stephen grijnsde. 'Oké. Het spijt me. Ik zeg er vanavond geen woord meer over. Ik beloof het.'

'Ik zou maar voorzichtig zijn als ik jou was,' zei Chaïm.

'Maakt u zich geen zorgen, rabbi.' Hij klopte Chaïm op de schouder. 'Hoe is het eten?'

'De krabcake is de beste die ik ooit heb gegeten.'

'Hebben jullie al nieuwe mensen ontmoet?'

'Nog niet,' antwoordde Sylvia, 'maar ik denk dat hier genoeg makelaars rondlopen die graag een drankje voor een advocate zouden halen. Zou jij…?'

'Natuurlijk,' reageerde Stephen.

Maar Stephen maakte geen aanstalten om een drankje voor Sylvia te halen.

'Luister.' Stephen streek over zijn kin en keek heimelijk om zich heen. 'Ik weet niet of dit wel zo'n goed idee was. Ik had beter maar helemaal niet kunnen komen. En de gedachte hier een beetje gezellig te gaan doen, bezorgt me de kriebels.'

'Alsjeblieft, Stephen, we bedoelden niet dat je…'

'Nee, rabbi.' Hij stak zijn handen op. 'Echt. Ik denk echt dat ik maar beter kan gaan. Ik ben hier niet op gekleed.' Hij knipoogde en legde een hand op Chaïms schouder. 'Wilt u me een plezier doen? Als u Dan Stiller nog ziet, zeg dan tegen hem dat ik morgenochtend contact met hem opneem.'

'Nou, eigenlijk liep ik eraan te denken om er zelf ook vandoor te gaan. Het…'

'Nee, absoluut niet. Dat kan niet! Blijven jullie nou maar gewoon en maak er iets van. Ik moet nog wat dingen regelen en dan kom ik naar huis.'

'Nog wat dingen regelen? Het is negen uur.'

Stephen grinnikte doelbewust. 'Precies. Ik moet nog shampoo en scheermesjes kopen. Leuk dat je gekomen bent, Sylvia. Ik zou graag blijven om nog wat te babbelen, maar ik hoor de douche roepen. Dus blijven jullie gewoon lekker en geniet ervan.'

'Maak je over mij maar geen zorgen. Ik begin net op dreef te komen.'

Hij wees naar haar alsof hij een pistool vasthad. 'Dat is de juiste instelling. Laat de rabbi maar eens zien hoe een advocaat kan feesten.' Hij begon achteruit te lopen. 'Een prettige avond.'

Hij draaide zich om en haastte zich naar de zijdeur toe. Chaïm en Sylvia staarden hem met opgetrokken wenkbrauwen na.

Stephen rende het gebouw uit en had zich in tijden niet zo opgelucht gevoeld. Geen van zijn collega's had hem weten te strikken voor een gesprek – hij had het geluk duidelijk aan zijn kant. Dit zou een prima avond worden. Zelfs de hond leek er zin in te hebben en keek hem vanaf de passagiersstoel opgewonden aan.

'Maakt u zich geen zorgen, rabbi,' mompelde Stephen. 'Als u wist wat ik nu weet...'

En dat was? Dat hij inderdaad een onderzoek had verricht. Als je het tenminste een onderzoek kon noemen. Hij had het appartementenge-bouw van Rachel Spritzer vanuit elke mogelijke hoek bekeken en elke hersencel gepijnigd over hoe hij bij die kluis kon komen. Het resultaat daarvan was dat hij over informatie was gestruikeld die alleen een dwaas zou negeren: de inhoud van de kluis hoorde niet aan het museum toe.

Zo had hij het tenminste gelezen in de bepaling die in het testament was ingebed.

Hij had het appartement verlaten en was bij Caldwell Realty langsge-gaan, waar hij een secretaresse met de naam Sally ervan had weten te overtuigen dat het in orde zou zijn wanneer ze hem een kijkje in de papieren liet nemen. Het gaf ook niet – bij dit soort transacties zouden die gegevens toch al spoedig ter inzage liggen. Hij vond de gedeeltes van Rachels testament die met het appartementengebouw te maken hadden. Volgens dat document, als aanvulling op het gebouw, had Rachel al haar aardse bezittingen gedoneerd aan het museum die zich 'momenteel in het appartement op de vierde verdieping van het appartementengebouw op Thirty-second Street nummer 5 bevinden... inclusief...' en dan volg-de er een lijst van haar meest waardevolle bezittingen.

De inhoud van de kluis bevond zich niet in het appartement op de vierde verdieping. En technisch gezien maakte hij zelfs geen deel uit van het gebouw. De kluis zelf wel, maar niet de inhoud.

Goed, het feit dat haar woning specifiek werd genoemd, zou eenvou-digweg bedoeld kunnen zijn om haar appartement aan te duiden, maar wat Stephen betrof, stond dat ter discussie. Wat weer zou kunnen bete-kenen dat er inderdaad iets in de kluis zat waarvan Rachel niet had gewild dat het in handen zou vallen van het museum. Hij was geen advocaat, maar gezien alle andere gegevens was dit voor Stephen zo klaar als een klontje.

Hij had ook de tijd genomen om erachter te komen wie de man was die het gebouw zo snel had gekocht. Roth Braun. Een Duitse investeerder zonder connecties met de Verenigde Staten, zover hij kon achterhalen. Helemaal niets. Hij had naam gemaakt in Duitsland, was eigenaar van een paar bedrijven die in Stephens ogen niets meer waren dan dekmantels voor een criminele organisatie, gezien Stephens eerdere ervaring met de handlangers van Braun. Toch zag de man er op papier brandschoon uit. Misschien had hij het gebouw wel echt als investering gekocht.

Echt niet. Braun wist iets. Om nog preciezer te zijn, hij wist iets over Rachel Spritzer. Stephen bedacht dat deze man weleens het gevaar zou kunnen zijn waarop zijn moeder in haar briefje had gewezen. Des te meer reden om die kluis open te krijgen.

Stephen had drie uur lopen nadenken over een manier om dat gebouw binnen te komen. Hij keek toe hoe een vrouw, blijkbaar iemand uit de stad, naar de voordeur liep, kort met de donkerharige Duitser sprak, hem iets liet tekenen en toen weer vertrok. Misschien een inspecteur die even een verklaring ondertekend wilde hebben.

De uitdaging was om binnen te komen zonder dat ze wisten dat hij er was. Maar hoe hij het probleem ook zou oplossen, de voordeur kon hij vergeten. Hij had al tientallen keren tegen zichzelf gezegd dat hij zich op gevaarlijk terrein begaf. En net zoveel keer plukte de foto van Ruth aan zijn ziel en eiste van hem dat hij de Stenen van David zou bevrijden. Hij kon de autoriteiten er niet in moeien. Absoluut niet. En een advocaat inschakelen was ook geen optie. Als Braun van de kluis hoorde, zou die al leeg zijn voor welke rechtbank dan ook maar naar zijn verhaal wilde luisteren.

Stephens enige mogelijkheid was om het alleen te doen. En snel ook. Hij voelde zich misselijk – of was het draaierig? – door de onmogelijkheid van de situatie.

En toen werd die misselijkheid door één bepaalde gedachte genezen. Een plan.

Een onwaarschijnlijk, zeer inventief plan dat je alleen van een dwaas zou verwachten. Onwaarschijnlijk genoeg om het te laten werken.

Hij keerde terug naar het appartementengebouw, reed er drie keer omheen om moed te verzamelen en begon ten slotte aan de uitvoering van zijn plan. Een bezoek aan een ijzerhandel kostte hem de rest van de dag en het eerste uur van de avond. Maar die tijd bleek een investering van onschatbare waarde te zijn. Hij verfijnde de stappen van zijn plan en sleutelde aan de details tot het plan volmaakt was.

Het was misschien niet wijs geweest om van die receptie te verdwijnen zonder even met Dan te hebben gesproken, maar ze hadden nog steeds tijd zat om hun voorstel bij het stadsbestuur in te dienen. Volgende week woensdag was nog ver weg. Hij moest hoe dan ook dit stukje geschiedenis, zijn lotsbestemming en enkele honderden miljoenen dollars van zijn nek hebben voor hij zich zou kunnen concentreren op dat perceel in Santa Monica.

Chaïm en Sylvia waren er ongetwijfeld van overtuigd dat hij een beetje van slag was, maar dat had hij goed genoeg gemaskeerd. Ze zouden het ware belang van die kluis niet begrijpen.

Stephen wierp een blik op zijn horloge. Nog krap twee uur voor middernacht. Perfect.

15

Verbazingwekkend genoeg leek de La Brea Avenue tegen middernacht drukker dan overdag. Stephen parkeerde de Vega in een zijstraat, twee blokken ten zuiden van het appartement van zijn moeder. Hij pakte een rugzak van de achterbank, keek om zich heen of niemand hem zag en hing de rugzak op zijn rug. *Gedraag je normaal.* Gewoon een doodnormale jongen die midden in de nacht een wandelingetje gaat maken met een tas op zijn rug.

'Jij blijft hier, Neus. Ik ben terug voor je het in de gaten hebt.'

De hond sprong eruit voor Stephen het portier kon sluiten. 'Neus!' Maar de hond rende de straat al uit en verdween. Dat begon een slechte gewoonte te worden.

Stephen deed de auto op slot en liep in noordelijke richting weg, terwijl hij onderweg naar de hond uitkeek. Ze zou wel terugkomen. Hij voelde zich vreemd genoeg een beetje alleen zonder de zorgeloze aanwezigheid van de hond.

Het trottoir lag er verlaten bij, op een vrouw na die recht op hem afliep, een half blok verderop. Waar was die vandaan gekomen? *Vermijd oogcontact. Normaal doen.* Ze passeerden elkaar zonder dat er iets gebeurde. Had ze zijn auto gezien?

Hij stak schuin de volgende straat over en sloeg toen linksaf een steeg in, waardoor hij bij de achterkant van het verlaten gebouw tegenover dat van Rachel terechtkwam. Het duister verzwolg hem. Hij begon sneller te lopen. Tot dusver ging het goed, maar nog steeds geen teken van Neus. Misschien was dat voorlopig ook maar beter.

Stephen stond aan het einde van de steeg stil en stak zijn hoofd om het hoekje. De ramen van wat hij 'Gebouw B' besloot te noemen, waren dichtgespijkerd met multiplex. De achtermuur zat onder de graffiti. Hoeveel pooiers en drugshandelaars bevolkten 's nachts deze schaduwen? Hij hoopte dat hij er geen een tegen zou komen. Achter Gebouw B, aan de overkant van de straat, bevond zich Rachels appartement. Als hij in Gebouw B kon komen, zou hij misschien een kamer vinden met uitzicht op haar appartement. Hij wierp een blik op zijn horloge – half twaalf. Nog een halfuur. Hij keek om zich heen en liep zachtjes naar de achterdeur.

Er kletterde iets over het asfalt en hij schrok. Hij had met zijn voet tegen een fles aan geschopt. Zo was het wel genoeg. Hij rende naar het gebouw toe, stond stil naast een dienstingang en draaide aan de deurknop. Tot zijn verrassing ging die gewoon open. Hij glipte naar binnen, deed de deur dicht en zuchtte opgelucht.

Zijn ademhaling klonk in deze lege ruimte als een blaasbalg. De vormen van de ruimte werden langzaam zichtbaar in het duister. Een lange gang en een trap. Hij kon nog geen zaklamp gebruiken.

Hij beklom de trap en liep op gevoel verder tot hij bij de vierde verdieping was. Hij duwde tegen de deur die toegang gaf tot de verdieping en stapte er omzichtig doorheen.

Het maanlicht scheen door een enkel raam in de muur tegenover hem. De kamers waren uitgebrand – stukken systeemplafond lagen in elkaar verstrengeld op hopen. Maar de vloer leek stevig genoeg. Hij zocht zich een weg naar het raam toe.

En daar was het dan, verlicht door een heldere maan – Rachels appartement. Stephens hartslag versnelde. Het licht in haar woning op de vierde verdieping was nog steeds aan. Het licht van haar slaapkamer. De zonnekamer.

Hij trok zich instinctief terug van het raam. De gordijnen van het appartement zaten dicht. Dat was te verwachten geweest. De mannen die hem eruit hadden gegooid, leken hem geen types die in hun ondergoed en met de gordijnen wijd open rond zouden lopen.

Stephen liet de rugzak op de grond zakken en ging op één knie zitten. Ze liepen daar dus door haar spullen te snuffelen. Hoe durfden ze? Maar aan de andere kant, als ze zo druk bezig waren op de vierde verdieping, zouden ze niet in de kelder zijn.

Als.

Goed dat hij de foto had meegenomen uit de zonnekamer. Hij ging rechtop staan, opgeschrikt door een vreselijke gedachte. De foto! Waar had hij die gelaten?

Hij herinnerde het zich onmiddellijk en ontspande zich weer. Hij had hem op zijn bureau laten liggen. Heel even overwoog hij om weer naar huis te rijden, de foto op te halen en terug te komen. Wat als de rabbi zijn kamer binnenkwam en hem vond? Hij kon Chaïm vertrouwen. En het was tenslotte alleen maar een foto.

Stephen bestudeerde het gebouw van zijn moeder. Het moeilijkste was om binnen te komen en weer te verdwijnen zonder sporen achter te laten. Een spoor achterlaten naar het stookhok zou alleen maar duidelijk maken dat daar iets waardevols te vinden moest zijn. Voor het geval het vannacht niet zou lukken, wat niet aannemelijk was, moest zijn geheim wel geheim blijven. Hij was niet op zijn achterhoofd gevallen.

Vijf over half twaalf. Zijn vingers beefden van het vooruitzicht op wat er komen ging. Er was niets bijzonders aan middernacht. Het had hem gewoon een goed moment geleken. Het was al rustig in de buurt; misschien moest hij gewoon nu al gaan.

Nee. Hij moest zich aan het plan houden en het plan zei middernacht.

Was dat plan van hem illegaal? Misschien. Maar misschien ook niet.

Aan de andere kant absoluut wel. Maar op sommige momenten moest de wet gewoon het veld ruimen voor je principes en dit was zo'n moment.

Het kwam op het volgende neer: als Rachel had gewild dat het museum de inhoud van de kluis zou krijgen, zou ze dat wel in haar testament hebben laten zetten. Het feit dat ze dat niet had gedaan, betekende dat de inhoud voor iemand anders was bedoeld. Iemand als hij. Daarom had ze een inscriptie op de kluis achtergelaten die alleen iets zou betekenen voor een wees die was gebrandmerkt met een Steen van David.

Rachel werd achtervolgd door het een of andere gevaar, een geheim dat het leven van haar zoon in gevaar bracht. Ze had gehoopt dat haar zoon de tekst in het krantenartikel zou herkennen – *De Stenen lijken op de verloren weeskinderen* – en zo achter de rest zou komen. En dat was ook zo.

Zoals Chaïm zou zeggen: *Als je hebben wilt wat anderen niet hebben, moet je doen wat anderen niet bereid zijn te doen.* Als er ooit een moment was geweest om die raad op te volgen, was dat vannacht wel.

Honderd miljoen dollar – meer geld dan hij ooit had durven dromen. Het idee deed hem pijn aan zijn hart. Hij zou op straat honderddollar-biljetten kunnen uitdelen aan kansarmen en hun ogen zien oplichten. Hij zou een eiland kunnen kopen, met een jacht dat lag aangemeerd aan een steiger in een lagune.

Aan de andere kant had zijn passie voor die kluis net zoveel te maken met principes, zijn moeder en haar geheim, en een klein meisje dat Esther heette en dat Ruth niet meer had kunnen vinden. Alles bij elkaar genomen – de kluis, de Stenen, Rachel, Esther – was het allemaal te veel om het gewoon te negeren. Als een Steen van David had hij een bepaalde plicht. Een roeping.

Het kwam hem voor dat de bevrijding van deze schat, op de een of andere ingewikkelde manier, niet echt vreselijk veel verschilde van de bevrijding van de mensen uit een concentratiekamp door geallieerde soldaten. Hij ging redden wat aan de Joden toebehoorde. Hij ging hun erfgoed in ere herstellen. Zijn erfgoed. Dit zou zijn aandeel aan de oorlog worden. Er stuiterden tientallen gedachten door Stephens hoofd, waarvan sommige puur realistisch en andere een stuk minder waren.

Wanhopige momenten.

Horloge. Tien over half twaalf. De tijd kroop vooruit.

Er liep iets door de kamer. Stephen schrok zich bijna een hartverlamming. Hij drukte zich tegen de muur en staarde in de schaduwen.

Er sprong een hond zachtjes over de rommel heen, haar tong fladderend uit haar bek. Neus! Ze sprong op en strekte zich uit om zijn gezicht te likken. 'Waar heb jij gezeten? Goed, genoeg zo. Genoeg!' Stephen gaf de hond een knuffel. 'Tjonge, wat ben ik blij jou te zien.'

Nee, dat was helemaal niet zo. Wat moest hij nu met haar beginnen?

'Ze mag je,' zei een vrouwenstem.

Stephen sprong op, waardoor de hond tegen de grond kwakte. 'Wat?'

'Ik zei, ze mag je.' Een kleine vrouw van ergens in de twintig stapte uit de schaduwen tevoorschijn. Ze droeg een strakke broek met wijd uitlopende pijpen, met een lichte blouse en kralen. Honderden kralen: om haar polsen, om haar hals, in haar ingevlochten haar.

'Wat doe jij hierboven?' vroeg ze.

'Ik… ik kijk wat rond.'

'O ja?'

Wat moest hij dan zeggen? Er kwam hem niets voor de geest.

'De laatste keer dat ik iemand hier in dit soort kleren heb gezien, was drie maanden geleden, toen ze dit gebouw in de verkoop deden. Maar niemand koopt het. Weet je waarom? Omdat het van ons is.'

'Oh.'

Ze staarde hem aan, onzeker, en toen vormde zich langzaam een glimlach om haar lippen. 'Nou, de hond vindt je aardig, dus misschien ik ook wel. Je mag me Melissa noemen.'

'Oké.' Ze was een soort hippie. Stephen wilde nu maar één ding: dit achter de rug hebben en net doen alsof ze hem nooit had gezien. Dit paste niet in het plan. 'Groovy,' zei hij.

'Groovy.' Melissa liep met een eigenaardige glimlach om hem heen en rook naar jasmijnthee. 'Groovy. Nou, mister Groovy, je bevindt je wel in het verkeerde gebouw. Dit gebouw hoort toe aan de Broederschap van de Stadsnomaden. Wat zit er in die rugzak?'

'Niks.'

'Mister Groovy, die een uitpuilende rugzak bij zich heeft zonder iets erin en die geen zin heeft om te praten. Klopt het zo ongeveer?'

Hij knikte alleen maar en wierp toen een blik over zijn schouder en uit het raam. De straat was nog steeds verlaten. Bijna middernacht.

Melissa begon plotseling te grinniken en Stephen glimlachte met haar mee.

'Wat is er zo grappig?'

'Jij.'

Haar gelach werd luider tot het door de kamer echode. Hij deed een stap naar voren en gebaarde dat het wat hem betrof best iets zachter kon. 'Kun je iets minder geluid maken? De hele buurt hoort je zo nog!' Aan de overkant van de straat bleven de gordijnen dicht.

'Buiten ons is er niemand in dit gebouw, lekker ding.' Ze stopte met lachen. 'Ik denk dat je wel meevalt. Je zou de gladjanus van de stad kunnen spelen die groovy wil lijken maar geen idee heeft hoe hij dat moet doen.'

Hij had geen flauw idee van wat ze bedoelde.

'Goed, je kunt een tijdje blijven. Maar ik ga een beetje cruisen – de stad begint voor ons, stadsnomaden, nu pas tot leven te komen. Wil je met ons mee?'

'Nee, dank je. Ik heb nog het een en ander te doen.'

Ze keek uit het raam. 'Die zijn er een paar dagen geleden ingetrokken. Vrienden van jou?'

'Wie?'

'De mensen waar je naar kijkt. Je weet wel, in het huis van Rachel.'

'Heb... heb jij Rachel gekend?'

'Niet echt. Ze was aardig en ze heeft me gevraagd om op Brandy hier te passen.' Melissa boog zich voorover en aaide de hond over zijn rug. 'Maar dat is het wel zo'n beetje. Heb jij haar gekend?'

'Nee.'

Melissa neusde speels met de hond en maakte lieve geluidjes tegen haar. Ze sprong weer op. 'Ik moet ervandoor. Kom op, meid.' Ze ging er haastig vandoor. Neus – nee, Brandy, de hond heette Brandy – staarde Stephen lang en besluiteloos aan en rende toen achter het meisje aan.

Het duurde tien minuten voor Stephen zich had hersteld van de onderbreking. Hij wist niet wat hij moest denken van Melissa's band met de hond. Constant gezelschap, zoals de kleine Brandy, vond hij eigenlijk wel erg prettig, hoewel hij het nooit zou hebben gezocht. Maar daar ging Brandy, rennend achter het meisje aan.

Stephen bekeek nog een keer de straat. Er was al zeker tien minuten geen levende ziel meer langsgekomen. Het werd voor mister Groovy tijd om in beweging te komen.

16

Stephen liep de trap af en stond op elke verdieping stil om te luisteren. Buiten zijn bonkende hart hoorde hij niets. Melissa en Brandy waren verdwenen.

Elke film die hij had gezien over de Speciale Eenheden schreeuwde dezelfde leus: *Snel naar binnen en zo snel mogelijk weer wegwezen.* Dat klonk logisch. In dit geval: Snel naar binnen, de schat te pakken krijgen en zo snel mogelijk weer wegwezen. Zonder natuurlijk een visitekaartje achter te laten. Of, nog beter, een visitekaartje met het verkeerde adres.

Stephen bleef een volle minuut lang onder aan het uitgebrande gebouw staan, terwijl hij een acute aanval van besluiteloosheid probeerde te trotseren. Wanneer hij daar eenmaal aan het werk ging, zou er geen weg terug meer zijn en geen enkele verklaring die een politieagent zou slikken.

Honderd miljoen dollar.

Esther.

Hij liep naar het appartementengebouw toe. *Normaal. Gedraag je normaal.* Maar toen hij de eerste stap op het gazon zette, kon hij het niet laten om iets in elkaar te duiken en zich naar de schaduwen rond het gebouw te haasten, normaal of niet. Hij hurkte naast de muur neer en keek achterom. De kust was veilig.

Stephen bleef laag en liep de hoek om in de richting van de metalen garagedeur. Zoals hij het zag, was de garagedeur de beste manier om binnen te komen, omdat die zich in een zijstraat bevond en ook aan het oog onttrokken werd. De meest briljante inbrekers vonden altijd de zwakke plekken, hoe onlogisch ook. En trouwens, de ramen zaten hoog en er zaten smeedijzeren tralies voor – dus minstens zo lastig als de garagedeur.

Hij liet zich op zijn hurken zakken, maakte de rugzak open en rukte er een rol zwaar donkergrijs plastic uit. Grijs, dezelfde kleur als het stucwerk van het gebouw. Het plastic vouwde lawaaierig open toen hij het losschudde. Daarna haalde hij een paar handschoenen en een rol verpakkingstape uit de rugzak, en plakte hij het plastic boven zijn hoofd aan de garagedeur, zodat het hem bedekte als een afdak. Het was mogelijk dat hij er vanaf de overkant van de straat uitzag als een grijs spook, zoals hij daar onder dat plastic stond te bewegen. Nee, hij had zo dik mogelijk plastic genomen, hopelijk dik genoeg om geen licht door te laten. En natuurlijk was het plastic dik genoeg om te voorkomen dat hij zag dat er een hele menigte mensen was komen opdraven om de geestverschijning te aanschouwen.

De rol tape gleed uit zijn zweterige handen. Hij trok het plastic opzij en gluurde voor de zekerheid naar de donkere straat. Niemand.

Hij zocht de rol weer op en maakte zijn afdak af. Hij hurkte neer onder het plastic en plakte het nu ook aan de zijkanten vast. Het idee was om zichzelf in te bouwen, maar hij had het gevoel dat hij zijn hoofd meer naar buiten stak dan dat hij het wegstopte.

Snijbrander. Hij had er ooit weleens een gebruikt, heel wat jaren geleden in Rusland, een enorm ding met twee gasflessen op een karretje. Het grootste onderdeel van het geheel dat hij vandaag had gekocht, was de brander zelf. Het was een zilverkleurige pijp van zo'n dertig centimeter lengte met een top die negentig graden naar voren gebogen was. En eraan vast zaten een groene en een rode slang, die naar twee tankjes ter grootte van een voetbal liepen, die zaten opgeborgen in zijn rugzak. In de ene zat zuurstof en in de andere acetyleen. Nadat hij hem had gekocht, had hij hem in een steegje uitgeprobeerd – het leek eenvoudig genoeg, ondanks de waarschuwing van de verkoper dat het geen speelgoed was. Nee, natuurlijk niet.

Stephen draaide de acetyleenkraan een beetje open en hield een aansteker bij de brandermond. Zijn schuilplaats werd verlicht door een gelig licht. Veiligheidsbril. Hij stak een hand in de rukzak, haalde die er weer uit met een donkere bril en probeerde met één hand de elastieken band ervan om zijn hoofd te doen. Ging niet. Er liep een zweetdruppel langs zijn linkeroog. Hij hief zijn rechterhand op om de bril op zijn plek te duwen.

Het plastic links van hem spetterde. Hij schrok en liet onbedoeld de snijbrander vallen. De vlam likte langs zijn been en hij gaf een schreeuw, waarbij hij de brander wegtrapte. Het plastic rechts van hem liet los, waardoor hij vanaf de straat duidelijk zichtbaar moest zijn.

Stephen dook naar de rugzak en draaide de acetyleen uit. De vlam doofde. Hij bleef bevend op zijn knieën zitten. Hij had een gat in het plastic gebrand en het haar op zijn been weggeschroeid.

Het kostte hem een minuut om te kalmeren, het plastic te repareren en een tweede, deze keer vakkundiger poging te wagen. Veiligheidsbril op, zenuwen onder controle en vlam de juiste kant op. Toen hij de bril op had, merkte hij dat hij niet genoeg kon zien om de brander aan te steken en hij had zijn zenuwen ook bepaald niet onder controle. Bril omhoog, brander aan en bril weer op zijn plaats, waarna hij aanstalten maakte om te gaan snijbranden.

Hij haalde diep adem. Dit was pure waanzin.

De woorden van zijn pleegvader raasden door zijn gedachten. Hij had het wel honderd keer gezegd tijdens Stephens pubertijd: *Zie problemen als een stenen muur, Stephen. En probeer er dan niet elke keer keihard tegenaan te lopen. Echt waar, jongen, soms vrees ik weleens voor je leven.*

Hij voelde zich op dat moment net een vijftien jaar oude jongen, die recht op een stenen muur afrende.

En toen klonk Chaïms stem door zijn gedachten: *Als je wilt hebben wat anderen niet hebben, moet je bereid zijn te doen wat anderen niet willen doen.*

Zoals recht op een stenen muur aflopen.

Hij verdraaide de kraan van de zuurstoffles en stelde hem af tot de vlam helderblauw was. Hij probeerde de hoofdkraan. De miniatuurstraalmotor kwam tot leven. Stephen leunde naar voren op zijn knieën en begon aan een onomkeerbare criminele handeling.

Hij sneed met zijn vlam in de toegangsdeur van het gebouw. Dat was het *braak*gedeelte van *insluiping met braak.*

Maar hij pakte dat gedeelte slim aan. Te dicht naar het plastic toe en de tape zou smelten. Hij brandde zo'n dertig centimeter naar binnen, waarbij hij door het dunne metaal heen sneed alsof het boter was. Met een beetje geluk leek hij voor een eventuele voorbijganger net op de een of andere bizarre kerstverlichting. Hij schermde de vlam zo veel mogelijk met zijn lichaam af.

Als Braun zich op dat moment in de garage zou bevinden en de roodgloeiende spetters over de vloer zou zien stuiteren, zou Stephen niet veel meer voor zijn eigen leven geven. En als het stuk metaal naar binnen viel, op het kale beton, zou de halve wereld wakker worden. Maar als hij dit gat zou kunnen maken zonder allerlei alarmen af te laten gaan, zou het plastic het gat aan het oog onttrekken terwijl hij aan het echte werk begon.

Halverwege de lange boog concludeerde Stephen dat dit achteraf misschien toch niet zo'n helder idee was. Geen twijfel mogelijk dat hij er vanaf de straat als een gloeiworm uitzag, geen twijfel mogelijk dat het stuk garagedeur inderdaad naar binnen zou vallen.

Het stuk viel inderdaad naar binnen, ondanks zijn pogingen het naar zich toe te trekken met de brander. Maar het klonk meer als een *wap!* dan als een *kleng!*

Stephen rukte de bril van zijn hoofd en hield zijn adem in. Een groot boogvormig gat bood toegang tot de garage. Geen Braun. Alleen de zwarte limousine, die rechts van hem geparkeerd stond.

Hij wikkelde een stuk doek om de hete brander heen, stopte hem terug in de rugzak en trok het geheel achter zich aan mee Rachels garage in. Het plastic zakte op zijn plek en maskeerde de rafelige opening.

Hij liet zijn ogen wennen aan de diepere duisternis. Als ze nu naar beneden zouden komen, zou hij onder de Cadillac kruipen. Of misschien zou hij wel weer door het gat naar buiten duiken. Door het gat, besloot hij, absoluut zeker weten door het gat.

En nu naar de auto. Hij moest ervoor zorgen dat het eruitzag alsof de een of andere plaatselijke gauwdief de auto had gezien en had ingebroken om het ding te stelen. Handigheidje. Richt hun aandacht op de garage, zodat de echte schade in de kelder aan hun aandacht zal ontsnappen.

Hij haalde een schroevendraaier tevoorschijn en liep op de bestuurderskant van de Cadillac af. Niet op slot. En de sleutel lag op de stoel. Zijn eerste domme geluk.

Hij liet het portier van de auto wijd openstaan voor als hij later terugkwam, liep de garage door en glipte het trappenhuis binnen. Het was net een echoput. Hij liep op zijn tenen de kelder in.

In zijn gedachten begon het steeds harder te gonzen. Hij had het al gered tot in Rachels kelder. Zijn plan ontvouwde zich bijna rimpelloos. Als zijn hartslag sinds hij binnen was een slag of twee langzamer was geweest, zou hij nu nog iets stijgen, maar hij bonkte al op topsnelheid.

Geen ramen hierbeneden. Hij deed het licht aan, keek waar het stook-hok zich precies bevond, deed het licht weer uit en liep naar de deur toe. Hij vond hem in tien stappen, met zijn voorhoofd. Goed om te onthou-den – tien stappen.

Hij trok de deur open, sloot hem zachtjes achter zich en deed het licht aan. Nieuwe boiler, oude boiler met het buikje, leeg vijfenvijftig gallon vat. En onder het vat…

De kluis.

Stephen staarde er als gebiologeerd naar. De ruimte was zwart en grijs en rook muf door beton, stof en water. Maar de eentonige kleuren waren uitnodigend en de muffe geur bedwelmend. Hij was de afgelopen achtenveertig uur in gedachten al zeker honderd keer deze kleine ruim-te ingelopen en nu hij hier echt weer in levenden lijve aanwezig was… de voldoening verraste hem.

Enkele seconden lang werd Stephen verlamd door wat er in het voor-uitzicht lag. Zijn wereld tolde in een nieuwe richting en deze ruimte was de as waarom hij draaide.

Hij trok aan het vat. Het schraapte luidruchtig over het beton. Zouden ze dat kunnen horen? Hij moest eerst de brander hebben. Haal de brander uit de rugzak, trek het vat weg, brand het metalen deksel van de kluis open, haal de schat eruit, vlucht.

Hij greep zijn rugzak en liet hem toen weer los om het vat verder te verslepen. Hij *moest* eerst de kluis zien, gewoon om er absoluut zeker van te zijn dat hij niet was opengemaakt door die idioten daarboven. Het vat gleed verder met alweer een zenuwslopend geschraap. Stephen kantelde het en bevroor.

Precies zoals hij het zich herinnerde. Er had niemand meer aangeze-ten. Hij werd overvallen door een overweldigende haast. Hij liet het vat los en rukte de rugzak van zijn schouder. Het vat landde met een meta-lige klap op het beton. Het feit dat hij genoeg herrie maakte om Braun uit een coma te halen, drong nauwelijks tot hem door. De man bevond zich hoe dan ook vier verdiepingen hoger.

Stephen sleepte het vat nu helemaal uit de weg, haalde zijn gereed-schap tevoorschijn, zette zijn beschermbril op en stak de snijbrander aan met het zelfvertrouwen van een ervaren ijzerwerker. Geen probleem. De acetyleen zei *woesj!*, de zuurstof zei *pop!* en hij kon aan de slag. Hij zou Fort Knox open kunnen krijgen met een grotere uitvoering van wat hij hier in handen had, waar of niet?

Zijn onvaste handen verrieden zijn zenuwen.

Hij liet zich op een knie zakken en bewoog de brander naar het slot. Als hij de cilinder eruit kon branden, zou het deksel hopelijk vanzelf loskomen. De brander begon harder te suizen toen de pit van de brander in het harde metaal wegzakte. Een pakje boter ging gemakkelijker, maar het metaal smolt weg en viel naar binnen.

Met een ruk ging hij overeind zitten, getroffen door een vreselijke gedachte. Wat als het gloeiende metaal het goud van de Stenen van David deed smelten? Te laat. Maar Rachel zou de inhoud van de kluis natuurlijk wel goed beschermd hebben.

Het kostte Stephen enkele minuten voor hij een cirkel om het slot heen had gebrand, genoeg tijd om goed bang te worden dat hij de inhoud van de kluis aan het ruïneren was. Hij maakte de cirkel af, deed de brander uit en trok zijn bril af. Er zat een rafelige maar volledige cirkelvormige sleuf om het slot heen.

Hij draaide de brander om en gaf er een tikje mee op het slot. Dat viel naar binnen en kwam met een doffe, metalige tik neer. Stephen stak een hand uit naar het gat en trok hem snel terug door de hitte, voor zijn huid in contact kwam met het metaal. Hij haakte de brander in het gat en trok, maar het deksel weigerde elke medewerking.

'Kom op…'

Stephen sprong overeind en rukte zo hard hij kon. Het deksel liet plotseling los, waardoor hij twee stappen achteruitvloog en op zijn achterwerk belandde. Hij staarde naar de kluis, waarvan het deksel nog half over de opening lag.

Het was hem gelukt.

Hij was bang om te gaan kijken.

Langzaam stond hij op, zich nauwelijks bewust van de pijn in zijn stuitje. Hij boog zich over het gat heen, maar zag alleen maar duisternis. Hij voelde voorzichtig of het metaal niet al te heet meer was, merkte dat het al iets was afgekoeld, en schoof het deksel opzij. Voor zijn ogen bevond zich nu een gat dat een diameter had van zo'n vijfenveertig centimeter en dat misschien een halve meter diep was.

En op de bodem van de kluis stond een voorwerp.

Zijn bewegingen leken te vertragen. Er bleef iets in zijn oren zoemen. Er bevond zich iets in de kluis. Er stond een lage blikken koekjestrommel in. En er was een foto op de trommel geplakt. Er zaten verscheidene verse brandgaten in.

Een foto van Ruth. Maar er stond *Esther* op.

Stephen staarde haar in de ogen. Esther was een Steen van David. Maar was er nog meer? *Zie je, onder die foto zit een blikken trommel en in die blikken trommel zit iets wat je moeder je heeft nagelaten. Iets wat honderd miljoen dollar waard is.* Hij kon nauwelijks ademen.

Ver boven Stephens hoofd werd iets geroepen.

Stephen hief met een ruk zijn hoofd op. Ze hadden het gat in de garagedeur gevonden!

Zijn handen doken de kluis in en haalden de trommel naar boven, maar er ging onmiddellijk een alarmbel af in zijn hoofd. Als de Duitsers zich op dit moment in de garage bevonden, was er een redelijke kans dat ze hem zouden ontdekken en dat was al beroerd genoeg. Maar wat zou er gebeuren als ze hem ontdekten met de trommel onder zijn arm of in zijn rugzak?

Voor de eerste keer die nacht gierde de paniek door zijn aderen. Hij reageerde zonder er bewust over na te denken, als een goed afgesteld apparaat dat met de grootste vakkundigheid voor één bepaald doel was geconstrueerd.

De schat verbergen.

Hij zette de trommel terug in het gat, schoof het deksel weer op zijn plek, trapte erop tot het ding op zijn plek klikte en rolde toen het vat terug over de hele bende.

De auto. Hij moest hen laten denken dat iemand had ingebroken voor de auto. Als ze hem hier zouden vinden, zouden ze willen weten waarom iemand met een snijbrander had ingebroken in dit gebouw en recht naar het stookhok was gelopen.

Hij moest alle zeilen bijzetten om het stemmetje te weerstaan dat fluisterde dat hij de trommel nu moest meenemen. Er zat nota bene een fortuin in die trommel!

Geen denken aan. Niet *zo* dom zijn.

Hij zette de rugzak overeind, greep de snijbrander en bekeek de vloer.

In zijn opinie zag de ruimte eruit alsof er niets was gebeurd. Op dit punt maakte hij zich meer zorgen om de kluis dan om zichzelf. Als ze de kluis zouden vinden – einde verhaal. Maar als ze alleen hem vonden, zou hij nog een kans maken.

Stephen deed het licht uit, glipte het stookhok uit, stak zijn hoofd nog een keer naar binnen en haalde de schakelaar nog een laatste keer over om er zeker van te zijn dat hij geen sporen had achtergelaten. Als hij zijn gezonde verstand gebruikte, was hij al weg geweest, realiseerde hij zich. Maar hij vroeg zich af in hoeverre zijn gezonde verstand nog functioneerde. Hij knalde het licht uit en deed de deur dicht.

En nu? Zijn instincten hadden hem verlaten. Boven zijn hoofd klonken voetstappen over het beton. Hij moest de kelder uit zien te komen. Het maakte niet uit waar hij heen ging, als hij maar uit de buurt van de kluis wist te komen.

Stephen rende naar het trappenhuis toe en vloog met twee treden tegelijk de trap op. Het zoemen van de lift maakte hem duidelijk dat ze die liever gebruikten dan de trap. Misschien kon hij hier wachten tot ze weer verdwenen waren. Hij drukte zich tegen de muur achter de deur naar de garage.

Nee. Hij moest dichter bij de auto zien te komen – bij de trap vandaan.

Hij deed een stap naar de deur toe en zette die op een kiertje open. Twee grote silhouetten in T-shirt stonden met hun rug naar hem toe bij het grote gat in de garagedeur. Hoe ver zou hij kunnen komen met zijn sportschoenen aan voor ze hem hoorden? Er zat een ketting op de voordeur. Daar kon hij er niet uit. Buiten de Cadillac, dertig meter verderop, bood de garage geen dekking.

Het bonken van zijn hart, net een set conga's, zou hem weleens kunnen verraden voor zijn voetstappen dat deden. Hij haalde diep adem, sloop de garage in en deed de deur zo zacht mogelijk achter zich dicht.

Hij liep zo voorzichtig mogelijk op de randen van zijn zachte zolen bij het trappenhuis vandaan, eerst op zijn hielen en dan langzaam naar zijn tenen toe rollen. Een schaduw in de nacht, die in de richting van de auto gleed. Hij kon zich er niet toe zetten om op te kijken, alsof dat hen zou kunnen alarmeren. Hij moest de auto zien te bereiken. Elke stap was er een dichter bij de vrijheid.

Dit was waanzin! Ze konden elk moment omkijken en de dief in het oog krijgen die door hun garage sloop, tot de tanden toe gewapend met een snijbrander. Hij draaide zich bijna om om terug te rennen.

Maar goed, ze hadden hem nog steeds niet gezien. Want als ze hem hadden gezien, zouden ze gaan schreeuwen en…

'Hé!'

Stephens hoofd kwam met een ruk omhoog. 'Hé!' riep hij terug.

De twee uitsmijters die hij eerder had ontmoet, stonden hem aan te staren. Als hij hen zou afleiden met een slimme zet, zoals een van de autobanden in brand steken, zou hij hen misschien kunnen afleiden. Dan zou hij tijd genoeg winnen om een sprintje te trekken naar de garagedeur en door het gat heen zijn vrijheid tegemoet te duiken.

De kleinere van de twee, hoewel hij eraan twijfelde of 'klein' in dit geval wel een juiste benaming was, liep naar hem toe. In een vlaag van helderheid viel het Stephen op dat deze man geen gewone crimineel was. Geen beledigingen, geen geschreeuwde vraag wat hij dan wel niet in hun garage deed, geen behoedzame benadering en geen wapen. De man haalde een sigaret tevoorschijn en stak die onder het lopen aan. Hij hield halt bij de auto en leunde tegen de motorkap. Zijn vriend kwam ontspannen naast hem staan. Geen van tweeën zei iets.

'Je leunt tegen mijn auto,' zei Stephen.

De grotere man, de blonde, sprak rustig in een soort portofoon. Duits.

'Ga van mijn auto af. Als je niet van mijn auto afblijft, roep ik de politie,' zei Stephen. 'Ik weet niet van wie je hem hebt gehuurd, maar deze auto is van mij. Van mijn werkgever. Ze is als een vrouw voor me.' Dat sloeg echt nergens op. 'Ik ben hierheen gekomen om op te halen wat niet van jullie is.'

Het leek alsof ze niet eens hoorden wat hij zei. Er kraakte een stem door de radio.

'Ik moet met jullie baas praten. Ik weet dat dit een beetje ongewoon lijkt, maar het is van het allergrootste belang dat ik even met Roth Braun praat.'

Ze staarden hem alleen maar aan. De man met de radio sprak er nogmaals in het Duits in.

Ze waren waarschijnlijk aan het overleggen hoe ze zich het beste van zijn lijk zouden kunnen ontdoen. 'Herkennen jullie me?' vroeg Stephen op eisende toon. 'Ik ben de vent die hier vanmorgen was en beweerde een makelaar te zijn. Nou, ik moet toegeven dat ik geen makelaar ben. Maar het zal Roth Braun absoluut interesseren wat ik *wel* ben.'

De stille blonde deed een stap naar voren en wees naar de lift. 'Stap alsjeblieft in de lift.'

Stephen aarzelde. Dit was ongetwijfeld een van die leven of dood kruispunten in je leven.

De man die tegen de motorkap stond aangeleund, gooide zijn peuk weg en stond op. 'Hup.'

Stephen draaide zich om en liep naar de lift toe.

17

Roth Braun zat gekleed in een zwart zijden overhemd aan Rachel Spritzers eettafel. Om zijn hals hing een zware gouden ketting. Stephen bleef voor de man staan en was niet in staat hem aan te blijven kijken. De blonde Duitser had ook blauwe ogen, maar daar zat nog leven in. Die van Roth Braun waren kil, star. Als de dood.

Stephens rugzak stond op de vloer en de inhoud was eruit gekiept en nauwkeurig onderzocht. Hele stapels keukenspullen lagen netjes opgestapeld op het aanrecht. De snuisterijen die door Rachel zo zorgvuldig waren gerangschikt, waren samen met de schilderijen van de muren en de boekenplanken gehaald. Ze waren de stille getuigen van een systematisch onderzoek van het appartement.

'Hoe heet je?' vroeg Braun.

'Parks,' zei Stephen. Hij schraapte zijn keel om het schorre randje uit zijn stem te krijgen. 'Jerry Parks.'

Braun keek naar de blonde man. 'Jij zei toch dat hij Friedman heette?'

'Dat is wat hij ons vanmorgen vertelde.'

Terug naar Stephen, neutrale blik. 'Nou?'

'Is het goed als ik even wat te drinken neem?' vroeg Stephen. 'De oude vrouw zal best wat Scotch hebben achtergelaten.'

'Je brandt eerst een gat in mijn gebouw en dan vraag je me nog om een borrel ook?' Er krulde een lichte glimlach om Brauns natte lippen. 'Och, waarom ook niet? Lars?'

De blonde liep naar een kastje en kwam terug met een fles en een glas. Hij schonk een vinger van het barnsteenkleurige vocht in voor Stephen en deed toen een stap achteruit.

'Scotch,' zei Braun.

Stephen had het spul nooit aangeraakt en hij kreeg het maar nauwelijks door zijn strot zonder te kokhalzen. Hij zette het glas terug op tafel en zijn gedachten draaiden overuren. Eén blik op Braun en hij wist dat de man niet zou aarzelen hem iets aan te doen. Maar hij had het stook-hok niet verraden, nietwaar? De kluis was veilig.

Hij wierp een blik op zijn rugzak. 'Ik snap dat jullie dit een beetje vreemd vinden.' Vreemd? Eerder krankzinnig. Stephen forceerde een aarzelende glimlach. 'Ik bedoel, het gebeurt niet elke dag dat iemand liegt over zijn identiteit, een miljoen voor een verwaarloosd gebouw biedt, eruit wordt gegooid en dan rond middernacht terugkomt om een gat in de garagedeur te branden, nietwaar?'

Brauns rechterwenkbrauw ging omhoog.

'Nou, het is in elk geval volstrekt logisch als jullie wisten wat ik weet.' Stephen liep naar rechts en staarde om zich heen naar de kale muren. Hij stond op het punt om een zeer grote gok te wagen. 'Echt, geloof me.'

'Ik ben niet zo gelovig,' zei Braun.

Stephen had zijn diefstalverhaal tijdens de tocht omhoog al afgedankt, ergens ter hoogte van de derde verdieping. Afhankelijk van wie Braun in werkelijkheid was, zou hij hem aangeven bij de politie… of nog erger.

'Om te beginnen, ik ben geen makelaar en ik ben zeker geen dief,' zei hij. 'Zie ik er echt uit alsof ik wanhopig genoeg zou zijn om mijn leven te riskeren voor een Cadillac? Ik ben geïnteresseerd in het gebouw, niet in de auto.'

'En wat aan dit afgetrapte gebouw interesseert je dan?'

'Dat moet je aan mijn werkgever vragen. Misschien wel hetzelfde wat jou interesseert.'

Braun keek geamuseerd. Stephen schraapte zijn keel en ging verder. 'Ik bedoel, je moet toegeven dat een gat in een garagedeur branden vreemd mag lijken, maar een bod van een miljoen dollar afslaan voor deze puinhoop is net zo vreemd, waar of niet?'

De Duitser bestudeerde hem even. 'Claude.'

De donkerharige man liep naar hen toe. Zijn hand schoot uit en raak-te Stephen met genoeg kracht tegen zijn wang om een os te vellen. Stephen viel achterover.

'Je hebt ingebroken in mijn gebouw, meneer Parks,' zei Braun. 'Volgens mij valt het binnen de grenzen van de wet als ik je ter plekke zou neerschieten.'

Stephen krabbelde overeind. 'Dan ben ik geslaagd, nietwaar?' De emoties van de afgelopen avond spoelden plotseling over hem heen. 'Doe toch niet zo opgefokt, man.' *Je gaat te ver, Stephen, veel te ver.*

Braun incasseerde de belediging zonder enige zichtbare reactie, wat Stephen om de een of andere reden de rillingen bezorgde, meer dan als hij een wapen had getrokken. Stephen kreeg het gevoel dat hij onderuit zou gaan als hij niet ging zitten. Hij legde een hand op een stoelleuning om in evenwicht te blijven. 'Mijn werkgever betaalt tweehonderdduizend dollar om het gebouw drie dagen te huren.'

Zijn gedachten werkten op topsnelheid. Hij moest de aandacht compleet van de kelder af zien te leiden. Als hij de bovenste verdieping huurde, zou hij onopgemerkt in de kelder kunnen komen. 'Sterker nog, tweehonderdduizend voor de bovenste twee verdiepingen.'

Braun glimlachte lichtjes. 'Je hebt dus een gat in mijn garagedeur gebrand om me dit te komen vertellen? Waarom bel je mijn makelaar niet?'

Stephen aarzelde. 'Jouw makelaar doet niet in gebouwenverhuur. Zijn werk met betrekking tot deze transactie is voorbij.'

'Ik ben niet geïnteresseerd.'

'Dat... dat is belachelijk! Twee dagen, dan.'

'Belachelijk? Ik zou zeggen dat tweehonderdduizend voor twee dagen huur belachelijk is.'

Als Braun zijn aanbod zou aannemen, zou hij het hem waarschijnlijk nog wel betalen ook. De Stenen van David zaten in die blikken koektrommel, beneden in de kluis – dat moest wel. Hij zou ze kunnen ophalen en wegwezen. Eigenlijk had hij maar een kwartiertje nodig, maar hij moest nadenken over wat voor indruk hij moest nalaten als ze niet op het aanbod ingingen. Hij moest hen ervan zien te overtuigen dat zich iets op de bovenste verdieping bevond waar hij zeker twee dagen zoeken voor nodig had.

'Ik denk dat hij dit appartement wil doorzoeken,' zei Stephen. 'Iets van emotionele waarde – zeg het maar. Misschien de foto's. Kom hem een beetje tegemoet.'

'Foto's?'

'Die in de zonnekamer. Ik heb ze gezien toen ik de laatste keer hier was.'

'Geen denken aan.'

'Er zit nog honderdduizend voor mij aan vast. Ik zal je de helft van mijn winst geven. Dat is tweehonderdvijftig...'

'Nee.' Braun stond op. Hij was bijna net zo lang als de man die hij Lars noemde, maar breder in de schouders. 'Neem onze gast mee naar de kelder en laat hem zien hoe gastvrij wij zijn,' zei hij terwijl hij zich omdraaide.

Stephen deed een stap achteruit. De kelder? Ze gingen hem dus iets aandoen. 'Als ik niet om twee uur terug ben, belt mijn werkgever de politie,' zei hij. Hij wilde langs-zijn-neus-weg klinken, maar de hoogte van zijn stem klonk meer als langs-zijn-strot-weg.

'Dat betwijfel ik,' zei Braun, die hem weer aankeek.

'Hij zei al dat je dat zou zeggen. Hij zei er ook bij dat jij er zelfs nog minder graag de politie in zou willen betrekken. Raak me nog eens aan en ik beloof je dat ik ervoor zal zorgen dat de politie dit gebouw overspoelt als een zwerm bijen. Mijn werkgever verzekerde me ervan dat zijn bedoelingen puur van sentimentele aard zijn.'

Enkele momenten lang staarden ze elkaar aan. Ten slotte krulden Brauns mondhoeken lichtjes omhoog.

'Claude, Lars, laat ons alsjeblieft even alleen.'

De twee mannen vertrokken en liepen de trap af.

'Jerry Parks?' De man liep naar hem toe. Zijn armen waren sterk genoeg om Stephens nek met één draai te breken. Hij ademde zwaar, doelbewust, en Stephen kreeg de indruk dat hij zich wel vermaakte.

Braun liep om hem heen. Hij omcirkelde hem langzaam, zijn handen achter zijn rug ineengeslagen. Hij bleef achter Stephen stilstaan, leek even te aarzelen en liep toen verder naar Stephens linkerkant.

De man leek in zijn sas en deed zijn best om dat te verbergen. *Wie hij ook was, Roth Braun was een man die werd bezeten door het kwaad,* dacht Stephen.

'Je zult hier niets anders vinden dan wat oude foto's van Joden die het verdienden om te sterven,' zei hij uiteindelijk.

Een vreemde mengeling van emoties borrelde op in Stephens borst. Zijn gedachten vulden zich met de foto van het tandeloze jonge meisje in Rachels zonnekamer.

Hij keek Braun aan. 'Dat weet je pas als je deze muren met een sloopbal hebt bewerkt,' zei hij, en voegde er toen aan toe: 'Hierboven.'

'Je danst op je eigen graf.' Roth sprak met een lage, schorre stem. 'Ik ruik het aan je. Angst. Verdriet. Wanhoop. Hoop. De grootste krachten die de mens kent. En je stinkt naar allemaal.'

Stephen kon nauwelijks de angst bedwingen die hem overviel. Het hart van Roth was al net zo zwart als zijn overhemd.

'Als je ooit nog eens voet op mijn terrein zet, achtervolg ik je tot in je huis en laat ik het samen met jou in vlammen opgaan. Zeg maar tegen je werkgever dat hij ergens anders naar foto's van dode Joden moet gaan zoeken. Deze zijn van mij.'

Braun draaide zich om en liep naar de slaapkamer. 'Claude zal je uitgeleide doen.'

Het beven van Stephens ledematen zou het gevolg moeten zijn van zijn opluchting. Braun liet hem dus gewoon gaan. Maar het beven was doorspekt met angst. Angst, verdriet, wanhoop, hoop. Zoals Braun had gezegd.

Susan. Tandeloze Susan. Ze zou net zo goed Esther kunnen zijn geweest, de dochter van Ruth. Hij wist niet beter dan dat Esther in hetzelfde medische laboratorium was beland en dat dit beest, Braun, daar op de een of andere zieke manier van genoot.

Stephen greep zijn rugzak en haastte zich naar de deur. Hij wilde bijna net zo graag naar buiten als dat hij naar de kluis in de kelder wilde. Hij kwam Claude tegen in het trappenhuis en de man escorteerde hem naar het gat in de garagedeur.

Op het moment dat het plastic achter hem op zijn plaats viel, begon Stephen te rennen.

Hij kon niet naar huis. Wat als ze hem zouden volgen? Kon hij riskeren dat Chaïm met deze mensen te maken kreeg?

Stephen rende in oostelijke richting, weg uit deze buurt. Maar op het moment dat hij uit het zicht van het appartementengebouw was, rende hij terug door de steeg in de richting van Gebouw B. Hij rukte dezelfde achterdeur open die hij eerder had gebruikt en beklom de trap tot aan de vierde verdieping. Hij knielde neer bij het raam dat uitzicht bood over Rachels appartement. Daar was de zonnekamer, aan de overkant van de straat, bijna op ooghoogte. Hij liet zijn hoofd tussen zijn knieën zakken en begon te huilen.

Het waarom leek niet belangrijk. Zijn emoties overschreeuwden zijn verstand. Diepe innerlijke pijn, afgrijzen, woede. Op de een of andere vreemde manier had hij het gevoel dat hij recht moest zetten wat de kleine Susan was aangedaan, het slachtoffer van de onderdrukkers van zijn moeder. Hij moest worden wat de Joden in hun gevangenissen niet hadden kunnen worden. Voor Susan, voor zijn moeder, voor Esther, moest hij terughalen wat van hen was.

Hij moest die koektrommel hebben die voor hem was achtergelaten in die kluis.

Mijn kleine Steen van David.

Hij had de schat hiervoor al graag in handen willen krijgen, maar nu was dat veranderd in wanhopig graag. Die drang sloeg nergens op; zijn verlangen was een halve dwangneurose geworden. Hij had er geen idee van hoe hij binnen drie dagen was veranderd van een makelaar met gezond verstand in een manische desperado, maar het was gebeurd.

Hij stond op, begon te ijsberen, kauwde op zijn nagels en staarde naar het gebouw aan de overkant van de straat.

Stephen had ooit gelezen dat meer dan de helft van de daklozen last had van waanideeën. Veel van hen waren ooit succesvolle mensen die hun gezonde verstand hadden ingeruild voor een plekje in een verlaten gebouw dat op een ander gebouw uitkeek.

Ten slotte zakte hij in een hoek van de kamer in elkaar en liet zijn hoofd tegen de muur rusten. Het laatste wat Stephen zich kon herinneren, was dat hij dacht dat hij zijn verstand aan het verliezen was.

18

Toruń
21 juli 1944
Net voor zonsopgang

Ze hoorde het kreunen en fluisteren en het geluid van voetstappen, maar dat waren veel voorkomende fragmenten in veel van Martha's dromen. Maar toen het gefluister een sissen in haar linkeroor werd en er handen aan haar lichaam begonnen te rukken, besefte ze dat dit geen droom was.

'Martha! Ruth gaat bevallen; word wakker! Schiet op, schiet op, word wakker!'

Ze vloog in het donker overeind, rolde uit bed en begon al te rennen voor haar voeten de grond raakten. 'Ruth?'

Drie stappen verder realiseerde ze zich dat ze de verkeerde kant op ging. Ze draaide zich met een ruk om.

Ruth lag op haar rug in bed, haar knieën gebogen, en ze kreunde zacht. Er stonden een stuk of zes vrouwen om haar heen.

'Water!' Golda stond op en blafte het bevel. 'Haal een emmer uit de douche!'

Martha kwam naast Rachel staan en knielde neer bij Ruths hoofd.

'Geef Ruth een beetje de ruimte,' baasde Golda. 'Achteruit, anders kan ze niet eens fatsoenlijk lucht krijgen. Wie gaat er water halen?'

'Doe ik wel,' zei iemand. Achter hen klapte een deur toen iemand naar de douches rende voor water.

'En dekens. Iemand anders. Schiet op.'

'Martha!' Ruth sloeg dubbel van een wee. 'De pijn… Martha!'

Martha greep de hand van Ruth. 'Alles komt goed, lieverd. Ik ben hier. Ademen. Ademen.'

Ruth rolde met haar ogen en keek naar Martha. De maan scheen door de ramen en weerspiegelde zacht in het zweet op haar gezicht.

'Martha.' Ze glimlachte. 'Martha.'

'Sst, sst. Spaar je krachten.' Ze wendde zich tot Golda. 'We hebben meer licht nodig.'

Normaal gesproken was het verboden om licht te maken. Golda aarzelde en zei toen: 'Haal wat kaarsen, Rachel.' Rachel haalde drie kleine kaarsen die ze hadden bewaard voor speciale gelegenheden. En dit was zo'n gelegenheid. Golda gebaarde de vrouwen bij de brits vandaan. 'Achteruit. Je zou denken dat niemand van jullie ooit eerder een bevalling heeft gezien. En wees stil, anders horen de bewakers jullie.'

'Laat de bewakers het maar horen,' zei Martha. 'Wat verwachten ze dan, een rustige, rimpelloze gebeurtenis?'

'Nee, maar misschien willen ze haar meenemen naar de kliniek. En geloof me, ze kan maar beter niet in de kliniek bevallen.'

Martha had niet aan de mogelijkheid gedacht dat de kamparts misschien niet de gevoelens van de commandant deelde om Ruth gewoon te laten bevallen. Hij zou het kind zo kunnen doden en beweren dat het dood geboren was!

'Goed, dan zullen we het hier rustig moeten houden,' zei ze.

'We zijn toch stil?' wierp Rachel tegen. 'Maar ze heeft pijn. Je kunt niet zomaar haar mond…'

'Houd allemaal jullie mond!' pufte Ruth.

Ze staarden haar stil aan. Het tafereeltje was zowel beangstigend als mooi, vond Martha. Ze zou zich zelf binnenkort ook in deze positie bevinden, op haar rug, biddend om Gods genade.

De vrouwen gingen aan het werk als een hok met kippen die allemaal waren gericht op dat ene kuikentje. Rachel stak de kaarsen aan. Golda schoof wat dekens onder Ruth. Martha wreef Ruth over haar rug en praatte zacht in haar oor. Er werd een emmer water aan het voeteneind van het bed gezet.

Sommige anderen spraken gedempt met elkaar of keken van een afstandje toe. Maar zelfs de meest uitgeputte vrouwen konden de bedrijvigheid rond Ruths bed niet helemaal negeren.

Er zou een baby worden geboren. Nieuw leven.

En dat wonder voelde hier monumentaal aan, waarschijnlijk meer dan op welke plek ter wereld ook. Martha wist dat sommige van de vrouwen haar en Ruth verachtten, omdat de commandant hen voortrok. Of misschien wel omdat zij hun baby's in deze vreselijke oorlog ter wereld wilden brengen. Sommigen fluisterden dat zelfs een abortus, hoe wreed ook, beter was dan een geboorte.

Drie maanden lang had Ruth met hen over vreugde en passie gesproken, en gaf ze hun een standje als ze een lang gezicht trokken wanneer ze over haar buik wreef. Ze had de afgelopen maanden meerdere vrouwen tegen zich in het harnas gejaagd, maar tegelijkertijd had ze vele anderen een opkikker gegeven. Er was geen één vrouw in de barak die deze baby koud liet.

De vrouwen verzamelden zich op de nabijgelegen britsen en bekeken het tafereel alsof het een toneelstuk was. Een uur later, lang nadat Ruths vruchtwater de dekens had doorweekt, rende Martha door de barak voor droge. Ze zag dat er maar één vrouw op bed was gebleven, helemaal aan de andere kant van de barak – Latvina, een jonge vrouw van twintig uit Rusland, die gisteren flink slaag had gehad voor het feit dat ze in de steenfabriek een emmer modder had omgegooid.

'Gaat ze bevallen?' vroeg Latvina.

Martha draaide zich om. 'Ja!'

'Eh... leeft het nog?'

Die eenvoudige vraag beangstigde haar. 'Ik denk het wel. Blijf lekker liggen en zorg dat je je rust krijgt; we zullen je later de baby komen laten zien.' En toen rende ze verder, op zoek naar dekens, plotseling in paniek omdat ze niet bij Ruth was. Waarom had ze niet iemand anders die dekens laten halen?

'Dekens!' Ze hield ze boven haar hoofd.

'Laat haar door!' blafte Golda. 'Laat Martha erdoor!'

De vrouwen weken uiteen als de Rode Zee en Martha wurmde zich door het smalle gangpad, waarbij ze een heel aantal vrouwen nog verder naar achteren drong met haar eigen dikke buik. Ze gaf de dekens aan Rachel en knielde neer naast het bed.

De tranen liepen Ruth over de wangen en Martha greep haar gealarmeerd bij een elleboog. 'Ruth? Ruth, wat is er aan de hand?'

Ruth deed haar ogen open en glimlachte door haar tranen heen. 'Ik krijg een baby, Martha.' Ze greep met beide handen naar haar buik en schreeuwde het uit, een onmogelijke mengeling van pijn en dankbaarheid. 'Ik... krijg... een baby!'

'Een baby.' Martha legde een hand op die van Ruth en glimlachte opgelucht. 'Ja, je krijgt een baby.' Ze keek de anderen aan, stralend van blijdschap. 'Ze krijgt een baby!' riep ze uit door een plotseling opkomende lach heen.

Enkele tientallen vrouwen staarden haar aan, sommigen breed glimlachend, anderen in gedachten verzonken.

Ruths lichaam begon te huiveren en Martha draaide zich weer om. De mond van haar vriendin stond open in een stille pijn. En toen werd de stilte verbroken – ze begon te schreeuwen, lang en hard. Waarschijnlijk was het door het hele kamp te horen.

De laatste perswee duurde maar dertig seconden, terwijl Golda en Rachel het nieuwe leven naar buiten begeleidden en Ruth in Martha's handen kneep tot ze wit zagen.

Het gebeurde bijna onverwacht. Eerst was er alleen Ruth, schreeuwend op bed. En toen waren er Ruth en een baby, overdekt met nattigheid, die in Rachels armen lag.

Het werd stil onder de starende blikken van zo'n honderd vrouwen, die hun best deden om alles te kunnen zien. En toen sneed er één vraag door de stilte, gesteld door iemand die zich te ver weg bevond om het te kunnen zien. Latvina.

'Leeft het?'

Als antwoord daarop weerklonk het zachte gehuil van de baby door de ruimte.

En toen brak er een kabaal los in de barak, tientallen stemmen die van alles door elkaar heen riepen, de ene nog luider dan de andere.

'Het is een meisje!' kondigde Rachel aan. Ze veegde snel het meeste slijm van het kind en gaf haar toen aan Martha, die haar voorzichtig in de wachtende armen van haar moeder legde.

Ruth moest weer huilen, deze keer met stralende ogen, door het nieuwe leven in haar armen. Ze hield de baby teder tegen zich aan gedrukt en begon te snikken.

Martha huilde met haar mee, niet in staat ook maar een woord uit te brengen. Achter hen waren de enthousiaste uitroepen ook overgegaan in gesnik en gesnuif. De barak was in de ban van de emoties die boven kwamen drijven door dit nieuwe leven. Een paar minuten lang zei niemand iets.

144

'Heb je al een naam?' vroeg Rachel.

Ruth hield haar adem in, veegde haar ogen droog en streek met een vinger over de wang van het nietige mensje. 'Ze zal Esther heten. Ze...'

De naam zweefde over de lippen van de vrouwen door de barak, waardoor Ruths woorden verloren gingen.

'Sst!' beval Golda. 'Toon even wat respect, zeg.'

De vrouwen zwegen weer.

'Wat wilde je zeggen, Ruth?' vroeg Golda.

'Laat elke vrouw hier naar mijn kind kijken en zien dat er hoop is. Ze is een ster in de lucht, die ons de weg wijst.' Ze begon weer te huilen, maar bedwong zich. 'Wat is de waarde van zo'n schat? Esther is de hoop van ons volk. Het zaad van Israël.'

Een jonge vrouw perste zich tussen de anderen door. Latvina.

'Mag ik haar vasthouden?'

Golda stak een hand op. 'Dit is niet het moment om...'

'Nee, het is goed,' reageerde Ruth.

Latvina deed nog een stap naar voren en tilde de baby voorzichtig op. Ze glimlachte, kuste de kleine Esther op het voorhoofd en begon zacht een Russisch slaapliedje te zingen. Deze jonge vrouw, die zich misschien afvroeg of ze ooit zelf een kind zou baren, hield het kleine meisje vast alsof het haar eigen kind was.

En toen wilde een andere vrouw, Margaret, haar vasthouden en weer wuifde Ruth Golda's bezwaren weg. Margaret hield het kind uiterst voorzichtig vast. Ze was haar twee jaar oude dochtertje kwijtgeraakt in Auschwitz voor ze hierheen was getransporteerd. Er daalde een surreële rust neer op de barak, terwijl het eerste morgenlicht door de ramen schemerde. De kaarsen flikkerden geluidloos toen de zes of zeven vrouwen die zich het dichtst bij Ruth bevonden om de beurt de baby vasthielden. Zachte geluiden van verwondering murmelden door de samengestroomde groep vrouwen. Stille tranen van hoop en liefde.

Martha betwijfelde of het wel handig was om het kind zo snel al zoveel mensen in handen te geven, maar één blik op het stralende gezicht van Ruth maakte duidelijk dat het goed was zo. Het feit dat deze vrouwen dit bewegende en ademende brokje hoop mochten vasthouden, gaf al leven op zich, een soort geboorte op zich.

Toen de baby bij Golda aankwam, aarzelde ze in eerste instantie, maar ze pakte het kind toen wat onwennig aan. De vrouw staarde naar Esthers kleine, nog rimpelige gezichtje. Haar eigen gezicht vertrok zich langzaam en er rolde een traan over haar rechterwang. 'Hoop,' fluisterde ze, waarna ze de baby op haar hoofdje kuste. 'Ruths hoop.'

'Onze hoop,' zei Ruth.

Golda stapte naar voren en duwde Esther in Martha's armen. 'Israëls hoop.'

19

Stephen werd wakker door een warme zonnestraal op zijn rechterwang. Er streek een warme, onfris ruikende handdoek langs zijn gezicht. Heel even ving hij niets anders op dan dit zeer eigenaardige gevoel en de pijn in zijn nek.

De hond. Het moest de hond zijn.

Hij drukte zich omhoog op een elleboog en staarde in de tronie van Brandy, die over hem heen stond te hijgen en met haar staart kwispelde. Achter de hond stond Melissa, nu gekleed in een hemdshirt en een leren broek. Naast haar stonden twee mannen, allebei met een ribbroek en een legerjack aan. Hippies.

'Welkom in het land der levenden, mister Groovy,' zei Melissa.

De man links van haar deed Stephen denken aan Shaggy uit de tekenfilm van Scooby Doo, maar dan met langer haar. De ander was een beetje plomp gebouwd en had waarschijnlijk een Aziaat ergens tussen zijn voorouders zitten. Ze keken hem alle drie aan alsof hij een nieuwe soort was die bestudeerd moest worden, maar hij betwijfelde of dit bonte gezelschap hem ook maar een haar zou krenken.

'Stephen,' zei hij. 'Ik heet Stephen.'

'Sorry. Stephen. Ik dacht dat ik tegen je had gezegd dat dit gebouw van ons was?'

Stephen keek om zich heen. Hij lag op iets wat ooit een tapijt moest zijn geweest, maar het was zo dun geworden en zo aangekoekt met vuil, dat het bijna net zo hard aanvoelde als beton. Delen van een oude muur hingen nog aan stalen staanders, maar de rest was door iemand naar beneden gehaald. Hij kon dwars door het gebouw heen een lege liftschacht zien, zo'n dertig meter verderop. Tegen een van de muren leunde een stapel van een twintig- of dertigtal oude autobanden. De ruimte rook naar modder.

Hij stond onvast op en probeerde zich te herinneren waarom hij niet naar huis was gegaan. En toen wist hij het weer. Hij draaide zich om naar het raam en negeerde de pijn in zijn nek. Het gebouw aan de andere kant van de straat baadde in het vroege zonlicht. De gebeurtenissen van de afgelopen nacht overspoelden zijn gedachten.

'Hé, maat, hoorde je deze dame niet? We verhuren niet, gesnopen?'

Hij draaide zich weer om en keek Shaggy aan. 'Ik rustte alleen maar wat uit.'

'Ben je op de vlucht?'

'Nee.'

'Hij is geïnteresseerd in het gebouw van Rachel Spritzer,' zei Melissa.

De slungelige man keek uit het raam. 'Is dat zo?' Hij liep ernaartoe en wierp een blik op de overkant van de straat. 'Hoezo dat?'

'Ik ben makelaar,' antwoordde Stephen.

'Is dat zo? En waarom zou een makelaar dan in een slooppand als dit slapen en een gebouw in de gaten houden dat al is verkocht?'

'Waarom zou een intelligente vent als jij zijn gezonde verstand vaarwel zeggen en beweren dat hij eigenaar is van een pand als dit?' pareerde Stephen de vraag.

De ene wenkbrauw van de man ging omhoog. Hij grijnsde. 'Waaruit maak jij op dat ik intelligent ben?'

Stephen aarzelde. 'Kledingkeuze?'

Melissa grinnikte.

De slungelige man knipoogde. 'We hebben hier een makelaar met pit, jongens.' Hij stak zijn hand uit. 'Ik ben Sweeney.'

Stephen schudde de hand. 'Aangenaam, Sweeney.'

'Melissa heb je al ontmoet, en dat is Brian. En even voor de goede orde, intelligentie kan soms flink overschat worden. Ik kan het weten. Ik heb niet alleen op de UCLA gezeten, maar ben daar ook nog eens cum laude afgestudeerd. Geloof het of niet, maar onder deze buitenlaag huist een architect, hoewel ik nooit als zodanig in die nepwereld heb gewerkt. De ouwe van Melissa heeft een advocatenbureau in het centrum en Brian kwam vandaag zomaar even langs.'

Hij liep terug naar zijn vrienden, sloeg zijn armen over elkaar en draaide zich om. 'Dus wat ben je hier echt aan het doen?'

Stephen wist niet eens zeker of hij dat zelf wel wist. Hij had vannacht aan de overkant ingebroken en was met lege handen weer naar buiten gekomen. Maar hij *was* eruit gekomen. En hij wist nu bepaalde dingen. Hij wist zeker dat Braun van de Stenen van David afwist. Dat was het enige wat zijn onredelijk grote interesse in het gebouw kon verklaren. En hij was er ook vrij zeker van dat Braun niets van de kluis afwist.

En hij wist zeker dat de kluis niet leeg was.

'Dat weet ik niet precies,' antwoordde hij.

Ze bleven elkaar aankijken.

'Waarom ben *jij* hier eigenlijk?' vroeg Stephen. 'Gooi jij je studie gewoon weg?'

'Nee, man. Ik leer nu wat ik niet in boeken kon vinden. Het leven, de liefde en de jacht op het geluk. De tweede revolutie van de stadsnomaden.'

'Klinkt interessant.' Brandy liep drie meter verderop in een stapel hout te snuffelen. Stephen kreeg plotseling een zwaar gevoel in zijn borst en hij wist niet precies waarom. Hij keek weer uit het raam.

'Het heeft zijn negatieve kanten,' zei Sweeney, 'maar uiteindelijk zijn we allemaal slechts kinderen die een regenboog najagen.'

'Misschien is dat dan wel de reden dat ik hier ben,' zei Stephen. 'Omdat ik achter een regenboog aan zit.'

'Het lijkt erop dat de een of andere idioot vannacht heeft geprobeerd in te breken in Rachels gebouw. Hij heeft een gat in de garage gebrand. Weet jij daar toevallig iets van?'

Stephen knipperde met zijn ogen. 'Schei uit. Een gat gebrand?'

'Daar lijkt het wel op. Met een snijbrander of iets dergelijks.'

'Hoe stom kun je zijn?'

'Niet echt de meest intelligente manier om de problemen van dit leven te benaderen. Sommige drugsverslaafden doen alles voor een shot.'

'Idioten,' zei Stephen.

'Wat vinden jullie, amigos? Zullen we mister Groovy laten blijven?'

Melissa knipoogde naar Stephen. 'Tuurlijk. Waarom niet?'

Brian haalde alleen maar zijn schouders op.

Sweeney spreidde zijn handen. 'Je ziet het, je kunt blijven. Maar vertel niemand iets over deze plek – het is hier lekker rustig en ver genoeg bij alles en iedereen vandaan om dat te blijven. Deal?'

'Goed.'

'We moeten weg.'

Stephen keek hen na. Brandy bleef hem enkele seconden lang schuin aankijken. 'Hé, Brandy,' fluisterde hij.

De hond rende naar hem toe en likte enthousiast zijn hand.

Melissa floot. 'Kom op, beestje. Laten we hem met rust laten.'

'Nee…'

De hond vloog naar de hippies toe, stond stil bij de trap voor een laatste blik en verdween toen.

Stephen staarde naar het trappenhuis tot het geluid van hun voetstappen was weggestorven. De deur beneden knalde dicht. Weg. Hij was alleen op deze wereld – zelfs de hond had hem weer verlaten.

Hij zuchtte en keek nog een keer naar het raam. Het beeld van de metalen trommel met Ruths foto erop, waaraan hij nu dacht als Esthers foto, bleef in zijn hoofd hangen. Zo moeder, zo dochter. De vrouw voor wie hij was bedoeld.

Hij staarde naar de zonnekamer aan de overkant van de straat, gefixeerd op de gesloten gordijnen, en vroeg zich af wat Roth Braun daar in het geheim aan het doen was.

Wie ben je, Esther?

De verwarrende obsessie die hem gisteren parten had gespeeld, achtervolgde hem weer. Nu, achteraf bekeken, voelde het behoorlijk kinderachtig aan. Hij moest echt weer normaal gaan doen. De gedachte dat hij zou moeten proberen uit te leggen waarom hij de nacht had doorgebracht in een verlaten gebouw, deed hem inwendig ineenkrimpen.

Maar met elke seconde die voorbijtikte, bleef Rachels appartement hem trekken, als een sirene die een dwaas naar zijn vernietiging zong.

Maar het was geen sirene; het was een blikken trommel met een foto van Esther. Stephen ging met een zware bons tegen de muur zitten.

De foto van Esther en de Stenen van David, die, toevallig, miljoenen waard waren.

Hij sloot zijn ogen en slikte. Misschien was hij vannacht te ver gegaan, maar hij kon niet zomaar zijn band met de Stenen van David naast zich neerleggen.

Zijn gedachten dwaalden af. Als hij gelijk had, wist niemand hoe waardevol die kluis in werkelijkheid was. Hij werd geconfronteerd met een kans die zich maar één keer per eeuw presenteerde. Alsof je over een loterijlot struikelt dat tien miljoen waard is. Maar dit was veel waardevoller. Hoe ver was het tot Rachels gebouw? Dertig meter. En dan nog eens dertig naar beneden, in de hoek van het stookhok.

Hij had de blikken trommel gisteravond gewoon mee moeten nemen. Stephen knarste met zijn tanden. Nee, dan zouden ze hem hebben gevonden. Maar hij had in elk geval dat blik open kunnen trekken en de inhoud in zijn zakken kunnen proppen, toch? Nee, te riskant.

Met een beetje geluk had hij Braun op het verkeerde been gezet met die opmerking over de bovenste verdiepingen. Hoe lang zou het duren voor die griezel aan de kelder toe was? Maar goed, zelfs al doorzocht hij de kelder, er was geen enkele garantie dat hij de kluis zou vinden. Als Stephen geluk had, had hij nog een paar dagen. Misschien drie.

Stephen stond langzaam op en vocht tegen de golven zwaarmoedigheid die op hem af kwamen rollen. Hij keek verdwaasd rond. De gedachte om naar huis te gaan, naar de rabbi, maakte hem ziek.

Er kwam een nieuwe gedachte bij hem op. De foto van Ruth lag nog steeds op zijn bureau in Chaïms huis. Hij had hem echt mee moeten nemen. Buiten het briefje van zijn moeder was het de enige tastbare band met zijn verleden. En misschien met zijn toekomst.

Hij zou naar huis gaan, die foto halen en dan nadenken over wat hij verder moest.

Stephen draaide zich om en ging op weg naar de trap. Misschien zou hij die foto aan Gerik kunnen laten zien. De oude Jood wist alles van iedereen uit de oorlog. Maar kon hij Gerik meer toevertrouwen dan de oude antiekhandelaar al wist? Geen denken aan. Hij kon niemand vertrouwen. En zelfs al was dat wel zo, dan zou hij het nog niet willen. Dit waren zijn eigen zaken. En trouwens, als je één iemand je eens-in-je-leven-kans toevertrouwt, wordt het vrijwel zeker de eens-in-je-leven-kans van die iemand anders.

Aan de andere kant, wat als de antiekhandelaar Ruth had gekend? Of Esther? Niet aannemelijk, maar wel mogelijk. Stephen versnelde zijn pas.

De Vega stond nog steeds waar hij hem had geparkeerd. Als iemand de verfomfaaide man zag instappen, zouden ze waarschijnlijk denken dat hij hem aan het stelen was. Stephen stuurde de auto het verkeer in. Hij was in elk geval niet vergeten hoe hij moest autorijden. Misschien wel hoe hij zijn haar moest kammen en hoe hij in zijn eigen bed moest slapen, maar hier op straat was hij incognito. Bezig met een missie. Hij deed niets meer dan een foto van zijn eigen bureau oppikken, maar hij maakte in elk geval weer vorderingen.

De Beatles stonden erop dat hij het er maar bij moest laten. *Let it be, let it be.* Stephen trok de tape uit de autoradio en gooide hem op de vloer voor de passagiersstoel. *Whispered words of wisdom...* Alsjeblieft zeg, ze hadden geen idee wat ze zongen.

Zijn volgende uitdaging was om ongezien zijn slaapkamer binnen te komen. Nu Chaïms vorsende blik onder ogen komen, was al net zo aanlokkelijk als op een kininetablet kauwen.

Het plan was eenvoudig. Hij begon best goed te worden in gebouwen binnensluipen. Als Chaïm niet thuis was, zou hij gewoon via de voordeur naar binnen gaan, zich een beetje opfrissen, de foto pakken en weer vertrekken – maximaal vijf minuten. Als de rabbi *wel* thuis was, zou Stephen via zijn slaapkamerraam naar binnen klimmen, waarvan hij vrij zeker wist dat hij het open had laten staan. De truc was om binnen te komen zonder dat de buren zijn achterwerk uit het raam zouden zien hangen.

Hij parkeerde de auto een blok bij het huis vandaan. De oude Peugeot van Chaïm stond op de oprit.

Stephen bleef ruim een minuut lang in de stilte van de auto zitten voor hij steels uit de auto stapte. Hij dook de achtertuin in en kroop zo natuurlijk mogelijk langs de muur naar zijn raam. Hij dacht nog eens over zijn plan na. Het zou veel gemakkelijker zijn om gewoon via de voordeur naar binnen te wandelen en alles aan de rabbi uit te leggen. Aan de andere kant werkte het idee om zijn ziel bloot te leggen hem stevig op zijn zenuwen. Wat moest hij zeggen? *Ah, goedemorgen, rabbi! Tja, ik zie eruit als een zwerver, omdat ik heb besloten er een te worden. En om goed te beginnen, heb ik vannacht een gat in de garagedeur van de Duitser gebrand en heb toen de nacht doorgebracht in een halve ruïne aan de overkant van de straat.*

Hij bereikte het raam, keek om zich heen en drukte het omhoog. Hij was de hor even vergeten, maar een flinke klap met zijn hand en hij was erdoorheen. Nog een paar klappen en het gaas was verleden tijd. Hij wierp nog een snelle blik om zich heen, dook min of meer naar binnen en belandde languit op de vloer van zijn kamer. Alleen een beurse heup, met de complimenten van het raamkozijn.

Hij moest opschieten. De foto lag op zijn bureau, samen met een aantal notities van Chaïm over de telefoontjes die er voor hem waren binnengekomen. Hij kon niet lezen wat er achter Ruths doordringende ogen schuilging, een mysterieuze mengeling van veerkracht en gevoeligheid. Ze was misschien wel de mooiste vrouw die hij ooit had gezien.

Hij stopte de foto in zijn shirt en haalde hem er onmiddellijk weer uit. Zijn zweet zou hem ruïneren. En trouwens, hij wilde nog een douche nemen. Hij liep op zijn tenen naar de badkamer toe. Nee. De rabbi zou het stromende water kunnen horen. Misschien kon hij de douchebeurt wel overslaan. Hij had er eigenlijk hoe dan ook geen tijd voor.

Stephen bleef voor de spiegel staan, de foto in zijn hand, en bekeek zichzelf. Zijn haar stond overeind en zijn gezicht was overdekt met stof. Hij streek snel zijn haar glad en stak een hand uit naar de kraan, maar onderbrak die beweging voor hij eraan kon draaien. Het huis had luidruchtige leidingen die af en toe zelfs kreunden.

Hij zou eigenlijk gewoon naar de woonkamer moeten lopen en tegen Chaïm zeggen dat hij thuis was. Hij was gisteravond uit geweest met enkele vrienden, had gefeest tot de zon opkwam en was toen naar huis gekomen om een douche te nemen. Wat een lol, wat een lol. En dat gat in de hor? Och, daar was waarschijnlijk een vogel doorheen gevlogen.

Stephen gromde. Dit was belachelijk. Hij moest hier weg.

Met behulp van wat water uit de stortbak van het toilet lukte het hem om zijn gezicht schoon te maken. Hij probeerde nog iets van zijn kapsel te maken en poetste zijn tanden zonder water. Hij bevond zich nu drie minuten in de badkamer en wist bijna zeker dat de rabbi elk moment kon binnenkomen. Hij wikkelde zijn kostbare foto in een handdoek, propte die onder zijn shirt en klom weer uit het raam.

'Ik weet niet wat hij wil,' zei Lars, 'maar hij heet dus wel Stephen Friedman en hij is wel makelaar. Hij woont in het noorden, bij een oude Jood.'

'Nog een Jood,' zei Roth.

'Vader en moeder allebei dood. Heeft via een vriendin banden met de officier van justitie. Een Joods meisje dat Sylvia Potok heet.'

'Getrouwd?'

'Stephen niet. De vrouw weet ik niet.'

Roth wilde plotseling niets meer met dit onderwerp te maken hebben. Dit was niet iets waar Lars of de anderen hun tijd aan zouden moeten verdoen.

'Er moet gemakkelijk met hem af te rekenen zijn als hij problemen gaat geven,' zei Lars.

Er waren vanmorgen nog drie mensen uit Duitsland gearriveerd om te assisteren bij het sloopproject. Ze haalden voorzichtig het pleisterwerk van de muren in de keuken en zouden zo het hele appartement afwerken. Dat karwei zou hun een paar dagen kosten, zeker gezien het aantal dagen dat die makelaar het pand van hem wilde huren. Als het dagboek of de andere vier Stenen in het huis zouden zijn, zouden ze die vinden.

Maar Roth had al gevonden waar hij naar zocht. Stephen Friedman.

De jongen was thuisgekomen. Precies zoals Rachel Spritzer had gewild. Het spel. Het spel was begonnen.

Roth had het eerste deel van de avond in de zonnekamer doorgebracht, in een wanhopige poging geheimen uit de foto's tevoorschijn te toveren. Zoveel pijn. Maar net zoals hoop en angst, leverden pijn en genot de meeste kracht op wanneer je ze samen aantrof.

En daarna had hij zijn zinnen bevredigd door een andere Joodse vrouw uit te kiezen, deze keer uit Pasadena. Toruń was naar Los Angeles toe gekomen. En al spoedig, als de machten van de lucht hem goedgezind waren, zou hij Los Angeles mee terugnemen naar Toruń.

'Vannacht gaan we naar het graf en morgennacht naar het museum,' zei hij. 'Hoeveel gaat het graf ons kosten?'

'Een half miljoen dollar om het lichaam op te graven, ons er een uur mee alleen te laten en het graf weer voor morgenochtend in orde te hebben. Maar de bewakers van het museum zijn niet om te kopen.'

Dat had hij al verwacht. 'We willen alleen maar naar de collectie kijken. We zullen toch wel iemand kunnen vinden die ons voor een miljoen dollar enkele uren alleen laat met wat oude hebbedingetjes? We hoeven de Steen niet te zien – alleen haar andere bezittingen maar.' Hij zweeg even. 'Bied twee miljoen als dat nodig is. En als dat niet mag baten, gaan we met gas naar binnen.'

Lars gaf geen reactie.

'Ik wil toegang tot elk voorwerp dat haar heeft toebehoord, elke snipper papier, elke foto, en wel binnen achtenveertig uur. Eerlijk gezegd kan het me niet schelen wat het kost.'

'Begrepen.'

'En als Gerhard weer belt, vertel je hem maar dat ik bezig ben. Ik wil niet meer met hem praten.'

'Natuurlijk.'

Roth was een buitengewoon geduldig man, maar hij had nooit in een situatie als deze verkeerd, met zo'n hoge inzet en dan ook nog eens in het buitenland. Hij stond op en begon langzaam te ijsberen.

Binnen een week zou hij afmaken wat zijn vader dertig jaar geleden al had moeten afmaken.

Het feit dat zijn plannen zich precies zo ontvouwden als hij zich had voorgesteld, was bijna ondraaglijk. Zijn succes gaf hem een warm gevoel. Hij wilde nog eens naar de foto's kijken.

20

Vanaf de straat leek de antiekwinkel van Gerik niets anders dan het zoveelste verstofte hol dat tweedehands kleding verkocht, waarvan de helft nooit fatsoenlijk was gewassen. Maar als je langs de bel stapte, die klingelde bij binnenkomst, zag zelfs een amateur meteen dat deze winkel uniek was.

Het pand was lang en smal, en op elke denkbare plek stonden, hingen en balanceerden honderden antiquiteiten. Ook al zouden de muren zijn bepleisterd met modder op goud, niemand die het zou hebben gemerkt, omdat je geen vierkante centimeter muur meer zag. In plaats daarvan waren er Queen Anne stoelen en barokke spiegels en enorme bronzen schilden en oneindig veel schilderijen. Aan het plafond hing een groot, kersenhouten hemelbed dat ooit had toebehoord aan president Thomas Jefferson.

Stephen bleef in de deuropening staan en tuurde in de schaduwen naar een glimp van Gerik Dlugosz – 'Gary', voor iedereen die regelmatig in zijn winkel kwam. Een vrouw van middelbare leeftijd met een vlekkerig wit gezicht en een blauw zijden blouse aan keek naar hem op van tussen enkele zilveren vazen. Ze keek ongetwijfeld naar de handdoek die hij onder zijn arm vasthield. *Wat heeft die man daar onder zijn arm? Het ziet er waardevol uit. Het ziet er geheimzinnig uit. Ik vraag me af of hij het aan mij zal laten zien.*

Stephen haastte zich door het linker gangpad, langs lange glazen vitrines die vol lagen met munten, koperen figuren en uitgebreide collecties tafelzilver. Als het oud en waardevol was, bevond het zich hier op de juiste plek. Bij elke stap kraakte de vloer. Je zou denken dat Gerik met al het geld dat hij maakte, toch wel een nieuwe zaak kon openen?

'Stephen?'

Stephen greep instinctief naar zijn ingepakte foto en schrok van het stemgeluid van Gerik.

De magere man liep met uitgestrekte hand naar hem toe. Aan zijn kin hing een onverzorgde grijze baard. 'Het is goed je weer te zien.' Hij legde een uitnodigende hand op Stephens schouder en stuurde hem naar de zijkant van de zaak. 'En, kun je het nog een beetje volhouden?'

'Ja, prima. Uitstekend.'

'Mooi. Mooi.' De antiekhandelaar stond stil bij een vitrine en liet zijn ogen nieuwsgierig over Stephen heen glijden. 'Je bent dus naar het appartement van Rachel geweest?'

'Ja.'

'En?'

'Het was niet veel meer. Het museum was al langs geweest.'

'Ja, natuurlijk. Het spijt me, Stephen. Ik wilde dat ik je kon helpen. Heb je al een advocaat in de arm genomen?'

'Nee.'

'Nee. Dat kan ik je niet kwalijk nemen. Je moet je eigen hart volgen tot een en ander duidelijk wordt.'

Ze zwegen allebei.

'Misschien dat ik je op de een of andere manier kan helpen,' zei Gerik.

'Nee, hoeft niet.' Stephen kreeg het warm. Hij had beter niet kunnen komen. 'Ik kwam gewoon zomaar even langs.'

'Is dat zo?' Gerik glimlachte flauwtjes. 'Ik geloof je niet. Maar ik kan wel net doen alsof. Goed, dan ben je nu op visite.'

Fout. Echt goed fout. Er bevonden zich een stuk of vier andere klanten in de zaak en Stephen wist zeker dat ze allemaal in elk geval benieuwd naar hem waren, zo niet ronduit nieuwsgierig. Zijn haar was een warboel, zijn kleren verkreukeld en vies, zijn gezicht afgetobd en hij klemde het bundeltje onder zijn arm alsof het zijn laatste aardse bezit was. Hij ontspande zich en leunde tegen de balie, vastbesloten om enigszins normaal over te komen.

'Gaan de zaken goed?' vroeg hij.

'Altijd.'

Stephen keek naar een oud zakhorloge dat in de vitrine lag. Op een handgeschreven prijskaartje stond 3000. Verder niets. Dat kon natuurlijk nooit de prijs zijn. Beide kanten van het zilveren ding waren opgesierd met een paardenkop. Hij wierp een terloopse blik op een van de andere klanten en zag dat de man helemaal niet naar hem stond te staren. Maar als hij zou weten wat Stephen wist, zouden zijn ogen uit hun kassen rollen. *Vertel op, jongen, waar zijn de andere vier Stenen? Jij hebt daar geen recht op. Die zijn voor een serieuze verzamelaar met een paar miljoen op zijn rekening.*

'Drieduizend,' zei Stephen. 'Wat betekent dat?' De vraag klonk stompzinnig, maar hij moest toch *iets* zeggen voor hij weer vertrok?

'Dat betekent dat iemand me drieduizend dollar gaat geven voor een horloge waar ik vijfhonderd dollar voor heb betaald,' antwoordde Gerik.

Stephen keek verbaasd op. 'Drieduizend dollar? Is het zoveel waard?'

'Het is waard wat de gek ervoor geeft. Wat is de waarde van een diamant? Dat is wat iemand dan ook bereid is te betalen voor een mooie steen die hem een belangrijk gevoel geeft.'

'En er zijn dus mensen die dat oude horloge graag genoeg willen hebben om er drieduizend dollar voor te betalen? Ongelofelijk.'

'Ze kopen geen oud horloge, beste jongen. Ze kopen een idee. De waarde van een idee wordt bepaald door hoe aantrekkelijk dat idee voor iemand is. Als je iets wanhopig graag wilt hebben, betaal je ook zo. Waar of niet?'

'Ja. Ja, ik denk het wel.'

'Ik verkoop ideeën. Als je erover nadenkt, is eigenlijk alles niet meer dan een idee. Het verleden is niet meer dan een herinnering, wat ook een soort idee is. De toekomst is nog steeds een hoop, ook een soort idee. Het heden gaat voorbij en wordt een herinnering voor je het kunt vastgrijpen. Allemaal ideeën. En ik verkoop ideeën.'

'Dat is een beetje cynisch, toch? Ben ik dan alleen maar een idee?'

'Nee, maar wel wat ik denk over jou.' Gerik grijnsde. 'En dan heb je natuurlijk ook nog het grootste idee,' zei hij met een schittering in zijn ogen. 'Liefde. Je zou zelfs kunnen zeggen dat ik liefde verkoop. Een obsessie. Een goed iets.'

Stephen grinnikte nerveus en keek naar het horloge van drieduizend dollar. 'Natuurlijk – liefde. Ik zou zeggen dat dat een beetje vergezocht is.'

'Is dat zo? Van de week heb ik een bronzen feestmasker met rode veren verkocht. Aan een dame uit Hollywood. Er wordt beweerd dat het masker is gedragen door een Franse edelman die bekendstond om zijn extravagante feesten. Ze was al zeven jaar lang op zoek naar dat masker en ik wist het gelukkig voor haar te vinden. Ik denk echt dat ze er een scheiding met haar man voor over zou hebben gehad. Ze was er helemaal weg van. Hield ervan. Een andere verzamelaar bood me tienduizend voor dat masker. Zij betaalde me vijfentwintigduizend. Dus wat was het waard? Vijfentwintigduizend.'

'De meeste mensen associëren liefde met andere mensen,' zei Stephen.

'En ik associeer het met iets waarnaar men verlangt. De mensen die van mij kopen, zijn helemaal verliefd op wat ze aanschaffen. Veel van hen zijn erdoor geobsedeerd. Ik durf bijna te zeggen dat sommige mensen hun leven in de waagschaal zouden willen stellen voor een bepaalde obsessie. Wat op zich niet echt raar is – sommige ideeën zijn het waard om voor te sterven.' Gerik knipoogde. 'Ik denk dat Rachel zo iemand was.'

Stephen keek hem aan, even van slag. Hij kon zo gauw geen antwoord verzinnen.

'Het leven is het nauwelijks waard te leven zonder obsessie. God Zelf is geobsedeerd.'

Stephen bleef hem dom aanstaren. Waar had die man het over?

'Geobsedeerd door Zijn schepping. Door mensen. Door de liefde van mensen. Denk je dat Hij zomaar nonchalant iets heeft geschapen? Laten We wat modder in de lucht gooien en kijken of het blijft plakken? Geen denken aan. We zijn geschapen voor de liefde, voor de obsessie. We zijn dus inderdaad geobsedeerd, maar meestal niet door het juiste idee.' Hij aarzelde en keek nogmaals naar Stephens shirt.

'Ik heb een beetje een wilde nacht gehad.' De dingen die Gerik over dat obsessiegedoe had gezegd, echoden door Stephens hoofd. 'Is dat… judaïsme?'

'Wat bedoel je? Dat we zijn geschapen om geobsedeerd te zijn? Tuurlijk, waarom niet? Wat heb je daar?'

Stephen verplaatste zijn gewicht zenuwachtig van het ene naar het andere been. 'Dit? Niks. Nee, echt. Gewoon iets wat ik heb opgehaald. U weet wel, wat persoonlijke spullen die ik thuis heb opgehaald en hierin heb gewikkeld. In deze handdoek. Zodat het niet vies wordt. U weet wel.' *Babbelende dwaas!* Hij keek nogmaals om zich heen. 'Mooie zaak. Echt een mooie... plek. U kunt trots zijn op wat u hier op deze... plek heeft gedaan.'

'Dank je.' De man bekeek hem nu zonder ophouden. 'Zou je je misschien achterin even willen opfrissen?'

'Ik? Waarom zou ik me willen opfrissen? Het is prima zo. Ik heb wat dingen opgepikt en ik wilde gewoon even langskomen en, eh... u weet wel, al die dingen hier zien.' *Al die dingen?* 'Echt, niks aan de hand.'

'Mooi.'

'Goed.'

Stephen voelde zich vreselijk in zijn hemd staan. Alsof hij zich in een van die dromen bevond waarin hij een podium op liep en zich dan pas realiseerde dat hij in zijn blootje stond. Hij beet op een vingernagel zonder dat hij zich kon herinneren dat hij zijn hand had opgeheven.

'Oké, ik ben dus niet helemaal in orde,' zei Stephen ten slotte. De antiekhandelaar trok een wenkbrauw op. 'Hebt u even tijd om te praten?'

'Prima,' antwoordde Gerik.

Stephen keek om zich heen. 'Maar niet hier.'

Gerik aarzelde, draaide zich toen om en liep verder de winkel in, waar het meubilair lager hing en de schaduwen donkerder waren. Hij stond stil en draaide zich om.

'Is dit privé?' vroeg Stephen.

'We zouden ons net zo goed in een bunker kunnen bevinden,' verzekerde de oude man hem.

'Onze stemmen zouden verderop te horen kunnen zijn.'

'Niemand hoort ons hier.'

'Nee, maar de muren hebben oren.'

'Ik zit hier al zeker twintig jaar en ik kan je verzekeren dat...'

'Alstublieft.'

Stephen keek achterom naar de man die een meter of tien verderop tussen het antiek stond te snuffelen en hij zag dat ze zijn aandacht hadden getrokken.

'Het spijt me, waar zijn mijn goede manieren gebleven? Sorry, ik denk niet helder. Kom.'

Ze liepen langs het laatste meubilair achter in de zaak en stapten een kantoor binnen dat bezaaid lag met boeken en papieren. Gerik deed de deur dicht, pakte een pijp en stak hem aan. Er vormde zich een blauwe wolk boven zijn hoofd. Stephen hield de omwikkelde foto nu tegen zijn borst gedrukt.

'Je hebt iets in het appartement gevonden,' zei Gerik.

Stephen reageerde niet.

'Mag ik het zien?'

'Dit?'

'Dat wilde je me laten zien, of niet?'

'Ik denk het, ja.' Hij begon de foto uit te pakken, maar wist plotseling niet zo zeker meer of hij hem wel wilde laten zien. 'Ik... ben hierover gestruikeld.' De foto van Ruth staarde hem hypnotiserend aan.

Hij had het niet eerder opgemerkt, maar haar haar was naar achteren geduwd, zodat haar linkeroor zichtbaar was. Haar rechteroor, als de foto er een spiegelbeeld van had gemaakt. Mooi oor. Eigenlijk een verbijsterend mooi oor, alsof het erop was geschilderd door een vakkundig...

'En?'

Stephen keek op en knipperde met zijn ogen.

'Ik... ik vond deze foto en toen dacht ik dat u er misschien even naar zou kunnen kijken.'

Gerik stak zijn hand uit. De handdoek viel op de grond. Stephen gaf hem de foto. 'Ze heet Esther.'

Gerik trok aan zijn pijp en bestudeerde de foto. Hij draaide hem om. 'Hier staat dat ze Ruth heet.'

'Klopt. Ik bedoelde Ruth.'

'Genomen voor of tijdens de oorlog.' Hij las wat er op de achterkant stond geschreven. 'Steen van David,' zei hij en hij keek op naar Stephen. 'Genomen voor de oorlog. Als Esther het heeft overleefd, zou ze nu ongeveer net zo oud zijn als jij.'

'Precies,' zei Stephen. 'Dat is precies wat ik bedoel!'

'O ja?'

Was dat wel zo?

'Heb je dit in haar appartement gevonden?'

Stephen schraapte zijn keel. 'Hij stond bij wat andere foto's van... van slachtoffers. Misschien had ik hem niet mee moeten nemen, maar ik kon… het was nogal ontroerend.'

'Natuurlijk had je hem moeten meenemen. Ze zou hebben gewild dat jij hem had. Het grootste deel van de wereld wil de Holocaust vergeten, weet je.'

Gerik wist niets van de kluis; hij zei gewoon wat zijn hart hem ingaf. Hij legde zijn pijp neer en bestudeerde met een geoefend oog de randen van de foto.

'Heeft Rachel u nog meer verteld? Over Ruth.'

'Nee, niets,' antwoordde Gerik. 'Ze heeft natuurlijk naar de Stenen gevraagd. Weet je wat één Steen van David waard is?'

'Miljoenen.'

'Zoals ik al eerder zei, is het waard wat iemand ervoor wil betalen, wat vanaf vanmorgen twintig miljoen is.'

'Heeft iemand het museum twintig miljoen geboden?'

'Een groep invloedrijke Joden die vinden dat het relikwie in Israël thuishoort. Ik weet niet of ik het daar wel mee oneens kan zijn. Maar christenen claimen de Stenen ook, zoals je misschien weet. Het zaad van Adam, dat Lucifer de kop vermorzelt, via de lijn van David. Christus. Ik ken verzamelaars in Rome die zo honderd miljoen zouden neertellen voor de hele collectie. Misschien wel tweehonderd miljoen.'

Stephen voelde zijn hartslag versnellen. 'Hmm.' Hij zat weer op zijn nagels te bijten.

Gerik gaf de foto terug en Stephen pakte hem voorzichtig aan.

'Dank u.'

'Ik betwijfel of wij het nog meemaken dat ze gevonden worden,' zei Gerik.

'Oh? Hoezo?'

'Omdat ze deel uitmaakten van de oorlogsbuit van de nazi's. Niemand weet welke officier ze heeft meegenomen, maar er gaan geruchten dat ze uit het huis van een rijke Poolse verzamelaar in Warschau zijn gestolen. Als de betreffende nazi de processen na de oorlog heeft overleefd, zal hij niet gauw voor de dag komen met de buit, dat kan ik je wel vertellen.'

'Misschien had Rachel ze alle vijf wel.'

'Niet waarschijnlijk.'

Stephen verstarde een beetje. Wist Gerik iets, of zat hij maar wat te gissen?

'Denkt u?'

'Waarom zou ze dan wel één Steen geven en geen vijf?'

'Precies! Dat is precies wat – nee, dat klinkt inderdaad wel logisch.'

'Ik moet nu echt terug naar de winkel. Mijn halve inventaris zou ondertussen verdwenen kunnen zijn.' Gerik liep naar de deur en Stephen volgde hem.

'Je hebt gelijk dat je zoveel waarde hecht aan die foto, Stephen,' zei de oude man terwijl hij zich naar hem omdraaide. 'Waar ze zich nu ook bevindt, de kleine Esther is meer waard dan alle Stenen van David bij elkaar. Tja, dat is misschien wel een obsessie die het waard is om voor te sterven, vind je ook niet?'

Stephen voelde dat hij bloosde en hij wendde zijn blik af. 'Ik weet het niet. Het is maar een foto.'

'Nee, het is een idee. Een herinnering. Misschien hoop, maar niet eenvoudigweg een foto. Het spijt me dat ik je niet kan helpen haar te vinden.'

'Dat is niet...'

'Natuurlijk is het dat wel. Als ik me niet vergis, ben je behoorlijk onder de indruk van haar, wat begrijpelijk is. Ik ben een Jood. Ik was er ook bij. Ze verdient je obsessie, dood of levend. Jouw obsessie geeft haar leven waarde.' Gerik glimlachte beleefd en liep weg.

Stephen kon zich achteraf niet meer herinneren dat hij de antiekzaak had verlaten. Hij zweefde meer dan dat hij liep. De oude man had wat sommige dingen betrof gelijk gehad en in andere dingen weer niet. Hij had gelijk dat Esther iemands obsessie verdiende, maar ongelijk dat de Stenen onvindbaar waren.

Behalve als ze niet in de blikken trommel zaten.

Hij was niet van plan bij die mogelijkheid te blijven stilstaan.

Hij reed naar Rachels appartement. Het stond er nog steeds, torenend in de zonnige lucht, terwijl daar op die bovenste verdieping wat drukke baasjes bezig waren alles minutieus te doorzoeken. Hij reed er een keer omheen, toen nog eens en reed toen drie blokken verder, om niet al te erg op te vallen. Als ze te vaak een blauwe Vega zagen, zou op een gegeven moment iemand achterdochtig worden. Of agressief.

De gordijnen zaten dicht. Het gat in de garagedeur was dichtgemaakt met platen multiplex. Ze zouden deze keer de benedenverdieping echt niet meer onbewaakt laten.

Inderdaad. Deze keer. Hij had geen andere keus dan nog eens gaan.

Hij zou deze keer waarschijnlijk meteen op zijn nek worden gesprongen door mannen met vuurwapens en kwijlende honden met te grote tanden. Deze keer had hij meer nodig dan een snijbrander en een aansteker om binnen te komen.

Een kwartier. Een kwartier alleen in de kelder en dan zou hij klaar zijn.

Hij parkeerde de Vega uiteindelijk in een zijstraat en sloop de trap weer op naar zijn schuilplaats op de vierde verdieping van Gebouw B. Hij moest hier goed over nadenken. Er moest een manier zijn. Het *moest* gewoon.

Hij leunde tegen de muur naast het raam en liet zich op zijn achterwerk glijden. Er was altijd een manier. Deze hield zich ergens in de donkere hoeken en gaten van zijn gedachten verborgen en wilde niet tevoorschijn komen, maar Stephen wist dat hij het plan er uiteindelijk uit zou kunnen lokken. Met genoeg geduld en genoeg concentratie zou het plan zich vanzelf aandienen.

Hij vouwde Ruths foto open en staarde in haar ogen. 'Praat tegen me, Esther. Vertel het me.'

21

Los Angeles
21 juli 1973
Zaterdagavond

Sylvia zat achter haar bureau en bestudeerde de foto's in het dossier. Veertig in totaal, uit elke mogelijke hoek genomen. Het waren duplicaten van een dossier over een moord, een voorzorgsmaatregel waar de officier van justitie op had aangedrongen.

'Ik wil dat er een paralleldossier wordt aangelegd en ik wil dat je dat doet met elke snipper bewijsmateriaal die je te pakken kunt krijgen van elke rechercheur die op deze zaak zit. Ga desnoods bij ze eten, maar ik wil dat dossier constant up to date hebben.'

Het was Sylvia's eerste belangrijke zaak. Geen idee hoe lang het zou duren voor ze de moordenaar hadden of wanneer dit voor de rechtbank zou worden behandeld, aangenomen dat hij zo lang in leven zou weten te blijven. Maar als het tijdstip kwam dat de verdachte voor het hekje stond, zou de officier van justitie er klaar voor zijn. Daar zou Sylvia wel voor zorgen.

Drie nachten; drie slachtoffers; dezelfde manier van werken.

Ze staarde naar de lichamen. Alle drie in een plas bloed. Genoeg om te concluderen dat de moordenaar wilde dat ze zouden doodbloeden.

Maar waarom?

Het laatste slachtoffer had meer tegengestribbeld dan de eerste twee, volgens de voorlopige onderzoeksrapporten. Kneuzingen op de polsen.

Ze werd misselijk van de foto's. Ze was advocaat geworden om de rechten van de slachtoffers te verdedigen, niet om hun wrede dood te onderzoeken.

Joodse vrouwen in heel de stad lieten extra sloten op hun deuren zetten of trokken in bij familie. Het feit dat deze zaak in de openbaarheid was gebracht, was goed, ondanks de angst die dat veroorzaakte. Beter bang dan dood.

En hoe zit het met jou, Sylvia? Ze wierp een blik op de deur van haar kantoor. De rest van het personeel was al naar huis gegaan. Hoe moeilijk zou het voor een moordenaar zijn om in te breken in de kantoren van de officier van justitie?

Maar goed, hoe groot was de kans dat juist zij er zou worden uitgepikt? En trouwens, deze vrouwen waren alle drie bij hen thuis vermoord.

En toch werkte de stilte haar op haar zenuwen.

De telefoon ging over en ze schrok. Met een ruk nam ze hem op.

'Hallo?'

'Ik maak me zorgen, Sylvia.' Het was Chaïm. 'Erg veel zorgen zelfs. Dit is niks voor Stephen. Er is iets heel erg mis.'

Ze verschoof haar aandacht van de moordenaar naar Stephen.

'Sylvia?'

'Ik denk na, rabbi.' Ze zuchtte. 'Die heeft waarschijnlijk een afspraakje lopen. Wat had u dan verwacht na al dat gepraat van u over liefde?'

'Een afspraakje is wel het laatste waar hij nu aan zal denken. Ik had gedacht dat hij in elk geval even zou bellen.'

'Misschien heeft hij dat wel geprobeerd en was de lijn bezet. Misschien heeft hij iets waarmee hij u wil verrassen. Misschien is hij bezig met dat perceel in Santa Monica.'

'Hij heeft zijn eigen hor eruit gerukt!'

Dat legde haar even het zwijgen op. 'Zoals ik al zei, hij kan af en toe nogal irrationeel bezig zijn.'

'Impulsief, niet irrationeel,' reageerde hij.

Daar zei hij wat.

'Echt, Sylvia, ik maak me ongerust en met dit gesprek schiet ik ook al niet veel op.'

'Luister, ik weet zeker dat er niets met hem aan de hand is. Hij mag dan even van slag zijn door het nieuws over zijn moeder en God weet dat hij achterlijke streken kan uithalen wanneer hij eenmaal ergens zijn zinnen op heeft gezet, maar het is geen idioot.'

'En dat zegt de vrouw die beweerde dat als er ergens gevaar dreigt, Stephen er als eerste bovenop zit?'

166

'Nou, misschien had ik het wel mis.'

'En misschien ook niet.'

'Hij is slim, rabbi, zoals u al zei. Laat hem zijn hart maar volgen.'

'Nu klink je al net zoals Gerik.'

'Wilt u dat ik naar u toe kom? Ik kan wat bij de Chinees vandaan meenemen.'

'Zou je dat willen doen? Ja, dat zou fijn zijn.'

Stephen had al zeker honderd keer de situatie overdacht. Misschien wel duizend keer, alle onderbewuste overdenkingen meegeteld. Waar het op neerkwam, was dat hij zich in een vicieuze cirkel van dilemma's bevond en toch op de een of andere manier wist te eindigen in een impasse. Hij zag gewoon geen oplossing.

Hij ijsbeerde nog steeds voor het raam heen en weer en vatte zijn probleem nog eens samen.

Zijn hoofd deed er pijn van en hij wist niet zeker of hij nog wel constructief kon nadenken. Hoe dan ook, hij dacht na: hij dacht dat Gerik veel slimmer was dan hij zich had voorgesteld. Zijn wijze woorden hadden Stephen een stuk vrijheid opgeleverd.

Hij dacht dat hij deze dag had verknoeid door te ijsberen en heen en weer te rijden en thuis te mijden.

Hij dacht dat hij thuis meed omdat hij niet geconfronteerd wilde worden met Chaïm.

Hij dacht dat Chaïm erbij betrekken gevaarlijk kon zijn voor de rabbi.

Hij dacht dat Roth Braun wist dat de Stenen zich in Rachels huis bevonden en dat hij er desnoods voor zou moorden.

Hij dacht dat hij vanavond naar huis zou gaan of een hotelletje zou pakken. Hij mocht dan een beetje van slag zijn, maar hij was niet gek genoeg om hier nog een nacht te blijven slapen.

Hij dacht dat hij maar beter naar de politie kon stappen.

Maar goed, hij wist nog het een en ander ook: hij wist dat hij niet naar de politie kon stappen, omdat niet Braun, maar hij hier de misdaden pleegde.

Hij wist dat de Stenen van David daar in de kelder lagen.

Hij wist dat de Stenen in de kelder van hem waren.

Hij wist dat er een manier moest zijn om in die kelder terecht te komen en op te halen wat van hem was.

Stephen gluurde door het raam. Er liep een ambtenaar naar Rachels gebouw toe. Zijn hart sloeg een slag over, maar toen zag hij dat ze alleen maar de meter opnam die aan de achtermuur bevestigd was. Misschien zou hij haar plaats kunnen innemen en eisen dat hij de meters in de kelder moest bekijken. Waren er wel meters in de kelder? Hij kon het zich niet meer herinneren. Natuurlijk zouden ze zijn gezicht herkennen en dan zou het meteen voorbij zijn. Hij had geen enkele reden om aan hun dreigementen te twijfelen.

Hij begon weer te ijsberen.

Hij wist ook dat hij niets zeker wist, behalve dan dat hij niet naar de politie kon stappen.

Er moest een manier zijn om in het gebouw te komen.

Hij wist nu hoe hij *niet* in het gebouw kon komen. Niet met een snijbrander.

Niet met een vrachtwagen door de garagedeur.

Niet met een deltavlieger vanaf dit gebouw naar daar.

Niet met een helikopter.

Niet door de voordeur.

Niet in een enorm houten paard, of in een taart, of in een gigantische pizza – speciale bestelling voor Herr Braun.

Niet door de voordeur. Dat had hij al gezegd.

Niet met een raket…

Stephen stopte met ijsberen. Niet door de voordeur. Waarom ook alweer niet? Waarom eigenlijk niet?

Zijn hart bonkte. Zou het kunnen werken? Hij rende naar het raam toe. De meteropnemer liep alweer een eindje verderop in de straat en stapte in een zwarte Datsun. Waarom eigenlijk niet?

Hij ging weer verder met ijsberen, maar nu een stuk sneller. Het was gedurfd. Het was link. Het was iets wat niemand zou verwachten.

Het was krankzinnig!

Waardoor het perfect was.

Hij wierp een blik op zijn horloge. Bijna zeven uur. Bijna donker. Nog beter zelfs.

Maar waar kon hij op dit tijdstip nog aan de benodigde outfit komen? Hij wist dat Marjorie Stillwater elke zaterdagavond bingo speelde.

De kerk waar Chaïm naartoe ging, was een klein interkerkelijk gebeuren en een culturele mengeling. Zwart, blank, Koreaans, Joods – noem maar op – een hutspot van zoekenden die hun antwoord in het christendom hadden gevonden. Het oude kerkgebouw had aan de buitenkant een klokkentoren en binnen precies dertig kerkbanken. En elke zondag wisten zo'n tweehonderd mensen zich in het te kleine zaaltje te proppen.

Het was een vriendelijk clubje, een beetje te vriendelijk naar Stephens zin. Er werd bij binnenkomst geknuffeld, gezoend en geglimlacht, geglimlacht en nog eens geglimlacht. Ze leken hem wel oprecht, maar op een buitenstaander als Stephen, die niets te maken wilde hebben met God, laat staan met het christendom, kwam hun oprechtheid over als een wat dwingende uitnodiging om zich bij hen aan te sluiten. Leuk voor volgzame en zachtmoedige types, maar niet voor mensen met een eigen wil.

Stephen had bij drie verschillende gelegenheden hier een dienst meegemaakt en elke keer had hij zich welkom gevoeld, maar tegelijkertijd had het vreemde eraan hem afgestoten. En het feit dat hij vermoedde dat er waarheid school in Chaïms bewering dat Jezus van Nazareth meer was dan een mens, maakte de boel er alleen maar gecompliceerder op.

Hij had godsdienst altijd gezien als iets wat mensen nodig hadden om zin aan het leven te geven en een moreel kompas te hebben. Wat het ook was, hij had het nooit als iets persoonlijks gezien. Zijn vader had hem en zijn pleegbroers alles over de zeven feesten geleerd, lente en herfst, met de nadruk op het Pascha, en Stephen had plichtsgetrouw de koers gevolgd van alle niet-orthodoxe Joodse jongens, tot hij naar de Verenigde Staten was gekomen.

Hij was bij Chaïm met een ander soort godsdienst geconfronteerd. Die van hem was meer een eenvoudig geloof dan een verzameling tradities. De rabbi voelde zich nog steeds aangetrokken tot heel wat aspecten van het judaïsme, maar hij geloofde ook dat de Messias al gekomen was. Hij stelde zijn vertrouwen in Jezus van Nazareth en hij had het er nogal eens over dat hij helemaal weg van Hem was. Het christendom: geloof, liefde en heel wat natte zoenen op je wang van oude dames met een pruik.

Eigenlijk ging het om één bepaalde oude dame en eigenlijk om één natte zoen. De eerste keer dat hij de kerk was binnengelopen, had hij binnen enkele minuten kennisgemaakt met Marjorie Stillwater en hij had minstens de halve kerkdienst naar haar zitten kijken. Haar grote blonde pruik was naar de zijkant van haar hoofd gezakt, maar buiten hem leek het niemand op te vallen of te deren.

Een van de preken stond Stephen opeens weer helder voor de geest. Was dat bij zijn tweede of derde bezoek geweest? De voorganger had het over een verhaal dat Jezus blijkbaar had verteld, over een man die op zekere dag door het veld van een ander liep, een schat vond en helemaal uit zijn dak ging.

Zo had de voorganger het gezegd. Helemaal uit zijn dak. In die gelijkenis had de man de landeigenaar niets over de schat op zijn land verteld. Nee, hij was veel te veel op de schat gericht om zoiets fatsoenlijks te doen. In plaats daarvan had hij de schat weer verborgen, was weggeslopen, had alles verkocht wat hij had, had de eigenaar benaderd en het veld van hem gekocht, zonder iets over de schat te zeggen. Wel een beetje oneerlijk, eigenlijk. Verrassend dat Jezus zo'n verhaal had verteld. Alles bij elkaar genomen zou je toch denken dat de passie van een mens voor God meer in de buurt zou komen van wanhoop dan van koele beredenering.

Stephen knabbelde op een vingernagel en legde de link. Zijn eigen gedoe met het gebouw van zijn moeder verschilde niet zoveel van het verhaal van de man met dat veld, toch? Stephen mocht dan niet geïnteresseerd zijn in het koninkrijk van God, maar hij was dan ook niet de man in het verhaal. Nee, ze verschilden echt niet zoveel, hij en die man. Geen van tweeën was christen, ze zaten allebei achter een schat aan en allebei waren ze alleen maar gefocust op wat ze moesten doen om die schat te pakken te krijgen.

Die gedachte gaf hem wat moed.

Stephen was maar één keer naar het piepkleine huisje van Marjorie geweest, zes blokken bij de pier van Santa Monica vandaan, maar hij had genoeg gezien om precies te weten wat hem nu te doen stond.

Hij reed met een slakkengangetje voor het huis langs. Er scheen licht door de gordijnen van de woonkamer, maar hij kon niet zien of ze thuis was. Hij moest haar het huis uit zien te krijgen of zich ervan zien te verzekeren dat ze dat al was. Telefooncel.

Drie blokken verderop vond hij er een, zocht in het telefoonboek naar haar nummer en belde. Het was een eenvoudig plan. Als ze opnam, zou hij Marjorie voor een noodsituatie naar de kerk laten komen. *Kom snel, mevrouw Stillwater! Ik heb geen tijd om het uit te leggen, kom zo snel mogelijk hiernaartoe. Een kwestie van leven en dood.* Klik. Daar zou hij haar echt wel het huis mee uitkrijgen.

Maar na tien keer overgaan had ze nog steeds niet opgenomen, wat betekende dat ze waarschijnlijk naar haar bingoavondje was, precies zoals hij had verwacht. Perfect. De bingo stopte pas om... hoe laat eigenlijk? Waarschijnlijk niet voor acht uur. En dus had hij bijna een uur. Mooi.

Stephen parkeerde de Vega een blok bij Marjories huis vandaan en ging te voet verder. Het begon de afgelopen dagen een gewoonte van hem te worden om zijn auto overal minstens een blok verderop te parkeren, een opmerkelijk maar niet noodzakelijkerwijs crimineel feit. Hij liep recht op zijn doel af, zonder dat hij naar links of rechts durfde kijken. Niets wat de achterdocht van de buren zou kunnen wekken. Gewoon neef Stephen die op bezoek kwam.

Toen Stephen de eerste keer op bezoek was geweest, had de vrouw, die goed van vertrouwen was, haar sleutels binnen laten liggen en had ze de reservesleutel onder de derde bloempot vandaan gevist. De bloempot stond nog op dezelfde plek als hij zich herinnerde en gezien de vlekken op de veranda, kreeg hij nogal eens te veel water, waardoor de grond eruit spoelde. Stephen bukte zich, haalde de sleutel tevoorschijn, deed de deur van het slot en legde de sleutel weer terug.

En wat als ze nog steeds thuis was?

Hij liep naar binnen. 'Mevrouw Stillwater?!'

De deur van haar slaapkamer stond open, maar daarbinnen was het donker. Stephen deed de voordeur achter zich dicht. 'Mevrouw Stillwater?'

Het kleine huisje ademde alleen maar stilte uit. Ze was weg. Wat betekende dat ze vroeg of laat weer terug zou komen. Met zijn gebrek aan geluk waarschijnlijk vroeg. Stephen haastte zich de slaapkamer in, vond de schuifdeuren die waarschijnlijk toegang verschaften tot haar kast en schoof ze open.

Er hing een twintigtal jurken in, geselecteerd op kleur – rood, blauw en paars. Hij had hier absoluut niets te zoeken. De jurken roken naar talkpoeder.

Stephen liet zijn hand lichtjes langs de rij hangers glijden en schoof elke jurk iets opzij om hem goed te kunnen bekijken. Dit was de manier waarop vrouwen bij Sears liepen te winkelen. Urenlang. Ze lieten onuitputtelijk hun handen langs de rekken glijden en dachten dan aan wist hij veel wat. Hij was een keer met Sylvia gaan winkelen en was na het eerste rek al uitgeput.

Een mantelpakje zou het beste zijn, maar Marjorie was nou eenmaal niet het type voor mantelpakjes. En hij wist niet of hij nou wel zo weg was van haar kleurenkeuze. Veel paarstinten. Een jurk zou weleens te… vrouwelijk kunnen zijn. Een nette broek met jasje zou beter zijn. De vraag was of Marjorie die had. Hij zocht verder het rek af en stopte drie outfits van het eind bij een limegroen, polyester setje. Het zag eruit als nieuw. Misschien had ze het gekocht toen ze in een jeugdige bui was, maar had ze nog niet genoeg moed verzameld om het aan te trekken.

Hij trok het jasje van de hanger en hield dat voor zijn schouders. Marjorie was niet mager en ze was niet lang – het zou kunnen passen. Het was een idioot idee, maar dat was het hem nou juist. Niemand zou verwachten dat deze vrouw Stephen Friedman was. Daar als een vermomde man aankomen zou bijna onmogelijk zijn zonder professionele hulp. Maar daar aankomen als vrouw…

En toch werd hij niet echt enthousiast van het vooruitzicht het limegroene setje van Marjorie aan te trekken. Hij liep naar haar dressoir en begon in de laden naar de rest van zijn outfit te zoeken. Wat nog meer? Panty's – onontbeerlijk. Hij kon daar niet naar binnen lopen met harige enkels. Misschien zouden sokken ook werken. Dat hing af van de schoenen.

Hij beende weer naar de kast toe, hurkte neer en bekeek haar schoenen. De meeste hadden hoge hakken. Die zouden nooit passen. Werkende vrouwen droegen af en toe mannenschoenen, toch? Schoenen die leken op mannenschoenen? Hij staarde naar de kwastjes op zijn eigen zwartleren schoenen en probeerde die in gedachten te combineren met het limegroene setje van Marjorie.

Hij had eigenlijk weinig keus. Hij zou panty's doen in combinatie met zijn eigen schoenen. Het was niet helemaal ondenkbaar dat een vrouw in zijn toestand comfortabele schoenen zou aantrekken naar haar werk.

Stephen nam alles mee de badkamer in en liet het op de grond vallen. Een limegroene polyester broek met wijd uitlopende pijpen, een bijpassend net jasje, een lavendelkleurige blouse met gedraaide motieven, een witte panty, witte handschoenen en dan de kroon op zijn vermomming – de reden dat Marjorie een briljante keuze was – een blonde pruik.

Hij liet zijn broek zakken en trok de panty over zijn rechterbeen. Strak, maar ze moesten ook strak zitten. Het haar op zijn benen was nog steeds zichtbaar, maar daar zou de broek wel mee afrekenen. Hij stond op en stak zijn linkerbeen al rondhuppend in de andere kant van het nylon geval.

Deze methode van een panty aantrekken bleek minder briljant dan hij zich had voorgesteld. Hij had zijn been er al half in toen hij zich realiseerde dat het fout liep. Hij begon voorover te vallen, maakte een sprongetje, probeerde zijn been los te trekken en bereikte daarmee alleen maar dat hij languit de gang indook.

Na hem zo vreselijk te hebben verraden, schoot zijn mannelijke spierbeheersing hem te hulp. Hij dook in elkaar, zodat hij aan een rol begon en de muur met zijn rug raakte, in plaats van met zijn hoofd. Het hele huis schudde van de klap. Een plank met snuisterijen kwam van de muur en knalde op zijn hoofd voor hij zijn armen kon opheffen om zijn hoofd te beschermen.

Stephen lag op de vloer, zijn ene been nog half verstrikt in de panty, en maakte snel de balans op van zijn situatie. Stilte. Geen gebonk op de deur en geen dwingende stemmen die wilden weten wie daarbinnen een panty probeerde aan te trekken.

Zo'n dertig centimeter bij zijn hoofd vandaan lag een gebroken bord – niet ongewoon met al die aardbevingen die deze streek aandeden. Alles bij elkaar genomen had hij een echte ramp weten te voorkomen.

Stephen rolde zich op zijn rug en trok aan het tweede pantybeen. Hij had het gevoel alsof hij vanaf zijn enkels was vastgebonden. Hij kon zich niet voorstellen dat vrouwen zich vrijwillig in dit soort ondingen hesen.

De rest van de outfit kreeg hij gemakkelijk aan – limegroene broek, lavendelkleurige blouse, limegroen jasje. Zijn eigen schoenen. Een beha was niet nodig, niet met dat jasje. Zie je, dat was ook slim; gezien zijn gevecht met de panty was het niet ondenkbaar dat hij zichzelf zou ophangen als hij een beha zou proberen aan te trekken. Stephen deed zijn schoenen weer aan en ging voor de manshoge spiegel staan die aan de deur was gemonteerd.

Limegroen was duidelijk niet zijn kleur, maar de lavendelkleurige blouse zorgde voor een beetje kleur op zijn gezicht. Hij trok aan de mouwen van het jasje en wist ze een paar centimeter langer te maken, genoeg om het haar aan het oog te onttrekken op de plek waar de handschoenen tekortschoten.

De zwakste schakel van zijn vermomming was duidelijk de lengte van de broek, waarvan de wijd uitstaande pijpen vijftien centimeter boven zijn enkels ophielden. Een kuitbroek – hij wist zeker dat hij nu en dan weleens een model met zoiets had zien lopen. Zijn zwarte schoenen leken een beetje uit de mode – misschien zou hij die zelfs wel in de auto laten.

En nu de tweede reden waarom Marjorie Stillwater zo'n briljante keuze was – make-up. Zelfs al had hij een nieuwe outfit bij Woolworths gekocht, dan zou hij nog steeds make-up nodig hebben gehad en een mogelijkheid om het op te brengen.

Hij liep de slaapkamer weer in en wierp een blik op de klok die op het dressoir stond. Half acht. Tijd genoeg.

Hij vond een scheermesje in haar douche en schoor zijn gezicht zo glad als het botte mesje dat toeliet, waarna hij zich afdroogde met een handdoek. Poeder voor op zijn gezicht. Veel. En een beetje roodachtig spul dat hij in haar derde lade had gevonden en waarvan hij vermoedde dat het rouge of iets dergelijks was. Hij bekeek zijn werk in de spiegel.

Meer. Meer make-up.

Vijf minuten later zette hij de blonde pruik op en deed een paar stappen achteruit om het uiteindelijke resultaat te bekijken. Hij zag er eigenlijk behoorlijk angstwekkend uit, met al dat haar en de rode lippenstift. Hij zag eruit als een stengel selderij met blonde blaadjes. Maar buiten de zware wenkbrauwen was er geen greintje mannelijkheid aan hem. De zware wenkbrauwen en de vierkante kaak. En de schoenen.

Aan de andere kant bedacht hij dat hij er behoorlijk sexy uitzag voor iemand die niet beter wist. Hij zou zijn schoenen uitschoppen voor hij naar binnen ging en zou met lichte tred proberen te lopen. Bij niet al te veel licht zou hij gemakkelijk kunnen doorgaan voor een inspectrice van een nutsbedrijf. Hij schraapte zijn keel en probeerde een passende stem.

'Hallo?' Te laag. Klonk niet als een limegroene selderijstengel.

Hij probeerde het nog eens en leunde tegen zijn falset aan. 'Hallo, ik ben Wanda.'

Er sloeg een deur dicht. Ze was vroeg thuisgekomen!

Een seconde lang, die aanvoelde als een eeuwigheid, versteende Stephen. De lades in de badkamer stonden open, zijn kleren lagen in een stapeltje achter hem en de gevallen plank en het gebroken bord bevonden zich links van hem. Hij rukte zich los uit de greep van deze verlammende angst en probeerde zo snel mogelijk zijn sporen uit te wissen. Het gebroken bord ging de wasmand in; de gevallen plank onder de wastafel, samen met een bronzen olifant die er ook op had gestaan; de lippenstift ging terug in de derde lade van beneden. Of was het de tweede?

Geen tijd. Hij griste zijn kleren van de vloer, rende naar de slaapkamer toe en tikte in het voorbijgaan het licht uit. Hij bekeek de slaapkamer. Behalve gaten branden in garagedeuren was door het raam duiken een van de beste manieren om het huis van iemand anders ongemerkt binnen te komen of te verlaten.

Behalve als ze waren beveiligd met smeedijzeren hekken.

En dus deed Stephen wat elke man in zijn situatie zou doen: hij liet zich op zijn handen op de vloer vallen en rolde in één vloeiende beweging onder het bed. Maar dat leverde onmiddellijk twee problemen op. Eén, zijn voeten staken uit. Dat loste hij op door ze met een ruk op te trekken. Zijn linkerknie knalde tegen de onderkant van het bed aan, waardoor het hele bed een paar centimeter de lucht inging. Hij reageerde op de scherpe pijn in zijn been door de knie weer te laten zakken. Het bed bonkte zacht weer terug in zijn frame.

Het tweede probleem dat hij zag toen het bed tijdelijk omhoogstond: hij had zijn kleren laten vallen toen hij onder het bed rolde. Ze lagen in een hoopje achter de overhangende zoom van de beddensprei. Hij griste ze geen seconde te vroeg het duister in.

Het licht ging aan. 'Hallo?'

Stephen hield zijn adem in, maar zijn hart leek door de ruimte onder het bed te echoën.

Blijkbaar gerustgesteld neuriede Marjorie een paar noten en liep toen de badkamer in. Hij kon haar niet zien, wat betekende dat zij hem ook niet zag. Hij zou nu weg moeten glippen.

Stephen begon in beweging te komen, maar Marjorie liep, nog steeds neuriënd, terug de slaapkamer in. Ze had in elk geval het bewijsmateriaal in de wasmand nog niet gevonden. Of, nu hij erover nadacht, nog niet gezien dat de plank ontbrak.

Ze gooide iets op het bed en ging weer op weg naar de badkamer. Stephen wachtte een paar seconden en ging toen weer op weg naar het voeteneind van het bed, waarvandaan hij zich stilletjes uit de voeten zou maken.

Maar Marjorie, die was overgegaan van neuriën naar een volledige opera, kwam nogmaals terug voor hij halverwege was. Ze liet zich zwaar op een hoek van het bed neerzakken en het volume van de operastem werd opgeschroefd.

Stephen wist dat bedden met slechte spiralen doorbogen onder iemands gewicht, maar *doorbuigen* was naar zijn smaak een iets te elegante term om...

Marjorie sprong op en liet zich met een hoge vibrato op bed vallen. Het spiraal ramde tegen zijn borst en hij gromde. De opera eindigde abrupt. Na een paar momenten stilte snoof ze een keer, verplaatste ze haar gewicht iets om comfortabeler te liggen en deed het licht uit.

Deed het licht uit? Hoe laat was het – half acht? Wie ging er nou om half acht naar bed?! Dit ging helemaal niet goed. Een selderijstengel met blonde blaadjes die in het donker muurvast lag onder het lichaam van een vrouw die nog eerder naar bed ging dan de zon.

Stephen dacht na over zijn benarde situatie. Zelfs Gerik, met al zijn gepraat over obsessies, zou het hier niet mee eens zijn.

Heb ik gezegd dat hij steenstapelgek moest worden? zou hij de jury vragen. *Nee, ik heb gezegd dat we zijn geschapen om geobsedeerd te raken. Niet dat je vrouwenkleren aan moet trekken en onder het bed van een vreemde moet kruipen.*

Stephen wachtte tien minuten voor een zacht gesnurk hem geruststelde. Hij drukte zijn beide handpalmen plat tegen de spiraal en duwde voorzichtig omhoog. Als een gewichtheffer. Hoeveel? Het voelde aan als tweehonderd kilo. Een dood, loodzwaar, niet-meegevend gewicht dat –

Marjorie rolde om en Stephen gleed een centimeter of zes naar rechts. Het geluid werd gemaskeerd door de beweging van de vrouw. Dat was het! Bewegen wanneer zij bewoog.

Hij wachtte een minuutje en duwde toen weer tegen de spiraal. Ze leek wel een omgezaagde boomstam, dus duwde hij harder. Ze draaide weer iets en hij schoof een centimeter of vijf verder. Het werkte. Vijf keer duwen en hij was vrij.

Stephen stopte zijn kleren onder een arm en kroop op de overgebleven ledematen als een stelende aap de slaapkamer uit.

Op het moment dat hij de veranda op stapte, had hij spijt van zijn beslissing om de auto een blok verderop te parkeren. Er was hier straatverlichting! De hele buurt kon hem zien. Aan de andere kant zou het hem de mogelijkheid bieden om te oefenen. Hij moest even de tijd hebben om zelfvertrouwen te krijgen, om als een vrouw te lopen. Dit was niets minder dan een onverwachte meevaller.

Stephen ging op weg naar het trottoir. Hij probeerde verschillende loopjes en besloot gewoon kleine stappen te nemen. En met licht gebogen armen en een loshangende pols was het plaatje compleet.

Er werd gefloten. Hij schrok. Aan de andere kant van de straat leunde er een man tegen een straatlantaarn en die stond naar hem te staren. Naar haar. Stephen haastte zich naar de Vega toe.

Tegen de tijd dat hij achter het stuur kroop, voelde Stephen zich behoorlijk opgewekt. Hij zat er helemaal in. Zijn plan zou werken; dit voelde goed. Het dashboardklokje vertelde hem dat het kwart over acht was – een beetje laat voor een inspectie, maar dit kon niet wachten tot maandag.

177

22

Hij maakte nog twee tussenstops op weg naar het appartement en arriveerde om half negen – later dan verwacht – maar hij had nu een juiste invalshoek verzonnen.

Stephen pakte de zwartleren dokterstas, haalde diep adem, zette zijn pruik goed met behulp van de achteruitkijkspiegel en stapte uit. Vanaf dit punt moest hij puur professioneel overkomen. Zelfverzekerd. Vastberaden. Hij draaide zich om, liep een blok verder, nam de trap naar de veranda en drukte op de deurbel.

Hij schraapte zijn keel en probeerde de stem uit die hij tijdens de rit hierheen had bijgeschaafd. Hij klonk nog steeds mannelijk, maar na een halfuur oefenen was het hem toch gelukt er iets vrouwelijks in te leggen.

Hij greep snel in de tas, haalde er een plastic citroen uit en kneep wat sap in zijn mond. Hij had het citroensap samen met nog wat andere spullen gekocht, met de gedachte dat het hem zou helpen met zijn stem.

Er ratelde een ketting. Geschrokken gooide hij de plastic citroen over de leuning en deed zijn best om de ongemakkelijke warmte te negeren die door zijn hoofdhuid trok. Van nu af aan was hij een zij. Niet vergeten. Zij, zij, zij.

De deur ging op een kiertje open; de man die hij kende onder de naam Claude stond erachter. 'Ja?'

'Alicia Ferguson, stadscontrole,' zei Stephen met zijn falsetstem. 'Ik kom voor ongediertecontrole.'

De ogen van Claude zwierven over zijn lichaam. Haar lichaam. Ze stopten bij haar schoenen. Stephen keek naar beneden. Hij was vergeten ze uit te doen. Ze zagen er absurd uit.

'Deze baan is de pest voor mijn voeten,' zei Stephen. 'Ik kan me niet veroorloven me druk te maken om de laatste mode.'

'Het is al avond,' zei Claude. 'Er is mij niets over een inspectie verteld. Op dit uur zijn bezoekers niet meer welkom.'

'Ik ben bang dat u niet veel keus hebt; 5031CBB is niet iets waarover we een discussie aangaan. Ik zal binnen het een en ander moeten controleren en dan ben ik weer weg.'

Vijf minuten alleen in de kelder was alles wat hij nodig had.

'We hebben hier niets over gehoord.'

'Dat verbaast me niks,' zei Stephen. 'Ik loop de halve dag tekst en uitleg te geven, wat een van de redenen is dat ik vandaag zo laat ben.' Hij haalde een bundeltje papieren uit zijn tas. 'Ik had een vent aan de Thirty-fourth die zover ging dat ik de autoriteiten erbij moest halen. Gelijk twee uur achter op schema.' Hij bladerde wat door het papierwerk. 'Ah, hier is het, stadsverordening 5031CBB. *De stad zal naar eigen keuze elk gebouw dat verdacht wordt van besmetting met ongedierte, binnen zeven dagen na de verkoop inspecteren.* En dat gaat zo nog even door, maar dat is zo'n beetje de kern van het verhaal. Tien à vijftien minuten – meer heb ik waarschijnlijk niet nodig.'

Claude keek achterdochtig naar het papierwerk en trok een portofoon van zijn heup. Hij zei iets in het Duits. In de garage blafte een hond. Twee honden.

Claude liet de portofoon weer zakken. 'Het spijt me, maar ik kan u om deze tijd niet binnenlaten. Kom maandag maar terug.'

'Ik geloof niet dat u me helemaal goed hebt begrepen, meneer. Ik ga dit gebouw nu inspecteren. Als u me de toegang weigert, kom ik zo terug met de politie en enkele collega's.'

'Het is al na achten. Waarom werkt u zo laat nog?'

'Ik dacht dat ik u dat al had uitgelegd. Ik had een andere koppige buitenlander die me weinig andere keus liet dan de politie erbij te halen. Ik heb hier niets over te zeggen; ze geven me tien gebouwen en ik moet tien gebouwen af hebben. Als ik er minder doe, heeft dat nadelige gevolgen voor mijn bonus en ik ben niet van plan me door u geld door de neus te laten boren.' Claude staarde hem alleen maar aan en Stephen vroeg zich af of hij hem wel had gehoord. Hij spreidde zijn handen en zorgde ervoor dat dat er zo elegant mogelijk uitzag. 'Prima. Dan ben ik binnen een paar minuten terug met de politie.'

Hij begon zich om te draaien en deed of hij weg wilde lopen. Claude sprak snel in de portofoon. Het antwoord kwam samen met een hoop statische ruis.

'Waar moet u uw onderzoek verrichten?' wilde Claude weten.

'Ik moet vijf soorten ongedierte uitsluiten,' zei Stephen. 'Ik zal het even moeten bekijken.'

Weer een snelle woordenwisseling over de radio.

Claude duwde de deur verder open. 'Schiet alstublieft op. We moeten zo weg.'

'Oh ja? Wacht maar niet op mijn bevindingen – ik sluit wel af.'

'Voer die controle nou maar uit. Alstublieft.'

Stephen liep naar binnen en keek rond in de enorme garage. Van een plek halverwege de garage gromden twee dobermans naar hem, waar ze aan een metalen profiel waren vastgebonden.

Naar rechts, de trap.

'Goed, wat dacht u ervan om me even alleen te laten om wat controles uit te voeren?' zei hij. 'Zeg… een minuut of vijftien?'

'Ik kijk liever.'

'Nou, ik zou liever in bed liggen en mijn arme voeten wat broodnodige rust gunnen. Weet je wat, Claude, waarom ga jij niet hier zitten en laat je mij doen waarvoor ze me betalen en…'

'Hoe weet u hoe ik heet?'

Stephen knipperde met zijn ogen. 'Jij bent toch Claude, nietwaar? Compagnon van ene meneer Roth Braun, stond er volgens mij in de papieren.'

Claude aarzelde. 'Ja.'

'Nou, Claude, als je het niet erg vindt, doe ik liever mijn werk zonder dat jij me in mijn nek hijgt. Goed, waar bevinden zich de rioleringsbuizen in dit rattenhol?'

'Overal…'

'Heeft dit gebouw een kelder?'

'Ja.'

'Dan denk ik dat ik daar het beste kan beginnen. Hoe kom ik daar?'

Claude gebaarde naar de trap.

Stephen greep zijn tas en liep er zonder aarzelen heen. Met een beetje geluk zou Claude blijven staan waar hij stond. Meer hints zou hij toch niet nodig hebben?

Hij bereikte de deur en liep het trappenhuis in. Geen Claude. Er voer een huivering door hem heen. Hij ging het redden! Blijf daar maar, grote jongen. Hij rende naar het eerste bordes toe. Blijf gewoon…

De deur ging open. Claude keek op hem neer. Stephen voelde zijn hart in zijn schoenen zakken. Als hij een vuurwapen had gehad, zou hij het waarschijnlijk hebben getrokken om de vent om zeep te helpen.

'Heb jij niets beters te doen?'

Claude kwam de trap af zonder te reageren.

'Prima,' zei Stephen en hij liep de trap weer op. Hij was niet van plan de man naar de kluis toe te leiden. Hij zou zich boven moeten bezinnen op verdere acties.

Hij liep snel en zijn gedachten draaiden op topsnelheid. Dit was niet de bedoeling. 'Als jij me lastig blijft vallen, kom ik morgen met versterking terug. Dit is ronduit belachelijk. Ik moet zeggen dat ik nog nooit...'

Er streek koele lucht over zijn hoofd. Zijn haar voelde plotseling bevrijd aan.

Stephen draaide zich met een ruk om en zag dat er een paar losse haren van de pruik in een houten balk waren blijven steken. Hij hing dertig centimeter bij zijn platgedrukte haar vandaan heen en weer te slingeren.

Heel even bleven ze allebei stilzwijgend staan, gebiologeerd starend naar de blonde bos haar. Ze keken elkaar aan.

Stephen gooide de tas naar Claude toe, vloog de trap op en rende langs hem heen terwijl hij de tas meegriste. De Duitser gaf een brul, struikelde en kwam achter hem aan. Als Stephen voor de hakschoenen had gekozen, zou hij nu zo goed als dood zijn. Maar hij had een voorsprong en hij had een broek aan. Hij vloog als een limegroene streep door de garage.

De voordeur stond nog steeds open. Stephen spurtte naar buiten en vluchtte naar de Vega toe.

Claude bleef op de veranda staan en schreeuwde iets in het Duits, maar Stephen ving er nauwelijks iets van op, laat staan dat hij het begreep.

Hij startte de auto voor de deur goed en wel dichtzat en reed met gillende banden weg, in de richting van La Brea. Het duurde een paar blokken voor hij ten volle besefte wat er zojuist was gebeurd.

Hij had het overleefd. Dat was mooi.

Hij had gefaald. Dat was niet zo mooi.

23

Roth Braun daalde de trap trede voor trede af en voelde zijn lotsbestemming als vloeibaar goud door zijn aderen vloeien. De man had zijn kaarten uitgelegd zoals te verwachten was.

Met die laatste voorstelling had de Jood hem meer gegeven dan hij van plan was geweest: hij was geïnteresseerd in de kelder. Vanaf het begin was hij al in de kelder geïnteresseerd geweest.

Dat was de reden waarom hij de aandacht op de bovenste verdieping had willen vestigen. Dat was de reden waarom hij in de garage had ingebroken en toen vanuit het niets was opgedoken. Dat was de reden dat hij naar beneden was gegaan en weer op zijn schreden was teruggekeerd toen Claude hem volgde.

Het hart van de Jood lag in de kelder.

Hij liep de garage in en staarde naar de honden. Hun ogen reflecteerden geel in het zwakke licht, maar ze verroerden zich niet. Ze voelden iets. Ze voelden zijn macht, als een ultrasoon geluid, onhoorbaar voor het menselijke oor.

Hij siste en werd beloond met een zacht gejank.

Roth trok de deur van het trappenhuis open en liep naar beneden. Hij deed geen moeite het licht aan te doen.

In de kelder verkoos hij de lichtschakelaar over te halen. Zijn adem klonk hol en uitnodigend in de betonnen ruimte. De Jood was hier geweest – hij voelde de emotie in de lucht. Opwinding. Angst. Hoop.

De geur van deze ruimte deed hem denken aan de kelder van zijn vaders huis in Toruń. Schimmel en modder. Bijna hetzelfde als een graf.

Dit was een onverwachte traktatie, toch? Hier in Amerika, zo ver van huis en toch een beetje thuis.

Roth kreeg de neiging om te zingen. Hij sloot de deur achter zich, staarde naar de grijze ruimte met zijn dichte stalen deuren en zong het Duitse oorlogslied. Zijn stem vibreerde en echode door de ruimte, en hij stak zijn vuist in de lucht en zong nog harder. Het hele lied, net zoals hij dat als kind had gedaan.

Met een voldaan gevoel draaide hij zijn hoofd, strekte hij zijn nek en liep hij naar de deur recht tegenover hem.

Dit was de derde keer dat hij in het stookhok was. De andere ruimtes waren van beton en leeg, dus als er iets verborgen zou liggen in de kelder, zou het zich waarschijnlijk in het stookhok bevinden. De vorige twee bezoekjes waren nogal vluchtig geweest, maar deze keer zou hij zoeken naar bewijzen dat de Jood hier bezig was geweest.

De dikbuikige boiler zag er onaangeraakt uit. Geen enkel teken dat...

Roth hield zijn adem in. Het vat erachter was verplaatst. Hij voelde het bijna meer dan dat hij het zag, hoewel een lijntje in het vuil, een centimeter van de rand vandaan, zijn vermoeden bevestigde.

Roth deed een stap naar voren en trok het vat opzij. Er zat een stalen deksel in de vloer. Het was schoon geschraapt.

Een vloerkluis.

Hij werd overspoeld door een golf van razernij. De Jood had hem verslagen. Hij was buiten spel gezet. Door een Jood.

Hetzelfde als wat er met zijn vader was gebeurd.

De gevoelens die hem hadden verwarmd toen hij het lied zong, waren verdwenen. Hij balde zijn vuisten en sloot zijn ogen. Zelfbeheersing.

Natuurlijk was niet alles verloren. Tijdens zijn laatste, ongelofelijk gedurfde bezoek als inspectrice was de Jood niet beneden geweest. Dat had Claude hem verzekerd. Wat Stephen hier de vorige keer had gevonden, was er nog steeds, anders zou hij niet zoveel hebben geriskeerd door terug te komen.

Roth bukte, trok het stalen deksel opzij en tuurde in het gat. Hij haalde de blikken trommel eruit en staarde naar de foto van een vrouw die hij onmiddellijk herkende.

Het was een belediging voor hem haar hier in Amerika op deze trommel te zien. Het feit dat ze zelfs kans hadden gezien een foto van haar naar buiten te smokkelen, was een belediging voor zijn vader. Voor hem.

Roth toonde een behoorlijke zelfbeheersing door de foto niet van het deksel te scheuren. In plaats daarvan trok hij met een rustige beweging het deksel open. In de trommel lag Rachels schat, omwikkeld met een stuk doek.

Maar was het de schat van zijn vader?

Hij zette de blikken trommel neer en wikkelde voorzichtig de doek van de inhoud.

Zijn hoofdhuid werd warm en trok zich strak, en het duizelde hem even.

Het dagboek.

Geen Stenen, maar dat verbaasde hem niet echt. Een relikwie dat zo waardevol was als de Stenen van David zouden nooit zo gemakkelijk boven komen drijven.

Maar het dagboek was voor nu waardevol genoeg. Het was dus waar. Ze had het dagboek samen met de Stenen naar buiten gesmokkeld. Het dagboek dat niet alleen Gerhard in diskrediet kon brengen, maar ook tientallen anderen. Ze had het al die jaren verborgen gehouden, in de wetenschap dat als Gerhard zou worden geëxecuteerd voor bepaalde zogenaamde misdaden, haar hoop zou vervliegen om ooit haar zoon terug te vinden.

Ze was niet gek.

Roth tilde de oude leren kaft op en staarde naar de inhoud. Elke vrouw die Gerhard ooit had gedood, stond opgetekend, op volgorde. En bij elke naam stonden de details van het ritueel en was een druppeltje van hun bloed aangebracht.

Bij het dagboek zat een brief. De brief vertelde de rest van het verhaal. Rachels verhaal.

Roth zonk neer op zijn knieën en begon te huilen van dankbaarheid. Er lag zoveel hoop in dit boek verscholen. Zoveel angst en wanhoop en verlangen. Zoveel kracht. Zijn vastbeslotenheid om af te maken wat hij was begonnen toen hij dit gebouw kocht, raasde als een waterval door hem heen.

Gerhard wilde dit dagboek terug omdat het levensbedreigend voor hem was, maar Roth wist dat het dagboek Stephen zou aantrekken. Roth was niet naar Los Angeles gekomen voor de Stenen. Nee. En ook niet voor het dagboek.

Roth was hierheen gekomen voor Stephen.

Hij bracht een uur met het dagboek door, zoog de betekenis ervan in hem op en plande zijn volgende zet. Dit was mooi. Dit was heel mooi. Het bevestigde alles wat hij al had vermoed. Hij was waarschijnlijk op dit ogenblik de gelukkigste man ter wereld. Maar zijn succes had maar weinig van doen met geluk. Hij was hier omdat hij dit lot had verdiend en er ook lang en hard genoeg voor had gewerkt.

Dertig lange jaren.

Hij legde het dagboek terug in de blikken trommel, net zoals hij het had gevonden, zette de trommel weer terug in de kluis, trok het deksel over het gat en zette het vat weer op zijn plek.

Stephen moest de schat vinden en dat moest hij zelf doen, op een manier die zijn hoop zou opdrijven tot ongekende hoogten.

Hij stond op. Dit moest worden gevierd.

Roth verliet de kelder en was vastbesloten vannacht niet één, maar twee vrouwen te vinden.

24

Toruń
1 augustus 1944
Einde werkdag

De geboorte van de kleine Esther had de barak van Martha vervuld met een surreële hoop die tegen alle verwachtingen in voortduurde. De geruchten van massale vergassingen in Auschwitz kwamen nu zo regelmatig dat geen van de vrouwen er meer aan twijfelde. Hongarije was zo'n beetje ontdaan van alle Joden, zeiden ze, en de meesten daarvan waren naar Auschwitz verdwenen. Alleen de sterksten werden af en toe gespaard en naar het noorden gestuurd, naar Stutthof. Martha kon de gedachte aan wat er met haar moeder en zus was gebeurd nauwelijks verdragen. Een deel van haar bleef volhouden dat ze het zich niet kon veroorloven aan hen te denken – ze moest maar aan één ding denken: het kind baren dat in haar groeide. En dat kon elk moment gebeuren, zelfs vannacht al. Hoogstens over een paar dagen.

Haar hart begon elke keer te bonken wanneer ze dacht aan de bevalling. Stel je voor, niet één baby in de barak, maar twee! Esther en David. Of als het een meisje zou worden, Esther en Esther. Twee sterren van hoop.

Ruth en Martha haastten zich de fabriek uit en liepen snel naar de barak, waar Rachel vandaag voor de baby zorgde. Ruth had van de commandant tien dagen bij Esther mogen blijven voor hij opdracht had gegeven dat ze weer aan het werk moest.

'Ze zal wel uitgehongerd zijn,' zei Ruth buiten adem. 'Het is al acht uur geleden dat ik haar heb gevoed. Die man is een beest!'

'Natuurlijk is hij dat,' zei Martha. 'Maar hij is goed voor jou geweest. En Esther maakt het prima.' Ze keek op naar een groep vrouwen die de andere kant op ging en hen passeerde. 'De helft van de vrouwen in het kamp loopt te mopperen over hoe je voorgetrokken wordt.'

'Niet in onze barak.'

'Nee, niet degenen die je kennen, maar degenen die je met Esther naar zijn huis zien lopen. Ze zijn woest. Ze denken dat hij je mag.'

'Dan zouden ze eens een paar uur met hem moeten doorbrengen! Hij staat erop dat ik ga; wat moet ik dan, hem een mep in zijn gezicht geven? Ik moet nu aan Esther denken. Hij heeft me geen één keer aangeraakt. Weten ze dat wel?'

'Dat heb ik hun verteld. Praat niet zo hard.'

Hele groepen vrouwen liepen over het kamp, terug naar hun barak of naar de douches, voor ze op appèl moesten. Hier in Toruń klemden zo'n vijfduizend vrouwen, waarvan ondertussen de helft Joods, zich vast aan de hoop dat ze gespaard zouden blijven, hoewel ze wisten dat een enkel bevel het einde kon betekenen. Vanuit het oosten naderden de Russen. Als ze het nog even zouden uithouden, zou de nachtmerrie zo voorbij kunnen zijn. De kleine Esther was gespaard gebleven en was een nieuw leven buiten haar moeder gegund – misschien zouden zij ook worden gespaard.

Martha stelde zich een leger voor dat over de velden in het oosten oprukte om hen te bevrijden. Wat een dag zou dat zijn. Zij en Ruth die hun kleine baby's in dekens omwikkeld hielden, meegenomen om een nieuw leven te beginnen. Ze douchten en gingen op weg naar de barak, waar Rachel met Esther op haar wachtte. Vijftig meter. Ruth ging sneller lopen.

'Ik word gek van dat wachten,' zei Martha.

Ruth keek Martha met heldere ogen aan. 'Oh, Martha, je zult het geweldig vinden. Het is een wonder. Je kunt het nieuwe leven uit je voelen komen en op dat moment vergeet je alles om je heen.'

Martha moest lachen. 'Behalve de pijn dan.'

'Nee, de pijn probeert je af te leiden, maar de baby is sterker dan de pijn. Martha! Een baby! Je gaat een baby baren en de hele wereld staat dan even stil.' Ruth raakte Martha's buik aan. 'Voel je het niet?'

'Ja. En eerlijk gezegd ben ik doodsbang.'

Ruth nam haar hand in de hare en gaf er een kneepje in. 'Dat was ik ook. Ik was zo bang dat ik niet eens goed kon ademhalen. Jij zei tegen me dat ik moest ademen en hoewel een deel van mij helemaal in de wolken was om wat er gebeurde, was de andere helft doodsbang.' Ze glimlachte breed, alsof het een geheim was geweest.

Maar Martha kende haar vriendin maar al te goed. Ruth, de moedige, die de waarheid sprak en haar kin opgeheven hield, had net zoveel troost en bemoediging nodig als alle andere vrouwen in het kamp. Ze was in bepaalde opzichten net een meisje – wijs en vol zelfvertrouwen, zolang Martha haar hand maar vasthield.

Ruth huppelde tussendoor af en toe.

'Hou daarmee op, Ruth. Wil je zout in hun wonden strooien?'

'Ze zouden best af en toe een beetje zout kunnen gebruiken. Het rode sjaaltje is niet meer in de buurt van hun bed geweest sinds Esther is geboren. Zien ze dat dan niet? Ze zouden dankbaar moeten zijn voor mijn gehuppel en al die keren dat ik de heuvel op ga. De kleine Esther en ik staan tussen hen en dat monster in. Hij vindt haar leuk, wist je dat? Ik vind het een vreselijke gedachte, maar dat varken is gek op mijn baby.'

Ze haastte zich de laatste twintig meter naar de barak toe, gooide de deur open en rende naar binnen met Martha op haar hielen. 'Rachel?'

Ruth stond abrupt stil toen ze drie stappen de barak in was gelopen en Martha struikelde bijna over haar heen. Verderop in het gangpad tussen de britsen stond Rachel naar hen te kijken. Ze had de baby in haar armen en de tranen stroomden haar over de wangen.

'Wat is er aan de hand?' Ruth rende naar haar baby toe. 'Wat hebben ze gedaan?' wilde ze weten.

Was er iets met Esther gebeurd? Martha kreeg een beklemd gevoel om haar hart. Ze rende achter Ruth aan, die het bundeltje voorzichtig van Rachel overnam.

'Is ze in orde? Zeg alsjeblieft dat ze in orde is.'

Rachels lippen trilden. Ze zei nog steeds niets. Ruth trok de deken voor het gezichtje van haar baby weg. Het kind begon te huilen. Ze leefde dus nog!

'Ssj, ssj. Het is al goed. Mama is er.' Ruth wiegde haar zachtjes in haar armen. 'Wat is er, Rachel? Heeft ze honger?'

Rachel reageerde niet. Waarom zou ze ook? Het was een retorische vraag. Achter hen kwamen enkele anderen de barak in.

Ruth trok haar shirt omhoog en liet de baby drinken. Het kind werd stil en begon luidruchtig smakkend te drinken. 'Zie je, Rachel? Er is niks met haar aan de hand. Wat is er nou?'

Iemand achter hen hapte naar adem. 'Het sjaaltje!'

Martha keek langs Rachel heen en zag onmiddellijk het sjaaltje. Het helderrode materiaal was over een van de lagere bedden gedrapeerd, zes of zeven stapelbedden verder.

Het eerste wat Martha dacht, was dat Ruth het mis had gehad, wat de commandant betrof.

Het tweede was het besef dat het rode ding vreselijk dicht bij haar eigen bed lag.

Op haar bed.

Ze knipperde met haar ogen, niet in staat de betekenis ervan tot zich door te laten dringen. Het zijden sjaaltje lag schuin over een hoek van haar bed. Die spetter rood tegen het grauwe grijs van de deken. Dit was natuurlijk een vergissing. Dat was haar brits. Ze stond op het punt om een baby te baren. De commandant had het beloofd.

De barak vulde zich met meer vrouwen. Vragen – Wat is er? Wat is er aan de hand? Wat staat iedereen hier? – en toen stilte.

Martha stond nog steeds verbijsterd naar haar bed te staren.

Ruths baby lag rustig naast haar te sabbelen.

'Ruth?' Martha keek haar aan en maakte zich plotseling vreselijk zorgen. 'Wat…?'

'Het spijt me,' zei Rachel huilend. 'De bewaker kwam binnen en vroeg me wat het bed van Martha was. Ik wist het niet; ik zweer het jullie, ik wist het niet. Hij legde het sjaaltje daar neer en vertrok weer.' Ze viel op haar knieën en greep Martha's jurk. 'Het spijt me zo, Martha. Het spijt me zo.'

'Stop daarmee!' beet Ruth haar toe. 'Stop met dat gejammer, Rachel.'

Golda baande zich een weg door de groep vrouwen heen. 'Wat is er aan de hand?' En toen zag ze het sjaaltje en haar lippen vormden een grimmige lijn.

En dat zweefde allemaal door Martha's gedachten: Rachels gehuil, Ruths woede, Golda's stilzwijgen. En het betekende allemaal hetzelfde.

Vannacht zou ze worden opgehangen, voor haar kind geboren was.

Haar benen begonnen het te begeven en ze stak haar handen uit om haar val te breken, maar Rachel en Golda hielden haar vast. Ze wilde gillen, maar ze begon plotseling te hyperventileren. De anderen zwegen en ze haatte hen erom. Een hijgend gekreun rolde over haar lippen.

Ze zouden haar om half zeven komen ophalen, over tien minuten.

Maar de baby! Nee, dit kon hij niet maken! Dit was onmenselijk! Waarom had hij dat sjaaltje op haar bed laten leggen? Hield hij niet zoveel van David als van Esther?

'Ruth.' Ze raakte haar buik aan. 'Ruth!' Haar stem klonk ver weg, niet menselijk. Ze zag dat haar vriendin nog steeds naar het sjaaltje stond te staren, haar baby in haar armen.

'Hou Esther even vast, Rachel,' hoorde ze Ruth zeggen.

'Waar ga je heen?'

'Naar de commandant.'

'Nee!' protesteerde Golda. 'Je kunt niet zomaar…'

'Hij gaat haar vermoorden!'

'En als jij nu naar hem toe gaat, zou hij jou net zo goed weleens kunnen vermoorden.'

'Het is mijn eigen leven!' gilde Ruth.

'Hou op!' riep Martha uit. Haar lippen trilden, maar ze kon het niet verdragen dat deze vrouwen tegen elkaar stonden te schreeuwen. Ze ging met een plof op de dichtstbijzijnde brits zitten. 'Ga alsjeblieft geen ruzie staan maken. Ruth, je weet dat je daar niet zomaar naartoe kunt gaan. Je moet aan Esther denken.'

Ruth staarde haar met een rood aangelopen gezicht aan. Ze keek naar het sjaaltje en toen weer naar Martha. Langzaam ontspande ze zich weer.

'Ik weet dat dit vreselijk is,' zei Golda, 'maar hij heeft op deze manier al tientallen vrouwen vermoord.'

'Ze is zwanger!' beet Ruth haar toe. 'Hij heeft haar zijn woord gegeven!'

'We zullen het moeten accepteren.'

Martha wist dat ze gelijk had, maar de waarheid kon niet voorkomen dat ze de vrouw bijna haar ogen uitklauwde. Hoeveel zwangere vrouwen had de commandant tot nu toe opgehangen? Hoeveel, net voor hun kind werd geboren?

'Nee,' zei Ruth. 'We hoeven dit niet te accepteren.'

Ze liep het gangpad in en pakte het sjaaltje. 'Hij heeft me ooit verteld dat de vrouw met het rode sjaaltje het lam dat de Joden slachtten symboliseert. Ze zou sterven voor het hele kamp, om zijn wraak te doen bekoelen.'

Wat ze toen deed, hadden ze geen van allen verwacht. Ze liep naar haar eigen bed, legde het sjaaltje erop en streek het glad.

'Zo. Nu ligt het sjaaltje op *mijn* bed. Ik ga.'

Wat deed ze nu? Er ontstond een sprankje hoop in Martha's hart. Zou Ruth stampij gaan maken voor Martha's leven? Wat als de commandant zou luisteren? Dat gaf hoop, nietwaar?

'Wat bedoel je met dat jij gaat?' vroeg Golda.

Ruth keek naar Martha en toen naar haar baby. Tranen vertroebelden haar blik en ze hief een hand op naar haar mond.

En toen begreep Martha het. 'Nee! Nee, Ruth!'

Haar vriendin luisterde niet. Ruth liep terug naar Rachel, en pakte haar kind weer over, teder. Ze kuste de baby op haar voorhoofd en toen op haar lippen. Haar tranen drupten op de wang van het kind. Ze snifte zacht en slikte toen haar tranen weg.

'Ik hou van je, lieve Esther. Ik hou zoveel van je.'

Martha vond dit verschrikkelijk. Ze kwam onvast overeind. 'Ruth...'

Ruth legde een vinger tegen haar lippen. 'Ssj. Luister naar me, Martha.'

'Waar ben je mee bezig? Je kunt dat sjaaltje niet van me overnemen!'

'Luister naar me! Dit is de enige...'

'Nee!' Martha snikte. Ze kon dit niet aanhoren. De paniek die ze zo-even voelde, leek niets vergeleken met het idee dat Ruth haar plan zou doorzetten.

'Nee, je kunt niet...'

'Luister naar me!' schreeuwde Ruth. 'Ze komen er zo aan.'

Martha knipperde met haar ogen.

'Het spijt me. Ik wilde niet tegen je schreeuwen.' Er rolden tranen langs Ruths wangen. 'Dit is de enige manier om beide baby's te redden, Martha.'

'Hij zal het nooit toestaan.'

'Jouw kind zal samen met je sterven!' riep Ruth uit. 'Hoe kunnen we dat nou toestaan? Jouw kind heeft net zo goed het recht om te leven als ik. Zouden jullie dan allebei moeten sterven, zodat ik kan blijven leven?'

'Ja. Want ik ben uitgekozen, niet jij.'

'En nu kies ik.'

'Je weet niet eens of hij die keuze wel zal accepteren.'

'Dat doet hij wel. Ik ken hem ondertussen goed genoeg. En dan zal hij jou laten leven, zodat jij je baby ter wereld kunt brengen.' Ze kuste haar kind nog eens, verscheidene keren, allemaal op haar gezichtje. 'Beloof het me, Martha. Voed haar op alsof ze van jou is.'

Ze gaf het kind aan Martha, die het met verdoofde vingers aanpakte. 'Ruth…'

De vrouwen staarden verbijsterd naar het tafereel voor hen. Zelfs Golda had niet de moed om te protesteren. Martha wist niet wat ze moest zeggen. Ze wilde niet dat dit gebeurde, maar ze wilde zelf ook niet sterven. Ze zou Ruth moeten tegenhouden. Haar de baby weer in haar armen duwen en dan de heuvel op rennen om van Braun te eisen dat hij haar zou ophangen.

Maar ze kon het niet.

Een eindeloze minuut lang staarden Ruth en Martha elkaar in de ogen. En toen begon Ruths moed langzaam te verkruimelen. Haar lippen krulden naar beneden en begonnen te trillen. Ze ging sneller ademen en klonk geforceerd. Ze probeerde moedig te zijn, maar ze kon niet op tegen de enorme angst.

Dit was Ruth, de jonge vrouw met meer moed dan het hele kamp bij elkaar. Maar dit was dezelfde Ruth die in de veewagon troost had gezocht bij Martha.

Martha gaf de baby over aan Rachel en sloeg haar armen om Ruth heen. De jongere vrouw drukte zich tegen Martha's zwangere buik aan, begroef haar gezicht in haar hals en begon te snikken.

De pijn in Martha's hart dreigde een gat in haar borst te branden. Ze wilde het liefst sterven. Ze moest iets zeggen, iets wat Ruth van haar plannen zou afbrengen.

Golda's wangen glommen van de tranen en ze deed geen poging ze weg te vegen.

'Alsjeblieft, Ruth. Alsjeblieft…'

De deur knalde open. 'Achteruit! Wat is er aan de hand?'

Martha begon in paniek te raken. 'Alsjeblieft, Ruth.'

De groep vrouwen week uiteen en daar stond de bewaakster, dezelfde jonge blondine die wel vaker vrouwen was komen halen. Ze was gewend aan wat emoties, maar dit tafereeltje deed haar aarzelen.

'Wiens bed is dat?' wilde ze weten, terwijl ze met haar stok naar het rode sjaaltje wees.

'Als je een jongen krijgt, zeg dan tegen hem dat hij met mijn Esther moet trouwen,' fluisterde Ruth. Ze keek de bewaakster aan en veegde haar tranen weg. 'Dat is mijn bed.'

Ze haalde het sjaaltje op en liep langzaam het gangpad uit, langs Martha's plukkende handen. Ze passeerde haar baby met een laatste kus en een laatste snik en liep langs de bewaakster heen de barak uit.

Martha liet zich op bed vallen, opgekruld tot een bal, en begon oncontroleerbaar te huilen.

25

Los Angeles
23 juli 1973
Maandagmorgen

Nadenken, nadenken, nadenken! Hij dacht zichzelf de afgelopen dagen bijna dood.

Stephen was twee avonden geleden teruggekeerd naar zijn schuilplaats in Gebouw B, had het limegroene setje uitgetrokken, zijn vieze oude broek weer aangedaan, geijsbeerd en een belangrijke beslissing genomen.

Hij zou vanavond niet naar huis gaan.

Hij zou een hotel nemen.

En dat had hij dan ook gedaan. Een oude, niet al te schone kamer, zeven blokken verder aan La Brea. En zondag had hij een volgende belangrijke beslissing genomen.

Hij zou die avond geen hotel nemen.

Hij zou hier blijven slapen, met uitzicht op Rachels appartement, wachtend op de kans dat de Duitse entourage het gebouw zou verlaten, om wat voor reden dan ook. Maandag zou hij naar huis gaan. Nadat hij een manier had gevonden om in die kelder te komen. Maar maandag was gekomen en hij had geen manier gevonden om in de kelder te komen en was ook niet naar huis gegaan.

Hij had zijn verstand verloren door die trommel en het kon hem niet langer iets schelen.

Braun had een bedreiging geuit en Stephen had het aangedurfd om hem te trotseren. Voor het eerst vreesde hij voor Chaïms leven. Hij kon niet naar huis. Zolang hij buiten bereik bleef, kon Braun hem of Chaïm niets aandoen.

En trouwens, Stephen *wilde* niet eens naar huis.

Aan de andere kant moest hij Chaïm in elk geval laten weten dat alles in orde was, ook al was dat niet zo. Hij had een telefoontje gepleegd van-uit een telefooncel op La Brea. Het gesprek had nog geen minuut geduurd.

Waar zit je? Gaat het wel goed met je? Wat ben je aan het doen?

Ik zit in een… hotel. Het gaat best met me. Ik blijf een paar dagen weg om het een en ander op een rijtje te zetten. Hoe gaat het met u?

Met mij gaat het natuurlijk goed. Wanneer kom je weer thuis?

Al gauw. Maakt u zich geen zorgen. Maakt u zich alstublieft geen zor-gen.

Maar hij hoorde aan Chaïms stem dat de rabbi zich wel zorgen maak-te, dus voegde hij er een waarschuwing aan toe. *Wees voorzichtig, rabbi. Beloof me dat u voorzichtig zult zijn.*

Stephen keek om zich heen naar de woonruimte van drie bij drie die hij bij elkaar gesleept had terwijl hij nadacht. Hij had wat hout gepakt en enkele banden van de stapels die overal lagen, en had er een soort muurtjes van gebouwd om zijn gebied af te bakenen. Twee muren, alle-bei in evenwicht gehouden door hun eigen gewicht, leunden tegen sta-len spanten aan en hingen tegen de buitenmuur van het gebouw. Hij had er nog een paar extra banden tegenaan gezet voor de stabiliteit. Het was een soort afdak.

Sommige mensen zouden kunnen denken dat er een steekje los zat aan hem. Sylvia, bijvoorbeeld. En zelfs de rabbi. Maar hij werd niet voortgejaagd door krankzinnigheid. Hij was niet gekker dan de andere kinderen van God, die allemaal achter hun eigen regenboog aanzaten.

Zie je, Stephen, zelfs dat klonk een beetje krankzinnig. De redenen die je aan-draagt om voor jezelf te bewijzen dat je niet krankzinnig bent, zijn al krankzin-nig.

In zekere zin, in elk geval in de ogen van de stadsnomaden, was het heel logisch waar hij mee bezig was. Hij jaagde een idee na dat er echt toe deed. De kluis was zijn pot aan het einde van de regenboog. Tot een dramatische doorbraak ervoor zou zorgen dat hij bij die kluis kon, zou hij zorgvuldig alles buiten de deur houden wat zijn aandacht van dat doel afleidde. Klonk dat krankzinnig? Natuurlijk niet. De grootste wapenfeiten uit de geschiedenis werden geboekt door mannen die bereid waren te doen wat anderen niet wilden doen.

De antiekhandelaar, Gerik, had gezegd dat de mens was geschapen om geobsedeerd te zijn. De rabbi had gezegd dat het enige wat erger is dan niet kunnen krijgen wat je zo wanhopig graag hebben wilt, is dat er helemaal niets is wat je wanhopig graag zou willen hebben. Nou dan?

Stephen was klaar met zijn werk bij de linkermuur en ging rechtop staan. Wat had de rabbi toen ook alweer onder het ontbijt tegen hem zitten preken?

Je kunt niet iets hebben om voor te sterven, als je niet eerst iets hebt gehad om voor te leven. De Holocaust heeft dat voor de Joden gedaan. Die toonde de onvergelijkbare waarde aan van een ander idee. Leven. Liefde! Liefde, Stephen. We zouden dagelijks moeten worden geteisterd door de liefde. De nazi's haatten ons. Als we daardoor niet hebben leren liefhebben, onteren we het leven van zes miljoen Joden.

'Dat klopt, rabbi,' mompelde hij. 'Dan zal ik wanhopig graag willen en ook liefhebben. Dit is mijn liefdesdaad.'

Hij duwde een steen klem tegen de banden – een extra steun, omdat de muur heen en weer ging als hij hem aanraakte – en deed een stap achteruit.

'Schitterend,' mompelde hij.

De afgelopen vierentwintig uur was er nog een ander absurd idee in hem opgeborreld, maar met het vorderen van de tijd vervaagde de absurditeit ervan. Het idee dat Joël Sparks weleens zijn redding zou kunnen zijn, leek helemaal tegen zijn gevoel in te gaan, gezien het niet echt eerbare karakter van de man. Maar er zweefde bij Stephen momenteel meer liefde rond in zijn hoofd dan gezond verstand.

Stephen greep in zijn rugzak, haalde voorzichtig de foto van Ruth uit zijn zak en keek haar in de ogen. In zijn gedachten was deze vrouw Esther. Zoals Gerik al had gezegd, zou Esther vandaag de dag ongeveer dezelfde leeftijd hebben als haar moeder op de foto. Ze zou ongetwijfeld op haar moeder lijken. Misschien.

Dit was Esther. Dit was de vrouw van wie het de bedoeling was dat hij haar vond. Ze was een wees, een echte Steen van David, en haar foto bevond zich in de kluis, boven op de blikken trommel die Stephen binnenkort in handen zou krijgen.

Hij had de afgelopen dagen urenlang naar de foto van Esther zitten staren.

Hij was voor haar bedoeld.

Eerlijk gezegd dacht hij dat hij weleens verliefd zou kunnen worden op de vrouw op deze foto. Op haar dochter dan. Chaïm zou het een bevlieging noemen, maar Stephen wist wel beter.

'Je hebt me de das omgedaan,' fluisterde hij liefdevol, waarna hij een lichte kus op de foto drukte.

Hij stond op en keek om zich heen. De twee provisorisch opgetrokken muren stonden aan beide kanten van het raam dat uitzicht bood op Rachels appartement. Een stuk multiplex waarop wat isolatiemateriaal geplakt zat, fungeerde in de linkerhoek als bed. Drie blikken bonen en twee blikken maïs stonden in een net stapeltje in de rechterhoek. En middenin stond een kist met een kaars erop, wat lucifers, een lepel, een blikopener en een kam die hij nog niet had gebruikt.

Hij had de afgelopen nacht op dit bed geslapen, als je het begrip *slapen* niet al te nauw nam. Een betere woordkeuze zou *kreunen* en *draaien* en *naar het doorhangende plafond staren* zijn. Hij probeerde gisteren een eindje over het strand te gaan wandelen, met de gedachte dat een beetje zon en de verandering van omgeving hem goed zouden doen. De wandeling duurde maar een kwartier. Hij was de mensenmassa's bijna in paniek ontvlucht, door de wanhopige drang om alleen te zijn om een en ander te overdenken, alsof hij dat nog niet genoeg had gedaan.

Denken, denken, denken. Dat denken maakte hem gek.

Aan de andere kant had zijn korte blootstelling aan de echte wereld zijn eetlust opgewekt. Hij kreeg de zenuwen van het idee om naar een restaurant te gaan, dus was hij naar een supermarkt gegaan, had hij de hoognodige spullen gekocht, had hij met smart staan wachten tot hij aan de beurt was bij de kassa en had hij zich weer teruggetrokken in zijn veilige schuilplaats.

Stephen liep naar de muur links van het raam, liet zich op zijn knieën zakken en plakte met tape voorzichtig de hoekjes van de foto aan een band. Hij kroop iets achteruit, ging in kleermakerszit zitten, liet zijn ellebogen op zijn knieën rusten en staarde naar de foto.

Zou er ergens op deze wereld een vrouw rondlopen die nog mooier was? Was het in fysieke zin mogelijk dat er twee vrouwen zouden bestaan die zo verbijsterend mooi waren als de vrouw die hem vanaf de zwart-witfoto aanstaarde? Haar golvende haar, de subtiele kaaklijn, zachte, zelfverzekerde ogen. Hij zou bijna zweren dat de foto door een vakman was bijgewerkt. Geen enkele neus kon zo perfect zijn, geen lippen zo symmetrisch. Maar hij wist dat er niet met deze foto was gerommeld. Dit was Ruth, die tegelijkertijd Esther was, die perfect was.

Stephen sloot zijn ogen en slikte. Zijn tijd begon op te raken. Hij moest contact opnemen met Joël Sparks. Illegaal, idioot, onmogelijk.

Maar hij kon niet anders. Voor Ruth. Voor zijn moeder.

Hij deed zijn ogen weer open en staarde naar de foto. Voor Esther.

Stephen gromde en stond snel op.

Het was druk in de Great Western Bank toen Stephen er tegen de middag naar binnen liep. Hij voelde zich in het oog lopen door zijn baard van twee dagen en zijn verkreukelde overhemd, maar dat was natuurlijk grotendeels de schuld van de omstanders.

De witte sportschoenen die hij had gekocht om zijn onhandige nette schoenen mee te vervangen, vielen zeker zoveel op als twee neonlampen. Misschien had hij ze beter een beetje vuil kunnen maken. Maar goed, hij deed nog steeds niets illegaals. Hij had geen enkele reden om nerveus te zijn.

Wacht even. Wat als Sweeney en zijn bende terugkeerden naar de vierde verdieping en zijn foto van Ruth stalen? De een of andere zwerver zou zijn heiligdom kunnen betreden en weer vertrekken zonder een spoor achter te laten. Hij had de foto mee moeten nemen. Te laat.

Stephen deed een halfhartige poging om zijn overhemd glad te strijken en liep recht naar het dichtstbijzijnde bureau toe. Een vrouw van middelbare leeftijd met een hoop blond haar, zorgvuldig met krulspelden in model gebracht, keek op. Op een verguld naamplaatje op haar bureau stond 'Nancy Smith'. Ze nam hem van top tot teen op.

'Kan ik u helpen?' vroeg ze. Haar beleefdheid klonk nogal geforceerd.

Stephen liet zich op een stoel glijden, wierp een blik om zich heen en leunde voorover. 'Ik zou graag wat geld willen opnemen,' zei hij.

'Voor een opname moet u bij de kassa's zijn…'

'Nee, ik wil een groot bedrag opnemen.'

Haar gezicht werd langzaam aan nogal bleek. 'Ik… we bewaren geen geld in onze bureaus.'

'Natuurlijk niet. Maar wel in de kluis. Ik heb honderdduizend dollar nodig. Dat hebben jullie gegarandeerd bij de hand.'

Haar ogen straalden een beetje paniek uit. Wat was haar probleem? Hij wist dat banken niet graag grote bedragen uitgaven zonder dat ze daar van tevoren van op de hoogte waren gesteld, maar haar reactie was een beetje vreemd. Hij was haar toch niet aan het overvallen?

'Ik…' Ze slikte. 'Alstublieft…'

In een flits begreep hij het. 'Denkt u dat ik de bank probeer te beroven?'

Eén blik was duidelijk.

Hij zag kans vriendelijk te lachen. 'Doe niet zo raar,' zei hij. 'Ik heb een rekening bij deze bank en daar wil ik wat van opnemen.'

'Oh, echt?'

'Ja.' Haar blik gleed naar zijn overhemd en hij trok eraan om de kreukels glad te krijgen. 'Het spijt me, ik… ik ben beroofd in een steegje en die… mensen waren niet bepaald voorzichtig met mijn overhemd.' Hij voelde dat hij bloosde en hij grijnsde. 'Drugsverslaafden. Die doen vandaag de dag alles om aan geld te komen.'

Ze keek hem alleen maar aan.

'Ik heb honderdduizend dollar nodig,' zei hij.

'Wacht u hier, alstublieft.'

Ze stond op en liep naar het kantoor van de manager. Stephen leunde achterover en zag dat ze met de manager stond te praten. Ze keken allebei in zijn richting en hij wendde zijn blik af tot hij iemand voelde naderen.

'Ik ben Bruce Spencer; ik ben de manager hier. Kan ik u ergens mee van dienst zijn?'

'Hebt u contant geld in de kluis?'

De manager grinnikte. 'Dit is een bank – we hebben altijd geld.'

'Dan kunt u me inderdaad van dienst zijn. Ik heb hier een rekening – iets meer dan achthonderdduizend dollar. Ik heb honderdduizend nodig. In biljetten van twintig dollar. Kunt u dat voor me regelen?'

De man trok iets met zijn linkeroog. 'Dat is een hoop geld.'

Dat was waar. De eerste de beste investeerder zou het geld op een andere manier voor zich laten werken dan door het op de bank te zetten. Maar Stephens achtergrond in Rusland had ervoor gezorgd dat hij een wat conservatieve inslag had als het op geld sparen aankwam.

'En dat is dan ook de reden dat ik het in uw kluis heb achtergelaten in plaats van het in mijn matras te proppen.' Hij trok de cheque tevoorschijn die hij al had geschreven en gaf die aan de man. 'Als u het niet erg vindt, meneer Spencer, ik heb nogal haast.'

Spencer wierp een blik op de cheque. 'Zit u in de problemen?'

'Zie ik eruit alsof ik in de problemen zit?'

'Eerlijk gezegd wel, ja.'

'Nou dan. Ik heb wat problemen en ik heb geld nodig om die problemen op te lossen. Is dat niet de reden waarom geld is uitgevonden?'

'Maar het is een hele hoop geld,' herhaalde Spencer.

'Volgens mij hebben we het daar al over gehad.' Hij had geen reden om de manager hooghartig te behandelen, maar zijn geduld begon op te raken.

De manager overhandigde de cheque aan Nancy. 'Wil jij even de rekening nakijken en ervoor zorgen dat meneer Friedman zijn geld krijgt?' En toen tegen Stephen: 'U zult begrijpen dat dit enkele minuten gaat duren. De meeste grote opnames worden van tevoren geregeld.'

'Ik wacht wel. Geen probleem. Maar laat het niet de halve dag duren. Ik heb haast.'

Stephen liep twintig minuten later weer naar buiten. Het zweet liep langs zijn rug en hij had een flinke tas met geld onder zijn arm. Tot zover ging het goed.

26

Los Angeles
23 juli 1973
Maandagmiddag

Joël Sparks was een projectontwikkelaar uit Pasadena en stond bekend om zijn huizenbouw voor mensen met lage inkomens. Maar hardnekkige geruchten beweerden dat Sparks nauwe banden met de maffia had. De mogelijkheid dat die geruchten op waarheid berustten, hadden Dan Stiller twee jaar geleden bijna verlamd, toen Stephen had voorgesteld dat Joël hen zou uitkopen uit een transactie die was misgelopen. Die maffiageruchten waren tenslotte maar geruchten, had Stephen volgehouden. Maar door de manier waarop de man zich gedroeg, werden de geruchten er niet minder aannemelijk op, vond Stephen.

Hij reed in noordelijke richting, beet op een nagel en wist dat hij op het punt stond in het diepe te duiken. Erg diep.

Maar aan de andere kant had hij niet eens de garantie dat de man zelfs maar beschikbaar was op deze maandagmiddag.

Sparks' grote witte villa was tegen een heuvel in het noorden van Pasadena aangebouwd, omgeven door palmen en een lange oprit van rode baksteen. Stephen leunde uit het raampje en drukte op de bel bij de hoofdpoort.

'Ja?'

'Eh… ja, dit is Stephen Friedman en ik kom voor Joël Sparks.'

De intercom zweeg. Hij drukte nogmaals op de bel. 'Hallo?'

'Hebt u een afspraak?'

Dit ging niet goed.

'Eh… nou, ja. Beter nog, ik heb een zakelijk voorstel waar hij zonder twijfel in geïnteresseerd zal zijn.'

De stilte duurde deze keer iets langer, maar net toen Stephen nogmaals een hand uitstak naar de bel, begonnen de hekken naar binnen te draaien.

Mooi. Rustig en beheerst. Hij reed naar het huis, parkeerde de Vega en liep naar de voordeur. Het geld zou nog even in zijn achterbak blijven liggen. Eén stap tegelijk.

Een bodyguard, die zich voordeed als butler, leidde Stephen over een marmeren vloer naar een zeer ruim kantoor. De details vielen hem wel op, maar bleven niet hangen – de schilderijen aan de muur, de kristallen kroonluchter, de plafondhoge kasten met in leer gebonden boeken. En toen werd zijn aandacht getrokken door de grote man bij de glazen schuifpui, die met zijn rug naar Stephen toe zat te telefoneren.

'Natuurlijk. Dat doe ik toch altijd?'

De butler annex bodyguard deed de deur achter Stephen dicht en Joël Sparks draaide zich om. Zijn diepliggende ogen probeerden zich te verbergen achter sterk geprononceerde jukbeenderen. Hij glimlachte, maar het kwam op Stephen meer over als een grimas. De criminaliteit straalde ervan af. Het was een wonder dat hij nog niet achter de tralies zat.

Of beeldde Stephen zich dat alleen maar in?

'Mooi. Ik bel je zo gauw ik iets hoor.' Hij legde de telefoon neer. 'Kijk eens aan. Is dat niet de man die me dat veel te dure stuk grond van Wilson heeft verkocht?' Hij kwam naar hem toe en stak een hand uit. 'Hoe gaan de zaken vandaag de dag?'

'Goed.' Stephen schudde hem de hand. 'Ja, het gaat prima.'

'Echt? Je rijdt in een Vega en je kleedt je als een zwerver. Dus zo goed kan het niet zijn. Ga zitten.'

Stephen ging op een zwartleren bank zitten. 'Ja, ik weet het. Ik heb niet de tijd gehad om me even om te kleden.'

'Wat kan ik voor je doen?'

Gelijk ter zake. Zoals altijd. Stephen sloeg zijn benen over elkaar, maar zette meteen zijn voet weer op de grond.

'Ik kom om een gunst vragen.'

'Je bent me nog een gunst schuldig. Waarom denk je dat ik in de stemming ben om je *nog* een gunst te verlenen?'

'Omdat deze genoeg opbrengt om beide goed te maken.'

Sparks leunde tegen zijn bureau. 'Ik luister.'

'Laten we zeggen dat u iets belangrijks hebt achtergelaten in een gebouw, maar dat ze u er niet in laten wanneer u teruggaat om het op te halen.'

'Ja, en?'

'Hoe zou u het dan terughalen?'

Sparks' plastic glimlach verzachtte zich. 'Ik geloof dat ik je niet helemaal begrijp. Ik doe in onroerend goed, niet in gerechtelijke kwesties. Ik denk dat je de verkeerde voor je hebt. Kom terug met een gebouw dat je me voor de helft van de waarde kunt verkopen en dan praten we verder.' Hij stak een hand uit naar de knop van de intercom.

'Het is me een hoop waard,' zei Stephen, 'dat wat ik heb laten liggen. Een erfstuk vanuit de oorlog.'

Sparks trok zijn hand weer terug en bleef Stephen enkele seconden lang zitten bestuderen. 'Even uit nieuwsgierigheid, hoeveel is het je waard... dat erfstuk? Misschien dat ik een goede advocaat ken.'

'Ik weet het niet zeker. Heel wat, in elk geval.'

'Hoeveel?'

'Zeg het maar.'

'*Wat* moet ik zeggen? Jij bent degene met dat erfstuk, niet ik. Advocaten zijn vandaag de dag niet echt goedkoop.'

'Twintig?'

'Twintigduizend.'

'Twintigduizend contant.'

'Weet je wat, ik zal het voorstellen aan een advocaat die ik ken en misschien dat hij je dan belt.'

'Ik moet dat erfstuk vannacht terughalen.'

Sparks zuchtte. 'Dan ben ik bang dat ik je niet kan helpen. Probeer de gouden gids eens.'

'Vijftig dan?'

'Over wat voor erfstuk hebben we het hier eigenlijk precies? Je komt mijn kantoor binnenlopen alsof je net van een flatgebouw bent gevallen en biedt me vijftigduizend om ergens in te breken. Ik begin me nu toch echt af te vragen of jij niet een beetje illegaal bezig bent. Ik neem geen loopje met de wet.'

'Natuurlijk niet. Ik wil gewoon iets terughebben dat van mij is, zonder dat het een slepende zaak wordt. Het mag er dan op dit ogenblik

niet erg op lijken, maar ik heb het de afgelopen paar jaar behoorlijk goed
gedaan. Sommige dingen zijn belangrijker dan geld. Ik betaal u vijftigduizend contant om de eigenaars lang genoeg af te leiden om terug te
halen wat van mij is. Geen gezeik, iedereen rijk.'

'Betalen voor zoiets zou illegaal kunnen zijn.'

'Hoezo? Ik steel niks.'

'Heb jij vijftigduizend in contanten?'

'In mijn auto.'

Sparks haalde diep adem. 'Tja, ik kan altijd vijftigduizend in contanten gebruiken, maar ik doe niet in dit soort dingen.'

'Het lijkt erop dat die jongens wapens hebben. Ze zitten in een verlaten appartementencomplex – ik denk nu een stuk of vijf. Duitse
maffiatypes. Gezien de omstandigheden, wat dacht u van vijfenzeventigduizend?'

'Ik weet niet of je je wel goed realiseert wat je vraagt.'

'Ik betaal u en dus ben ik degene die eventueel schuldig is aan een
misdaad, nietwaar? Maar dit is niet eens noodzakelijkerwijs een misdaad.
Ik heb vijfenzeventigduizend dollar in een tas zitten die zeggen dat u
iemand kent die me zou kunnen helpen.'

'Om wat voor erfstuk gaat het?'

'Een aantal foto's.'

Sparks stond op en liep naar de glazen schuifpui toe die toegang gaf
tot een zwembad. Daar stond hij, zijn handen in zijn zijden, en deed
waar criminele types goed in waren: een beslissing nemen. Stephen
hoorde hem bijna denken. *Geef ik mijn ware identiteit bloot aan dat manne-
tje? Laat ik hem toe tot de kring van mensen die het niet zo nauw nemen met
de wet? Vertel ik hem dat ik overkom als een crimineel omdat ik er daadwerkelijk een ben?*

En toen dacht Stephen bij zichzelf: *Ik bevind me al in die kring, maffia-
baas. Ik ben mijn verstand kwijt en jaag een regenboog na. En ik zit er al te ver
in om me nog terug te kunnen trekken. Doe je bod, jochie.*

'Als je me bedriegt, vernietig ik je.' Sparks draaide zich met samenge-
knepen lippen om. Zijn metamorfose van eerlijke zakenman tot crimineel was nu compleet. 'Begrepen?'

'Helemaal.'

'Als er iets misgaat – als er iemand gewond raakt en jij maar half je snater opentrekt – garandeer ik je dat je er de rest van je leven spijt van zult hebben.'

De ernst in Sparks' stem bezorgde Stephen de rillingen. Hij had amper durven hopen dat hij dit zou redden. Als de man die voor hem stond de Duitsers niet een paar minuten zou kunnen afleiden terwijl Stephen zijn schat ophaalde, zou niets lukken.

Hij glimlachte. 'Er gaat niets mis.'

'Geef me honderdduizend en dan praten we verder.'

'Honderd?'

'En geen cent minder.'

Stephen stond op. 'Goed. Het ligt in de auto.'

Het duurde nu twee dagen en hij had alleen maar een cryptisch telefoontje van Stephen gehad. Chaïm had negentien telefoontjes voor Stephen aangenomen, waarvan acht van een wanhopige Dan Stiller. De rest kwam van verschillende mensen, waarvan de meesten iets met onroerend goed te maken hadden.

De rabbi stond op en liep de keuken in. Hij nam toch maar geen glas sinaasappelsap, deed een schietgebedje en liep naar de telefoon.

Zijn aanvankelijke bezorgdheid was omgeslagen in nieuwsgierigheid. Stephen was ongetwijfeld van slag door de ontdekking wie zijn moeder was en dat ze was overleden, maar als Chaïm het bij het juiste eind had, had Stephens recente gedrag niets te maken met wroeging. Stephen zat achter iets aan waarvan hij overtuigd was dat het van hem was. Misschien zat hij wel achter de Stenen van David aan en blijkbaar was hij ervan overtuigd dat hij ze te pakken zou krijgen.

Gerik nam op nadat de telefoon drie keer was overgegaan.

'Hallo, Chaïm! Blij dat je belt.'

'Hallo, Gerik. Heb je de laatste tijd nog weleens iets van Stephen gehoord?'

'Niet meer sinds afgelopen vrijdag. Weet je niet waar hij uithangt?'

'Heb jij hem vrijdag nog gezien?'

Gerik vertelde zonder ook maar een spoortje bezorgdheid over het bezoek en de foto.

'En daar maak jij je dus niet druk om?' vroeg Chaïm.

'Om wat? Dat een jonge Jood iets heeft gevonden wat het waard is om met zijn hele hebben en houden in te duiken? Zeker niet.'

'Dat iets is een *foto*…'

'Niet echt, Chaïm. Dat iets heet Esther, die misschien de concentratiekampen heeft overleefd. Hij heeft een passie voor Esther en voor alles wat zij vertegenwoordigt. Genade, ondanks een vreselijk lijden. Liefde. Laat hem maar gaan. Laat hem haar maar redden. Laat hem maar geobsedeerd zijn. God weet dat we er zo nog een paar honderdduizend zouden kunnen gebruiken.'

'Ja, natuurlijk, laat hem maar geobsedeerd zijn. Heb je ooit weleens nagedacht over de gevaren die een obsessie met zich mee kan brengen? Maar omdat je van iemand houdt, wil dat nog niet zeggen dat je voor die iemand de wet mag overtreden.'

'Ik denk niet dat Stephen van plan is de wet te overtreden, jij?'

'Ik zou het echt niet weten. Maar ik maak me wel zorgen. Hij heeft dit soort neigingen, Gerik. Hij heeft het al eerder gedaan.'

'Is hij al eerder achter de erfenis van zijn moeder aangegaan?'

'Nee, maar er zit meer aan vast. Het is een oorlogskind, een in de steek gelaten wees, een immigrant zonder echt thuis. Hij compenseert zijn eenzaamheid met bepaalde vreemde capriolen. Maar op dit soort momenten ben ik bang dat hij zich terugtrekt in zichzelf en op zoek gaat naar de zin van het leven. Naar een stukje verleden. Familie. Dan wordt hij weer een aan zijn lot overgelaten kind en gebruikt hij zijn gezonde verstand niet meer.'

'Misschien is het nog helemaal niet zo negatief om weer een kind te worden,' zei Gerik. 'Hij heeft tijd nodig om dit allemaal op een rijtje te krijgen, Chaïm. Laat hem maar op zoek gaan naar zijn identiteit. Laat hem de behoefte voelen om bij iemand te horen. Dat zouden we allemaal moeten doen, in verband met God.'

Chaïm haalde diep adem en knikte. 'Ik denk dat hij achter meer aanzit dan alleen zijn identiteit. De Stenen van David.'

'Als hij over informatie is gestruikeld over waar de andere Stenen zouden kunnen zijn, moet hij er hoe dan ook achteraan. Vooral als hij er rechtmatig eigenaar van is.'

Chaïm was het niet zomaar met hem eens. 'Rachels briefje sprak over gevaar. Ik zit eraan te denken om de politie te bellen.'

'De politie zou een vroegtijdig einde maken aan Stephens zoektocht, dat weet je best.'

'De politie zou hem zijn leven kunnen redden.'

'Hoe vaak heb jij me niet verteld dat jouw Christus leerde dat een mens dit koninkrijk moet verlaten voor het volgende?'

'Dit gaat om de Stenen, niet om het koninkrijk van God. De hartstochtelijke toewijding die Christus van Zijn volgelingen vraagt, kunnen een mens vernietigen als die toewijding op de verkeerde dingen is gericht.'

'Maar dit gaat niet echt over de Stenen,' zei Gerik. 'Dit gaat over de liefde. Draait het koninkrijk van God ook niet om liefde?'

'Ja.'

'Nou, dan.'

'En toch maak ik me zorgen.'

'Dan heb je geen vertrouwen in Stephen,' zei Gerik.

'Precies. Ik vertrouw hem niet. Door hun hartstocht doen mensen vaak idiote dingen. Vooral mensen zoals Stephen.'

Er klonk een vriendelijke ondertoon door in Geriks lach. 'Ja, passie is gevaarlijk, maar ook een broodnodig ingrediënt voor een goed leven.'

'Hij is niet op zoek naar God, Gerik.'

De antiekhandelaar werd somber. 'Help hem dan, Chaïm. Wees er voor hem, om hem ervoor te behoeden dat hij over zijn eigen voeten struikelt. Maar help niet zijn passie om zeep.'

Chaïm liet de opmerking van de man even bezinken. 'Misschien.'

'Misschien zouden we allemaal wel zo geobsedeerd moeten zijn door de liefde.'

Chaïm gaf daar geen antwoord op.

27

Los Angeles
23 juli 1973
Maandagavond

Stephen ontmoette om negen uur vijf van Sparks' handlangers in de steeg en nam de in het zwart geklede mannen mee naar de vierde verdieping van Gebouw B, zoals afgesproken. De leider, Bert, was een potige vent met een pokdalig gezicht, die eruitzag alsof hij was grootgebracht op een dieet van punaises.

De andere vier waren al niet veel anders. Ze hadden allemaal Vietnam overleefd. Daar was Stephen blijer mee dan hij ooit zou toegeven. Zij waren zijn redding en hij verwelkomde hen met een enthousiasme dat hij niet van zichzelf kende.

'Wat is dit?' vroeg Bert terwijl hij naar Stephens tijdelijke schuilplaats wees.

'Dit? Ik weet het niet. Het ziet eruit als een… hangplek. Ik heb het hier zo gevonden.'

'Er woont hier iemand. Wat als ze terugkomen?'

'Er woont hier niemand,' zei Stephen. 'Het is verlaten.'

'Het ziet er niet erg verlaten uit. Foto aan de muur, blikken voedsel in de hoek. Echt niet.' Bert keek Stephen aan. 'Is dit van jou?'

'Denk je dat ik gek ben? Waarom zou ik zoiets maken? Bekijk het even. Het maakt ook niet uit. Jullie doen wat je moet doen en ik kijk hiervandaan toe, zoals gepland. Als hier iemand komt, is dat mijn probleem, niet dat van jullie.'

'Ik vind het niks,' zei een van de anderen. 'Je kunt beter ergens anders wachten.'

'Prima. Ik zoek wel een ander raam op.' Niet dat hij dat van plan was. Zonder dat ze hem liepen te commanderen was het al irritant genoeg dat ze hier rondklosten. Wie dachten ze wel dat ze waren?

'Laten we gaan,' zei hij.

Bert hief zijn verrekijker op en tuurde erdoor naar de andere kant van de straat. 'De bovenste verdieping is verlicht, de rest is donker. Ziet er makkelijk uit. Weet je zeker dat er maar twee honden zijn?'

'Maakt dat iets uit? Jullie gebruiken een verdovingsgas – dat moet ze allemaal buiten westen helpen.'

'Je moet met alles rekening houden. Joey, denk je dat je hiervandaan een gasgranaat door een van die ramen krijgt?'

Joey bekeek de bovenste verdieping. 'Moet niet al te moeilijk zijn. Maar een schot vanaf de grond is wel zo prettig. Dan heb ik een betere positie voor wanneer we naar binnen gaan.'

Bert knikte en liet de verrekijker zakken. 'Goed, alles volgens het plan. We zetten de bovenste verdieping vol gas, trappen de honden de garage uit en bezetten het trappenhuis en de lift, zeven minuten lang nadat alles veiliggesteld is. Dat betekent dat jij' – hij priemde met zijn vinger in Stephens richting – 'precies zeven minuten hebt vanaf het moment dat we een signaal van drie korte flitsen geven, om de straat over te steken, de kelder in te rennen en die… erfstukken van je op te pikken. Bij twee lange flitsen breken we de actie af. Duidelijk? Als je er twee ziet, zijn we weg. Geen vragen en je geld ben je kwijt.'

'Wat als ik val of word opgehouden? Ik weet dat we zeven minuten hebben afgesproken, maar…'

'Zeven betekent zeven. Wat jij in die zeven minuten doet, moet je helemaal zelf weten. Als het langer zou duren, staat de politie op de stoep, vooral als iemand daarbinnen zonder geluiddemper in het wilde weg gaat schieten.'

Ze hadden dit al meerdere keren doorgesproken. De binnenkomst zou relatief gladjes verlopen, maar niemand wist wat de Duitsers zouden doen als ze de vierde verdieping konden verlaten voor ze buiten westen raakten door het gas. Als een van de buren de politie belde omdat hij schoten hoorde, zouden agenten van het dichtstbijzijnde politiebureau hier in zeven minuten kunnen zijn. Of nog minder als er toevallig een politieauto in de buurt was – een risico dat ze moesten nemen. Als er een agent opdook voor de zeven minuten om waren, zouden ze een gat in de achtermuur van de garage blazen en in het donker verdwijnen. En dan zou Stephen er alleen voorstaan.

Dat was het plan en Stephen vond het schitterend. Zoals hij het zag, zou hij niet meer dan drie minuten nodig hebben om de kelder te bereiken, het vat te verplaatsen, de trommel te pakken en zijn eigen verdwijntruc te doen.

'Laten we gaan,' zei Bert. Hij trok Stephens aandacht met zijn ogen en knikte naar het gebouw. 'Blijf kijken.'

'Daar hoef je niet aan te twijfelen.'

'Zeven minuten.'

'Zeven minuten.'

Met bonkende voetstappen haastten ze zich de trap af en Stephen nam zijn positie bij het raam in. Hij hief de verrekijker op en deed zijn best om schaduwen achter de gordijnen te ontwaren. Niets. Als iemand nu een gordijn open zou trekken en iemand vanaf de andere kant van de straat door een verrekijker zou zien kijken…

Hij liet de verrekijker weer zakken en verschoof naar links. Rechts van hem stak een donkere schaduw de straat over – dat zou Joey met de granaatwerper moeten zijn. Stephens hartslag versnelde. Hij keek rond naar voetgangers. De kust was veilig.

Zou dit werken? Wat als Joeys granaat afketste tegen het raam? Nee, deze jongens wisten wat ze deden. Dit was hun terrein. Ze zouden daar naar binnen stormen en Braun onderuithalen.

De andere vier mannen renden naar de zijkant van het gebouw en verdwenen in de schaduwen onder een van de ramen van de begane grond. Hij kon nauwelijks geloven dat dit echt gebeurde. Hij had dit drie dagen geleden al moeten doen.

Plotseling ging een van de gordijnen op de vierde verdieping open. Met een ruk trok Stephen zich terug. Ze waren gezien!

Nee, misschien niet. Het kon zijn dat de Duitsers alleen maar iets hadden gehoord. Stephen gluurde weer om het hoekje van het raam. Er stond een man voor het raam, die de straat bestudeerde. Kom op, Joey, de brand erin! Nu! Opschieten!

Maar Joey was niet te zien en het bleef stil. De man achter het raam leek niet gerustgesteld. Stephen onderdrukte een plotselinge drang om zijn hoofd uit het raam te steken en de aanval te leiden.

Er klonk een doffe klap, gevolgd door een versplinterend raam. Joey had gevuurd. En raak geschoten.

Het gordijn viel dicht. Stephen sprong naar het midden van het raam en probeerde iets van de aanval te volgen. Nog een versplinterend raam, ditmaal van de begane grond. Een harde doffe klap. Een drukgranaat. De politie was waarschijnlijk al op weg.

Stephen zag vijf man door het raam kruipen en naar binnen verdwijnen. Nog steeds geen reactie van de vierde verdieping. Misschien waren ze allemaal wel bewusteloos. Of misschien renden ze wel zwaarbewapend de trap af.

'Kom op,' gromde hij. 'Kom op!'

'Wat is er aan de hand, Groovy?'

Stephen draaide zich met een ruk om. Sweeney en Melissa!

'Een hoop gedoe daarbuiten, vanavond,' zei Sweeney. 'Heb jij daar iets mee te maken?'

'Wat doen jullie hier?' wilde Stephen weten.

'Ik vroeg het het eerst.'

Stephen draaide zich weer snel om naar het raam. Had hij iets gemist? Hij moest op de lichtflitsen letten! Er leek niets te gebeuren.

De stadsnomaden waren naast hem komen staan en tuurden naar buiten. 'Kijk je naar iets speciaals of kijk je gewoon naar die gemiste kans daar?' vroeg Sweeney.

Stephen draaide zich iets opzij, waarbij hij het gebouw in het zicht hield. Hij voelde een druppel zweet langs zijn rechterslaap lopen.

'Ik had nu graag wat privacy.'

Melissa keek naar zijn armzalige muurtjes. 'Je wilt dus dat we kloppen voor we binnenkomen, of niet? Kom, laten we dan eerst even kloppen.' Ze leidde Sweeney met een uitgestreken blik Stephens vierkant uit en hief haar hand op om te kloppen. 'Verhip, geen deur, Groovy. En ik zou wel op de muur willen kloppen, maar misschien valt hij dan om.'

Dit kon niet waar zijn.

Roth Braun zat op de resten van Rachels leren bank toen de gasgranaat door het raam van de eetkamer vloog, onder de tafel rolde en wit gas uitbraakte.

Een vleugje angst verlamde hem heel even voor zijn gevechtsopleiding het overnam, waardoor hij weer de volle controle over zichzelf had.

De Jood was teruggekeerd. Dat was mooi.

Hij sprong van de bank. 'Gas!'

Het gas werkte verbazingwekkend snel – de drie mannen die aan tafel zaten, waren op hun knieën gevallen en snakten naar adem. Roth was al ver genoeg weg om er geen last van te hebben. Het was vrijwel zeker niet dodelijk. Of had hij de man verkeerd ingeschat?

Een doffe klap deed de vloer onder hem trillen.

Lars kwam de grote slaapkamer uitgerend, staarde met grote ogen naar het tafereeltje bij de tafel en stapte net op tijd opzij om niet door Roth ondersteboven te worden gerend.

'Een deken!' zei Roth. 'Schiet op!'

Ze hadden het bed helemaal opengesneden. Lars griste een deken van de vloer en gooide die naar Roth, die hem snel in de spleet onder de deur propte.

'Het komt zo tussen de andere kieren rond de deur door,' zei Lars.

'Geef me een bijl.' Braun duwde de kastdeuren die tegen de muur aan leunden opzij. 'Het trappenhuis bevindt zich achter deze muur.'

Bijlen hadden ze genoeg en ze hadden de plamuur al van de muur gesloopt. Ze zouden niets vinden als ze de muren zouden slopen – de schat bevond zich in de kelder. Maar Stephen moest denken dat hij nog maar weinig tijd had om die te pakken te krijgen. En dus hield Roth de schijn op. Hij zou het spel spelen tot Stephen een manier had gevonden om binnen te komen. Het had geen zin de Jood de hoop in de schoenen te laten zinken voor hij het punt had bereikt dat je van fanatisme kon spreken. Roth ving de bijl met zijn linkerhand en ging met de eerste klap door de wand heen.

'Ze komen zo de trap op.' Hij vervloekte zichzelf voor het feit dat ze de gasmaskers op de derde verdieping hadden laten liggen en haalde nogmaals uit. De bijl hakte deze keer twee planken tegelijk uit de muur.

Roth grijnsde en zwaaide nog eens. Deze keer gaf de hele muur mee. Er was niets zo bevredigend als het spel. Ze kwamen bij de finish in de buurt. Het was een nek-aan-nek-race.

'Kom maar op, Jood!' schreeuwde Roth terwijl hij nog een keer uithaalde. 'Kom maar op!'

Nog drie snelle slagen en het gat was groot genoeg.

Roth liet de bijl vallen, stak zijn hoofd het trappenhuis in, zag dat de kust veilig was en kroop naar buiten. Hij liet zich op de overloop van de derde verdieping vallen, gevolgd door Lars. De aanvallers waren nog steeds beneden en wachtten tot het gas zijn werk had gedaan. Hij ramde de deur open en rende naar hun voorraad uitrustingsstukken in de eerste slaapkamer.

'Het ventilatiesysteem. Pomp traangas door het gebouw.'

Lars rommelde gehaast in een grote zwarte plunjebaal, rukte twee gasmaskers tevoorschijn en gooide er een naar Roth. Met hun gasmaskers op grepen ze allebei drie kleine bussen. Lars griste een geweer van het bed.

'Eerst gas,' beet Roth hem toe. Hij schoof een koevoet naar Lars toe. 'Gebruik de aanzuigkanalen.' Hij rende de gang in, zette de knop van de luchtverversing op handmatig, liet de bussen vallen en ramde zijn koevoet onder een groot luchtrooster boven zijn hoofd. Na twee pogingen kwam het rooster eraf. Hij hoorde Lars in de andere gang hetzelfde doen.

Roth gooide alle drie de traangasgranaten in de ventilatieopening. Misschien hadden de mannen beneden hun gasmaskers al op, maar met een beetje geluk deden ze dat pas als ze het trappenhuis hadden veiliggesteld. Gasmaskers verkleinen je blikveld namelijk nogal.

Het zou nog geen minuut duren voor het traangas zich door het gebouw had verspreid. Zonder een woord te zeggen, pakten ze hun wapens en gingen het trappenhuis weer in.

Roth gebaarde naar Lars dat hij voor dekking moest zorgen. De blonde Duitser richtte zijn geweer over de leuning heen. 'Veilig.'

Ze bevonden zich dus nog steeds in de garage? Of was dit het werk van een solitaire dwaas die een gasgranaat had afgevuurd, met de bedoeling om na een halfuur op te komen dagen om zijn schat op te halen?

'Geen doden,' beval hij. 'Niet nu.'

Hij daalde de trap af naar de overloop van de tweede verdieping en gaf Lars dekking. Ze namen hun posities in op de overloop van de eerste verdieping, hun wapens gericht op de deur die naar de garage leidde. Als iemand die deur ook maar een kiertje opendeed, zou Roth hem een kogel door zijn pens jagen.

De eerste *kloenk!* was te horen toen Melissa's hand nog steeds in de lucht zweefde en heel even dacht hij dat ze met haar voet stampte om net te doen alsof ze klopte. Het geluid was nog eens te horen, in de verte.

Ze keken nu alle drie uit het raam. Het was nauwelijks meer dan een soort kloppen, maar daar was het nog eens. Stephen versteende. Iemand was met een hamer of een bijl een van de wanden in het appartement van Rachel aan het neerhalen.

'Wat is dat?' vroeg Sweeney.

Ze waren weer zonder te kloppen zijn schuilplaats ingelopen.

'Ik... ik weet het niet.' Stephen was wanhopig. Hij draaide zich om en stak beide handen op om hen weg te wuiven. 'Alsjeblieft! Ik ben hier iets aan het doen.'

'Wat is er aan de hand, man? Er gebeurt daar iets en...'

'Verdwijn hier gewoon!' schreeuwde Stephen nu.

Ze knipperden met hun ogen.

'Snappen jullie de hint niet?! Wegwezen!'

'Nu heb je mijn gevoelens gekwetst, man,' zei Sweeney. 'Wie geeft jou daar het recht toe? En zeker nadat we zo gastvrij voor je zijn geweest.'

'Noem je dit gastvrijheid? Jullie kwetsen mijn gevoelens door hier te zijn. Ik zei al dat ik iets belangrijks te doen heb en jullie kunnen daar niet bij zijn!'

'Dan moet je misschien je verontschuldigingen maar aanbieden,' zei Melissa, die haar armen over elkaar sloeg.

Stephen staarde haar met open mond aan. Dit voelde allemaal heel erg surreëel aan. Hij keek achterom naar het gebouw. Nog geen flitsen, toch? Dan zou hij die vanuit zijn ooghoeken hebben gezien. Alleen maar duisternis op garageniveau. Waarom nam Bert er zo lang de tijd voor? Ze hadden allang een teken moeten geven dat alles veilig was. Hij draaide zich weer om naar zijn twee metgezellen.

'Het spijt me!' Hij was helemaal door het dolle heen en hij wist dat zij wisten dat hij helemaal door het dolle heen was. 'Geloof me, het spijt me echt.'

'Omdat je ons uit je heiligdommetje hier hebt geschopt.'

'Ja! Dat ik jullie uit...'

'Wat was dat?' vroeg Sweeney.

Stephen draaide zich om naar het raam. 'Wat?'

'Ik dacht dat ik net een paar flitsen zag.'

'Oh? Hoeveel?'

'Ik weet het niet. Twee, denk ik. Of misschien wel drie.'

'Was het nou twee of drie?' wilde Stephen weten.

'Weet ik niet. Maak je niet druk.'

Stephen keek Sweeney aan. 'Het waren er twee of het waren er drie; allebei kan niet! En het waren korte of lange flitsen. Twee lange of drie korte. Zeg op!' gilde hij.

Sweeney staarde hem geschokt aan.

'Het spijt me. Het spijt me echt. Luister, ik moet precies weten wat je hebt gezien. Je hebt er geen idee van hoe belangrijk dit voor me is.'

'Was dat signaal voor jou?' vroeg Melissa. 'Dus daarom zat je naar dat gebouw te kijken. Je zit te wachten op een signaal van iemand die daarbinnen zit. Je hebt gewoon van alles geheim gehouden voor ons.'

'Je hebt gelijk en het spijt me, goed? Maar vertel me nu maar wat…'

'Ik denk dat het drie korte waren,' zei Sweeney. 'Maar ik heb er maar twee gezien.'

'Waarom denk je dan dat het er drie waren?'

'Omdat de twee flitsen die ik zag, kort waren. Je zei dat het twee lange of drie korte moesten zijn, toch? Deze waren kort, dus het moeten er drie zijn geweest. En dan heb ik alleen de laatste twee gezien.'

Hij had zeven minuten! Hij had er al minstens één verknoeid. Stephen rende naar de trap toe.

'Hé, er klimt daarbeneden iemand uit het raam,' zei Sweeney.

Stephen kwam glijdend tot stilstand. 'Wat?'

'Nee, twee! Kijk nou, maak er maar drie van… vijf! Er zijn net vijf in het zwart geklede mensen uit het raam daarbeneden geklommen.'

Stephen rende naar het raam toe. Inderdaad, Bert en zijn maatjes waren uit het raam geklommen en renden nu voorovergebogen langs de muur.

Een van hun zaklampen produceerde twee lange flitsen.

'Wat?'

'Gaat alles goed daar?' vroeg Melissa.

'Wat is er gebeurd?' vroeg Stephen ongelovig. 'Wat zijn ze nou aan het doen?!'

De mannen renden nog steeds gebukt in oostelijke richting weg. Ze gingen de hoek om bij het volgende gebouw en waren verdwenen. Stephen keek naar het appartement en kon nog steeds niet bevatten wat er zojuist precies was gebeurd. Ze hadden drie keer kort geflitst en toen twee keer lang. Het team was naar binnen gegaan, ze hadden de boel onder controle en waren toen op de een of andere manier door Braun op de vlucht gejaagd.

Maar hoe dan?

Het maakte niet uit. Feit was dat ze waren verdwenen.

De wanhoop spoelde als een breker over hem heen.

Hij wendde zich met een ruk af van het raam en was plotseling in paniek. Hij zou hoe dan ook moeten gaan! Hij zou erheen moeten rennen, door dat raam duiken, de kelder in glippen en die blikken trommel pakken! Voor hetzelfde geld had Sparks tegen zijn mannen gezegd dat ze moesten verdwijnen voor hij naar binnen ging.

Maar het was Braun gelukt een aanval van vijf geoefende soldaten af te slaan. Hij was dus een stuk slimmer of een stuk sterker dan Stephen in eerste instantie had aangenomen.

Hij liet zich langzaam op een kist neerzakken. De wereld om hem heen werd vaag. Vijf dagen van opgekropte frustratie welden in hem op. Het werd tijd om het op te geven. Het werd tijd om naar huis te gaan en alles uit te leggen aan de rabbi. Om uit zijn hol te kruipen en het land der levenden weer te betreden. Tranen vertroebelden zijn blik en hij moest alles op alles zetten om zichzelf onder controle te houden.

'Gaat het wel met je, gozer?' vroeg Sweeney.

Nee, gozer, ik zit hier dood te gaan. Zie je dat dan niet? Natuurlijk gaat het met me. Ik ben een succesvolle makelaar met achthonderdduizend dollar op de bank. Maak daar maar zeven van.

Melissa legde een hand op zijn schouder. 'Het is al goed, schat. We hebben allemaal weleens een beroerde dag.'

Hij liet zijn hoofd zakken en probeerde de emoties van zich af te schudden. Hij had het net zo goed niet kunnen proberen. Er bleef minutenlang een stilte om hem heen hangen.

'Man, jij hebt het echt te pakken, of niet?'

Stephen hield zijn hoofd iets schuin en zag Sweeney in kleermakers-zit in de hoek van zijn schuilplaats zitten.

'*Wat* heb ik echt te pakken?'

'Verlangens. Jij hebt last van verlangens en flink ook. En misschien is dat wel positief.'

Stephen probeerde daar maar geen antwoord op te verzinnen.

'Daar ben ik nou juist naar op zoek, weet je. Dat is de reden dat ik de wereld achter me heb gelaten en de idealen van de stadsnomaden ben gaan aanhangen. Ik weet niet wat zich in Rachels appartement bevindt wat jij zo graag wilt hebben, maar je gaat er in elk geval helemaal voor. Weet je wat er gebeurt als je jezelf helemaal aan zoiets geeft?'

'Nee, vertel eens.'

'Het vernietigt je of het bouwt je juist op. Drugs, bijvoorbeeld. Dat is iets waar je helemaal voor gaat en dan vernietigt het je. Maar als je helemaal voor de liefde gaat, bouwt het je op.'

'Jij zegt het.'

Sweeney stond op. 'Kom, Melissa, laten we Groovy even de ruimte geven om een en ander op een rijtje te zetten. Hij heeft me weer helemaal geïnspireerd.'

'Hou je haaks, Stephen,' zei ze. Ze keken naar hem vanuit de deuropening die er niet was en hij wist dat hij ergens tijdens zijn ineenstorting hun respect had verdiend. En op de een of andere manier troostte dat besef hem een beetje. Zijn nieuwe familie begon hem te omarmen.

Ze vertrokken en Stephen krulde zich op op zijn bed.

'Ram de hele tent uit elkaar!' bulderde Roth. 'Elke wand, elke deurpost, elk tapijt, het hele gebouw, van de nok tot aan de kelder, te beginnen bij de derde verdieping. En we beginnen nu!'

'Het is midden in de nacht,' protesteerde Balzer.

Roth keek de man woest aan.

'We zijn nog steeds niet helemaal helder,' vervolgde Balzer.

Ze waren zeker een uur buiten westen geweest voor het effect van het gas minder werd. Zover ze hadden kunnen zien, waren ze met zijn vijven geweest en waren ze verjaagd door het traangas. Een van hen had een magazijn laten vallen, waarschijnlijk van een M-16. Een drukgranaat had een van de honden gedood en de andere buiten westen geknald.

De aanvallers hadden een granaatwerper gebruikt voor de gasgranaat. Wie het ook waren geweest, ze hadden geen gebrek aan spullen.

Roth was blij met de inspanningen van de Jood. Het was belangrijk dat hij zelf kans zag om binnen te komen. Pas dan kon Roth zijn volgende zet doen. Als Stephen vermoedde dat hij voor de gek werd gehouden, zou het spel in gevaar worden gebracht. Hij zou zelfs weleens kunnen opgeven.

En wat als de Jood hem te slim af zou zijn, net zoals zijn moeder Gerhard te slim af was geweest?

Roth zou dat risico moeten nemen.

In een plotselinge woedeaanval hief hij zijn pistool op en schoot Balzer door het hoofd.

'Balzer was ziek,' zei Roth. 'We hebben geen tijd voor ziektes. Is er nog iemand ziek?'

Niemand durfde tegen hem in te gaan.

'Mooi. Ik wil dat dit gebouw binnen twee dagen tot aan de kelder toe wordt gesloopt.'

Hij richtte zich tot Lars. 'Hoe heette die vrouw bij het openbaar ministerie ook alweer?'

'Welke vrouw?'

'De vriendin van de makelaar.'

Lars aarzelde. 'Ik weet het niet meer... misschien Sylvia. Ja. Sylvia Potok.'

'Ik heb haar adres nodig,' zei Roth.

28

Ruths eerste bevrijdende moment kwam toen ze het huis van Braun op de heuvel binnenstapte.

Ze was hier al minstens tien keer geweest en ze werd altijd begroet door een zelfgenoegzaam lachje, een blik die zei: *Vind je ook niet dat je erg veel geluk hebt om vanavond in mijn gezelschap te mogen verkeren?* Vanavond stond de commandant naast de eettafel, gekleed in galatenue, en binnen twee seconden veranderde zijn blik van zelfgenoegzaam in geschokt. Ruth genoot zo intens mogelijk van zijn verbazing.

De bewaakster sloot de deur achter haar en ze keek Braun aan met zoveel zelfvertrouwen als ze kon opbrengen. Bitterheid en woede hadden haar de heuvel op geholpen, maar nu ze hem in dat belachelijke uniform met zijn ogen zag staan knipperen, voelde ze zich meer ziek dan kwaad.

'Wat doe *jij* hier?' wilde hij weten. Zijn ogen verplaatsten zich naar het rode sjaaltje dat over haar arm hing. 'Ik heb dat ding niet naar jou toe gestuurd.'

'U hebt het dus naar een vrouw toe gestuurd die zwanger is? Logisch. Waarom een touw verspillen als je er twee met hetzelfde touw kunt ophangen?'

Hij staarde haar aan en verroerde geen vin. 'Denk je dat dit grappig is?'

'Niet dan?'

Achter hem was de tafel gedekt met twee sets Nederlands porselein, kristallen glazen, witte servetten in zilveren servetringen en een enkele rode roos.

Braun liep om de tafel heen en zijn vingers sleepten lichtjes over het zijden tafellaken. 'Ik heb dat sjaaltje naar Martha toe gestuurd, niet naar jou. Er moet een vergissing in het spel zijn. Ik zal een bewaakster sturen om…'

'Ik heb zelf het sjaaltje gepakt.' Ze zei het met haar gebruikelijke zelfvertrouwen, alsof haar bezoekje niets meer was dan een zoveelste intellectuele krachtmeting. Maar ze wist dat dit iets anders was.

'Je hebt het recht niet.' Zijn gezicht betrok. 'Ik heb het naar Martha gestuurd.'

'U hebt het altijd over de lamsoffers. Wat voor offer brengt nou een slachtoffer dat niet wil? Ik ben hier vrijwillig. Of hebt u de moed niet om mijn moed te evenaren?' Ze liep naar de tafel toe en keek hem recht aan. 'We zullen zien wie vanavond meer moed heeft, een tenger Joods meisje met een pistool tegen haar slaap, of een grote, flinke nazi-moordenaar.'

Ruth liep langs de commandant heen, tilde het deksel van een wit porseleinen schaal. Er rees stoom omhoog en ze rook kip en selderij, met een vleugje gember. Ze bleef zo even staan, gegrepen door de sensaties die door deze heerlijke geur door haar gedachten raasden. Ze had al vele maanden lang geen echt eten geroken, maar deze geur die… die haar het water in de mond deed lopen, leek haar helemaal te doorstromen. En nog een geur – vers brood uit de keuken. Vers, warm, heerlijk. Haar speekselklieren reageerden meteen en overvloedig. De roos die zich een halve meter bij haar ogen vandaan bevond, rook ook lekker. En hij leek roder dan de rozen die ze zich uit Slowakije herinnerde. Zo'n schoonheid die uit een stekelige stengel opbloeide. De commandant zei iets, maar ze hoorde het niet eens.

Wat was er met haar aan de hand? Alles wat ze had gezegd over nieuw leven en hoop en passie werd op dit moment uitgetest. In zekere zin kwam ze nu tot leven, of niet?

Maar wat als het alleen maar woorden waren geweest? Wat als er geen echte waarheid school in die idioterie van haar?

Ze slikte en keek op naar de commandant. 'Zullen we maar gaan eten? Het ruikt… fantastisch.'

Hij staarde haar woest aan, maar leek al minder geshockeerd te zijn. 'Ik zou jullie hiervoor allebei kunnen neerschieten.'

'Dat had u maanden geleden al kunnen doen. Maar u bent het zat om

Joden dood te schieten; dat hebt u me zelf verteld. De uitdaging was eraf, weet u het nog? Dus nu geef ik u een nieuwe uitdaging. Accepteer een offer in plaats van een ander offer. U bent waarschijnlijk de enige in deze hele oorlog die zoiets heeft gedaan.'

'Je bent op deze manier waardeloos voor me!'

Ze wist niet zeker of ze wel begreep wat hij daarmee bedoelde.

'Hoe kun je nou je eigen kind in de steek laten?' wilde hij van haar weten.

'Hoe kunt u nou Martha's kind doden?'

'Ze is een Jood!' schreeuwde hij.

'Net als ik!'

Voor Braun was de oorlog een spel waarin hij voor God speelde. Alles wat zijn status verhoogde, bracht hem dichter bij de overwinning. En alles wat die status naar beneden haalde, bracht zijn macht in gevaar. Het feit dat de Russen al waren opgerukt tot zo'n vijfhonderd kilometer naar het oosten deed er nauwelijks toe. Zijn spel werd hier in Toruń gespeeld en in Toruń was hij aan de winnende hand.

Ruth trok de stoel onder tafel vandaan waarvan ze aannam dat die voor haar was bedoeld en ging zitten.

'Denk je nou echt dat ik jou zal ophangen en de anderen zal laten leven?' zei Braun bars. 'Denk je nou echt dat het zo werkt?'

Ze verloor onmiddellijk haar eetlust. Het was de manier waarop hij het woord 'anderen' uitsprak. Hij bedoelde Esther en Martha en Martha's kind, en ze wist dat hij in staat zou zijn om haar op te hangen en daarna direct naar de barak toe te lopen om Martha en de kinderen te vermoorden. Esther zou het moeilijkst voor hem zijn, omdat hij zichzelf zag als Esthers weldoener. Zij was zijn bewijs dat hij nog steeds menselijk was en genade kon tonen.

'Ik verwacht van u dat u zich aan de regels van het spel houdt,' zei Ruth. 'U mag dan een moordenaar zijn, maar u hebt nog steeds eergevoel. Toch?' Dat was natuurlijk een keiharde leugen, maar hij geloofde erin.

De commandant ging ook zitten, sloeg zijn benen over elkaar en bestudeerde nauwkeurig haar gezicht. 'Je blijft me verbazen,' zei hij. 'Eerlijk gezegd begrijp ik je niet. Weet je wel zeker dat je Joods bloed hebt?'

'Ja.' De angst begon haar gedachten te besluipen. Hij ging op haar uitdaging in. Ze wist dat hij dat zou doen, maar ze had meer tegengas verwacht. Of misschien een schot door haar hoofd, omdat hij een woedeuitbarsting kreeg. De gedachte om te worden opgehangen aan een touw...

'Goed dan. Zoals je wilt. Maar ik zal wel je dochter moeten doden. We kunnen hier geen baby hebben zonder moeder. Misschien stuur ik haar wel in een aardappelzak naar Auschwitz.'

Ruth kwam plotseling in beweging zonder precies te weten wat ze deed. Ze sprong overeind. Ze had opeens de schaal met hete gemberkip in haar handen en smeet die tegen de achtermuur. Hij knalde met een vreselijke klap tegen het hout.

'Nee!' Ze wist dat dit niet de manier was om met hem om te gaan. Heel even had ze de controle over het spel van hem overgenomen, maar nu overtroefde hij haar weer. 'Waag het niet haar aan te raken! Nooit!'

Hij grinnikte. Ruth stond daar, met gebalde vuisten bevend langs haar lichaam. Haar nobele opoffering voelde nu dwaas aan. Ze moest zich beheersen. Voor Esther.

'Je hebt de pit van twintig mannen,' zei Braun, 'maar je zou ondertussen moeten weten dat je me niet kunt vertellen wat ik wel of niet moet doen. Als ik besluit je baby te doden, doe ik dat. En als ik besluit dat ze in een aardappelzak naar Auschwitz wordt gestuurd, gebeurt dat. Jouw zielige opoffering betekent niets.'

Ruth ging met een plof weer op haar stoel zitten. Ze haalde diep adem en legde haar handen plat op tafel. 'Het spijt me. U raakte een blootliggende zenuw,' zei ze, waarna ze slikte om het beven van haar stem te laten ophouden.

Hij glimlachte, maar ze zag dat zijn bovenlip baadde in het zweet. 'Begrijpelijk,' reageerde hij.

'Dank u.'

Denk na, Ruth. Zeg tegen hem wat je tegen hem wilde zeggen, voor hij een eind maakt aan dit spelletje.

'Maar u zou mijn dochter of Martha niet moeten doden. In feite zou u hen in ere moeten houden. Het ligt in de lijn van uw methode. U laat mensen hoop krijgen en boort die daarna de grond in. Het probleem met slagers zoals Himmler is dat ze geen hoop bieden. Ze maken eenvoudigweg een eind aan het leven, elke keer weer, tot het een betekenisloze puinhoop wordt. Dat hebt u zelf gezegd.'

Zijn glimlach verzachtte zich. 'Ja, en?'

'Als u na mijn opoffering Martha of Esther doodt, boort u de hoop van de anderen tot de laatste snipper de grond in. Dan weten ze dat u niet langer volgens de regels van het spel speelt. Dan komt het sjaaltje en het interesseert ze niet meer. Dan verwordt u tot niets meer dan het zoveelste schakeltje in deze moordmachine.'

Hij staarde haar lang en aandachtig aan. De waarheid achter haar woorden raakte haar en ze aarzelde, maar ze moest doen wat ze kon om Esther en Martha in leven te houden.

'Maar als u hen in leven houdt, zult u de barak overspoelen met nieuwe hoop. De volgende keer dat uw sjaaltje op hun bed komt te liggen, zal dat een verwoestende uitwerking hebben. Het lichaam doden is veel gemakkelijker dan de geest doden.'

'En dat allemaal ten koste van jouw eigen leven?' zei hij.

Haar maag keerde zich om. 'Ja.'

'Je houdt echt van hen, nietwaar?'

'Ja.'

'Ik kan je niet garanderen dat ze zullen blijven leven.'

'Dan bent u niet zo machtig als u denkt.'

Braun schoof zijn stoel achteruit, stond op, keek haar lang aan en liep naar het raam dat uitzicht bood over het kamp. Nu het weer stil was, dacht ze na over hoe het zou aanvoelen om met een strop om haar nek aan de poort te bungelen. Zou alles meteen zwart voor haar ogen worden, of zou ze langzaam stikken? Zouden haar benen stuiptrekkende bewegingen maken?

Lieve help, ze liet haar kind in de steek! Haar gezicht werd rood en plotseling stond ze op. Hoe kon ze zo'n schitterend, onschuldig leven, dat ze pas ter wereld had gebracht, zoiets aandoen?

Nee, Martha en haar kind waren er ook nog. Als Martha hier nu zou hebben gestaan, zouden er in elk geval twee levens verloren gaan. Dit was de enige hoop die Martha's kind had.

Braun wendde zich af van het raam en er lag een frons op zijn voorhoofd. 'Zoals je wilt, dan.' Hij liep naar de telefoon.

'Beloof me dan iets,' zei Ruth.

'Je hebt mijn avond geruïneerd,' zei hij. 'Ik ben niet geïnteresseerd in de hoop van anderen. Ik was van plan Martha haar hoop te ontnemen. Je hebt gelijk over de macht van de hoop. Wanhoop. Verlangen. Daar leef ik voor. Maar jij hebt me in de war gebracht.'

'Beloof me dat u hen zult laten leven,' zei ze.

Hij pakte de veldtelefoon en sprak zacht. 'Nu. Ja, nu.' Hij legde de telefoon weer neer.

'Beloof het me.' De tranen sprongen haar in de ogen voor ze besefte dat ze zou gaan huilen. De kamer dreef door haar blikveld en ze wist niet wat ze moest doen. Braun keek naar haar, liep toen naar een dressoir en trok een lade open.

Ruth wendde haar blik af en sloot haar ogen. Alle slimme argumenten waren op. De bewakers kwamen de heuvel al op. Ze had zichzelf de dood op de hals gehaald en nu wist ze niet meer wat ze moest doen.

Behalve huilen. Ze dacht dat huilen nu wel op zijn plaats zou zijn, omdat ze al sterk genoeg was geweest. Wat maakte het uit als ze zou sterven met de tranen in haar ogen? Niemand, behalve een paar bewakers die waarschijnlijk al een weddenschap hadden lopen over hoe lang ze zou blijven stuiptrekken aan het touw, zou het zien. Hoe dan ook, ze zou binnen een uur dood zijn.

Ze liet de tranen over haar wangen stromen, maar maakte geen enkel geluid. Nee, ze zou dat beest die lol niet gunnen. En ze zou niet meer smeken, hoe graag ze dat ook zou willen. Braun zou niet op de juiste manier reageren op een smekende vrouw.

'Kijk me aan.'

Braun stond amper een meter bij haar vandaan. In een van zijn handen had hij een scherp, smal mes. Met de andere hield hij een kristallen wijnglas vast. Hij zag eruit als een demon.

'Ik zal doen wat je vraagt, maar op één voorwaarde.'

Een sprankje hoop. Ze had het gevoel alsof ze zuurstof tekortkwam.

'Wat dan ook,' zei ze. Een snik. 'Echt, ik zweer het, wat dan ook.'

'Ik zal hen in leven laten, Ruth, maar ik heb wat bloed van je nodig. Ik wil dat je me wat van je bloed geeft. Vrijwillig.'

'Mijn bloed?'

'Alleen maar een klein sneetje in je pols.'

Zijn verzoek sloeg nergens op.

'Ik moet de bloedlijn van je kind natrekken.'

Het kon Ruth eigenlijk niets schelen dat dit nergens op sloeg. Ze geloofde hem. En met dat geloof kwam er een vloedgolf aan hoop, zoals ze lang niet had gevoeld.

Ze stond van top tot teen te beven. Hij was wazig door haar tranen, maar ze stak haar arm uit, haar pols omhoog. 'Snij maar,' zei ze. 'Maar laat mijn kind in leven. Ik smeek u om mijn kind te laten leven.'

Hij pakte voorzichtig haar hand en wreef met een vinger over haar palm, gefascineerd door haar huid. Dit was de eerste keer dat hij haar aanraakte. 'Dat zal ik doen. Ik beloof je dat ik je kind in leven zal laten. En ik zal jou ook laten leven.'

Het leek wel of ze een elektrische schok kreeg. Zou hij dat menen?

Ze voelde het koude snijvlak van het mes tegen haar pols.

'Ik garandeer je dat je deze oorlog zult overleven.'

Hij maakte een snelle beweging met het mes. Het stak. Ze hapte naar adem. De snee was dieper dan ze had verwacht.

Braun draaide haar pols om en keek toe hoe het bloed in het glas druppelde dat hij eronder hield. Zijn ogen hadden een wilde uitdrukking en zijn lippen weken iets van elkaar.

Ruth voelde een steek van angst.

Hij liet haar arm los en hief het glas op naar zijn neus. Rook eraan als aan een tere bloem. Heel even dacht ze dat hij ervan zou proeven.

Braun keek naar haar alsof hij zich plotseling realiseerde dat ze zich nog steeds in de kamer bevond. Ze wisselden een blik. En toen glimlachte hij.

'Er is één kracht in dit universum die boven alle andere uitgaat,' zei hij. 'Dat is de kracht achter oorlog en liefde en leven en dood. Hoop. Verlangen. Passie. Dat wat een moeder in staat stelt haar leven te geven voor haar kind. Dat wat een mens naar God doet zoeken. Dat wat Lucifer deed besluiten zijn ambitieuze koers te volgen. Het is hemel en hel. Het verlangen en de genegenheid van de mens bevinden zich in het middelpunt.'

Ze was te geschokt om zich te kunnen bewegen.

'Net als Lucifer ben ik de strijd aangegaan, lieve schat.'

Er werd op de deur geklopt.

Hij hief zijn glas op en liet het bloed erin ronddraaien als rode wijn.

En toen zette Gerhard Braun het glas aan zijn lippen, kantelde het en goot de inhoud tot op de laatste druppel naar binnen. Toen hij zijn arm weer liet zakken, waren zijn ogen gesloten, zijn lippen rood en haalde hij beverig adem.

Het bloed trok weg uit Ruths hoofd. 'U hebt een belofte gedaan...'

De deur ging open.

'Die ik niet van plan ben te houden,' zei Braun. Hij zette het glas op de tafel. 'Hang haar op. Nu.'

Bonkende laarzen.

Ruths keel zat dicht. Ze trokken een zwarte zak over haar hoofd en bonden snel haar handen achter haar rug. Ze bood geen weerstand.

Ze duwden haar naar voren en de trap af die ze zo vaak had beklommen. Misschien zou hij Esther laten leven. Misschien zou het genoeg zijn als hij haar had zien hangen.

Vader, geef mijn kind hoop!

Ze knipperde tegen het inktzwarte duister en probeerde het beeld van de hoofdpoort uit haar gedachten te bannen. De schimmelige doek drukte tegen haar neus. Trokken ze deze zelfde zak over het hoofd van alle slachtoffers heen? Ze beeldde zich de andere vrouwen in die deze tocht hadden gemaakt, hoe die zich moesten hebben gevoeld, helemaal alleen in dit duister, met de enige zekerheid dat hun leven ten einde was. Zouden ze hebben gehuild? Rook ze opgedroogde tranen?

Haar ademhaling versnelde.

'Ga hierop staan!'

En dat deed ze – op een kist of een stoel. Ze voelde het touw toen ze dat over haar hoofd heen trokken. De adrenaline kwam in golven en sneed door haar zenuwen als een miljoen microscopisch kleine scheermesjes, waardoor ze de neiging kreeg op de vlucht te slaan. Maar ze kon nergens heen.

'Vader in de hemel, ik smeek U om de kinderen te redden.'

Wie de strop dan ook om haar hoofd schoof, stopte daar even mee en trok hem toen strak.

'Laat mijn dood niet zinloos zijn. Red de kinderen.' Haar stem klonk nu hoger en luider. 'Geef hun liefde en hoop!'

Martha werd voor het ochtendgloren wakker, gedesoriënteerd door het duister. Naast haar lag een baby.

Ruths baby.

Ruth!

Er stroomde doodsangst door haar heen en ze kreunde. Ze zou nu kunnen gaan kijken, als ze wilde. Ze zou uit bed kunnen klimmen en naar het raam toe kunnen lopen, waarvandaan ze goed zicht had op de poort van Toruń.

Maar ze kon het niet.

Ze bleef tien minuten doodstil liggen, tot ze het niet langer uithield. Ze wierp de dekens van zich af en haastte zich naar het raam. Ze moest nu sterk zijn; de baby's waren nu alleen van haar afhankelijk. En een deel van dat sterk zijn, was de waarheid onder ogen durven zien. Ze *moest* het weten.

Ze bewoog haar hoofd langzaam naar het raam toe.

En toen wist ze het.

Honderd meter verderop hing in alle stilte een lichaam. Er was een zwarte kap over Ruths hoofd getrokken. Haar armen en benen hingen slap. Zo onschuldig en toch hing ze daar aan de andere kant van de binnenplaats.

Martha klemde haar kaken op elkaar en slikte het brok in haar keel weg. Genoeg gehuild. Ze had nu nog maar één doel – de baby's in leven houden. Verder deed niets ertoe. Haar leven had alleen maar zin omdat de kinderen haar nodig hadden. Het einde van de oorlog deed er alleen maar iets toe omdat dat einde de redding van de kinderen zou betekenen.

De prijs die was betaald voor het kind in haar buik eiste een absolute toewijding van haar.

Martha staarde naar Ruths lichaam en beloofde er alles aan te doen om te blijven leven, zodat Ruths dood niet voor niets zou zijn geweest.

29

Los Angeles
24 juli 1973
Donderdagmorgen vroeg

Stephen had gedroomd dat er bloedzuigers tussen zijn tenen door wrie-
melden en werd wakker omdat de hond aan zijn blote voeten stond te
likken. Brandy keek hem aan, jankte en kroop op het bed om een neus
in het holletje tussen zijn hals en zijn schouder te drukken voor hij naast
hem ging liggen.

Het was het meest ontroerende moment dat Stephen in lange tijd had
meegemaakt. De hond was teruggekeerd. Ze hield van hem. Zijn wereld
was nog niet opgehouden te bestaan, ondanks zijn conclusie van enkele
uren geleden. Hij zakte weer terug in een uitgeputte slaap – drie dagen
zonder fatsoenlijke nachtrust hadden hem de das omgedaan. Hij was de
reus tegemoet getreden, had tegen hem gevochten met alles wat hij in
zich had en was weer afgedropen. Goliath was niet gevallen.

Iemand schudde hem wakker. Goliath liep hem te treiteren om hem
weer de ring in te krijgen.

'Stephen.'

Goliath kende zijn naam.

'Wakker worden, gozer.'

Stephen ging met een ruk overeind zitten. 'Wat?' Brandy lag aan de
andere kant van de kamer op Melissa's schoot. Sweeney zat in kleermakerszit naast zijn bed.

'Wat is er?'

'Sorry dat ik je wakker maak uit je schoonheidsslaapje, maar ik heb
iets waarvan ik denk dat we er even over zouden moeten praten.'

Stephen ging slaapdronken overeind zitten. 'Wat is er?'

'Ik heb je net verteld wat er is.'

'Ik bedoel, waar wil je over praten? Hoe laat is het?'

228

'Het is tijd om ten strijde te trekken, Don Quichote.' Sweeney grijnsde.

Waar had die vent het over? Dat was het probleem met die stadsnomaden – ze waren te idealistisch om bruikbaar te zijn. Poëzie was prima, maar je kon het niet dragen, eten of erin slapen.

Hij wilde de man het liefst een optater verkopen voor het feit dat hij hem wakker had gemaakt.

'Hoeveel is het je waard om in dat gebouw te kunnen?' vroeg Sweeney.

'Wat bedoel je?'

'Ik bedoel, hoeveel zou je daarvoor willen betalen?'

Stephen was plotseling klaarwakker. 'Kun jij daar binnenkomen?'

'Misschien. Dat hangt ervan af. Maar stel dat ik een manier heb om daar binnen te komen. Ik bedoel, een absoluut gegarandeerde manier. Wat zou dat je waard zijn?'

'Vertel me nou gewoon of je een manier hebt om binnen te komen!'

'Denk je nou echt dat ik je zou wekken uit zo'n serene slaap om wat met esoterische beweringen te smijten?'

'Daar zou ik helemaal niet raar van opkijken.'

'Zie je nou wel, daar doe je het weer. Het wordt een gewoonte van je om mijn gevoelens te kwetsen. Geef me gewoon even wat krediet. Doe eens een bod.'

'Goed. Duizend dollar.'

Sweeney keek hem lang en strak aan. 'Is dat alles? Is dit je allemaal maar duizend dollar waard?'

'Heb je op dit moment dan duizend dollar op zak?' vroeg Stephen.

'Ik wil nu helemaal geen duizend dollar.'

'Waarom vraag je het dan?'

Sweeney maakte een wegwuivend gebaar. 'Vergeet het maar, vent. Ik weet toch niet hoe ik in dat gebouw moet komen.'

'Wat bedoel je dat je dat niet weet? Je hebt me zojuist wakker gemaakt om me te vertellen dat je dat *wel* weet!'

'Wat maakt het uit – je hebt er nauwelijks iets voor over, of wel? Duizend dollar – hou even op, zeg.'

'Goed, tienduizend dan,' zei Stephen.

'Ik weet wel hoe je daar binnen moet komen, echt.' Sweeney grijnsde. 'Ik kreeg even het idee dat dit heel wat voor je betekende, maar toen hoorde ik dingen als duizend en tienduizend, en kreeg ik het idee dat ik het mis had.'

Sweeney blufte, of niet? Misschien wist hij wel echt een manier om binnen te komen. Stephen krabbelde overeind op zijn knieën. 'Als je me daar naar binnen krijgt, betaal ik je wat je hebben wilt.'

Sweeney wierp een blik op Melissa, die stilzwijgend toekeek. 'Hoor je dat, schoonheid? Dat begint er al op te lijken. Maar zo werkt het niet, Groovy. Ik moet weten wat het *jou* waard is. Het gaat er hier niet om wat ik wil. Het gaat erom hoe graag je wilt hebben wat daar verborgen ligt. Hoeveel heb je ervoor over?'

'Twintigduizend.'

Sweeney staarde hem alleen maar aan.

'Vijftigduizend – als je me binnen weet te krijgen.'

'Niet genoeg.'

'Kom op, zeg! Hoeveel is dan *wel* genoeg?!'

'Jouw verlangen is groter dan het bedrag dat je noemt, Groovy. Ik zie het aan je ogen. Jij zou je ziel nog verkopen voor wat er in dat gebouw ligt.'

Stephen ging op zijn hurken zitten en keek naar de glimlachende stadsnomade. Door het raam was een heldere maan te zien. Het verkeer op La Brea bromde zacht, zelfs al was de zon nog niet op.

'Jij vroeg me wat ik bereid ben je te betalen, niet wat het waard is,' zei hij.

'Dat is hetzelfde. Je betaalt wat het je waard is. En het is waard wat je ervoor betaalt. Hoeveel geld ben je bereid voor die obsessie van je te betalen? Dat is wat ik wil weten.'

Stephen keek naar de foto van Ruth. De maan wierp een zachte glans over haar gezicht.

'Dat is een oneerlijke vraag.'

'Er zijn er maar zo weinig die hun woorden in daden omzetten, waar of niet? Dat is wat de groten van het gepeupel onderscheidt. Gandhi. Jezus. Die gaven hun leven. Het enige waar ik om vraag, is geld.'

Stephen wist niet of hij de man nu moest slaan of uithuilen op zijn schouder. Hij had Dan Stiller vijfhonderdduizend beloofd. Hij had honderdduizend aan Sparks uitgegeven. Hij had dus nog tweehonderdduizend over.

'Honderdduizend,' zei hij.

230

'Niet genoeg. Een gegarandeerde toegang tot het gebouw.'

'Tweehonderdduizend.'

Sweeney aarzelde. 'Is dat het uiterste? Zou je hier weglopen als het je meer zou kosten?'

'Nee! Dat zei ik niet!'

'Stop dan met zeuren!' schreeuwde Sweeney.

Stephen schrok van die woede-uitbarsting. De tranen welden op in zijn ogen.

'Toon eens wat lef, man!'

'Vijfhonderdduizend!' riep Stephen uit. Dan zou een hoop te vergeven hebben.

'Stop daarmee, Sweeney!' zei Melissa. 'Zo is het wel genoeg. Je bent hem eenvoudigweg aan het kwellen!'

'En dat is precies wat hij nodig heeft. Dat is wat we allemaal nodig hebben.' Hij stak een hand uit en wreef Stephen over zijn schouder. 'Je hebt het goed gedaan, gozer. Je hebt het prima gedaan.'

De man stond op en liep naar het raam. 'Hoe ga je me betalen?'

Stephen schraapte zijn keel. 'Dit is serieus, hè?'

'Als een hartkramp.'

'Hoe wil je het hebben?'

'Contant?'

'De bank houdt er niet van om het contant te geven, maar ik denk dat ik het wel kan regelen.'

'Gewoon uit nieuwsgierigheid – hoeveel geld heb je op je rekening staan?'

'Zevenhonderdduizend.'

'Dan heb je dus nog tweehonderdduizend over. Vijfhonderd dus, inclusief onkosten.'

'Onkosten?'

'We zullen wat spullen nodig hebben. Ik wil twintigduizend contant hebben en de rest op een cheque, uitgeschreven voor een goed doel dat je zelf mag uitkiezen.'

'Wat?' Stephen stond langzaam op.

Sweeney haalde zijn schouders op. 'Ik zit niet echt op geld te wachten. Voor twintigduizend hou ik het wel een paar jaar vol en dan leef ik er nog luxe van ook.'

'Waarom…' Hij keek naar Melissa; ze glimlachte.

'Je betaalt het tot op de laatste cent, vriend. Als dit vijfhonderdduizend waard is, gaat iemand er vijfhonderdduizend voor betalen. En die iemand ben jij. Laten we zeggen dat ik je verlangen legitimeer. Je betaalt het of niet. En er is nog iets. Je betaalt hoe dan ook, of je nou wel of niet vindt wat je zoekt. Ik zorg er alleen maar voor dat je binnenkomt.'

'Maar je moet me ervan verzekeren dat ik binnenkom.'

'Als ik je daar niet binnen krijg, verscheur ik de cheque.'

Stephens gedachten vulden zich met een beeld van de vloerkluis met de blikken trommel erin. 'Goed, wanneer gaan we? Hoe gaan we het doen? Kun je het me laten zien?'

'Alles op zijn tijd. Ik heb dat geld nodig.'

'Nee, ik denk dat je het niet helemaal begrijpt. Dit kan niet wachten! Ik verzeker je dat je je geld krijgt, maar de mensen daarbinnen zitten achter hetzelfde aan als ik. Ze zijn op dit moment bezig het hele gebouw te strippen. Misschien hebben ze het zelfs al gevonden! We moeten nu in beweging komen.'

'Dit is niet iets wat je even doet,' zei Sweeney met een opgetrokken wenkbrauw.

'Hoe lang dan?'

'Twee dagen. Misschien langer. Dat hangt ervan af.'

'Twee dagen?! Kom op, zeg!'

'Twee dagen. Minstens.'

Stephen begon te ijsberen. 'Dan moeten we meteen beginnen. Ik ga je cheque halen zodra de bank opengaat. Ik geef je veertigduizend als je het me nu meteen laat zien.'

Sweeney keek Melissa aan. 'Goed. Je kunt de bonus houden, maar als je je niet aan je belofte houdt, loop ik naar de politie en vertel ik ze wat je hier aan het doen bent.'

'Ik hou me echt wel aan mijn belofte,' zei Stephen resoluut.

Sweeneys ogen schitterden als die van een opgewonden kind. 'Wil je het zien?'

'Ja! Ik wil het graag zien!'

'Kom mee.'

Ze haastten zich in een bijna totale duisternis de trappen af naar de begane grond. 'Wacht hier,' beval Sweeney. Hij keerde een halve minuut later terug met een zelfgemaakte toorts. 'We hebben daarbeneden licht nodig,' zei hij.

'Beneden? Ik heb boven in mijn rugzak een zaklamp,' zei Stephen.

'Te klein.' Hij streek een lucifer af en stak de lappen aan het einde van de stok in brand. Vlammen likten aan de gerafelde stof en vulden het trappenhuis met een dansend licht. 'En trouwens, dit is veel spannender, vind je ook niet? Kom op!'

Hij liep de trap naar de kelder af, met achter zich een lint van olie-achtige rook. 'Het was in eerste instantie de bedoeling dat dit gebouw tegelijk met het andere en aan elkaar vast gebouwd zou worden,' zei Sweeney, die verder de kelder inliep. 'Dezelfde indeling, dezelfde fundering, dezelfde voorzieningen. Wat mij betreft zijn het allebei bouwvallen, maar ze zijn nog steeds niet ingestort; ik vermoed dat dat alles is wat sommige mensen van een gebouw verlangen.'

Stephen herinnerde zich dat Sweeney architectuur had gestudeerd aan het UCLA. Stephens hart begon sneller te kloppen. Ze waren een kelder ingelopen die vrijwel identiek was aan die van Rachel. Hij stond stil, gefixeerd op een van de deuren recht tegenover de trap.

Dat was het stookhok. De rest van de kelder vervaagde plotseling. Sweeney zei iets, maar het klonk ver weg. Ze bevonden zich in de kelder! Dit was de kelder van zijn moeder en dat was het stookhok. En daarbinnen bevond zich de kluis!

Stephen beende naar het stookhok toe, knalde tegen de deur aan, greep de deurknop en rukte hem open. Donker.

'Schiet op!'

'Stephen…'

'Licht, hierheen!' Hij gebaarde wild naar de andere twee en liep naar binnen.

Van achter hem viel het licht van de toorts de donkere ruimte in. 'Wat is er?' vroeg Melissa.

Stephen knipperde met zijn ogen. Geen vaten. De Duitsers…

'Zie je iets?' vroeg Sweeney.

'Ik…' De nieuwe boiler was verdwenen. 'Is dit dezelfde?' Nee, natuurlijk was dat niet zo. Waar zat hij met zijn gedachten? Dit was het stookhok van Gebouw B. Een mengeling van opluchting en teleurstelling spoelde over hem heen. 'Tjonge. Ik dacht heel even dat ik in de kelder van Rachel was.'

Hij keek Sweeney en Melissa aan. Brandy dribbelde ook de ruimte binnen en snoof met opgeheven neus de lucht op. Ze keken alle drie naar Stephen.

'Ligt het in het stookhok?' vroeg Sweeney. 'Wat jij wilt hebben, ligt dat in het stookhok aan de andere kant van de straat?'

Het had geen zin te ontkennen wat hij zojuist pijnlijk duidelijk had gemaakt. 'Ja. Het spijt me, ik flipte een beetje.'

'Man, wat ga jij straks van mij houden,' zei Sweeney met een brede glimlach.

'Hoezo?'

'Ik zei dat ik je dat gebouw in kon krijgen. Wat ik je nog niet had verteld, is dat ik je de kelder in kan krijgen.'

'Bedoel je echt in de kelder?'

'Je zult het wel zien. Kom.' Hij draaide zich om, liep het stookhok uit en stond in het midden van de kelder stil, alsof hij nog niet zeker wist waar hij hen nu heen zou voeren.

'Trouwens, gewoon uit nieuwsgierigheid' – Sweeney keek hem aan – 'ik weet dat dat ding van jou een streng bewaakt geheim is, maar wat ik je ga laten zien is dat ook. Dus wat zoek jij daar precies?'

De aandrang om het hun te vertellen verraste Stephen. 'Een koektrommel,' zei hij. Natuurlijk was iemand die vierhonderdtachtigduizend dollar aan een goed doel doneerde voor een blikken trommel niet het type dat stal om zijn hebzucht te bevredigen.

'En wat zit er in die trommel? Gewoon uit nieuwsgierigheid. Hebben we het hier over de Ring?'

Stephen staarde naar Sweeney en toen naar Melissa. Hij mocht hen wel. Hij mocht deze twee mensen zelfs erg graag – op dit moment misschien zelfs wel meer dan wie dan ook die hij zijn hele leven had gekend. En dat was vreemd, gezien het feit dat hij hen nauwelijks kende. Het sentiment verstikte hem een beetje en hij kon hen alleen maar aanstaren.

'Gaat het wel met je?' vroeg Melissa.

Hij knikte. 'Jullie zijn best tof, weet je.'

Ze liep naar hem toe en wreef hem over zijn rug. 'Wij vinden jou ook wel tof. Dat is de reden dat we je willen helpen. We zouden niet om geld vragen – dat was Sweeneys idee.' Ze wierp Sweeney een boze blik toe. 'Hij stond erop, omdat het deze hele ervaring des te meer de moeite waard zou maken.'

'En dat is ook zo,' zei Sweeney. 'Je voelt het al, nietwaar, Groovy? Hoe meer je betaalt voor de diamant, des te meer je ervan houdt. Ik voel heel wat liefde hier op dit moment. Begrijp je wat ik bedoel?'

Stephen knikte. Hij zou hen beiden het liefst omhelzen. 'Om eerlijk te zijn, weet ik niet zeker wat er in de trommel zit,' zei hij. 'Maar ik weet wel zeker dat het uit nazi-Duitsland komt en dat het toebehoort aan ene Esther, de dochter van de vrouw op de foto boven. Als ze nog leeft.'

'Och, wat lief,' zei Melissa terwijl ze hem nogmaals over zijn rug wreef. 'Je doet dit uit liefde.'

'Wat erin zit, zou honderd miljoen dollar waard kunnen zijn,' zei Stephen, maar op het moment dat hij dat tegen deze twee zei, leek dat detail onbelangrijk. Raar.

En toch leverde het detail hem een stilzwijgen van de twee op.

'Maar toch,' zei Melissa, 'doe je dit uit liefde. Ik zie het in je ogen.' Ze liep naar Sweeney toe. 'Al dat gepraat over liefde doet mijn knieën knikken, baby.'

Hij sloeg zijn arm om haar heen en kuste haar op haar mond. 'Liefde, baby, daar gaat het om.'

Ze keken naar Stephen, stralend als twee lampionnen. Er ontsnapte hem een sniklach, zo eentje die moeders produceren op de trouwdag van hun dochter, zo eentje waarvan hij ooit had beweerd dat je die alleen bij vrouwen hoorde.

'Ben je er klaar voor, Groovy? We hebben niet de hele nacht. Ik zou het niet prettig vinden om hier te stranden met een uitgebrande toorts.'

'Helemaal,' reageerde Stephen.

Sweeney knipoogde en liep naar een van de deuren toe. Ze bevonden zich midden in de nacht in een groezelige kelder, op weg naar 'daarbeneden', waar dat dan ook mocht zijn, terwijl ze overdreven praatten, alsof ze de hele wereld aankonden. Met Sweeney voorop zouden ze de kelder in marcheren, recht op de kluis af.

Ze gingen een ruimte binnen die zwart was van de kolen.

Sweeney had gezegd dat het twee dagen zou duren, maar dat was natuurlijk omdat hij het geld van tevoren wilde hebben. Zonder dat voorbehoud zou hij de trommel voor zonsopgang al in handen hebben.

'Wat is dit?' vroeg Stephen terwijl hij om zich heen keek.

'Dit is het, gozer.'

Er lagen zwarte lompen over de vloer verspreid of her en der opgestapeld in kleine stapeltjes. 'Het kolenhok.'

Sweeney liep naar de andere kant en stampte op de vloer. 'Nee. Kijk maar gewoon.'

Stephen haastte zich naar hem toe. 'Wat is er dan?'

'Hou dit eens vast, lieverd.' Sweeney gaf de toorts aan Melissa, liet zich op een knie zakken en rukte aan een metalen deksel in de vloer. De metalen plaat kwam los met een schrapend, metalig geluid. Een zwart gat van zestig centimeter gaapte hen aan.

'Je krijgt een afvoer van me,' zei Sweeney trots, zijn hand theatraal uitgestoken naar het gat.

'Een afvoer?' Stephen keek op. 'Waar gaat die heen?'

'Kom maar mee.'

Sweeney liet zich op zijn achterwerk ploffen, liet zijn benen in het gat zakken, zette zijn voeten op stalen steunen, zover Stephen kon zien, en klom naar beneden. 'Je kunt maar beter je broekspijpen oprollen!' riep hij. 'Het is hier een beetje nat!' De opmerking werd gevolgd door een plons.

Stephen bleef staan waar hij stond, totaal verbijsterd. De hond blafte en hij dook iets in elkaar.

'Het is al goed, puppy,' zei Melissa, die haar over haar kop aaide. Ze draaide zich om naar Stephen en gaf hem de toorts. 'Geef deze weer aan me terug wanneer ik beneden ben.'

Hij gaf haar de toorts toen ze halverwege de trap was en staarde in het gloeiende gat. Er stond daar inderdaad water.

'Kom op, gozer! We hebben niet de hele nacht.'

Hij dacht er nog over om zijn broekspijpen op te rollen, maar de anderen hadden dat ook niet gedaan, dus kroop hij achter hen aan. Brandy stak haar kop in het gat en jankte, maar ze maakte geen aanstalten om hen achterna te duiken.

'Hou je taai, meisje. We zijn zo weer terug.'

Stephen liet zich voorzichtig in het riool zakken en draaide zich om naar Sweeney en Melissa. De betonnen tunnel verdween in het duister. Hij was rond en ongeveer twee meter in diameter. De muren waren bedekt met bruin slijm. Hij keek naar beneden, naar zijn voeten, maar die waren niet zichtbaar in het smerige water. Of wat het dan ook was.

'Maak je geen zorgen,' zei Sweeney. 'Dit riool is niet meer in gebruik. Ze hebben twintig jaar geleden de straat verlegd, toen ze de buurt hebben verbouwd om ruimte te creëren voor de hordes mensen die aan zee wilden wonen. Een gedeelte van het riool is omgelegd, maar dit gedeelte is gewoon afgesloten. Dit mangat is de enige ingang. Dat moet. Je mag geen riool hebben dat niet toegankelijk is, ook al is het buiten gebruik. Bureaucratie op z'n best.'

'Hoe weet je dit allemaal? Is dit echt de enige ingang?'

'Ik heb twee gebouwen ontworpen om deze twee te vervangen, als deel van een opdracht voor het vak ontwerpen. Dus je ziet het, dit gebouw heeft sentimentele waarde voor me. Ik ben hier dus niet zomaar. Ik heb het speciaal uitgekozen.'

'Er is dus maar één mangat?'

'Dit is alles wat over is van het oude rioleringssysteem. Kom mee, dan laat ik het je zien.'

Sweeney draaide zich om en plonsde het riool in, licht voorovergebogen om het slijm uit zijn haar te houden. Stephen ploeterde achter hem aan. Zijn gedachten waren nog steeds verdeeld over de romantiek van het moment boven op de droge vloer en de wat minder aantrekkelijke zompigheid hier. Er zou een andere dienstingang moeten zijn die toegang gaf tot Rachels appartement.

'Dames en heren, we zijn er.' Sweeney draaide zich om en spreidde zijn armen uit.

'Waar?' Stephen keek op. Niets dan slijm. 'Wat is dit?'

'Nog een afvoer,' zei Sweeney terwijl hij de toorts naar links bewoog. Een rond gat met een diameter van niet meer dan twintig centimeter kwam uit op de zijkant van de rioolbuis.

Stephen keek naar het gat, toen achterom naar een glimlachende Sweeney en staarde weer naar het gat, in de hoop dat dat niet het antwoord van Sweeney was. Alle romantische gedachten verdwenen uit zijn hoofd als water door een afvoerputje.

'Wat is dit? Dat is een gat,' zei hij.

'Goed opgemerkt. Een gat dat naar de kelder van Rachels apparte-ment leidt.'

'Maar het is veel te klein. Ik snap niet hoe...'

'Nu is het nog te klein.' Sweeney bleef glimlachen. 'Maar wanneer wij ermee klaar zijn, zal het een stuk groter zijn.'

'Hoe dan?'

Sweeney stak zijn wijsvinger op. 'Eén woord, leerling stadsnomade: kango.'

'Kango.'

'Ofwel een pneumatische hamer. Inderdaad.'

'Je zegt dus doodleuk dat ik vijfhonderdduizend dollar heb neergeteld om jou een gaatje te laten aanwijzen waarvan jij verwacht dat ik dat met een pneumatische hamer te lijf ga?'

Sweeneys glimlach vervaagde. Hij liet zijn vinger zakken. 'Het is meer dan een gaatje. Het is een afvoer. Het is een toegang tot de kelder! Het is liefde en passie en de pot met goud aan het einde van jouw regen-boog.'

'En het is tegelijkertijd belachelijk!' Stephens stem echode door de tunnel.

'Wat had je dan verwacht, Groovy? Een raketvlucht? Ik zei dat het twee dagen zou kosten.'

'Nee, ik verwachtte geen raketvlucht, hoewel dat voor vijfhonderd-duizend best had gekund. Denk je nou echt dat we hierboven met idi-oten te maken hebben? Je zag hoe ze die militairen op de vlucht joegen. Met de staart tussen de benen. Als we hier met een kango aan de gang gaan, vibreert dat door elke leiding in het hele gebouw en gaat elke gootsteen, elk toilet en elke douche tekeer als een machinegeweer. En zelfs al zouden ze stokdoof zijn, dan zouden we nog het risico lopen dat het hele gebouw boven ons in elkaar stort!'

Sweeney staarde hem zwijgend aan. De glimlach was nu helemaal ver-dwenen.

'Ik zei toch al dat hij het niet zou slikken,' zei Melissa.

'Het kan best werken, gozer,' zei Sweeney. 'Waar is je wanhopige 'ik-moet-het-tegen-elke-prijs-hebben'-pit nou gebleven? Ik *ken* deze ge-bouwen. Er zit maar een meter of twee aarde en wat beton tussen ons en het punt waar de afvoer omhoogbuigt naar het stookhok. En die bocht zit weggewerkt in dertig centimeter fundatie onder het kolenhok. Ik moet toegeven dat er enkele uitdagingen op ons liggen te wachten – zoals dat geluid – maar vijfhonderdduizend dollar maakt mij duidelijk dat ons dat niet zal tegenhouden.'

Stephen streek met een hand door zijn haar en probeerde in het modderige water te ijsberen. Misschien had hij wel een raketvlucht verwacht en reageerde hij een beetje te fel door de teleurstelling. Hij wilde die kluis en het liefst vannacht.

'Wat doen we aan dat geluid?'

'Geluiddempende koptelefoons.'

'Briljant. Koptelefoons,' zei hij cynisch. 'Waarom binden we niet een paar setjes oorpluggen aan een steen en gooien die bij hen door de ramen? Wie kan er nou een gratis setje oorpluggen weigeren?'

Melissa giechelde. Sweeney keek gekwetst.

'Het spijt me,' zei Stephen. 'Ik… ik had dit gewoon niet verwacht.' Hij staarde naar het gat. Twee meter. Hij had nog nooit met een pneumatische hamer gewerkt, maar in een dag moest je toch wel door twee meter heen kunnen rammen, afhankelijk natuurlijk van hoeveel beton ze zouden tegenkomen. Misschien konden ze de afvoer dempen. Misschien zouden de Duitsers het door al hun eigen gehamer niet eens horen. En als ze het wel hoorden, zouden ze misschien niet kunnen bepalen waar het vandaan kwam. Of misschien konden ze wel worden afgeleid.

Het idee begon langzaam vorm aan te nemen. Stel nou eens dat ze zouden inbreken in de bodem van de kluis. Zoals inbreken in Fort Knox en zo'n honderd miljoen aan baar goud meenemen. Het meenemen zou in elk geval legaal zijn. Maar het inbreken zou een probleem kunnen worden.

Stephen gromde.

'Ik zal je dit vertellen, Groovy, dit is een stuk slimmer dan als vrouw verkleed naar binnen gaan.'

'Weet je daarvan?'

Sweeney knipoogde. 'Je zag er geweldig uit, hoewel ik moet toegeven dat het een beetje donker was en we een stuk verderop liepen. We zagen je vertrekken. De Vega verried je.'

'Weet je in wat voor auto ik rijd?'

'Melissa heeft dat uitgezocht.'

'Man. Denk je dat nog iemand anders me heeft gezien?'

'Als dat zo was, zouden ze er toch niks mee hebben gekund. Je geheim is veilig bij ons.'

Stephen staarde naar het gat. Dit idee zou weleens het slimste kunnen zijn wat hij tot nu toe had geprobeerd, hoewel het daarmee nog niet automatisch in de categorie 'briljant' terechtkwam. Hij leunde voorover en tuurde in het gat. Hij kon het eind niet zien.

'Net iets meer dan twee meter. Man, het zou wat zijn als het ons lukt. Gewoon als een mol naar binnen. Ha!'

'Ik zei dat ik je het gebouw in kon krijgen en dat is zo. Dat redden we gegarandeerd. Het is alleen de vraag of ze dan niet met z'n allen met vuurwapens in hun handen over het gat gebogen staan.'

Het zou kunnen werken. Stephen streek over de stoppels op zijn kin. Het zou echt kunnen werken. In feite was het ergens toch wel briljant. Braun zou dit *nooit* verwachten.

'Goed,' zei Stephen terwijl hij zich omdraaide. De zenuwen gierden opeens door zijn lichaam. 'Hoe krijgen we hier beneden elektriciteit?'

'Groovy!' zei Sweeney.

30

Elektrische kango's komen niet op verzoek uit de lucht vallen. Daar kwam Stephen dinsdagmorgen achter.

En kassiers schrijven ook geen cheques uit van vierhonderdtachtigduizend dollar, maar het feit dat Stephen de cheque op naam van het Holocaustmuseum van Los Angeles liet zetten, leek hem wat respect op te leveren. 'Dit jaar lacht het geluk me toe,' vertelde hij hun. 'En ik heb de aftrekpost nodig die ik met deze donatie krijg.' Het leek hem wel toepasselijk zo'n groot bedrag te doneren aan hetzelfde museum als dat zijn moeder had uitgezocht.

Hij liep de bank weer uit met dertigduizend dollar in contanten op zak – twintig voor Sweeney en tien voor uitgaven die met de ondergrondse werkzaamheden te maken hadden – en de cheque, die zo snel mogelijk naar het museum toe moest.

Maar de kango bleek een groter probleem te zijn. Die was niet zomaar op elke straathoek te koop en het enige verhuurbedrijf dat een elektrische had, zat helemaal in Riverside. Tegen de tijd dat Stephen de zaak had bereikt, het onding had gehuurd en weer was teruggekeerd, was het al rond de middag. Al een halve dag voorbij en ze waren nog niet eens begonnen. In de tussentijd was Braun een gebouw verderop de muren aan het slopen.

Stephen parkeerde in de steeg achter het verlaten gebouw en stapte uit. Sweeney kwam hem tegemoet en gooide de achterdeur open.

'Heb je hem?'

'Jep. De winkelier heeft me verzekerd dat hij net zo gemakkelijk door het beton heen gaat als een mes door de boter. Heb je de verlengsnoeren?'

'Ik ben er helemaal klaar voor, man. Het wachten was alleen op jou.'

Stephen deed de achterklep omhoog en ze staarden samen naar het apparaat. Grote zwarte letters, die hier en daar vaag waren geworden of zelfs gedeeltelijk verdwenen, maakten duidelijk dat dit ding de naam Sledge Master droeg. Aan de ene kant zaten strepen verdroogde teer. En de beitel zag eruit alsof hij een geharde spijker te veel was tegengekomen.

'Hij zei dat die met benzinemotor beter zijn, omdat ze zwaarder zijn,' zei Stephen.

'Hij weet alleen niet dat we omhoog gaan graven in plaats van naar beneden – een carburateur werkt niet als hij ondersteboven hangt. En trouwens, zonder ventilatie zouden we daar zo stikken.'

'Weet je zeker dat we genoeg stroom hebben?'

'Toen ik het drie minuten geleden uitprobeerde, sloeg er een stop door. Maar het zal wel lukken. Laat me je even een handje helpen met dat ding.'

Ze trokken het stuk gereedschap uit de kofferbak, allebei aan een kant. 'Heb je enig idee hoe dit ding werkt?' vroeg Sweeney terwijl hij zijn ogen iets samenkneep tegen de zon.

'Nee. Jij?'

'Lijkt me smerig zwaar. Ik kan me niet voorstellen wat die met die benzinemotor wel niet moet wegen.'

'Maar je weet toch wel hoe hij werkt, hè?'

'Wat ik wel weet, is dat we stilstaan en mijn armen met de seconde langer worden. Hij gaat toch heen en weer? Toch?' Hij grinnikte. 'Ik ben je aan het stangen, man. Ik kan er met mijn ogen dicht mee werken.'

'Dit is niet leuk, Sweeney!' Stephen voelde een vleugje paniek in zijn gedachten doordringen. Wat als het niet werkte? Hij strompelde achteruit naar de deur en stapte naar binnen. 'Maar hoeveel keer heb jij echt gewerkt met zo'n ding?'

'In het echt of in mijn slaap?'

Stephen stond stil. 'Je maakt een geintje, toch?'

'Ontspan je een beetje, gozer. Hoe ingewikkeld kan dat nou helemaal zijn? We steken de stekker erin en hoppa.'

De wanhoop gutste nu met bakken naar binnen. 'Als dit niet werkt, verzeker ik je dat ik je wurg.'

'Pas op voor de trap.'

Ze strompelden de trap af, de kelder in en naar het stookhok. Ze zweetten zich allebei naar tegen de tijd dat ze het apparaat konden neerzetten.

Melissa kroop de ladder op en stak haar hoofd uit het gat. 'Heb je er een? Wauw, wat een enorm ding!'

'Pak het touw even, schat.'

Ze kwam terug met een bos touw, die ze aan het handvat bonden. 'Ik stuur hem hierbeneden wel,' zei ze.

'Geen denken aan. Als dit ding valt, spat jij als een rijpe tomaat uit elkaar,' zei Sweeney.

'En dan is het de bedoeling dat wij ermee omhooggraven?' vroeg Stephen.

'Heb een beetje vertrouwen.'

Dit was gedoemd te mislukken.

Het lukte hun de kango in het gat te laten zakken en hem de tunnel door te sleuren, waar Sweeney een aantal peertjes had opgehangen in de tijd dat hij weg was. Stephen voelde bij elke stap zijn frustratie groter worden. 'Sweeney, dit gaat met geen mogelijkheid werken. Misschien kan ik dit beter maar aan jou overlaten, terwijl ik iets anders probeer.'

'Zoals?'

'Ik weet het niet, maar onze tijd begint op te raken.'

'Heb ik je ooit verteld dat ik cum laude aan het UCLA ben afgestudeerd?'

'Ja. Wat wil je daarmee zeggen?'

'Daarmee wil ik zeggen dat ik niet de eerste de beste idioot ben.'

Ze kwamen bij het gat aan en toen Stephen opkeek, zag hij een of ander geval aan de bovenkant van de rioolbuis hangen.

'Wat is dat nou weer?'

'Dat is het product van mijn briljante grijze massa.' Ze zetten de Sledge Master tegen de muur.

Stephen bestudeerde Sweeneys creatie. Het was een samenstel van touwen, katrollen en veren, allemaal met drie grote keilbouten in het beton boven hen bevestigd. Het leek net een enorme spin die aan zijn web bungelde.

'Ik ben geen werktuigbouwkundige, maar ik heb wel een paar lessen op dat vlak gevolgd,' zei Sweeney. 'Zoals ik het heb berekend, kunnen die drie keilbouten samen zonder problemen vijftig kilo houden. Misschien wel het dubbele. Maar we krijgen met een hoop vibratie te maken en het laatste waar we op zitten te wachten, is dat het ding naar beneden komt terwijl een van ons eronder staat.'

'De rijpe tomaat.'

'Precies. Het ding hangt aan twee touwen die door deze katrollen lopen en dan vastzitten aan deze veren, die het grootste deel van de vibraties opvangen. Hoppa. Met mijn ogen dicht.'

Er gleed een grijns over Stephens gezicht.

'En jij twijfelde nog wel aan me,' zei Sweeney.

'Ik zal het nooit meer doen. Laten we het maar eens proberen.'

'Goed.'

Het verlengsnoer hing aan het plafond. Melissa stak de stekker van het apparaat erin en keek hen aan. 'Wie eerst?'

'Ik doe het wel,' zei Stephen, die een stap naar voren deed. Zijn zelfvertrouwen kwam weer terug. Hij sjorde het apparaat rechtop en bekeek de twee schakelaars, eentje op het linker handvat en eentje op het rechter handvat. Dat leek eenvoudig genoeg. Met een enkele schakelaar op het apparaat zelf zette je hem aan. Toen hij dat had gedaan, zette hij de kango schuin in het water en drukte op de knop die op het rechter handvat zat.

Niets.

In paniek drukte hij ook die op het linker handvat in.

Een vreselijk geratel vulde de tunnel en de kango begon te stuiteren. Het ding had een enorme kracht, net een rodeostier die alles uit de kast haalt om zijn berijder af te werpen. Het beest stuiterde bij hem vandaan en sleepte hem met felle rukken over de glibberige vloer.

Sweeney schreeuwde iets, maar zijn woorden gingen verloren in de herrie. Het maakte niet uit, omdat Stephen precies wist wat hij zou moeten doen. Hij zou hem los moeten laten. Maar als hij hem losliet, zou het apparaat vallen, in het water belanden en een inwendige kortsluiting krijgen.

Dus niet door paniek, maar door bliksemsnelle redenatie bleef Stephen aan de wild geworden kango hangen. Struikelend glibberde en gleed hij door de tunnel om het apparaat te kunnen bijhouden, dat maar bij hem vandaan bleef stuiteren.

Plotseling hield het ding ermee op en hij struikelde er bijna overheen. Van achter hem echode er een dubbele schaterlach door de tunnel. Hij draaide zich met een ruk om en zag dat de stekker eruit was gesprongen.

'Hou op!' schreeuwde hij.

Melissa sloeg haar hand voor haar mond. 'Het spijt me, het is gewoon… hahaha!'

'Zo horen ze ons!' gilde Stephen.

Dat sloeg natuurlijk nergens op. Ze stonden op het punt vlak voor hun snufferd een gat door de vloer te rammen met een apparaat dat minstens zoveel herrie maakte als een snelvuurkanon op de boeg van een oorlogsschip. Een beetje gelach was daarbij vergeleken helemaal niets.

Plotseling begon Stephen te schateren. Melissa haalde haar hand weer voor haar mond vandaan en lachte hardop. Sweeney huilde zelfs van het lachen. Een dikke minuut lang bulderden ze van het lachen in de krochten van de stad.

'Hij doet het,' wist Stephen er ten slotte uit te brengen.

Daardoor schoot Melissa weer vol in de lach, zo erg zelfs dat Stephen en Sweeney op een gegeven moment opmerkten dat het wel weer genoeg geweest was. Wat moesten ze doen als ze er hierbeneden iets van zou oplopen? Een ziekenwagen bellen?

Het kostte hun nog twintig minuten om de kango op zijn plek te hijsen en de pijp met zoveel dempend materiaal te vullen als ze konden. Het zou de trillingen door de grond niet tegenhouden, maar wel dat het geluid niet door de leidingen zou ratelen.

Ze moesten nu nog één test doen. Het ding was gemaakt om met behulp van de zwaartekracht zijn zware werk te doen, net als een moker. Maar nu hij bijna ondersteboven aan het plafond hing en de kango het moest hebben van de kracht waarmee Stephen en Sweeney het ding tegen het beton konden drukken, was het nog maar de vraag of ze genoeg kracht konden zetten om door het beton heen te komen.

'Klaar?'

'Ga je gang,' antwoordde Sweeney.

Stephen zette zich schrap tegen de muur achter hem, leunde tegen de kango aan en drukte de schakelaar in. De tunnel vulde zich weer met de vreselijke herrie en het apparaat begon als een waanzinnige te schokken. Stephen moest zijn kaken op elkaar klemmen om te voorkomen dat zijn tanden gingen klapperen.

'Kom op, rotding!' gromde hij.

Eerst een schilfer. Toen een kleine hap. En toen liet een klein plakkaatje los en plonsde in het water. Stephen liet de schakelaar los. Zijn oren suisden. Ze staarden alle drie naar de aangerichte schade. Het was niet veel, maar het was in elk geval iets.

'Jiehaaa!' brulde Sweeney. 'Ben ik geniaal of ben ik geniaal?'

'Ik heb oorpluggen nodig,' reageerde Stephen.

Sweeney pakte wat isolatiemateriaal, trok er een stukje af en propte dat in zijn oren. Een halve minuut later staken bij alle drie roze plukken uit hun oren. Stephen trok de handschoenen aan die Sweeney samen met de rest van de spullen had gekocht en zette zich weer schrap.

'Klaar?'

'Jep,' zei Stephen en haalde de schakelaar over.

Het schoot niet echt op en hij moest om de tien minuten afwisselen met Sweeney, om zijn door elkaar geschudde botten weer op hun plaats te duwen. Maar langzaam peuterde de kango een zestig centimeter grote cirkel om de pijp heen weg. Melissa ging regelmatig naar de vierde verdieping om te zien of de Duitsers uit het raam keken of hun oren tegen het trottoir drukten, op zoek naar de bron van de herrie die ze hoorden. De middag ging voorbij zonder dat ze iemand zag.

Ze deden tien minuten over de eerste vijftien centimeter – bijna alleen maar kiezels.

De volgende vijftien centimeter kostte hun drie uur.

Stephen liet de schakelaar los en liet zich uitgeput vooroverzakken. Zijn doorweekte overhemd kleefde aan zijn borst. Hij trok de beschermbril en het spuitmasker af dat ze van Sweeney moesten dragen en keek naar het gat. Misschien een centimeter of vijfendertig. Ze waren door de wand van de rioolbuis heen en zaten nu in het een of andere gesteente.

'Dat gaan we niet redden,' zei hij.

Sweeney keek in het gat. 'Echt wel.'

'Jij bent hier het genie; reken eens even na. Je zei twee meter.'

'Als ik het me goed herinner, ja. Het zouden er ook tweeënhalf geweest kunnen zijn.'

'Zeven keer drie uur is eenentwintig uur continu graven. Ik denk niet dat ik dat volhoud. En ik betwijfel of de kango het redt. Volgens mij is hij al niet zo vlot meer als in het begin.'

'Dat zit puur tussen je oren. We zullen hem af en toe even moeten laten afkoelen, maar...'

'En er is nog een probleem. Je zei dat de laatste dertig centimeter massief beton is. Zelfs al komen we zover, dan staan we de laatste drie uur tegen de fundering aan te rammen. Dat hele gebouw staat straks te trillen.'

'Hoeft niet per se.'

'Hoeft *wel* per se.'

'Je bent veel te pessimistisch, man. Heb ik je tot nu toe teleurgesteld? Ik zei toch dat ik je naar binnen zou krijgen? En dat ben ik nog steeds van plan.'

De vermoedelijke afloop van dit project viel Stephen plotseling rauw op zijn dak. Hij bevond zich in een rioolpijp onder een appartementencomplex en groef zich een weg naar de kelder om in te breken in een kluis. San Quentin zat vol mensen die veel betere plannen hadden uitgedacht.

'Goed, luister,' zei Sweeney. 'Het graven zal een stuk gemakkelijker gaan zo gauw we de grindlaag bereiken. Deze gebouwen rusten op betonnen voetstukken die nogal diep in de grond zitten, maar in het midden kom je alleen grind tegen, ontworpen om mee te geven met aardbevingen. Door de grindlaag graven veroorzaakt weinig of geen geluid, maar je hebt gelijk over de herrie wanneer we bij het beton aankomen. Dan zullen we ze moeten afleiden.'

'Afleiden...'

'Je staat me na te praten. Wanneer we er eenmaal doorheen zijn, pak jij snel de trommel en vullen we het gat onmiddellijk op met snelhardend beton. Niemand zal zelfs maar weten dat we binnen zijn geweest.'

Stephen was verrast door Sweeneys planning. Hij stond op. 'Kan dat? Hoe lang duurt het voor dat droog is?'

'Een paar uur. Maar dat maakt niet uit. We gooien er gewoon kolen overheen. En behalve als iemand het binnen een paar uur in zijn hoofd haalt om de vloer te gaan vegen, is er niets aan de hand.' Hij grijnsde. 'Snap je?'

'Ze hebben honden in de garage.'

'Ik vraag me af of ze die vrienden van jou wel hebben overleefd.'

'Wie weet.' Stephen begon te ijsberen. Zijn lichaam huiverde en hij vroeg zich af of het ook maar iets met de kango te maken had. 'Het zou kunnen werken.'

'Natuurlijk werkt het. Dat is de reden waarom we het doen. Waarom ga jij niet een paar uurtjes slaap pakken? We zouden er morgen rond de middag in kunnen en dan moet je echt goed wakker zijn.'

'Rond de middag, hè?' Hij kon niet wachten. 'Waarom gaan we vanavond niet gewoon door? Als dat grind zo gemakkelijk gaat, zouden we tegen de morgen al binnen kunnen zijn!'

'Misschien, maar je kunt niet tegen hun vloer aan rammen als iedereen op één oor ligt. Dan horen ze ons gegarandeerd. We moeten ze zien af te leiden.'

'Je zou op het trottoir een takkenherrie kunnen maken. Je weet wel, gewoon een paar hippies die hun muziek een beetje te hard aan hebben staan.'

'Ik heb geen stereo-installatie.'

'Dan koop ik er een voor je.'

'Niet genoeg herrie?'

'Wil je nog meer herrie?'

'Wil jij dan een ploegje zware jongens over het gat gebogen zien staan wanneer jij je hoofd boven de grond steekt?'

Stephen begon voor de zoveelste keer te ijsberen. Dit kleine probleempje zou hun de das om kunnen doen. Misschien zou hij Sparks kunnen bellen om zijn jongens te vragen voor wat afleiding te zorgen. Nee, maar niet doen.

Er kwam een ander idee uit de lucht vallen, een cadeautje van God, die de onderdrukten bijstaat. Hij stond stil en draaide zich langzaam om naar Sweeney.

'Ik heb het.'

31

Het joch was dichtbij. Stephen was erg dichtbij. Dit zou weleens de laatste avond kunnen zijn dat Roth op jacht ging.

Vanavond zou hij een speciale verrassing voor Stephen hebben. Hij had besloten dat diens vriendin Sylvia het volgende slachtoffer zou worden. Ze was niet echt een bloedverwant van Stephen, maar ze was Joods en nog een vrouw ook.

Hij had erover nagedacht om Chaïm Leveler te doden en had vanavond twee uur lang zijn huis in de gaten gehouden. Maar als hij het protocol zou negeren, zou dat weleens averechts kunnen werken op de kosmische krachten, dus verwierp hij het idee.

Er waren maar weinig mensen die wisten dat de krachten van de lucht nauwkeurig in balans werden gehouden en dat de kleinste verandering die volmaaktheid al zou kunnen verstoren. De rituelen moesten dan ook zeer zorgvuldig worden uitgevoerd. Als je bijvoorbeeld besloot om de zielen van Joden te oogsten maar dan opeens overstapte naar Russen, zou je alle voordelen kunnen kwijtraken die je met de Joden had opgebouwd.

Dat was Gerhards ondergang geweest. Hij had de regels van zijn eigen ritueel doorbroken door Martha en de kinderen in leven te laten, na hen te hebben uitgekozen met het sjaaltje.

En het resultaat daarvan was geweest dat hij al zijn macht had verloren. Een enkele beslissing, genomen in een moment van zwakte, had hem van al zijn kracht beroofd. En de enige manier om die macht te herstellen, was door degenen te doden die in eerste instantie gedood hadden moeten worden. Gerhard zou gerehabiliteerd worden en zijn macht hersteld.

En dan zou Roth die macht kunnen grijpen en hem doden.

Maar Roths huidige genoegens waren niet bepaald een kwestie van nauwkeurigheid. Hij deed het eenvoudigweg voor zijn plezier. Hij toonde de krachten van de lucht dat hij het soort kanaal was dat de macht verdiende die ze door hem heen zouden laten stromen wanneer dit allemaal achter de rug was. En dat zou nog maar een paar dagen duren.

Maar goed, hij zou de vrouw, Sylvia, ook als gijzelaar tegen Stephen kunnen gebruiken. Ja, ja, dat zou hij ook kunnen doen. Roth glimlachte, tevreden over het feit dat hij zo losjes speelde met de uitdagingen die voor hem lagen.

Hij parkeerde zijn auto in de steeg achter haar appartementencomplex. Sinds hij naar Los Angeles was gekomen, had hij acht vrouwen gedood. Acht in zes dagen. Wanneer hij haar zag, zou hij pas beslissen of zij de negende zou worden. Een deel van hem was geneigd het moorden uit te stellen, zodat wanneer hij Stephen eenmaal te grazen nam, zijn bloeddorst een hoogtepunt zou hebben bereikt.

Nog zo'n interessante gedachte.

Roth haalde een zoveelste rood sjaaltje tevoorschijn, drukte dat tegen zijn neus, zoals hij altijd deed. Hij inhaleerde. Hij drapeerde het om zijn nek en duwde het achter zijn boordje. Als iemand hem door de steeg zag struinen met een rood sjaaltje, zouden ze misschien meteen het verband met de andere moorden leggen en die gedachte wond hem op.

Niet dat hij zou worden gepakt, natuurlijk. Hij zou misschien zijn plannen moeten veranderen, maar ze zouden hem nooit grijpen.

Roth trok zijn zwarte handschoenen aan en liep de donkere steeg in.

Sylvia had de avond doorgebracht zoals de drie avonden ervoor – ze was vanuit haar werk laat teruggekeerd naar haar appartement, had voor de televisie gegeten en had met Chaïm via de telefoon over Stephen en de moordenaar met het rode sjaaltje gepraat, zoals ze hem noemden, voor ze om half elf naar bed ging.

Chaïm had deze keer vijf berichten op haar antwoordapparaat achtergelaten en haar toen vanuit een hotel gebeld. Hij deed nogal opgewonden over iets wat Stephen hem had verteld, over het een of andere gevaar. En hij had een zwarte auto verderop in zijn straat geparkeerd zien staan, zodat hij wat spullen had gepakt en voor vannacht was verhuisd naar een hotel.

Sylvia's eerste reactie was bezorgdheid. De rabbi overdreef. Stephen was een volwassen vent, geen kind.

Als iemand ergens bezorgd over moest doen, was het Sylvia wel, zei ze. De moordenaar zocht nog steeds alleen maar alleenstaande Joodse vrouwen uit. En nu had hij zijn dagelijkse quotum opgeschroefd naar twee vrouwen.

'Dan kun je maar beter snel hierheen komen, Sylvia! Blijf vannacht hier bij mij.'

'In het Howard Johnson?'

'Natuurlijk wel in een andere kamer. Ik sta erop.'

'Alstublieft, rabbi. U drijft dit te ver door. Hoe groot is de kans nou helemaal dat ik in een stad van deze omvang word uitgekozen door een seriemoordenaar? Hij heeft nog nooit ingebroken in een appartement. Ik heb hier buren aan alle kanten. En er zitten dievenklauwen op mijn deuren.'

'Doe het dan voor mijn gemoedsrust. Misschien overdrijf ik, maar dat verandert niets aan het feit dat ik bang ben.'

Ze had bijna een halfuur met hem aan de telefoon gehangen en toen ze uiteindelijk ophing, vroeg ze zich af of haar weigering niet een beetje gevoelloos was. Ze tuurde uit het raam, maar zag alleen maar een lege steeg en de gloed van de stad.

In het tweekamerappartement was het stil. Een keuken met ontbijtbar rechts van haar. Een slaapkamer aan de linkerkant. Wat als er een moordenaar naar binnen was geglipt voor ze thuis was?

Na even over die vraag te hebben nagedacht, stelde ze zichzelf gerust door alle ruimtes in het huis even te controleren, zelfs de keukenkastjes.

Geen moordenaar. Natuurlijk niet.

Ze poetste haar tanden, waste haar gezicht, trok een blauw nachthemd met gele bloemen aan en liet zich op bed neervallen. Badkamerverlichting, aan. Keukenverlichting, aan.

Al snel werden de gedachten aan een indringer vervangen door gedachten aan Chaïm, die nu handenwringend in het Howard Johnson zat. Ze had er even heen moeten rijden, bedacht ze zich. In elk geval om hem gerust te stellen.

Ze werd al snel overmand door de slaap.

Het eerste vreemde geluid kwam zelfs nog sneller. Een geschraap, diep vanuit Sylvia's dromen.

Ze wist niet wat ze ervan moest maken, maar ze werd er wel even wakker van. De opgloeiende cijfers van de wekker naast haar bed vertelden haar dat het bijna twee uur 's nachts was. Had ze al zo lang geslapen?

Ze rolde om en trok een tweede kussen naar zich toe. Slapen was iets heerlijks.

Weer dat geluid. Deze keer een gekraak.

Binnen een seconde veranderde Sylvia's wereld van een zoete slaap in een bloedstollende nachtmerrie. Haar ogen schoten open en ze hield haar adem in.

Ze hoorde alleen maar stilte.

Doe niet zo achterlijk. Als je ook maar iets denkt te horen, zit je al rechtop in bed. Het is niks. Helemaal…

'Hallo, Sylvia.'

De woorden werden achter haar gefluisterd, zacht, zo zacht zelfs dat ze niet eens zeker wist dat ze ze wel echt had gehoord.

'Als je ook maar een kik geeft, begraaf ik dit mes in je slaap. Begrepen?' Nog steeds een heel erg zacht gefluister.

Deze keer had ze het niet verkeerd gehoord, hoe graag ze dat ook zou willen. Er bevond zich iemand achter haar. Iemand die haar naam kende. Iemand met een mes.

Sylvia was niet in staat zich te bewegen. Haar hart bonkte bijna tussen haar ribben door. Bij elke slag.

'Ben je wakker? Je bent wakker. Je ademhaling is veranderd.'

Ze hoorde hem nu zwaar ademhalen.

'Draai je om. Laat me je zien.'

Ze kon het niet. *God, help me!*

Een koud lemmet raakte haar wang aan. Ze deed haar ogen stijf dicht en onderdrukte haar gejammer.

'Ho, ho, het is helemaal niet nodig om alles te laten verknoeien door je angst. Ik ga je niet doden. Niet per se. Of je moet geluid maken, dan dood ik je wel.' Hij zweeg even. 'Draai je om.'

Langzaam, alsof ze door een laag dikke teer rolde, draaide ze zich om.

Hij stond nu rechtop naast haar bed. Zwart overhemd, bleek gezicht. Gebouwd als een buldog, met kortgeknipt haar boven een grijnzend gezicht.

Om zijn hals zat een rood sjaaltje en in zijn gehandschoende hand lag een groot, zilverkleurig mes.

'Ga zitten,' zei hij.

Zonder erbij na te denken, ging ze zitten, omdat haar hoofd zich vulde met andere gedachten. Ze ging sterven. Ze wist dat ze ging sterven, omdat dit dezelfde seriemoordenaar was die in zes dagen tijd al acht andere alleenstaande Joodse vrouwen had vermoord.

En zij was een alleenstaande vrouw en dit was de zevende nacht. Ze ging sterven.

De man bleef haar lange tijd staan aankijken, tevreden met zichzelf – of met waar hij mee bezig was, of met haar, ze wist niet wat – maar in elk geval tevreden.

Hij ging op een stoel zitten die hij had meegebracht uit de keuken. Was hij al zo lang binnen? Misschien was hij langs de brandtrap naar boven geklommen en had hij via het raam ingebroken. Maar waarom had ze hem dan niet gehoord? Misschien hadden de buren hem wel gehoord en hadden ze de politie al gebeld.

'Ik begrijp dus dat jij de vriendin van Stephen bent; klopt dat?'

Stephen? Kende deze man Stephen?

'Je mag nu weer praten,' zei de moordenaar. 'Geen gegil of andere harde geluiden, maar je gaat wel mijn vragen beantwoorden.'

'Stephen?' fluisterde ze.

'Stephen Friedman, toch? De Jood. Ken je die?' Duits accent.

'Ja.'

'Mooi. Wat kun je me over hem vertellen?'

Was de moordenaar naar wie de hele stad op zoek was, geïnteresseerd in Stephen? Misschien zou de man haar wel niet vermoorden.

'Moet ik je dan maar gewoon doden? Als je geen antwoord geeft, heb ik geen andere keus.'

'Hij is inderdaad een vriend van me. Hij is een makelaar.'

'Ja, dat weet ik. Maar wat drijft hem? Is hij godsdienstig?'

'Hij… is een Jood.'

'Maar is hij een gelovig mens? Je kent het verschil toch wel, of niet?

Heeft hij zijn hoop gevestigd op een macht die boven hem uit stijgt, of is het gewoon de zoveelste opgefokte dwaas die niet verder kijkt dan de nacht?'

De kamer voelde kil aan. *Je moet sterk zijn. Denk na over een uitweg. Stel hem tevreden. Als je hem tevredenstelt, doodt hij je misschien niet.*

'Hij is niet echt iemand die het Joodse geloof aanhangt,' zei ze.

'Misschien een christen, dan, zoals de oude man bij wie hij inwoont? Realiseert hij zich dat de kracht van het leven in het bloed verscholen ligt? Dat is de redenen waarom de christenen het bloed van Christus drinken. De kracht zit altijd in het bloed. Dat is de reden waarom ik mijn slachtoffers opensnijd en hun bloed drink. Wist je dat?'

'Nee.' Ze moest hem aan de praat zien te houden. Hij werd in beslag genomen door zijn hersenspinsels, dus moest ze hem lang genoeg in die spinsels gevangen zien te houden om een weg uit deze krankzinnige situatie te bedenken.

'Nee, natuurlijk niet. Hij raakt gewoon niet zo snel ontmoedigd en dat is prima.'

Terug naar Stephen.

'Nee.'

Waar kende deze man Stephen van? Een ontevreden cliënt? In elk geval een Jodenhater. Maar waarom dan?

'Weet je waarom ik het doe? Waarom ik al die Joden heb vermoord?'

Dat wist ze niet, maar ze kon zich er niet toe zetten om nee te zeggen.

'Omdat het me sterk maakt. Zuiver. Wat de meeste Arische puristen je niet zullen vertellen, is dat de Joden meer kracht in zich hebben dan alle andere rassen – dat is een geestelijke kwestie, maar we hebben geen tijd om daar verder op in te gaan. De oplossing van Hitler was om het ras te vernietigen. Geen gek plan, maar nogal kortzichtig. Het is beter om hun hun kracht af te nemen.' Hij zat lichtjes voorovergebogen. Een harde, starende blik.

'Heb jij ooit weleens iemand anders bloed geproefd, Sylvia?'

'Nee.'

'De smaak verandert met de gemoedstoestand van de donor mee. Angst, Sylvia. Hoe groter de angst, des te zoeter het bloed.'

Dat gepraat van hem maakte haar ziek. Ze had zich genoeg hersteld om met een redelijk normale stem te kunnen praten.

'Waarom vertel je me dit eigenlijk?'

'Omdat het me opwindt.'

'Dan ben je een zieke man,' zei ze.

Hij grinnikte. 'Je doet me aan Ruth denken. Dat was ook een sterke vrouw. Zo sterk, jullie Joden.' Hij huiverde. 'Ik kom bijna in de verleiding.'

In de verleiding om haar te doden. Sylvia zei niets.

'Ik speel met hem als een kat met een muis, Sylvia. Maar dat weet hij natuurlijk niet. Hij denkt dat hij me te slim af is. En dat is prima; hij *moet* juist het gevoel krijgen dat hij me te slim af is. Dat maakt zijn hoop groter. Maar uiteindelijk zal ik afmaken wat mijn vader begonnen is.'

Heel lang keek hij haar alleen maar aan. Ze wist dat ze iets zou moeten zeggen, hem afleiden, hem aan het lijntje houden. In plaats daarvan hield ze zich heel erg stil en schreeuwde ze van binnen dat hij moest vertrekken.

Ze zou de politie waarschuwen. Stephen. Chaïm. De seriemoordenaar zat in haar slaapkamer.

'Hoe heet je?' vroeg ze.

De moordenaar stond plotseling op. 'Draai je om.'

Instinctief trok ze de lakens dichter om zich heen.

'Kijk naar de muur. Nu.'

'Je hebt beloofd…'

'En als jij niet precies doet wat ik zeg, zou ik die belofte weleens kunnen verbreken.'

Ze keek naar de muur.

Achter haar klonk het klappende geluid van de een of andere stof. Hij trok het sjaaltje van zijn hals en sloeg het open. Het suisde over haar hoofd en bedekte toen haar gezicht.

Ze wilde zich losrukken, maar bedwong zich.

Zijn gehandschoende hand trok het sjaaltje naar beneden, tot in haar mond. Hij bond het strak achter haar hoofd vast. Ze kon nog door haar neus ademen, maar haar mond was op een effectieve manier gekneveld.

'Kom van het bed af.'

Ze volgde het bevel op en beefde over haar hele lichaam.

Hij trok met een ruk haar armen naar achteren en bond ze met een touw aan elkaar. Toen haalde hij tape tevoorschijn en plakte haar polsen aan elkaar. Haar handen voelden aan alsof ze in het gips zaten.

'Ga weer op je rug liggen.'

Weer deed ze wat haar bevolen werd. Het kostte hem hoogstens een minuut om haar benen aan de hoeken van het bed vast te binden en haar nek aan het hoofdeinde. Daarna plakte hij nog een reep tape over haar mond.

Hij verzekerde zich ervan dat ze niet kon ontsnappen. Maar dat was een goed teken, zei ze tegen zichzelf. Dat betekende dat hij haar zou laten leven. Ze bleef stil liggen en liet hem zijn werk afmaken.

Toen hij klaar was, bleef hij naast het bed staan en keek op haar neer. De momenten gingen voorbij, verdrinkend in een lange, intense stilte. Hij grijnsde.

'Vergeef me, maar ik ben van gedachten veranderd,' zei hij.

En toen stak hij zijn hand uit, trok haar handen onder haar vandaan en liet zijn mes over haar linkerpols flitsen. De pijn schoot door haar arm naar boven.

Hij had haar gesneden!

'Tot ziens, Jood.'

Zijn vuist kwam uit het niets en ramde tegen haar slaap.

De kamer werd donker.

32

Toruń
25 januari 1945
Avond

Zelfs in haar kleine kamer in de kelder van het huis van de commandant hoorde Martha in het oosten het vage donderen van de Russische artillerie. Braun was nu al een week zichzelf niet. Hij liep van tijd tot tijd te mopperen, haastte zich van de ene kamer naar de andere en altijd naar de kamer verderop in de gang waar ook haar kamer aan lag. Hij noemde het 'de kluis', die altijd op slot zat.

Haar deur zat nu dicht, maar hij was tien minuten geleden nog langs komen stampen en ze had hem niet terug horen keren. Hij bevond zich in zijn kluis. Ze zat op bed naar haar deur te staren en dwong hem in gedachten om dicht te blijven. De kleine Esther lag achter haar vredig te slapen in een bundel wollen dekens.

Zijn eisen waren de laatste tijd steeds absurder geworden. Schrob de vloer, schrob hem nog eens, schrob de muren, schrob ze nog eens. En schrob ze nog eens. Hij leek van plan te zijn haar het leven zo moeilijk mogelijk te maken. Vier dagen nadat Ruth was opgehangen, had ze haar kind ter wereld gebracht en het bleek een jongetje te zijn. Ze had hem David genoemd. De barak was overspoeld met nieuwe hoop, misschien nog wel meer dan na de geboorte van Esther. Zie je nou wel, de commandant was toch niet door en door slecht. Hij had toegestaan dat Martha en Esther, en nu ook de kleine David, bleven leven, door de opoffering van Ruth.

Vijf heerlijke dagen lang had Martha de twee baby's verzorgd en vertroeteld. Ze wijdde zich helemaal aan de taak die voor haar lag. Red de kinderen. Koste wat het kost.

En toen kwam er een bewaakster, die haar vertelde dat ze de barak moest verlaten om Brauns persoonlijke bediende te worden. Ze moest

Esther meebrengen. En David? Nee, de jongen niet. De jongen zou bij Rachel blijven. Alleen Esther meebrengen.

Ze had haar zoontje gekust en was in tranen vertrokken, waarbij ze zich aan Esther vastklampte.

Zonder te weten wat de commandant met haar van plan was, had ze die avond het eten geserveerd voor Braun en een vrouw, Emily, die ze herkende uit een van de andere barakken. Ging hij haar ophangen in Emily's plaats? En wat zou er dan gebeuren met David?

De commandant had Martha aan het einde van de maaltijd weggestuurd, maar ze had haar oor tegen de deur gedrukt om hen af te luisteren. In eerste instantie had Emily een gilletje van enthousiasme geslaakt, maar nog geen twee minuten later had ze in doodsangst naar adem gesnakt. Martha kon er alleen maar naar raden wat Braun had gezegd om aan de vrouw zo'n reactie te ontlokken.

De volgende morgen hing het lichaam van de vrouw aan de poort. En terwijl ze via het raam vol zicht had op het bungelende lichaam, serveerde ze Brauns ontbijt. Op dat moment maakte hij haar goed duidelijk welke bedoelingen hij met haar had. Ze bleef alleen in leven vanwege het offer van Ruth. Ze moest voor Esther zorgen, maar mocht onder geen enkele voorwaarde haar eigen kind zien, zelfs al mocht David ook blijven leven. Dat was hij Ruth verschuldigd.

Dat was Brauns verwrongen manier van straffen. Hoop geven en toch de macht en de wil behouden om die elk moment de grond in te boren. *Maak het mij hier naar de zin, dan zal ik je zoon daar in leven laten.*

Ze had hem nu vijf maanden lang gediend. Of waren het er zes? Maar nee, ze diende Esther, niet de commandant. Hij had haar af en toe met zijn stok geslagen, omdat ze iets niet goed of snel genoeg had schoongemaakt, of omdat ze broodjes had laten verbranden, maar verder had hij haar nooit aangeraakt.

Zijn voetstappen stampten weer terug door de gang. Martha legde instinctief een hand op de baby en vertraagde haar ademhaling. Hoe vaak was ze in gedachten al niet naar Brauns slaapkamer geslopen om hem een mes langs zijn keel te halen? Als de baby's er niet waren geweest, had ze het misschien nog wel gedaan ook.

De deur zwaaide open en de commandant stond in de deuropening. Er lag een afgetobde blik op zijn gezicht en zijn kraagje stond open en was aan één kant dubbelgevouwen. Hij staarde haar aan als een man die troost zocht. Ze wendde haar blik af.

'We hebben orders ontvangen om de gevangenen te evacueren,' zei hij.

Ze keek hem weer aan en stond op, zeer verrast door het nieuws.

'Degenen die in staat zijn te lopen, zullen binnen een uur vertrekken. De zwakken en de zieken blijven hier.'

Waarom vertelde hij dit eigenlijk aan haar?

'Ik heb het bevel gekregen om hier te blijven,' zei hij. 'En jij blijft ook.'

Haar hart bonkte. 'En David?'

'Rachel blijft hier. En je zoon ook.'

Als hij had gezegd dat David weg moest, zou ze hem waarschijnlijk zijn aangevlogen. De Russen konden hier binnen enkele weken zijn en het kamp bevrijden – Braun besefte natuurlijk best dat zijn dagen als god waren geteld. De afgeleefde blik op zijn gezicht zei genoeg.

'Kom mee,' zei hij en hij draaide zich om naar de trap.

Martha keek nog even naar Esther, zag dat ze nog steeds sliep en haastte zich achter de commandant aan de trap op. Hij stond bij het grote raam dat uitzicht bood op het in winterjas gehulde kamp. Lange rijen gevangenen liepen door de stuifsneeuw naar de hoofdpoort toe. De gevoelstemperatuur moest ver onder het vriespunt liggen.

'Hoe ver moeten ze lopen?' vroeg Martha.

Braun zuchtte. 'Zeventig kilometer. Laten we het zo zeggen: ik rek je leven door je te laten blijven.'

De vrouwen waren niet eens gekleed op één kilometer door de sneeuw marcheren, laat staan zeventig. Ze liepen trots rechtop, alsof ze de vrijheid tegemoet gingen, maar de helft had niet eens een jas of fatsoenlijk schoeisel. Martha betwijfelde of dit een idee van Braun was, maar het zou perfect hebben aangesloten op zijn methodes. Geef ze hoop, laat ze denken dat ze eindelijk worden vrijgelaten, en laat ze dan hun dood tegemoet marcheren.

De deur naar haar oude barak ging plotseling open en er stroomde een groep vrouwen naar buiten, onder leiding van Golda. Golda! Martha deed een stap naar het raam toe en zocht naar Rachels gezicht. Ze zou een bundeltje in haar armen houden, haar kleine David. Andere bekende gezichten volgden.

'Het zou gemakkelijker zijn geweest om hen enkele weken terug allemaal naar Auschwitz te sturen,' zei Braun vol bitterheid. 'Dat heb ik hun ook verteld. Maar ze willen veel te graag hun sporen uitwissen. En nu vertrekt majoor Hoppe zelfs. En wie moet er weer achterblijven om hun rugdekking te geven?'

De laatste vrouw kwam uit de barak tevoorschijn – geen Rachel.

'Dit is onmenselijk,' gooide Martha eruit. 'De Duitsers zijn zo'n trots ras. Weten ze dan zelfs niet eens hoe ze zich waardig moeten overgeven?' Haar eigen woorden verbaasden haar. Het was een regelrechte beschuldiging, iets wat Ruth zou zeggen.

Braun haalde alleen zijn schouders maar op in zijn jas en deed de deur open, waardoor er een snijdende wind naar binnen waaide. De deur knalde weer dicht.

Waar zouden ze degenen laten die achterbleven? Misschien zou de commandant haar toestaan om David te zien. Misschien mocht ze zelfs voor hem zorgen!

Martha staarde woedend naar de rijen vrouwen die bij het kamp vandaan marcheerden. Maar David leefde nog. Esther lag vredig in de kelder te slapen. Dat was haar zorg. Voor hen en voor Ruth kon ze voor zichzelf niet toestaan dat ze domme beslissingen zou nemen, ook al had ze verdriet over al die andere vrouwen. Verdriet was hoe dan ook zinloos. Dat zij een warm bed en genoeg te eten had terwijl de rest hun dood tegemoet liep, betekende dat nog niet dat ze de macht had daar iets aan te veranderen. Het kleine beetje macht dat ze had, zou ze aanwenden om de hoop van David en Esther te beschermen.

Ze wendde zich af van het raam, rende de trap af en stond op het punt haar kamer binnen te gaan, toen ze zag dat het hangslot van Brauns 'kluis' openhing.

Open? Hij vergat dat slot nooit! Ze wierp een blik in haar kamer, zag dat de baby zich niet had bewogen, en bleef even besluiteloos staan. Het was stil in huis en het was op Esther en haar na helemaal verlaten. Buiten marcheerden vijfduizend vrouwen onwetend hun dood tegemoet. Hoeveel moed zou het kosten om die kamer binnen te gaan om te zien wat de commandant zo lang verborgen had gehouden?

In de verte donderde het – een kanonschot.

Martha liep snel naar de deur, trok het slot uit de grendel en trok de deur open voor ze zich kon bedenken. Het was donker binnen. Als Braun haar zou snappen, zou ze een vreselijke prijs betalen. Ze vond de lichtschakelaar en haalde hem langzaam over. Twee peertjes plopten aan en verlichtten een omgeving die haar in eerste instantie niets zei. Eerst zag ze de schilderijen – tien, misschien twintig – die tegen elkaar geleund tegen de muur stonden. Degas, Cézanne en Renoir – ze herkende ze van haar vaders boeken over kunst. Een fortuin. Achter haar was het huis nog steeds in diepe rust gehuld.

Ze stapte naar binnen en keek om zich heen. Links van haar stond een bureau met nette stapeltjes paspoorten, grootboeken, een paar gewone boeken, een typemachine en een ganzenveer.

De vloer lag bezaaid met stapels kunstvoorwerpen. Een gevechtstenue dat er erg oud uitzag, met een groot zwaard en schild, van het type waarvan ze vermoedde dat het door een gladiator was gedragen. Er stonden ook hele verzamelingen porselein en nog meer schilderijen en speren en kisten. Aan twee muren waren planken opgehangen en op die planken stonden en lagen zorgvuldig gesorteerde relikwieën, van goud, zilver en brons. Een hele muur vol Joodse relikwieën.

Museumstukken. Oorlogsbuit! Martha sloeg een hand voor haar mond en slikte. Wat een rijkdommen! Braun had het druk gehad voor hij naar Toruń was gestuurd.

Ze liep naar een plank toe en tilde een gouden kandelaar op. Als ze het bij het rechte eind had, kwam deze uit een verzameling die ze ergens in Hongarije had gezien, hoewel ze zich niet meer kon herinneren welke. Hoe was dat mogelijk? Had hij in Hongarije gezeten voor hij hierheen kwam?

Haar blik viel op een klein, zeer oud mahoniehouten kistje, misschien dertig centimeter in het vierkant, naast de kandelaar. Het kwam haar bekend voor, maar ze wist niet waarom. Ze zette de kandelaar weer neer en tilde het deksel op. Er lagen vijf ronde gouden vormen in, ingebed in paars fluweel. Ze varieerden in grootte en vorm, waren allemaal een paar centimeter in doorsnede en plat als kiezels die uit de rivier waren gevist. En op elk ervan stond een vijfpuntige ster.

Martha's hart begaf het bijna. Ze kende deze dingen! Dat waren de Stenen van David! Haar vader had de verzamelaar gekend die deze stenen net voor de oorlog te pakken had gekregen – hij had Martha enkele jaren geleden meegenomen om ze te gaan bekijken. De stenen die David had uitgekozen om Goliath te doden, zoals werd beweerd, waren gehuld in puur goud. Door de geschiedenis heen waren ze enkele keren honderden jaren lang zoek geweest.

Ze stak een hand uit en pakte er een tussen duim en wijsvinger. De Steen die ze nu in haar hand hield, was miljoenen forinten, ponden of dollars waard. Haar vader had haar verteld dat de hele collectie meer waard was dan zijn hele bezit.

Wat als ze hem in haar zak zou laten glijden? Natuurlijk niet de hele verzameling, maar alleen deze ene Steen. Met al die relikwieën die in deze kamer lagen, zou Braun dit kistje niet vaak controleren. Misschien zou hij er nooit achter komen.

Ze hield met haar linkerhand haar rechterhand vast om het beven te laten ophouden. Aan de andere kant zouden deze Stenen weleens de meest waardevolle voorwerpen van de hele collectie kunnen zijn. Misschien bekeek Braun ze wel elke dag.

Ze legde de steen terug in zijn fluwelen bed, deed een stap achteruit en staarde met bonkend hart om zich heen. Een schat die honderden miljoenen waard was. Ze tilde het deksel van een van de kisten op. Juwelen. Oude gouden munten. Hoeveel musea had hij hiervoor afgestroopt? En hoeveel hiervan was bij Joden in beslag genomen? Ze staarde naar een diamanten halsketting met grote robijnen, die in een glazen kistje was opgeborgen. Dit ding alleen al zou miljoenen waard kunnen zijn. En de munten?

Martha haalde diep adem en liet de lucht langzaam weer ontsnappen. *En wat dacht je te gaan doen? Alles in een tasje kiepen, de baby's ophalen, over het hek klimmen en een lift naar de Baltische Zee zien te krijgen?*

Ze sloot het kistje waarin de Stenen van David lagen.

Maar één kleine Steen… Wat als ze een manier kon vinden om ze in Joodse handen te houden? Alleen al met de beloning die ze ervoor zou krijgen, zou ze tot in lengte van dagen voor de kinderen kunnen zorgen.

David en Esther waren de echte Stenen van David. Israël. Het zaad van Abraham. Ironisch dat een van de kostbaarste relikwieën uit de Joodse geschiedenis zich nu in handen van hun vijand bevond.

Ze stond op het punt zich om te draaien toen ze een in leer gebonden boek achter het kistje zag liggen. Ze wist niet precies waarom ze het oppakte en opensloeg. Het was een dagboek en er stonden namen van honderden vrouwen in.

Langzaam drong de betekenis van dit boek tot haar door. Wat ze hier in haar handen hield, was een trofee van Gerhard Brauns seriemoorden. Ze moest bijna overgeven.

Dit was een verslag van zijn spel met het rode sjaaltje. Maar het was geen spel. Het was een ritueel, zo heel anders dan de massamoorden in andere kampen.

Martha legde het dagboek terug, glipte de kluis weer uit, hing het hangslot terug, precies zoals ze het aangetroffen had, en liep op haar tenen naar haar kamer.

Op dat moment besloot ze dat ze op het juiste moment het dagboek zou meenemen.

En misschien een van de Stenen.

33

Toruń
28 februari 1945
's Avonds

De oorlog liep ten einde. Dat begreep de jonge Roth Braun wel, zelfs al hielden de nieuwsberichten op de radio vol dat het niet zo was. Hij wist het omdat hij zijn vader erover had horen praten. De Russen kwamen eraan, zei Gerhard.

Roth was zes keer naar Toruń geweest sinds hij de eerste keer die vrouw aan de poort had zien hangen. Als zijn moeder wat toegeeflijker was geweest, zou hij er zeker al tien of twaalf keer naartoe zijn gegaan, maar ze had volgehouden dat het te riskant was om ver bij haar vandaan zijn tijd in een werkkamp door te brengen. Nu er in Berlijn echter bommen vielen, was ze van gedachten veranderd.

Elk bezoek had een week geduurd. Eén keer was hij tien dagen gebleven, toen de aanvoerroutes waren vernietigd door een bom. Voor elk bezoek had hij een maand lang gedroomd over hoe het in het kamp zou zijn. Er waren daar geen andere jongens. Eigenlijk viel er niets te beleven, behalve dan naar het kamp kijken en dromen over wat zijn vader met de vrouwen deed.

Hij wilde niets liever dan de 'kracht' dienen en daardoor meer kracht krijgen.

De Joodse bediende, Martha, woonde met de baby, Esther, in de kelder en vanaf zijn derde bezoek begon hij eraan te denken om de baby te vermoorden.

Elke keer dat zijn vader hem laat in de avond bloed liet drinken en de een of andere eed liet scanderen, kreeg hij meer kracht. Gerhard sprak tot in de ochtend over hoeveel leiders van het Derde Rijk in het geheim Adolf Hitler volgden in zijn fascinatie voor het occulte. Maar het was een beperkte kring van ingewijden, een geheim genootschap, gereserveerd voor de grootsten onder de Duitsers.

Roth had tijdens zijn derde bezoek besloten dat hij een van die superieure mensen zou worden. Hij kon nauwelijks nog aan iets anders denken. Hij barstte bijna bij de gedachte zijn vrienden in Berlijn over zijn plannen te vertellen, ondanks zijn belofte dat hij dat niet zou doen.

Op zekere middag had hij het niet meer voor zich kunnen houden en had hij Hanz verteld dat hij het bloed van Joden dronk wanneer hij het werkkamp bezocht waarvan zijn vader commandant was. Hanz was in de lach geschoten en Roth had een vuist in zijn gezicht geplant. En toen zijn vuist na een aantal keren pijn begon te doen, had hij een kei gepakt en had hij net zolang geslagen tot de jongen niet meer bewoog.

Die avond, na twee uur wakker te hebben gelegen, nog steeds opgewonden door de vechtpartij, besloot hij dat hij echt Martha's baby zou doden. Ze was tenslotte maar een Jood. En hij wist ook dat er aan Gerhards ritueel meer vastzat dan alleen bloed drinken. Zijn vader was verantwoordelijk voor het doden van de vrouwen. En dat was een belangrijk punt.

Tot hij terugkeerde naar Toruń lag Roth te woelen en te draaien, en droomde hij over hoe hij de baby zou offeren en haar bloed zou drinken. Het feit dat zijn vader had toegestaan dat dat kind in leven was gebleven en ook nog bij hem in huis woonde, vond hij nergens op slaan.

Zijn vader had hem verteld hoe hij Martha en haar baby had uitgekozen om op te hangen, en hoe Ruth haar plaats had ingenomen. Maar in Roths gedachten, was Martha uitgekozen om te sterven. Als ze in leven bleef, zou ze de enige Jood zijn die door Gerhard was uitgekozen om dit te overleven.

De enige Jood die zijn vader te slim af zou zijn. Die alle kracht die hij door de jaren heen had geoogst, van hem af zou nemen. Deze ene vrouw en haar kind zouden de ondergang van zijn vader kunnen worden. En daarmee ook die van Roth.

Hij verachtte Martha. Ze was een Jood – waarom stond zijn vader toe dat ze in leven bleef, zelfs zonder het sjaaltje? Hij had een zwak voor de baby en Roth dacht dat dat kwam omdat Gerhard een zwak had voor haar moeder – Ruth.

Door de baby te doden, zou Roths kracht toenemen en zou hij zijn vader redden van diens eigen zwakheid.

Bij zijn vierde bezoek begon hij plannen te maken en te observeren, en wachtte hij op het juiste moment. Als zijn vader van zijn plannen had afgeweten, zou hij het waarschijnlijk verbieden, met de mededeling dat hij er nog te jong voor was. Als hij het gewoon deed, zou Gerhard de wijsheid van zijn beslissing wel inzien en hem ervoor prijzen.

Hij kwam een keer erg dicht bij het doden van de baby toen hij een keer 's avonds laat de gang in glipte en om het hoekje van de kamer van de Jodin keek. Maar ze sliep met de baby in haar armen en die zou hij nooit kunnen weghalen zonder dat ze wakker werd. Hij was teruggekeerd naar Berlijn en bedacht een nieuwe strategie.

Drie weken later was hij weer in Toruń. Er waren drie nachten voorbijgegaan en zijn geduld raakte op. Of hij zou vannacht de baby doden, of hij zou gegrepen worden terwijl hij ermee bezig was. Roth was geïrriteerd; Gerhard had al drie avonden lang geen vrouw naar het huis laten komen.

Bij het avondeten vroeg hij zijn vader naar de reden.

'Morgenavond,' zei Gerhard. Hij had bijna een hele fles wijn achterovergeslagen. 'Je moet leren jezelf te beheersen. Zelfbeheersing, jongen. Zelfbeheersing.'

Daar moest Roth even over nadenken.

'Als ik u iets van mijn kracht zou willen laten zien, zou u me daar dan de gelegenheid voor geven?'

De vraag leek zijn vader te verwarren. 'Hoe dan?'

'Waarom mag ik geen bediende hebben?'

'Eh... maar dat kan *wel*, jongen.'

'Dan wil ik Martha,' zei hij.

'Nee, niet Martha. Ze staat bij me in de schuld.'

'Maar is het geen uitstekende manier om haar uw macht te tonen door haar uw zoon te laten gehoorzamen?'

Gerhard moest lachen. 'Goed, nou, dan kan Martha morgenavond jouw bediende zijn.'

'Vanavond,' reageerde Roth.

'Vanavond? Wat kan ze vanavond dan nog voor je doen?'

'Wat hout hakken. Het is koud en ik zou een vuur wel prettig vinden.'

Gerhard leek het wel leuk te vinden. 'Vanavond dan! Ze is in de keuken; roep haar maar.'

'Niet nu. Later, wanneer ze op het punt staat om naar bed te gaan. Dat zal haar leren wie de baas is.'

Zijn vader grijnsde. 'Ik zie al dat jij een goede soldaat zult worden.'

Roth wachtte twee uur. Zijn vader had zich in zijn slaapkamer bijna een delirium gedronken en het was stil in huis. Hij zei tegen zijn vader dat hij nu zijn openhaardvuur zou laten aanmaken. Gerhard lachte en gebaarde dat hij dat maar moest doen.

De trap kraakte toen hij afdaalde naar de kelder, waar Martha heen was gegaan toen ze zich terugtrok voor de nacht. Hij stond stil voor haar kamer en hief zijn vuist op. Zou hij kloppen?

De opwinding over wat hij van plan was, deed zijn lichaam huiveren. Hij wist natuurlijk wel waarom. Hij voelde de kracht van ware hoop, het soort verlangen waardoor Lucifer God had aangeklaagd. Hij had de kracht van Satan in zich, omdat hij samen met zijn vader de hoop van de Joden had gestolen. Het werkte echt, net zoals Gerhard had gezegd.

Hij klopte, omdat dat de juiste handelwijze leek.

Een paar seconden later ging de deur open en Martha staarde hem aan, gekleed in een vuile nachtjapon.

'Ik heb het koud en ik wil dat je een vuur voor me maakt,' zei hij. 'Ga naar buiten, kap wat hout voor me en maak de open haard aan.'

Ze staarde hem verward aan.

'Je moet me gehoorzamen. Ik ben je meester.'

'Je bent nog maar een jongen. En zo koud is het niet. Het is al laat.'

'Als je niet naar me luistert, zal mijn vader je baby van je afpakken. Ik heb nu zijn autoriteit.'

Ze was te geschokt om te reageren en Roth voelde de macht die hij over haar had. Hij vond het heerlijk. Martha wilde iets zeggen, maar bedacht zich. Ze greep de versleten Duitse jas die Gerhard haar had gegeven, liep de gang in en trok de deur achter zich dicht.

Roth beende voor haar uit de trap op. Hij wilde haar niet achterdochtig maken. Het was al erg genoeg dat zijn handen door het geweldige vooruitzicht beefden als espenbladeren. Hij stak ze in zijn zakken, in de hoop dat ze het niet had opgemerkt. Het zakmes dat hij had geslepen, voelde koud aan tegen zijn vingers.

Zo gauw hij de achterdeur dicht hoorde gaan, liep Roth op zijn tenen terug naar de trap. Hij haastte zich naar beneden en duwde Martha's slaapkamerdeur open.

De baby lag op bed, als een bundeltje wasgoed.

Hij hoorde haar ademen. Hij hoorde zichzelf ademen. Het was bijna donker in de kamer. Stil. Vredig. Op de een of andere onverklaarbare manier had hij medelijden met de baby.

Roth stond in de deuropening en was plotseling doodsbang. Zou hij echt een baby kunnen doden? Wat voor kracht had je daar echt voor nodig?

Het maakte niet uit. Hij had van dit moment gedroomd en had van tevoren geweten dat hij waarschijnlijk bang zou zijn. Maar de kracht van Lucifer in hem zou zijn eigen zwakheid compenseren.

Roth stapte naar binnen.

Hij kon Martha buiten geen hout horen kappen, waarschijnlijk omdat hij zich in de kelder bevond. Maar hij moest haast maken.

Hij liep naar het bed toe en trok de wollen deken naar beneden. De baby lag op haar zij, met haar gezicht naar de muur, en ademde rustig in en uit.

Roth haalde het zakmes tevoorschijn en trok het lemmet eruit.

Er school heel veel kracht in het leven van deze baby. Esther en anderen zoals zij vormden de hoop van de Joden. En zoals Gerhard had gezegd, was hoop de grootste kracht in het universum. Zonder hoop kon niemand als God worden.

De baby doden was Satans hoop.

De baby laten leven was Gods hoop.

Uiteindelijk was hoop de brandstof die beide zijden voedde en op dit moment was Lucifer aan de winnende hand.

Dit was de oorlog.

Maar nu hij over het kind gebogen stond, kon Roth moeilijk het feit negeren dat zijn hart niet alleen als een razende tekeerging door de hoop die hij voelde. Wat als ze gilde? Wat als hij niet door haar huid heen zou komen met het mes? Of wat als hij te bang zou worden om door te zetten?

Geef me kracht.

En onmiddellijk voelde hij een scheut zelfvertrouwen. Zijn vader had dit kind nooit in leven moeten laten. Gerhard had Ruth, Martha en beide kinderen moeten doden. Nu zou Roth het karwei afmaken, of in elk geval dit deel van het karwei.

Hij tilde het kleine handje van de baby op en draaide het om, zodat hij bij de aderen in de pols kon. Roth begon opeens vreselijk te beven. Hij kreeg het gevoel dat hij moest overgeven.

Maar hij wist dat dit alleen maar zijn zwakheid was. Het zou vanzelf weer overgaan.

Hij drukte het mes lichtjes tegen de pols van de baby en fluisterde nog een gebed.

Geef me alstublieft de kracht om zoals u te worden.

'Wat ben jij aan het doen?'

Roth draaide zich met een ruk om door het stemgeluid van de dienstbode. Martha stond in de deuropening, haar ogen wit in het schamele licht. Roths hart bonkte in zijn keel.

'Wat ben jij aan het doen?!' Haar stem klonk nu iets hoger. En luider.

Roth was niet in staat een vin te verroeren.

Martha zag het mes in zijn hand. Ze gilde en vloog als een geestverschijning op hem af. Haar stem klonk zo hard, zo doordringend, dat Roth dacht dat ze misschien wel echt een geest was.

Hij sprong op het allerlaatste moment opzij. Haar vuist raakte zijn schouder, maar ze richtte onmiddellijk haar aandacht op de baby en drukte haar snel tegen zich aan.

Steek ze! Steek ze nu allebei, terwijl haar aandacht op de baby gericht is!

Roth zwaaide zijn mes in de richting van Martha's hoofd. Het raakte haar arm, maar hij wist niet of hij haar had gesneden. Hij moest haar keel zien te raken. Of die van de baby...

'Wat is dit?!'

Zijn vader leunde fronsend tegen de deurpost. Hij keek van Roth, die met opgeheven mes klaarstond om weer uit te halen, naar de Jodin, die de baby beschermde.

'Wat is hier aan de hand?'

'Ik ga de baby doden, vader.'

De kamer vulde zich even met een diepe stilte. De Jodin begon zacht te snikken.

'Wegwezen!'

In eerste instantie dacht Roth dat zijn vader tegen Martha stond te schreeuwen. Laat de baby achter voor mijn zoon, zodat hij haar kan doden, en verdwijn!

Maar toen zag hij dat Gerhard *hem* woest aanstaarde. Waarom was hij zo boos? En dat terwijl er een Jood bij was!

Gerhard wees naar de trap achter hem. 'Wegwezen, jij!'

'Maar vader...'

'Nu!'

Roth voelde dat hij rood werd.

'U kunt hen niet laten leven,' zei hij. 'Als u dat doet, zijn zij de enigen die aan u zullen ontsnappen. Ze moeten sterven. Waarom mag ik er niet een doden?'

'Eruit!' schreeuwde zijn vader nu.

Roth staarde hem aan, verbijsterd door diens woede. Zijn vader begreep toch wel dat ze moesten sterven?

'Ik zei, *wegwezen*,' beet Gerhard hem toe.

Roth haastte zich langs zijn vader heen en rende de trap op. Er lag een stapel hout bij de open haard. Misschien was het al gekapt geweest. Hij liep naar het raam dat uitzicht bood op het kamp en staarde in het duister.

Op dat moment besloot hij dat hij zijn vader haatte.

Als Martha en haar kind in leven bleven, zou hij hen opsporen en hen doden. Hij moest wel. Ze waren ter dood veroordeeld door het sjaaltje.

34

Chaïm wist niet precies waarom hij zo verontrust was geraakt door de zwarte auto. Misschien wel door wat Stephen twee dagen geleden had gezegd: *Wees voorzichtig, rabbi.*

Wat als er echt gevaar dreigde? Wat als er nog iemand anders geïnteresseerd was in dat waar Stephen achteraan zat? En wat als hij, Chaïm Leveler, klem kwam te zitten tussen die twee?

En wat als iemand in die zwarte auto hem in de gaten hield? Of in de gaten hield wanneer Stephen thuiskwam?

Hij had Sylvia om acht uur 's morgens teruggebeld. Geen antwoord. Hij had haar kantoor gebeld. Ze stond blijkbaar ergens in de file.

Het werd tijd dat hij een einde aan deze idioterie maakte. Als hij Stephen zelf niet kon vinden, zou hij naar de politie gaan.

Chaïm naderde Rachel Spritzers appartementengebouw en bad fluisterend om bescherming voor Stephen. Chaïm had geen idee of het joch hier wel echt in de buurt was, maar hij was zo gefixeerd geweest op dat gebouw, dat het hem niet onwaarschijnlijk leek dat hij zich hier ergens ophield. Het was tenslotte het huis van zijn moeder. En Stephen had een kluis gevonden.

Hij kwam vanuit het noorden aanrijden, naar de voorkant van het gebouw toe. Er was vandaag een wegreparatieploeg op de hoek bezig. Een man met een gele veiligheidshelm was op een met oranje pylonen afgezette plek bezig met een kango. Wat maakte dat ding een herrie!

Hij reed langzaam langs het gebouw – geen enkel teken van leven. Het zou best eens zo kunnen zijn dat Stephen in moeilijkheden verkeerde. Dat hij ontvoerd was, of erger. Hij kon die mogelijkheid niet langer negeren.

De wegwerker keek naar hem toen hij langsreed, glimlachte en groette terug. Een beetje vreemd om dat vandaag de dag te zien.

Het gebouw naast dat van Rachel was ook verlaten. Was het misschien mogelijk dat Stephen zich daar bevond en hem op dit moment zag langsrijden? Hij had gezegd dat hij in een hotel zat, maar Chaïm zette daar zijn vraagtekens bij.

Hij produceerde een geluid dat kon worden omschreven als 'hmpf' en parkeerde de auto bij de ingang van de steeg die achter het gebouw langs liep. Hij stapte uit en liep naar de achterdeur toe. Kleine kans dat die open was. Zelfs hier teisterde de kango zijn trommelvliezen.

De deur stond op een kier. Hij stapte naar binnen en liet zijn ogen aan het halfduister wennen.

'Stephen?'

Geen antwoord.

'Stephen!'

Zijn stem echode rond, samen met het geluid van de kango. Even boven een kijkje nemen zou geen kwaad kunnen – hij was er nu toch al. Hij liep de trap op en riep op elke verdieping Stephens naam.

Hoogste verdieping. Hij stak zijn hoofd boven de rand uit, zag dat die half gesloopt en leeg was, en begon de trap weer af te dalen. Maar wat was dat daar aan de andere kant van de kamer? Een foto aan de muur naast het raam. Er was daar iemand geweest, misschien nog niet eens zo lang geleden. En dat raam bood uitzicht op het appartement van Rachel.

Nieuwsgierig geworden klom Chaïm de trap weer op en liep naar het raam. Eén blik op de foto en hij bleef staan waar hij stond. Het was een foto van Ruth, die Stephen in zijn kamer had laten liggen, een dag voor hij had ingebroken. In de hoek lag een bed en ernaast stonden blikken met voedsel – de helft geopend en de rest nog dicht. Bonen, maïs, bosbessenjam. De plek was afgezet met banden en stukken puin.

Chaïm had Stephens... verblijfplaats gevonden.

'Tjongejonge,' mopperde hij. 'Tjongejonge, tjongejonge. Wat heb je nou toch weer uitgespookt, beste jongen?'

Wat was er met Stephen gebeurd? Die jongen was helemaal geobsedeerd geraakt door zijn schat.

Hij draaide zich om en riep hard: 'Stephen!?'

Nog steeds geen antwoord. Waar Stephen zich ook mocht bevinden, het leek erop alsof hij van plan was terug te komen. Chaïm liep de afgezette plek binnen en draaide langzaam een rondje, waarbij hij zich inbeeldde hoe het moest zijn om hier een paar dagen te moeten slapen. Wat het ook was, het had Stephen helemaal in zijn macht gekregen. En zo snel!

Chaïm keek uit het raam naar Rachels appartement. Was het mogelijk dat de Stenen van David daar echt verborgen lagen?

'Hallo?'

Hij draaide zich met een ruk om. Vanaf de trap werd hij aangestaard door een jonge vrouw.

'Kan ik u ergens mee van dienst zijn?'

'Ja, hallo. Ja. Ken jij Stephen?'

'Stephen?' Het was een fijngebouwd meisje, knap, met heldere ogen en donker, ingevlochten haar, waar hier en daar plukken uithingen. 'Er lopen een hoop Stephens rond.'

Hij liep het afgezette vierkant uit. 'Ik ben op zoek naar een lange Stephen. Slank. Donker haar. Een makelaar.' Hij wees achter zich, naar het zelfgebouwde kamertje. 'Hier slaapt hij. Ik ben een vriend.'

Ze wierp een blik op de foto van Ruth. 'Is dat zo? Ik weet niet beter dan dat u een oude mafkees bent die op zoek is naar iets om te jatten.'

'Echt?' Hij trok zijn rechterwenkbrauw op. 'Jij vindt mij dus op een oude mafkees lijken. Grappig, zo ben ik nooit eerder genoemd. Ik wil gewoon even met hem praten. Hij woont namelijk bij mij, snap je? Als ik hem niet kan vinden, moet ik hem bij de politie als vermist opgeven. Dan zullen ze dit gebouw willen doorzoeken.'

Ze staarde hem nu met een vlakke blik aan.

'Kun je me in elk geval vertellen of hij in orde is?'

'Het gaat prima met hem. Hoe heet u?'

'Chaïm Leveler. Stephen noemt me rabbi, hoewel ik dat niet ben.'

'Wilt u alleen maar met hem praten?'

Ze wist dus waar hij was! 'Inderdaad. Ik wil gewoon even zeker weten dat hij in goede handen is.'

'Zweert u dat u niemand iets over deze plek zult vertellen?'

'Natuurlijk niet.'

'Zweer het.'

Voor de tweede keer die week verbrak hij zijn eed nooit te zullen zweren. 'Ik zweer het.'

'Volg me dan maar. Hij zal dit niet leuk vinden.'

'Daar is het weer,' zei Lars. 'Dat geluid is anders. Sneller.'

Op Roth na stonden ze allemaal met een oor tegen de kale muur van het appartement aan gedrukt en luisterden ze intens naar het vreemde bonken dat niet overeenkwam met de herrie buiten.

Lars ging rechtop staan. 'Hij is aan het graven. Onder ons.'

Ze hadden de hele nacht al een gezoem gehoord, maar pas 's morgens had Lars opgemerkt dat het weleens niet het verkeer zou kunnen zijn. En toen had het geratel in de straat de stilte verbroken – een enkele wegwerker die het trottoir aan het openbreken was. Na een uur had de man nog weinig of geen vooruitgang geboekt en wisten ze dat er iets mis was.

Roth liep naar het raam en gluurde nog eens naar beneden, naar de wegwerker. Logisch eigenlijk – was er een betere manier om een kango onder het gebouw te verdoezelen dan met een tweede kango op straat?

Als dat zo was, was die makelaar zo brutaal als de beul. Roth grijnsde. *Kom maar naar me toe, Stephen. Ik heb al zo lang op je gewacht. Zo heel erg lang.*

Roth liep de trap af. Zijn mannen volgden hem. Hij duwde de deur naar de kelder open en liep de betonnen ruimte in. Een aanhoudend gebonk echode door het hele gebouw heen. Hij keerde zich naar de oostelijke muur, toen naar de westelijke. Het was onmogelijk om vast te stellen waar het geluid vandaan kwam.

Lars liet zijn vingers langs een van de muren glijden en luisterde. 'Het kan bij de straat vandaan komen, maar dat denk ik niet. Het klinkt te hard. Ik denk dat hij van plan is door de vloer heen naar binnen te komen.'

'Wat een idioot!' zei Claude. 'Als hij naar boven komt, heeft hij meteen een gaatje in zijn kop.'

'Nee,' zei Roth. 'We weten niet zeker waar hij omhoogkomt. Zelfs al wisten we dat wel, dan zou hij zich weer naar beneden kunnen laten zakken en ervandoor gaan voor we hem te pakken hebben. Ik wil hem hebben, maar wel levend.'

Hij liep naar de deuren die op de kelder uitkwamen en trok ze een voor een open. Hij voelde de trillingen door zijn voetzolen trekken – heviger aan de oostkant van het stookhok, als zijn verbeelding hem geen parten speelde.

De wegwerker buiten was bedoeld om de werkzaamheden onder de grond te maskeren. Behalve als de chef van de betreffende dienst langs zou komen, zou niemand weten dat hij nep was.

Een tunnel – wie had dat kunnen denken? Maar goed, als Roth in zijn schoenen had gestaan, had hij misschien wel hetzelfde gedaan. Er moest een oud riool of iets dergelijks onder de fundering door lopen.

'Het is belangrijk dat we hem de gelegenheid geven om binnen te komen,' zei hij terwijl hij zich omdraaide. 'Eén man in het trappenhuis – Claude. De rest van jullie gaat boven verder. Op het moment dat hij door de vloer heen komt, drie keer je radio inschakelen. Houd hem in de gaten. Verder geen actie ondernemen.' Roth fronste zijn voorhoofd en gromde. 'Laat de mol maar graven.'

35

'Daarbinnen?!' schreeuwde Chaïm, terwijl er een vreselijk kabaal op-
klonk vanuit het gat in de grond.

'Het is nat daarbeneden, rabbi. Weet u zeker dat u erheen wilt?' vroeg
het meisje.

'Zit Stephen daarbeneden in dat hol? Is hij een gevangene?'

Ze moest lachen. 'Ik denk dat dat afhangt van hoe je het bekijkt. Kom
maar mee.'

De hond die van de week samen met Stephen naar huis was gekomen, weerstond de herrie om zijn hand te likken. Zij jankte en deed een
paar stappen achteruit.

'Het komt goed, puppy,' zei het meisje. 'We zijn bijna klaar.'

De hond verdween weer naar buiten, haar staart tussen haar poten.

Het meisje liet zich in het gat zakken en verdween.

Chaïm haalde diep adem en liet zijn benen in het riool zakken.
'Tjongejongejonge. Waar ben je mee bezig?'

De tunnel gloeide op door een kabel met enkele peertjes. Modderig
water klotste over zijn leren schoenen. Chaïm bedekte zijn oren en
waadde naar het geratel toe.

In eerste instantie zag hij alleen een achterwerk met twee benen uit
een gat in de tunnelwand steken. De betreffende persoon was in dat gat
bezig met een kango of iets dergelijks, en hij ging schuin omhoog. Aan
het plafond hing een vreemde constructie.

Het meisje gaf de graver een klap op zijn achterwerk. Het ratelen
hield op.

Chaïm herkende de man niet die uit het gat tevoorschijn kwam. Wit
stof bedekte zijn stofmasker en zijn veiligheidsbril. Het leek net of hij
eerst door een geklutst ei was gerold en daarna door een bak meel. De
man zag Chaïm, wreef over de bril en duwde die toen omhoog naar zijn
voorhoofd.

'Rabbi?'

Hij hoorde de stem en wist het meteen. 'Stephen! Ik herkende je niet eens. Wat doe je hier?'

Stephen wierp een blik op het meisje.

'Hij zei dat hij de politie zou bellen als ik hem niet naar je toe bracht,' zei ze.

Stephen keek verward naar het gat.

'Ben je een tunnel naar boven aan het graven?' vroeg Chaïm.

Stephen gaf geen antwoord.

'Ben je niet toevallig bezig staatseigendom te vernielen?'

'We repareren het weer,' reageerde Stephen.

Nu Chaïm naar de jongen keek, wist hij dat er weinig kans bestond dat hij hem kon tegenhouden. Hij wist zelfs niet eens zeker of hij dat wel moest proberen. Hij zou er misschien zelfs inderdaad beter aan doen hem in plaats daarvan te helpen, zoals Gerik had gesuggereerd.

'Hierboven zit zeker de kelder van Rachel, of niet?'

'Eh… ja.'

'De Stenen van David? Liggen die daar echt?'

'Nou ja… ik denk het wel.'

'En je kunt niet langer door de voordeur?'

'Nee.'

'Tjongejonge.' Chaïm schudde zijn hoofd. 'Ik heb respect voor je doorzettingsvermogen. Kun je hiervoor worden gearresteerd?'

'Eh… ik denk niet dat dat gaat gebeuren. De nieuwe eigenaren willen niets met de politie te maken hebben. Ze zitten ook achter de Stenen aan.'

'Ik begrijp het.'

'Hoe… hoe hebt u me eigenlijk gevonden?'

'Recherchewerk.' Chaïm tikte op zijn hoofd. 'Eén en één bij elkaar optellen. Ik dacht bij mezelf: waar zou Stephen naar liefde en geluk gaan zoeken? En ik heb alle onwaarschijnlijke mogelijkheden geëlimineerd tot ik er twee overhield. Eén, in Sylvia's armen, of twee, het riool onder Rachel Spritzers appartement. Ik heb Sylvia geprobeerd en die stond met lege armen, dus toen ben ik hierheen gereden.'

Het meisje grinnikte. Stephens mond vormde een scheve grijns.

'Kan ik je ergens mee helpen?' vroeg Chaïm.

'Meent u dat?'

'Dit gaat over een meisje dat Esther heet, toch? Liefde. En over je erf-goed. Ik weet niet of ik dat monsterlijke ding aankan, maar verder zeg je het maar.'

Een bepaalde gedachte leek een lichtschakelaar tussen Stephens ogen over te halen. Nu hij zich niet langer druk hoefde te maken dat Chaïm plotseling kon opdoemen, stak hij zijn hoofd in het gat en trok hij er een grote kango uit. Het handvat bonkte tegen de grond en Melissa hielp hem het ding tegen de muur aan te zetten. Hij greep een zaklamp en dook weer terug in het gat, waarin hij nu bijna helemaal verdween.

'Ik ben Melissa,' zei het meisje terwijl ze haar hand uitstak.

'Aangenaam, Melissa. Hoe diep is dat gat?'

'Iets meer dan een meter.'

'Hoe ver nog?'

'Het verbaast me dat hij er nog niet doorheen is.'

Stephen gleed weer uit het gat en negeerde de rommel die aan zijn buik koekte. 'Ik heb ongeveer twintig centimeter van de vloer gehad. Als Sweeney gelijk heeft, moet ik er nog tien.' Zijn ogen schoten door de ruimte. 'De boor. Geef me de boor.'

Chaïm deed een stap achteruit en keek toe. Melissa haakte een grote rode boormachine van het plafond en gaf die aan Stephen. 'Hoe lang is het boortje?' vroeg Stephen. 'Vijftien centimeter? Dat moet genoeg zijn, of niet?' Hij beende heen en weer alsof hij nooit meer stil zou staan.

Hij dook praktisch het gat weer in en kronkelde schuin naar boven tot alleen zijn modderige sportschoenen nog uitstaken. Na enkele momenten echode zijn stem dof uit het gat.

'Wat zegt hij?' vroeg Melissa.

Chaïm stak zo goed en zo kwaad als dat ging zijn hoofd naar binnen. 'Wat?!'

'De stekker erin,' antwoordde Stephen. 'Spanning!'

'Hij zei dat je de stekker erin moet stoppen,' zei Chaïm tegen Melissa.

'Oh. Ja, ik denk dat het dan een stuk beter gaat.' Ze verwisselde de stekker van de kango met die van de boormachine en gaf een mep tegen zijn schoen.

'Wat gaat hij doen?' vroeg Chaïm.

'Hij speelt op zeker. Ondanks onze afleidingsmanoeuvre bestaat er altijd een mogelijkheid dat ze ons daarbinnen hebben gehoord. Hij boort een klein gat naar de kelder om naar binnen te kijken voor hij inbreekt.'

Stephens voeten verdwenen opeens een stukje verder naar binnen. En toen lagen ze voorlopig even stil.

'Ik denk dat hij binnen is.' Melissa keek in het gat. 'Stephen?'

Hij kroop plotseling achteruit, alsof hij in een nest adders terecht was gekomen. Hij liet zich eruit zakken en trok zijn veiligheidsbril af.

'We hebben een probleem. Ze zijn in de kelder!'

'Hoe weet je dat?' wilde Melissa weten.

Stephen nam twee klotsende stappen door het water en draaide zich met een ruk om. 'Man, oh man, dit gaat helemaal niet goed.'

'Hoe weet je dat?'

'Ik hoorde iemand hoesten. En het licht is aan. Je moet Sweeney gaan halen.'

'Wil je dat hij ermee stopt?'

'We moeten eerst nadenken.' Hij ijsbeerde wanhopig verder. Chaïm voelde zijn eigen hartslag versnellen. 'Haal hem!' beet Stephen haar toe.

Melissa rende door de tunnel heen en de ladder op.

Stephen spande zijn kaakspieren en bonkte langzaam met zijn hoofd tegen de betonnen muur. 'Ze hebben ons gehoord. Ze zijn in de kelder.'

'Er moet toch iets zijn wat je kunt doen,' zei Chaïm.

'Ze hebben het waarschijnlijk al.'

'Kan ik niet naar binnen? Door de voordeur?'

Stephen negeerde hem. Hij dook het gat weer in, trok zichzelf hele- maal naar binnen, lag even stil en gleed toen weer naar buiten.

'Zeker weten dat ze in de kelder zitten.'

'Het spijt me dat...'

'Alstublieft.' Stephen stak een hand op en sloot zijn ogen. 'Laat me even nadenken.'

Ze stonden stilzwijgend bij elkaar, hun voeten in vijftien centimeter water. Sweeney, Stephen, Melissa en de rabbi. Stephen klemde woest zijn kaken op elkaar. Hij moest zich bedwingen om niet de straat over te rennen en de voordeur in te beuken. Misschien waren de honden wel dood; misschien kon hij zich een weg naar binnen bluffen; misschien kon hij de trap afrennen, de trommel pakken en zichzelf opsluiten in het stookhok tot Sweeney de tunnel had afgemaakt. Nog vijf minuten en ze waren erdoorheen.

'We moeten ze uit de kelder zien te krijgen,' zei Sweeney.

'Rook ze uit,' zei Melissa.

Stephen staarde haar woest aan. 'Echt briljant. We zouden hier een fik kunnen maken en de rook door het kleine gat kunnen laten kringelen.'

'Maak je toch niet zo druk.'

Hij liet zijn hoofd zakken en kneedde zijn slapen.

'Er moet een manier zijn om binnen te komen,' zei Sweeney nog eens. 'Waarom steken we het gebouw niet in brand?' Ze keken hem aan. 'Nou?'

'Jullie moeten hen uit dat gebouw zien te krijgen, nietwaar?' vroeg Chaïm.

'Ja. In elk geval uit de kelder.'

'Hoe lang?'

'Er zit nog tien centimeter beton, maar omdat erachter alleen maar lege ruimte zit, zijn we er zo doorheen. Misschien een kwartier.'

'En hoeveel tijd voor de reparatie?' drong Chaïm aan.

'Vergeet die...'

'Nee, luister eerst even naar hem,' zei Sweeney. 'Wat hebt u in gedachten, beste rabbi?'

'Misschien niet veel, maar het zou je op nieuwe ideeën kunnen brengen. De stad heeft zeer specifieke evacuatieplannen voor branden. Als er een brand uitbreekt in een gebouw, evacueren ze niet alleen dat gebouw, maar ook de belendende panden. Zo luidt de wet. Ze moeten controleren of alles veilig is voor de bewoners weer terug mogen naar huis.'

'Dus?' vroeg Sweeney. 'Steken we de boel in brand?'

'Nee, dat kan niet. Maar ik ken de brandweer en ik weet dat als ons gebouw in brand zou vliegen, ze dit gebouw en alle omliggende panden zullen evacueren...'

'Dat is het!' zei Stephen. 'Dat is het! Toch?' Zijn ogen waren zo groot als schoteltjes.

Sweeney glimlachte. 'Ik denk...'

Stephen rende naar het mangat.

'Stephen? Waar ga je heen?' wilde de rabbi weten.

'Een brand veroorzaken!' gilde hij. 'Kom op!'

36

'Pak de wapens,' zei Roth. 'Alles in de auto. Nu!'

Claude rende naar de trap. Er waren drie brandweerauto's met gillende banden tot stilstand gekomen voor het gebouw aan de overkant van de straat. Dikke zwarte rook kolkte uit de ramen van de bovenste verdieping. Hij zag geen vlammen, alleen maar rook.

De wegwerker was de straat op gerend, waarna hij de kango en de pylonen met behulp van een oudere man in de achterbak van een auto had getild, waarna hij was weggescheurd.

Nog steeds geen teken van een doorbraak in de kelder.

'Hij heeft zichzelf uitgerookt,' zei Lars. 'De idioot is over een jerrycan benzine of iets dergelijks gestruikeld en...'

'Stil!' beet Roth hem toe.

Het spel was geëscaleerd. Dit was meer dan waarop hij had durven hopen. De anderen hadden geen flauw idee van wat er aan de hand was, maar dat moest ook niet. Dit was iets tussen hem en de Jood.

Natuurlijk bestond er altijd een kans dat hij zou falen, maar dat was nou juist zo stimulerend – succes was nog steeds een hoop.

Lucifers hoop.

In werkelijkheid was de kans dat hij zou falen maar erg klein. Roth was veel te sterk. Hij moest die kracht alleen op een beredeneerde en methodische manier zien toe te passen, zoals vannacht.

Hij zou het land weer uit zijn voor iemand erachter kwam dat hij iets met de moorden te maken had. Die gedachte gaf Roth een warm gevoel.

De straat vulde zich met rennende mensen. Brandweerlieden rolden snel een slang uit en riepen naar de groeiende menigte toeschouwers dat ze uit de buurt moesten blijven. Hoe waarschijnlijk was het dat er iets had vlamgevat en de Jood gedwongen was zijn poging af te breken?

Er bonkte iemand op de deur. 'De brandweercommandant. Doe open!'

Roth haalde diep adem en keerde het gebouw de rug toe. Hij wierp een blik op de auto. Claude had de laatste spullen die ze van de derde verdieping hadden gehaald in de kofferbak gedaan, knalde de klep dicht en knikte. Roth liep naar de deur en deed die open.

Er stond een brandweerman in een geel pak voor hem. 'Het spijt me, maar u zult dit gebouw moeten evacueren.'

Hij keek langs de brandweerman heen en staarde naar de brand. 'Is alles onder controle? Wat is er gebeurd?'

'Iedereen moet eruit. Maakt u zich geen zorgen, het vuur zal dit gebouw niet bereiken.'

'Dan blijven we.' Hij begon de deur weer dicht te doen.

De man leunde naar voren en duwde de deur weer open. 'Het spijt me, maar u zult moeten vertrekken. Dat zijn de regels. Met een beetje geluk niet meer dan een halfuur. Kom.'

Roth gebaarde met een knikje dat Claude kon vertrekken. 'Gaat u dit gebouw niet binnen?'

'Alleen maar om er zeker van te zijn dat er niemand achterblijft.' De man wachtte terwijl ze vertrokken. 'Nog meer mensen binnen?'

'Nee.'

'Wacht hier.' De man rende naar de trap toe en verdween.

'Verspreid je over de straat,' beval Roth zijn mannen. 'Houd je ogen open. Niemand komt binnen zonder dat ik ervan weet.'

De brandweerman rende naar buiten, knalde de deur dicht en haalde een rol geel tape tevoorschijn om hem te verzegelen. 'Deze is leeg. Blijf bij de brandhaard vandaan. We laten het u weten wanneer het weer veilig is. Ongeoorloofd naar binnen gaan is een misdaad. Begrepen?'

Roth negeerde hem en keek naar het brandende gebouw. Er waren nu ook drie politiewagens gearriveerd. Stephen was iets van plan.

Denk na, Roth. Wees die Jood te slim af.

'Opschieten, opschieten!' gilde Sweeney in het mangat. 'Ze zijn buiten!'

Stephen draaide zich om naar de rabbi. 'Doe het licht uit!'

De rij lampen ging uit. Hij krabbelde het gat in, duwde met zijn hele gewicht tegen de kango en drukte op de schakelaar. Het apparaat schokte als een bezetene in zijn handen. Tien centimeter. Met een beetje geluk zouden de Duitsers het geluid niet horen, nu ze waren geëvacueerd.

Niet dat het uitmaakte. Met een beetje meer geluk zou het stuk beton dat hij nu te lijf ging, al snel afbreken langs de cirkel van gaten die hij had geboord terwijl ze wachtten tot de brandweerwagens zouden arriveren.

Ze namen drie berekende risico's, die hun allemaal de das om zouden kunnen doen. Het duidelijkste was de brandstichting. Ze hadden platen oude asbest op de vloeren van de bovenste twee verdiepingen gelegd, er autobanden op gestapeld en die in brand gestoken. De brandweer zou in korte tijd de smeulende autobanden blussen en het gebouw leeghalen, maar hopelijk niet te snel. De stunt zou hun een uitbrander kunnen opleveren, maar ze hadden al een verhaal klaar. Sweeney wilde zien hoeveel rook autobanden zouden produceren. Hij had daarom voorzorgsmaatregelen getroffen. Als er al een wet was tegen het verbranden van autobanden, dan was hij zich daar absoluut niet van bewust.

Het tweede risico was dat de brandweer hen zou ontdekken in het riool, terwijl ze met de kango bezig waren. En daarom had Sweeney de deur van het stookhok dichtgedaan en de berg isolatiemateriaal over het deksel van het mangat gelegd.

Het derde risico hadden ze totaal niet in de hand. Stephen wist niet zeker hoeveel man Braun daar had zitten. Wat als hij er een met een vuurwapen in het stookhok had verborgen?

Maar daar zou hij snel genoeg achter komen.

Zo dichtbij. Zo dichtbij na zoveel inspanningen. Stephen verdubbelde de druk op de kango. 'Kom op, stom stuk beton, breken. Breken!'

Hij had twintig gaten geboord – dat had de boel in elk geval flink moeten verzwakken. Sweeney had hem verzekerd dat er geen betonijzer in het beton zat, omdat ze dat ondertussen allang zouden zijn tegengekomen. Als er wel betonijzer in zou zitten, zou alles verkeken zijn. Hij zou...

Plotseling vloog de kango naar voren. Hij liet de schakelaar los. Er lagen grote schilfers beton over de beitel. En erboven was een cirkel grijs licht zichtbaar geworden.

De doorbraak was zo plotseling gekomen, dat Stephen er niet eens zeker van durfde zijn dat het echt was gelukt.

'Jongens?'

Stephen hief met een ruk zijn hoofd op, knalde tegen het plafond en dook weer naar beneden, zich nauwelijks bewust van de pijn. Hij liet zich in het riool zakken. Inktzwarte duisternis.

'Jongens?'

'Hier,' zei Sweeney.

'We zijn binnen!'

'Zijn we binnen?'

'We zijn binnen!'

Stephen rukte aan de kango en sprong opzij toen hij uit het gat kletterde.

Plons!

'Wat was dat?' vroeg Sweeney.

'De kango.'

Stephen klauterde het gat weer in, zag dat de betonbrokken moesten worden verwijderd voor hij naar binnen kon klimmen en sleepte de twee grootste stukken mee terug het gat in.

Plons! Plons!

'Wat was dat?'

'Beton.'

Hij krabbelde weer naar boven, op knieën en ellebogen. Hij duwde meer puin langs zich heen, naar beneden, het riool in. Iemand gromde.

'Sorry.'

Het stuk beton was afgebroken langs de gaten die hij had geboord. 'Perfect. Perfect, perfect.' Hij stak een hand uit, greep de rand van de vloer en stak zijn hoofd naar binnen.

De kelder.

Die geweldige, heerlijke kelder. Stil en verlaten. Geen wapens en geen Duitsers. Hij kon zich nauwelijks inhouden.

Er duwde iets tegen zijn voet. 'Hup, opschieten!' riep Sweeney.

Stephen klom het gat uit en stond op. De deur naar deze ruimte stond open; er zat een grendel aan de binnenkant, wat nogal vreemd was. Misschien was het ooit een studeerkamer of een schuilplaats geweest. Het peertje in de kelder wierp een gelig licht over het geheel. Het cement op de vloer glom. Hij rende naar de deur, stak zijn hoofd om de hoek en liep de centrale kelderruimte in. De deur naar het stookhok zat dicht.

'Alstublieft, alstublieft,' hijgde hij. Wat als ze het hadden gevonden? Hij moest er niet aan denken. Niet nu.

'Pak mijn hand,' fluisterde Sweeney achter hem. Stephen wierp een blik achterom en zag Sweeney boven het gat geknield zitten en een van de anderen helpen. Hij keek op naar Stephen. 'Schiet toch op, man! We moeten hier zo snel mogelijk weer weg!'

Stephen liep naar het stookhok, deed de deur op een kiertje open en tuurde in het duister. Zijn hart bonkte als de kango en verbrijzelde zijn zelfvertrouwen. Wat als de trommel weg was?

Hij deed het licht aan. De boiler stond open. Hij had hem gesloten achtergelaten. De vaten zagen eruit alsof ze verplaatst waren.

Braun was hier geweest!

Stephen vloog op de boiler af, greep het lege vat erachter met beide handen beet en smeet het opzij. Daar was het deksel van de kluis, overdekt met stof.

Stephen slaakte een zachte kreet. De opluchting verlamde hem heel even. Toen liet hij zich op zijn knieën vallen, veegde het stof weg en rukte het deksel open. Esthers gezicht staarde hem met een serene rust aan.

Hij stak beide handen in de kluis, kromde zijn vingers om de blikken trommel heen en trok hem eruit.

Verbazingwekkend licht. Wat zouden vier vergulde en in doek gewikkelde Stenen wegen? Misschien wel minder dan de blikken trommel. Misschien iets meer. Misschien wel veel meer.

Hij draaide zich om en knalde tegen de rabbi aan, die ongemerkt binnen was gekomen.

'Is het er?'

Stephen hield de trommel met wit geworden vingers vast. 'Ja.'

De rabbi keek van de trommel naar Stephen.

'Ik heb hem,' zei Stephen.

'Ja. Ja, dat zie ik.' Er gleed een vage glimlach over Chaïms gezicht.

Stephen haastte zich langs hem heen naar de centrale kelderruimte, voortgedreven door de adrenaline in zijn bloed, niet door de gedachten in zijn hoofd. Er bevonden zich helemaal geen gedachten in zijn hoofd. Hij had de trommel. Dat was alles. De trommel lag in zijn handen.

'Ga je hem nog openmaken?' vroeg Chaïm.

Hij draaide zich met een ruk om, van slag door de vraag. 'Hier? Nee, niet hier!'

Sweeney en Melissa stonden bij de deur van de ruimte waarin ze omhoog waren gekomen en staarden hem aan. 'Is dat het?' vroeg Sweeney.

Heel even staarden ze alle drie naar de trommel. Waarom? Wat probeerden ze te bewijzen met dat gegaap? Sweeney had het sneldrogende cement al gemengd, dat in een emmer achter hem stond. Ze zouden in beweging moeten komen, niet staan gapen.

Sweeney stak zijn hand uit. 'Hoe graag ik ook zou blijven rondhangen om naar je trommeltje van vijfhonderdduizend dollar te kijken, de klok tikt door. Het was me een genoegen, Groovy. Als ik je niet in de gevangenis zie, zal ik proberen je op te zoeken.' Hij grijnsde. 'Het beton begint al uit te harden, dus zodra ik het hout op zijn plek heb geduwd, schenk jij het erover. Begrepen?'

Stephens benen voelden verdoofd aan. Hij knikte.

'Weet je zeker dat je het gaat redden?'

'Tuurlijk.' Hij schraapte zijn keel.

'En misschien kun je de inhoud van die trommel maar beter in je zakken stoppen. Dit is een beetje erg opzichtig.'

Het was Stephens eigen idee dat hij zou achterblijven, het gat zou vullen en via de garage zou ontsnappen. Het was tenslotte zijn schat en iemand moest het doen. Maar het voelde nu wel een beetje erg gedurfd aan.

Melissa kuste hem op zijn wang. 'Ik ga je zien, Stephen.'

'Oké,' zei Sweeney. 'Kom mee, rabbi.'

'Ik blijf wel bij Stephen,' zei Chaïm.

'Jullie moeten eruit zien te komen, weet u nog? En twee wordt moeilijker dan één.'

'En het wordt voor drie mensen nog moeilijker om ongezien uit een rokend gebouw te ontsnappen. Ik denk dat ik maar beter bij Stephen kan blijven.'

'Mee eens, Stephen?'

'Mee eens.'

Sweeney knipoogde, volgde Melissa de tunnel in en zette achter zich een stuk multiplex klem in het gat, waarmee hij een soort vloertje voor het sneldrogende beton maakte. Hij klopte tegen de onderkant. 'Goed, hij zit. Veel geluk.'

Stephen bleef maar naar de trommel in zijn handen kijken. Het was een oude koektrommel, ruwweg dertig bij twintig centimeter. Op de zijkanten stonden oranje wafels afgebeeld. Geen plakband om het af te plakken. Ruths foto keek in een surreële stilte naar hem op. Hij schudde het ding een keer zachtjes – iets in de trommel bonkte gedempt tegen de zijkant. Hij kreeg er een brok van in zijn keel.

Chaïm keek naar Stephen en schonk toen zonder een woord te zeggen het beton in het gat. Hij trok het met de bodem van de emmer zo goed mogelijk glad en schoof toen wat losse kolen over de troep.

Stephen had hem best willen helpen, maar hij kon zich er niet toe zetten de trommel los te laten. Hij keek stilzwijgend toe en dacht na over het advies van Sweeney om de koektrommel achter te laten. Een trommel was maar een trommel. Hij zou de foto eraf en de Stenen eruit kunnen halen, en de trommel achterlaten.

Chaïm was binnen een minuut klaar. Het eerste halfuur zou je er nog niet op kunnen staan, maar de kolen maskeerden de boel goed. Als Sweeney met succes het mangat aan zijn kant wist te verbergen, zou hun tunnel misschien nooit worden ontdekt.

Het enige wat Stephen en Chaïm nu nog moesten doen, was maken dat ze wegkwamen.

Er klopte iets niet. Roth was niet eerder zo zeker geweest van zijn instincten als nu. Het kwam door het vuur – er was iets mis met het vuur. Zoveel rook en toch geen vlammen.

Hij ijsbeerde over het trottoir, zijn ogen constant alert op de aanwezigheid van een brandweerman, een inspecteur van de stad of iedereen die ook maar iets op de Jood of de wegwerker leek. Maar misschien leek hij wel niet eens op een Jood – Friedman draaide er zijn hand niet voor om om zich als vrouw te verkleden. Iedereen die het gebouw naderde, was verdacht.

Tien minuten na hun evacuatie kwam hij erachter waarom er geen vlammen waren. Autobanden. Er werd gezegd dat iemand banden in brand had gestoken.

De Jood had de banden in brand gestoken in de wetenschap dat er geëvacueerd zou worden, waarna hij verder was gegaan met graven en nu bevond hij zich in het gebouw.

Roth rende naar de voordeur toe.

Maar hij bedacht zich en stond stil. Waar was hij mee bezig? De autoriteiten hadden overal ogen.

Hij haastte zich terug naar Lars. Paniek verspreidde zich door zijn ledematen en hij wilde het liefst gaan schreeuwen. 'Het kan zijn dat ze onder dekking van de brand door de vloer heen zijn gekomen. Zorg dat Ulrich een auto verderop in de straat in brand steekt – ze moeten een andere kant opkijken. Begrijp je wat ik bedoel?'

'Een auto in brand steken? Hoe dan?'

'Dat kan me geen moer schelen!' schreeuwde hij, waarna hij zich snel omdraaide, voor het geval hij de aandacht had getrokken. 'Het kan me zelfs niet eens schelen als hij wordt opgepakt. Zeg maar tegen hem dat hij een lap in de benzinetank moet hangen en die moet aansteken. Zorg gewoon dat het snel gebeurt!' Het duizelde hem van emoties die hij niet eerder had ervaren. Hij zou zo kunnen flippen, hier midden op straat. Zelfbeheersing. Hij moest zijn zelfbeheersing zien terug te vinden.

'Schiet op!'

37

'Rabbi!' fluisterde Stephen.

Chaïm draaide zich om van de deur die naar het trappenhuis leidde.

'Misschien kan ik ze er maar beter uithalen.'

'We moeten opschieten!' zei de rabbi.

'Weet ik, maar misschien heeft Sweeney gelijk. Ik zou ze beter ergens anders kunnen verbergen, zodat ik de Stenen niet kwijtraak als ze de trommel te pakken krijgen. Ik denk dat we nog wel wat speling hebben; ze zijn nog maar tien minuten geleden geëvacueerd – zei u niet dat we minstens twintig minuten zouden hebben?'

De rabbi keek naar de deur en toen weer naar Stephen. 'Waar wil je ze dan verbergen?'

'In mijn zakken. Of mijn schoenen.'

Chaïm liep terug. 'Goed dan.' Hij keek naar de trommel. 'Doe hem dan open.'

'Goed,' zei Stephen.

Maar hij kreeg zijn vingers niet in beweging. Ze hadden zich al vijf minuten niet bewogen.

De rabbi stak een hand uit en raakte de foto aan. 'Erg mooi. Alsjeblieft, Stephen.'

'Goed.'

Hij zette de trommel voorzichtig op de grond, knielde neer, veegde zijn handen aan zijn broek af en stak zijn vingers onder het deksel. Met een zacht ploppend geluid kwam het los. Stephen voelde op dat moment zo'n vreselijke wanhoop, dat hij het deksel bijna weer dichtknalde. Verlangen, natuurlijk; ja, verlangen. Maar ook angst. Doodsangst!

Wat als de Stenen van David niet in deze trommel zaten?

Hij schoof het deksel eraf en liet het op de grond kletteren. In de trommel lag een rood bundeltje. Zijde. Hij haalde het er met een bevende hand uit. Schitterende, zachte zijde, dat in zijn hand aanvoelde als crème.

Hij keek naar beneden, met de gedachte dat er nog meer in kon zitten. En dat was ook zo. Een versleten dagboek. Hij haalde ook dat eruit, bladerde het snel door en gaf het aan Chaïm.

Voorzichtig vouwde hij het rode sjaaltje open. Het voelde leeg aan. Er borrelde paniek in hem op. Hij schudde aan het sjaaltje. Er viel een opgevouwen brief uit.

Geen Stenen.

Stephen liet zich geschokt op zijn hielen zakken. Hij kreeg nauwelijks lucht. Een rood sjaaltje en een opgevouwen brief. Er moest meer zijn. De kluis! De kluis had natuurlijk een dubbele bodem!

Hij sprong op, rende het stookhok in en graaide in de kluis. Zijn knokkels raakten een harde bodem. Hij ramde erop, maar het klonk massief. Geen dubbele bodem.

Stephen staarde in het gat en begon wild adem te halen, alsof hij was opgesloten in een te hete sauna en hij er wanhopig graag uit wilde.

'Stephen?'

De waarheid was niet te verdragen en voelde aan als een loodzwaar rotsblok dat op zijn schouders rustte. Er was geen schat. De kinderen waren de Stenen van David. Esther. Ruths foto flitste door zijn gedachten.

'Stephen!'

Chaïm stond in de deuropening. Stephen draaide zich langzaam om. Zijn zintuigen waren verdoofd. De rabbi keek hem met een bleek gezicht aan. In zijn bevende rechterhand rustte de brief.

Stephen ging onvast op zijn benen staan. 'Wat is er?'

'Ik... lees het zelf maar.' De rabbi reikte hem de brief aan.

'Het is een brief,' zei Stephen. 'Voor Esther?'

'Ja. Voor Esther en David. Van Martha.'

'Martha?'

'Je moet hem maar gewoon lezen.'

Stephen liep naar hem toe en pakte de brief aan. Geschreven in schuinschrift. De inkt was oud en de vouwen in het papier waren bijna door.

Mijn lieve zoon, David, en Esther, voor wie je bent geboren:
Ik heb de hele wereld afgezocht, maar kan je niet vinden. Ik kan alleen maar bidden dat je op zekere dag deze brief zult vinden en zo achter de waarheid zult komen.

Ik ben met Rudy Spritzer getrouwd, een goede man, en ik noem mezelf nu Rachel, ter ere van de vrouw die in het kamp voor jou, David, heeft gezorgd. Daar kenden ze me als Martha. Ik was in staat jou in het kamp Toruń ter wereld te brengen, maar alleen maar door het offer dat Ruth heeft gebracht, die enkele weken eerder Esther had gebaard. Ik was door het rode sjaaltje aangewezen om te sterven, maar Ruth heeft het sjaaltje overgenomen.

De commandant kon me niet voor jou laten zorgen, David, maar ik heb wel voor Esther kunnen zorgen. Hij heeft jullie weggehaald voor het kamp werd bevrijd. Ik heb vijf jaar lang gezocht en ben naar de Verenigde Staten gekomen toen ik hoorde dat veel wezen daarheen waren geëmigreerd. Ik ben er alleen maar achter gekomen dat de commandant mijn lieve David in een weeshuis in de buurt van Kętrzyn heeft achtergelaten en dat hij Esther meegenomen heeft naar Duitsland.

Vergeef me alsjeblieft, maar ik kon hem niet laten weten dat ik het dagboek had meegenomen, anders zou hij me hebben achtervolgd. Er staat genoeg informatie in om hem de doodstraf te bezorgen. Maar je moet begrijpen dat ik niet kon toestaan dat ze de commandant veroordeelden. Alleen hij weet misschien waar je bent.

Ik kon je ook niet via de media opsporen, uit angst dat hij ook achter jou aan zou gaan. Je zult weten dat je mij en Ruth toebehoort, omdat ik jullie allebei heb gebrandmerkt met de helft van een Steen van David. Ik heb geprobeerd je te vinden via dat brandmerk – ik vind het zo erg dat het me niet is gelukt.

Ik heb elke dag gebeden dat God jullie naar mij en naar elkaar toe zou trekken, zoals Hij de man trekt die de parel van grote waarde zoekt. Moge Hij jullie vervullen met de hoop die we jullie hebben toevertrouwd. Jullie moeten elkaar zien te vinden. Dan zullen jullie de ware schat ontdekken, waardoor de Stenen devalueren tot speelgoed voor kleine kinderen. Het spijt me zo verschrikkelijk, lieve kinderen. Jullie zijn de ware Stenen van David en ik bid elke dag dat als ik jullie niet kan vinden, jullie elkaar zullen vinden – in levenden lijve en in goede gezondheid.

Wat de Stenen betreft, het geheim van hun verblijfplaats zal met Ruth en mij het graf ingaan. Vind elkaar en vind God.

Martha
September 1958

'Esther,' zei Stephen zacht. Er welden tranen op in zijn ogen en hij probeerde iets weg te slikken. 'Help mij God, ik moet haar vinden.'

Hij dankte zijn leven aan Ruth en in het verlengde daarvan aan haar dochter. *Esther* was de schat. Niet een setje vergulde Stenen, maar een oorlogskind. Een vrouw. Esther, voor wie hij was geboren.

Hij kon niet uitleggen wat er daarna gebeurde, behalve dan dat een week vol krankzinnige gebeurtenissen hem uiteindelijk tot pulp had vermalen. Stephen liet zich op zijn knieën zakken, bedekte zijn gezicht en barstte in snikken uit. Het begon met een zacht schokken, dat overging in een hevig snikken dat hem zijn adem benam. Hij wiegde heen en weer en probeerde de emoties van zich af te schudden die zijn lichaam teisterden, maar ze verstevigden alleen maar hun grip op zijn keel en borst.

De foto's uit Martha's zonnekamer flitsten door zijn gedachten. Jongens en meisjes, echtgenotes en moeders en dochters, echtgenoten en vaders en zoons. Zij waren gestorven, maar hij had het overleefd – door iemand die Ruth heette. Hij had elke ademtocht te danken aan een andere Jood. En twintig jaar lang had hij hun dood verraden door hun pijn te negeren.

Chaïm probeerde hem te troosten en zei tegen hem dat ze maar beter konden vertrekken, maar Stephen zakte in elkaar op de grond, de brief in zijn handen geklemd. Een paar ondraaglijke momenten lang beeldde hij zich in dat hij het kale meisje uit de kliniek was. Hij was daar, in Polen. Elke dag droegen de Duitsers hem naar een kamer die naar alcohol rook en waar ze verschillende delen van zijn lichaam inspoten met kankercellen. Dat was de reden waarom hij zijn haar en zijn tanden was kwijtgeraakt.

Maar hij was niet aan kanker gestorven. Hij leefde nog omdat er iemand was gestorven om hem het leven te redden. Ruth. Esther.

Chaïm rukte aan Stephens schouder. 'Er komt iemand aan!'

Stephen probeerde zich te heroriënteren. 'De brief!'

Ergens knalde een deur dicht.

Stephen krabbelde overeind. Ze moesten hier weg zien te komen! Hij propte de brief snel in de aslade van de kolengestookte boiler.

'Laat je die achter?'

'Wat als ze hem bij me vinden? We halen hem nog wel een keer op.

Schiet op!' Hij rende het stookhok weer uit, griste de blikken trommel met het dagboek en het sjaaltje van de grond en draaide zich om naar de deur.

'Oh, nee. Dat flik je me niet nog eens.'

Braun stond in de deuropening van het trappenhuis, een pistool in zijn hand. Hij liep recht op Stephen af. De hand van de Duitser ging in een flits omhoog en Stephen voelde een scherpe pijn door zijn schedel schieten. Er knalde iets tegen het beton. Een blikken trommel.

Hij kwam zeer onzacht in aanraking met de vloer en verloor het bewustzijn.

38

Stephen had geen idee hoe lang hij bewusteloos was geweest. Hij lag in een hoopje op de keldervloer, uitgekleed tot op zijn ondergoed. Zijn hart bonkte en hij bleef een paar minuten stil liggen, waarbij hij luisterde naar enkele mannen die in het Duits met elkaar praatten. Langzaam vulden de details van de brief zijn gedachten. Hij moest Esther zien te vinden.

Stephen strekte een been. Het praten werd meteen minder. Een halve minuut later stond Braun over hem heen gebogen.

'Ga zitten.'

Van achter hem tilden enkele handen hem overeind. Ze zetten hem in een stoel.

'Waar is de rabbi?' vroeg Stephen.

'De rabbi?' Braun grinnikte. 'Hij is geen rabbi. En dat is nogal een teleurstelling voor me.' Braun droeg een losgeknoopt nazi-SS-jasje, waaronder een zwart zijden overhemd zichtbaar was. Zijn broek en zijn schoenen waren nog dezelfde als die hij eerder ook aanhad. Over zijn schouder hing het rode sjaaltje. Hij liep langzaam naar Stephens rechterkant en nam een trekje van zijn sigaret.

'Ik had zijn waardeloze ziel al willen doden, maar op dit moment is hij levend meer waard. De ouderen gaan altijd het snelst, zei mijn vader altijd.'

Stephen voelde een rilling over zijn rug lopen. De grote blonde, die ze Lars noemden, stond bij het trappenhuis en staarde emotieloos in hun richting. Claude stond voor het stookhok.

'Wat vind je van mijn jasje?' vroeg Braun. 'Het was van mijn vader. Ik draag het soms wanneer ik zakendoe met Joden.'

Hij hield het deksel van de trommel omhoog en staarde naar de foto van Ruth. 'Ik wil dat je me vertelt waar je de Stenen hebt verstopt, meneer Friedman. We hebben de vloerkluis gevonden. Ik moet zeggen dat je onvolwassen bluf onze aandacht aardig van de kelder had afgeleid. We hebben de bovenste verdiepingen tot op de laatste spijker gestript en al die tijd had jij de kluis in de kelder verborgen onder een vat. Hoe ben je binnengekomen?'

'Wat bedoel je?'

'Ik bedoel, een uur geleden was je nog niet binnen en nu wel. Hoe ben je binnengekomen?'

Ze hadden de tunnel dus nog niet ontdekt. 'Door de garagedeur.'

Roth sloeg Stephen hard tegen zijn wang. 'Ik heb geen tijd voor leugens, Jood.'

Stephen hervond zijn evenwicht en legde zijn hand tegen zijn tintelende gezicht. 'We… we wisten dat de brand ervoor zou zorgen dat jullie geëvacueerd zouden worden. In de verwarring hebben we de garagedeur geforceerd en zo zijn we naar binnen gekomen. Ik was verkleed als brandweerman.'

'Waar zijn die kleren dan?'

'Naar buiten gegooid.'

Het was niet mogelijk iets van Roths gezicht af te lezen. Hij toonde geen emoties. 'En de kango?'

'We waren bezig een gang te graven vanuit een riool dat de twee gebouwen verbindt, maar de elektromotor brandde door. Die brand was een soort laatste redmiddel.' Stephen haalde diep adem. 'Er zijn geen Stenen,' zei hij. 'Alleen het sjaaltje.'

'En het dagboek.' Braun nam met de ene hand een trekje van zijn sigaret en hief met de andere het dagboek op. 'Weet je van wie dit sjaaltje is?'

'Van Rachel Spritzer.'

'Je bedoelt Martha. Zij was mijn vaders persoonlijke bediende in Toruń. Ze stal dat sjaaltje van mijn vader. Ik ken het goed. Het was iets heel speciaals voor hem.' Hij hief de foto van Ruth op, keek Stephen aan en snoof aan de foto alsof hij haar parfum probeerde te ruiken.

Stephen voelde zich misselijk.

'Dit is Ruth,' zei Braun. 'Verbazingwekkend hoeveel Esther op haar lijkt.'

Stephens handen waren niet vastgebonden; hij kon opspringen en de man de foto uit zijn handen rukken. Maar dat zou alleen maar bewijzen dat hij van Esther afwist. Hij moest zich niet in de kaart laten kijken. Braun wist niet van de brief.

'Ken je Esther?' vroeg de Duitser met een schattende blik.

Stephen reageerde niet.

'De dochter van Ruth.' Brauns mondhoeken krulden omhoog. 'Na de oorlog heeft mijn vader haar naar de Alpen gestuurd, naar het dorpje Greifsman.' Zijn ogen schitterden. 'Ze is erg mooi.'

Ze leefde dus nog! 'Hij… ik begrijp het niet…'

'Waarom ze nog leeft? Laten we zeggen dat Esther onze onderhande-lingstroef was, voor het geval we Martha ooit zouden vinden. Maar haar waarde is nu tenietgedaan, nietwaar?'

Braun grijnsde. 'En jij bent David, de zoon van Martha. Mijn vader had ook de vergissing begaan om jou in leven te laten. Hij wilde dat de verdwijning van haar zoon Martha tot aan haar dood zou blijven ach-tervolgen. Een aardig idee, maar in beginsel al waardeloos. Jullie waren tenslotte uitgekozen door het sjaaltje.'

'Ik heb geen idee waar je het over hebt,' zei Stephen. Hij moest Braun zien af te leiden, zodat hij aan andere dingen dacht. 'Ik kende Rachel Spritzer van een antiekwinkel waar ik nogal eens kwam,' loog hij. 'Ze kocht daar weleens wat. Ze had het dan over haar Stenen van David, maar ik dacht altijd dat ze het over haar kinderen had, tot ik zag dat ze er een aan het museum had vermaakt. Ik ben toen gaan rondsnuffelen en struikelde over die vloerkluis. En de rest weet je.'

'Weer een van je ingenieuze verhalen? Mijn vader had de Stenen van David uit de een of andere verzameling in Hongarije en ik weet zeker dat hij ze terug wil. Maar dit' – hij hield het boek omhoog – 'interes-seert ons nog het meest. Als je erin hebt gekeken, zul je wel begrijpen waarom.'

Het viel Stephen op dat Braun zichzelf zo'n beetje stond aan te kla-gen – iets wat hij nooit zou doen als hij van plan was Stephen te laten leven. Er klonk een gekreun op vanachter de deur van het kolenhok.

Chaïm.

'Ik denk dat de Stenen samen met dit dagboek in de trommel zaten,' zei Braun. 'Ik ben bereid het leven van de oude man daaronder te ver-wedden. We kunnen nu beginnen, één vinger tegelijk, maar je kunt me ook meteen vertellen wat je met de Stenen hebt gedaan.'

'Maar er waren helemaal geen Stenen! Je kunt doen wat je wilt, maar er zat alleen maar een sjaaltje in.'

De brief zou bewijzen dat er geen Stenen van David waren, maar zou hij iets over die brief van Martha durven zeggen?

'Prima.' Braun draaide zich om naar Claude, die bij de deur van het kolenhok stond. 'Begin maar met een duim.'

Stephen sprong overeind. 'Stop!' Hij moest rustig zien te blijven. 'Goed, luister. Het sjaaltje moet iets betekenen. Ze heeft het er niet zo-maar in gedaan. Het leidt naar de Stenen. De vraag is alleen hoe.'

Braun aarzelde. 'Ik kan niets verzinnen.'

'Denk na. Ze wilde dat ik het sjaaltje zou vinden. Maar waarom?' Stephen voelde zich in zijn nakie staan, zoals hij hier in zijn Fruit of the Loom-shorts en een gescheurd T-shirt voor dit monster stond, maar hij zou toeslaan als hij ook maar even een uitweg zag. 'Omdat je gelijk hebt. Ik ben David. Dat sjaaltje heeft mij het leven gered. Ze heeft me hier-heen geleid om het sjaaltje te vinden.'

'Snij zijn duim af,' zei Braun tegen Claude, die zich weer omdraaide om de ruimte binnen te lopen waar Chaïm nogmaals kreunde.

'Wacht, er is ook nog een brief! Hij ligt in de boiler.'

Braun hief een hand op om Claude tegen te houden. Hij wierp een blik door de deuropening van het stookhok.

'Nou?'

Claude rende naar binnen en kwam even later weer tevoorschijn met de vuil geworden brief.

Braun pakte de brief aan, wierp een blik op Stephen en las hem snel door. Zijn linkeroog kneep zich iets samen toen hij bijna klaar was met lezen. Stephen liet zich op zijn stoel neerzakken. Braun zou nu vermoe-den dat de Stenen ergens anders waren verstopt. *Wat de Stenen betreft, het geheim van hun verblijfplaats zal met Ruth en mij het graf ingaan.*

Roth had moeite zijn enthousiasme te bedwingen. Hij bespeelde die jongen als een viool. Hij had de Jood ervan weten te overtuigen dat hij zowel achter de Stenen van David als achter het dagboek aanzat. En dat Esther nog steeds ergens in Duitsland woonde.

Hij keerde Stephen zijn rug toe en las de brief nog eens door. De oude man riep een keer zachtjes naar Stephen en Claude bonkte op de deur. 'Houd je kop!' Een griezelige stilte vulde de kelder.

Roth zette zijn voeten iets uit elkaar en liet zijn hoofd over zijn schouders rollen.

'De Stenen zijn hier niet,' zei Roth zacht.

Hij haalde een paar keer diep adem. Hij ging zo op in zijn eigen toneelspel dat hij bijna het belang van de laatste regel miste. Hij had het al gemist toen hij enkele dagen geleden de brief voor het eerst had gelezen. Maar nu leek de regel bijna op te lichten.

'Wat zou ze nou toch…' Hij las de laatste zin hardop. 'Wat de Stenen betreft, het geheim van hun verblijfplaats zal met Ruth en mij het graf ingaan.'

Wat wilde dit zeggen? Dat ook Ruth, en dus niet alleen Martha, iets had geweten over de bergplaats van de Stenen.

Hij draaide zich om en zou breed gegrijnsd hebben als hij zichzelf niet zo goed onder controle had gehad.

'Kleed hem uit!'

De anderen aarzelden, omdat ze het plotselinge bevel niet hadden verwacht.

Roth liep naar de Jood toe. 'Ik zei dat jullie hem moesten uitkleden!' Hij greep de hals van Stephens T-shirt en rukte die naar beneden. Het katoen scheurde, waardoor de helft van Stephens borst zichtbaar werd.

Lars en Ulrich grepen Stephen beet en trokken hem overeind.

Roth staarde naar Stephens borst. Hij stak zijn hand uit en raakte het litteken aan. Volgde het met zijn vinger.

'David,' zei Roth. 'Is het niet ironisch dat het feit dat jij al die jaren hebt weten te overleven, ons nu ten goede komt? Jij hebt ons naar deze brief geleid, die meer duidelijk maakt dan Martha heeft bedoeld. Ik zal nu onze arme Esther een bezoekje moeten gaan brengen, dus ik ben bang dat we elkaar niet meer zullen zien. Maar ik wil wel dat je je mijn gezicht herinnert. Ik kan je verzekeren dat ik op mijn vader lijk. Je moeder is haar graf ingegaan met zijn gezicht in haar geheugen gegrift. Dus waarom zou jij op een andere manier gaan?'

Hij liet de brief vallen en liep naar de deur. 'Lars, Ulrich, kom mee.' Hij deed de deur open en draaide zich om naar Claude. 'Dood de oude man en ontdoe je van het lijk. Houd die andere stinkende Jood in leven tot ik bel. Als hij uit de kelder probeert te ontsnappen, dood je hem. Ik vertrouw erop dat je daartoe in staat bent.'

Die instructies waren natuurlijk ten behoeve van Stephen. Het spel was niet voorbij – nog niet.

Claude knikte, waarmee hij duidelijk maakte dat hij het had begrepen. Als dat niet zo was, zou hij er met zijn eigen leven voor boeten.

Gingen ze Chaïm doden?

'Bewaak het trappenhuis,' zei Claude tegen Carl. Stephen keek met een ruk achterom – Claude was bezig een geluiddemper op zijn pistool te schroeven.

Stephen reageerde meer op instinct dan dat hij een samenhangend plan had. Hij sprong overeind, smeet met een woeste grom zijn stoel naar Claude en haastte zich naar de man toe voor de stoel hem raakte.

Claude ving het grootste gedeelte van de klap op met zijn arm, maar een van de stoelpoten raakte hem keihard tegen zijn voorhoofd. Stephen knalde tegen de stoel aan en duwde Claude daarmee hard tegen de muur. De Duitser haalde met een grote hand naar hem uit, raakte hem tegen zijn schouder en duwde tegen de deur van het kolenhok.

Stephen greep de deurknop, rukte de deur open en wervelde naar binnen. Hij knalde de deur dicht, één keer met de hand van Claude ertussen en nog eens toen de man hem met een grauw had teruggetrokken. Stephen ramde met zijn hand tegen de grendel die hij eerder had gezien. Het ding schoof met een metalige klap op zijn plek.

Stephen deed een stap achteruit en beefde van top tot teen. Hij zag niks – er hing een inktzwarte duisternis in het hok. Er bonkten vuisten op de deur. Er werd hartgrondig gevloekt.

'Hallo?'

De stem van Chaïm. Links van hem. Het bonken hield op en Stephen vermoedde dat een kogel de deur zonder veel moeite kon doorboren.

Hij dook naar links.

Pioew! Stephen raakte de rabbi en ze gingen gezamenlijk tegen de vlakte. *Pioew! Pioew!* Meerdere kogels maakten ronde lichtgaten in de deur.

'Uhhh!'

'Liggen!' snauwde Stephen. 'Blijf dicht bij de grond!'

Met een ruk verplaatste zijn blik zich weer naar de deur. Het leek of ze op goed geluk stonden te schieten, in de hoop dat ze iets zouden raken, maar het zou niet veel moeite kosten om de grendel aan flarden te schieten. Over tien seconden zouden ze binnen zijn.

'De tunnel!' hoestte Stephen. Het sneldrogende cement was met een halfuur droog, maar hoe lang zou het duren voor het echt hard was?

Stephen rolde om, stond op en zocht naar de plek waar de tunnel zich had bevonden. Op de een of andere manier misten de kogels hem toen hij de kolen wegschopte die ze over de tunnel hadden gestrooid.

'Chaïm…'

'Schiet op!' De rabbi stond naast hem en begon al op het verse beton te stampen.

Het schieten stopte even en begon toen opnieuw, net boven de grendel.

'Springen!' schreeuwde Stephen. 'Hard!'

Hij sprong met zijn hele gewicht op de donkere cirkel en werd beloond met een pijnscheut in zijn rug. Het was hard geworden.

'Samen. Eén, twee, drie!' Hij sprong nog eens, maar de rabbi was te laat. Er vlogen nog twee gaten in de deur, vlak bij de grendel.

'Samen. Samen! Eén, twee, drie.'

Ze sprongen nu samen en samen kwamen ze op het verse beton terecht, waarna ze samen onderuitgingen toen het beton het begaf.

'Eruit!' Stephen begon aan de rabbi te trekken, die snel uit het gat kroop.

Er stroomde licht door de gaten in de deur. Stephen stak zijn handen in de tunnel, greep brokken beton en hout, en gooide ze het kolenhok in.

Er ging een kogel door de deurknop heen, maar de grendel erboven hield het. Er trapte iemand tegen de deur en hij vloekte nogmaals.

Er lag waarschijnlijk nog meer materiaal in de tunnel dat Sweeney had gebruikt om het gat dicht te maken, maar Stephen had de grootste brokken en het multiplex eruit gehaald. Hun tijd raakte op.

'Volg me.'

Hij ging er met zijn hoofd naar voren in, als een onzeker kind dat voor het eerst van een glijbaan gaat. Zijn handen raakten allerlei brokstukken en een aantal bouwstenen, en ook kleinere schilfers verkruimelend cement. Hij schoof ze naar beneden, voor zich uit, en bad dat ze niet vast zouden komen te zitten.

Met veel moeite wist hij zich naar beneden te wurmen, tot alle puin het riool in plonsde. Hij probeerde zijn vaart niet af te remmen en dook in elkaar toen zijn hoofd uit de tunnel tevoorschijn kwam. De plotselinge koude van het rioolwater veroorzaakte pure opluchting. Hij wilde het liefst een juichkreet slaken.

De rabbi werd het koude bad bespaard; hij viel als een enorme zak aardappels boven op Stephen. De klap deed Stephen naar adem happen, maar het geluid ging verloren door het geluid van pistoolschoten. Claude stond door het gat heen te schieten.

'Schiet op!' fluisterde Chaïm hees.

Ze renden door het duister. Het schieten hield op en Stephen besefte dat de Duitser achter hen aan kwam. Hij hoopte maar dat Sweeney geen stenen op het putdeksel had gestapeld.

Het lukte Stephen om de ladder te vinden en hij klom omhoog. Hij zette zich schrap tegen het staal, maar het gaf geen krimp. Achter hen hoorden ze Claude vloeken. Hij liet zich door de tunnel zakken die ze hadden gegraven. Stephen duwde nog eens. Geen beweging in te krijgen.

'Schiet op, schiet op!' fluisterde de rabbi nog eens.

'Hij zit vast! Sst, stil!' Maar zelfs het *sst* klonk door het riool als een luchtrem.

Een enorme plons. Claude bevond zich nu ook in het riool. Stephen slikte. Ze waren er geweest. Ze zaten in de val. Hij verzamelde al zijn kracht en kromde zijn rug tegen het putdeksel. Nog steeds niks.

Ver weg blafte een hond.

'Brandy?' Stephens gefluister echode door de tunnel. Zijn vraag werd beantwoord door een plotseling geklots en nog een flinke plons, gevolgd door weer een vloek.

De hond blafte nu als een gek.

Plotseling gleed het deksel weg. Stephen staarde in de ronde ogen van Sweeney. Brandy viel met een warme, natte tong aan op zijn gezicht.

'Nee, Brandy. Schiet op, haal me eruit!' riep hij.

Sweeney en Melissa grepen hem bij zijn armen en rukten hem uit het gat. Brandy stond een paar stappen verderop en hield haar kop iets scheef.

'De rabbi, snel!'

De rabbi kwam ook naar boven.

Het riool vulde zich met geklots en geschreeuw. Stephen schoof het deksel terug over het gat. 'Waarmee hadden jullie het gebarricadeerd?'

Sweeney stapte over een grote boomstam die hij had gevonden en duwde die terug over het putdeksel.

'Ook een goedenavond. Wat is er gebeurd?' vroeg Sweeney.

Het deksel kwam iets omhoog.

'Meer gewicht erop! Hij is behoorlijk sterk.'

'Er is niet meer,' zei Sweeney.

Stephen keek snel om zich heen. Het deksel kwam zeker vijf centimeter los – hij zag het pistool van de Duitser. Zonder erbij na te denken, sprong Stephen op de boomstam. Het deksel kletterde weer op zijn plek.

'Zoek iets.' Het deksel ging als waanzinnig op en neer. 'Schiet op!'

In plaats daarvan sprong Sweeney ook op de boomstam. Deze keer knalde het deksel met een definitieve klap dicht. 'Daar zullen ze even over na moeten denken,' zei Sweeney. 'Je hebt geluk dat we terug zijn gekomen om te kijken hoe de zaken ervoor staan.'

'Mijn auto staat op straat,' zei Stephen tegen Chaïm. 'De reservesleutels zitten achter de benzineklep. Neem Melissa mee en wacht op ons.'

Chaïm hoefde niet verder aangemoedigd te worden. Ze vertrokken meteen, terwijl Brandy achter hen aan dartelde.

De boomstam onder hen verschoof en Sweeney boog zich als een surfer voorover. 'Die vent is zo sterk als een beer!'

'En hij is niet alleen,' zei Stephen. 'We moeten hier weg. Het zou kunnen dat er al vier van die mannen met getrokken wapens de straat over rennen.'

'Wat is er misgegaan?'

'Lang verhaal.'

'Heb je het?'

Stephen aarzelde. 'Min of meer.'

'Je hebt geen broek aan,' zei Sweeney.

'Ze schoten bijna mijn kop eraf. Geen tijd om een broek aan te trekken.'

Sweeney staarde hem dom aan.

'Zorg dat je de boomstam niet van het deksel af schopt wanneer we wegrennen,' zei Stephen. 'Klaar? Jij gaat eerst; ik kom vlak achter je aan. Nu!'

Sweeney sprong van de stam af en sprintte het kolenhok uit. Stephen volgde hem op de hielen. Achter hen schraapte het deksel langs het beton. Een enkele kogel deed de schilfers van de muur springen voor ze het trappenhuis bereikten. Ze renden het gebouw uit, de steeg in en recht op Stephens auto af – een hippie in een versleten spijkerbroek en een smerige makelaar in wit ondergoed.

Pas toen Chaïm zich in het verkeer op La Brea mengde, voelde Stephen zijn hartslag iets vertragen. Maar de hele idioterie was nog niet voorbij, of wel? In heel veel opzichten was dit pas het begin.

Voor het eerst besefte hij wat er aan de hand was; nu moest hij alleen door. Er was zojuist een hele nieuwe wereld voor hem opengegaan. Hij werd voortgedreven door een parel van grote waarde. De parel was Esther, voor wie hij was geboren.

Stephen ijsbeerde door de woonkamer, waarbij hij constant aan beide zijden van het huis door de ramen tuurde. Ze hadden Sweeney en Melissa tien blokken bij het gebouw vandaan afgezet en waren toen via de lange route naar huis teruggekeerd. Er was een uur voorbijgegaan sinds hun ontsnapping, maar Stephens zenuwen voelden aan als veel te hoog gestemde pianosnaren.

Ze hadden de politie gebeld, die een surveillancewagen naar het gebouw van Rachel Spritzer had gestuurd.

'Rabbi…'

'Het spijt me dat ik je niet eerder heb geholpen, Stephen. Ik was bang dat je je terugtrok in jezelf. Maar ik zie dat je je meer hebt uitgestrekt dan je je hebt teruggetrokken. Je bent op zoek naar je identiteit.'

Stephen kauwde op de nagel van zijn wijsvinger. 'Ik denk niet dat ik hier op de politie kan wachten.'

'Ze willen een verklaring afnemen. Er is op ons geschoten en we waren bijna dood!'

Stephen keek hem in de ogen. 'Ze leeft nog, Chaïm.'

'Wie?'

'Esther. Ze leeft nog en ze woont in een Duits plaatsje dat Greifsman heet.' Hij slikte. 'Hij gaat haar vermoorden. Ik moet hem tegenhouden. Hij zei dat het rode sjaaltje…'

'Rood sjaaltje?' onderbrak de rabbi hem terwijl hij verbleekte.

'Het rode sjaaltje, ja. U hebt het gezien. De brief…'

'Hij is degene die achter de moorden zit!'

'Dat stond in de brief. Zijn vader was commandant van het kamp waar mijn moeder werd vastgehouden.'

'Nee, nu! De moorden in Los Angeles.'

'Welke moorden?'

'Weet je dat niet? Nee, natuurlijk niet!' Chaïm praatte hem vlug bij.

'Er is geen direct verband,' zei Stephen. 'Hoe dan ook, hij is nu verdwenen. Ik moet naar Duitsland, rabbi.'

Chaïm keek hem uitdrukkingsloos aan.

'Braun gaat haar vermoorden. Luisterde u wel naar me? Ik zal hem daar moeten verslaan.'

'En misschien wil hij dat juist wel.'

'Dan zou hij me hebben meegenomen. Of me hebben vermoord toen hij daar de kans voor had.'

'Dit is heel erg gevaarlijk, Stephen.' De rabbi haastte zich naar de telefoon en draaide een nummer. 'Je kunt niet zomaar naar Duitsland verdwijnen. Heb je eigenlijk wel een paspoort?'

'Ja. Wie belt u?'

'Sylvia. Die is met de zaak van dat rode sjaaltje bezig.'

Stephen staarde uit het raam terwijl Chaïm telefoneerde. Het idee dat Roth Braun een moordenaar was, wilde maar niet uitstijgen boven de dingen die hij uit de brief van Martha te weten was gekomen.

'Dank u,' zei Chaïm in de telefoon. Hij draaide een tweede nummer.

Aan de andere kant was dat gedoe met die seriemoordenaar weer extreem belangrijk. Het betekende dat Esther op het punt stond te sterven. Dat was tenminste hoe Stephen het zag.

Hij timmerde met zijn vuist tegen zijn voorhoofd. De emotie die hem de afgelopen dagen had beziggehouden, voelde aan als een heet merkijzer in zijn hersens.

Chaïm legde de telefoon weer neer. 'Ze is niet op haar werk. En thuis neemt ze ook niet op.'

'Ik ga, rabbi.'

Ze bleven even stilzwijgend naar elkaar staan kijken. 'Waarom zou Braun haar nu willen doden, aangenomen dat hij al die tijd al heeft geweten waar ze woont? Weet zij misschien waar de Stenen zijn?'

'Nee. Ik weet het niet. In die brief staat dat hun bergplaats samen met Martha en Ruth het graf in zou gaan.'

'En ze zijn allebei dood.'

'Inderdaad.'

'Dus wat weet Braun?'

'Ik weet het niet. Maar wat ik wel weet, is dat hij achter Esther aan gaat.'

'Dit is verschrikkelijk gevaarlijk.'

'Nee, dit is mijn leven!' Stephen schreeuwde nu. Hij zou elk moment in tranen kunnen uitbarsten. 'Ik *moet* dit gewoon doen. Ik kan het net zomin uitleggen als waarom ik een tunnel naar het gebouw van mijn moeder heb gegraven, maar ik *moet* gewoon gaan.'

'De politie...'

'Ik kan het me niet veroorloven om door de politie te worden ondervraagd. Als Roth Braun de man is waarnaar ze op zoek zijn, dan is het gevaar voor Los Angeles geweken. Laten zij hem maar proberen te vinden, hoewel ik u kan garanderen dat hij al in de lucht zit. Ik zal geen gekke dingen buiten de Duitse politie om uithalen.'

Zijn woorden echoden door het kleine huis.

'Ik moet nu gaan.'

'Dan ga ik met je mee.'

'Nee. U kunt beter hier blijven om de politie bij te praten. Vertel het aan Sylvia. Doe wat u moet doen, maar geef me alstublieft de kans om het land uit te komen.'

'Ze zullen willen weten...'

'Vertel het ze dan gewoon. Vertel er alleen niet bij waar ik heen ben. Ik ben hier niet de misdadiger. Ze kunnen me niet vasthouden. Toch?'

'Vandalisme.'

Stephen wist dat Chaïm gelijk had en dat maakte hem woest. Hij hield zich in.

'Ik moet gaan, rabbi,' zei hij rustig. 'Luister alstublieft naar me. Ik *moet* gaan.'

Chaïm zuchtte en knikte ten slotte. 'Goed dan. Ga haar zoeken, maar denk alsjeblieft aan wat ik heb gezegd, Stephen.'

De telefoon ging over. Chaïm griste de hoorn van de haak. De politie.

Na enkele momenten legde de rabbi de telefoon weer neer en keek Stephen fronsend aan. 'Je had gelijk – geen spoor van Braun; geen enkel bewijs dat er een misdaad is gepleegd. Alleen dan een gat in de kelder. Ze willen een verklaring van ons allebei.'

'Ik leg die van mij wel af wanneer ik terugkom.'

De rabbi leek dat te accepteren.

'Een obsessie is een gevaarlijke zaak. Je kunt je waarden en normen niet opzijzetten voor je passies. Omdat je bedoelingen goed zijn, kun je nog niet zomaar de wet overtreden. En zeker niet iemand doden om...'

'Ik ben niet van plan iemand te vermoorden. Ik ga Esther redden. God heeft de gebeden van mijn moeder verhoord.'

39

Toruń
8 mei 1945
Etenstijd

De ogen van de commandant waren rood en waterig door slaapgebrek. Hij leunde over de tafel en likte aan de opscheplepel van de maïshutspot die Martha op zijn verzoek had klaargemaakt. Het porseleinen servies stond op een wit tafellaken en de commandant was gekleed in het uniform dat hij bewaarde voor speciale sociale gelegenheden – zwart, geperst en gesteven. Negen maanden lang had ze op de commandant gewacht, terwijl de oorlog langzaam wereldwijd tot een einde begon te komen. Auschwitz was al bevrijd, Belsen was bevrijd en zelfs Buchenwald in Duitsland was bevrijd. Maar hier in Toruń, slechts enkele kilometers bij Stutthof vandaan, hadden de Duitsers zich ingegraven en vochten ze een verwoede strijd om de laatste paar kampen. Maar waarom? En hoe kon Braun daar zo rustig zitten terwijl er Russische vliegtuigen overvlogen, afgeladen met bommen voor Stutthof?

Martha was lang geleden haar angst voor Gerhard Braun al kwijtgeraakt.

'Het is voorbij,' zei ze.

'Het zal nooit voorbij zijn,' antwoordde hij, waarbij hij niet eens de moeite nam om op te kijken. 'Vandaag leef je, maar betekent dat dat je morgen ook nog leeft?'

Martha wendde haar blik af. Zijn dreigementen gingen al bijna het ene oor in en het andere uit. Maar andere dingen bleven wel hangen, als vuurtorenlichten. Het eerste was dat David nog steeds in leven was. Ze had hem nu al negen maanden niet gezien, maar ze wist dat hij in die barak daarbeneden nog steeds wist te overleven. Het tweede was dat binnen een paar dagen alles voorbij zou zijn, op wat voor manier dan ook.

En het derde was een groeiende hoop – jawel, hoop – dat ze daadwerkelijk invloed kon uitoefenen op dat einde. Hoeveel nachten had ze niet wakker gelegen, haar gedachten vol fantasieën over hoe ze wraak zou kunnen nemen of hoe ze de schatten van Braun zou kunnen gebruiken? Haar enige missie was om de kinderen te redden en misschien kon ze dat doen met de kostbaarheden die in de kluis verborgen lagen.

De enige vraag was hoe? Braun kon er elk moment vandoor gaan, *met* de inhoud van de kluis.

Er hing nu papier voor het grote raam dat uitzicht bood op het kamp waar haar David woonde, zodat ze niet naar buiten kon kijken. De meeste Russische bommen waren op het hoofdkamp bij Stutthof terechtgekomen, maar Toruń had ook enkele aanvallen te verduren gehad. Braun had bijna twee weken geleden de meeste gevangenen naar het noorden gestuurd, naar de Baltische Zee, om ze over water te evacueren, zei hij. Bijna honderd vrouwen, waarvan de meesten gewond of ziek waren, waren verdwenen. Rachel was een van degenen die waren achtergebleven. Rachel en David. Rachel en David en Martha en Esther, pionnen in zijn spel, die alleen maar hier waren gebleven om Braun een gevoel van macht te geven.

Was er maar een manier om dat varken iets aan zijn verstand te peuteren! 'U hebt geen enkele reden om ons hier te houden,' zei Martha. 'En u hebt ook geen reden om ons te doden. Want wat zou u daarmee willen bewijzen?'

Braun zette de lepel in de lege schaal, depte zijn lippen met een servet en liet zijn tong over zijn tanden glijden. Ze zou die rode lippen er het liefst met een bot mes af willen snijden – een fantasie die net zo dwaas was als het stelen van zijn schatten.

'Doe niet zo dom,' zei hij zacht. 'Ik heb meer redenen om jou te doden dan je ooit zult beseffen.' Hij stond op en pakte zijn pet. 'Maar goed, ik heb ook een aantal redenen om je *niet* te doden. Jou doden zou een einde maken aan je misère, en daar schiet ik niets mee op. En de Geallieerden worden ook niet blij van het lukraak doden van gevangenen – ik ben weg voor ze komen, maar ik laat liever geen bewijzen achter.'

Een verwarde Martha keek hem na toen hij naar de deur liep. Dat over haar misère klonk niet goed. Hoe zou haar bevrijding kunnen leiden tot een voortzetting van haar misère – behalve dan in de herinneringen die ze voor altijd met zich mee zou dragen? Maar dat kon Braun niet bedoelen, omdat dat een hopelijk vervagende misère zou zijn. Hij was meer van plan.

'Ik vertrek morgenochtend, maar de bewakers van het buitenhek blijven. Dus denk niet dat je er zomaar vandoor kunt gaan.'

Hij bereikte de deur, zette zijn pet op en greep de deurknop. 'Oh, en ik heb besloten de kinderen mee te nemen.'

Martha's mond viel open. 'U… dat kunt u niet doen!'

'Maar dat doe ik wel. Erger nog, ik zal ervoor zorgen dat je ze nooit zult vinden.'

Martha rende naar hem toe, viel op haar knieën en greep zijn hand voor ze had kunnen nadenken over de eventuele gevolgen van zo'n onbedachtzame daad. 'Nee, ik smeek het u!' riep ze uit. 'Ik smeek het u; het zijn kinderen! Ze betekenen niets voor u!'

Hij keek naar haar zoals een laborant naar een experiment zou kunnen kijken, blij over zo'n ongebruikelijke reactie van haar.

'Alstublieft, laat me mijn kind houden,' fluisterde Martha.

'Je denkt toch niet dat ik meega in die belachelijke obsessie van Ruth dat er buiten dit kamp hoop op leven zou zijn, of wel? Er is geen hoop voor de Joden.'

Hij rukte zijn hand los en liep naar buiten, het duister in. 'Als je een poging doet om te ontsnappen, zal ik jullie graag hoogstpersoonlijk doodschieten. Behalve Esther. Ik ben de kleine meid gaan mogen.'

'Uw zoon ook,' zei Martha bitter.

Zijn hoofd kwam met een snelle beweging omhoog en hij staarde haar woest aan. De avond dat Roth geprobeerd had Esther te doden, was de laatste keer dat Martha hem had gezien.

Ze ging nog een stapje verder, zich bewust van het risico dat ze daarmee liep. 'Hij is sterker dan u.'

Gerhard beet haar toe: 'Hij is nog een kind dat niet weet dat de oorlog voorbij is. De geneugten van gisteren zijn de terdoodveroordelingen van vandaag. Als ik niet beter wist, zou ik denken dat je erom vraagt om gedood te worden.'

'Ik heb geen reden om zonder mijn David nog verder te leven.'

'Dat is het nou juist. Je zult de rest van je leven met de verschrikkingen van dit kamp blijven zitten. Roth begrijpt niet dat de dood soms de gemakkelijkste oplossing is.'

Gerhard maakte een minachtend, wegwerpend gebaar met zijn rechterhand en deed met de andere de deur hard dicht.

Martha sprong overeind en rende gedachteloos naar de trap. Haar rechtervoet stond al op de derde trede voor de eerste heldere gedachte om aandacht schreeuwde. Ze moest bij David zien te komen! De commandant vertrok en voor die tijd moest ze haar baby te pakken zien te krijgen. Ze draaide zich met een ruk om, rende naar de deur, maar stond stil zonder hem open te doen.

Waar was ze mee bezig? Zelfs al zou ze bij David kunnen komen, ze zou nooit kunnen ontsnappen met twee kinderen onder haar armen. Zelfs in haar eentje zou ze al gedood worden. Ze balde haar vuisten, keerde zich met een ruk naar het raam en gilde tussen opeengeklemde kaken door, als een dier. Enkele seconden lang bleef ze daar zo staan, elke vezel van haar lichaam gespannen, bevend van woede. De gedachte dat ze David en Esther zou verliezen, was alsof ze zou sterven. Misschien zelfs nog erger. Wat schoot hij hiermee op? Helemaal niets!

Maar ze wist dat David en Esther niets met haar gegil zouden opschieten. Ze dwong zichzelf om diep adem te halen. Misschien zou ze hem er nog steeds van kunnen weerhouden de kinderen mee te nemen. Of misschien zou hij zijn dreigement niet echt uitvoeren. Hij speelde met haar – een laatste zieke grap voor hij ervandoor ging met zijn buit.

Ze knipperde met haar ogen. De Stenen van David. Het dagboek.

Martha liep naar de keuken en weer terug, terwijl ze allerlei ideeën door haar hoofd liet gaan. Er *was* geen enkele manier waarop ze de kinderen zou kunnen redden. Ze kon niet voorkomen dat Braun ze zou meenemen.

Ze stond stil bij de keukentafel en staarde zonder iets te zien naar de tegenoverliggende muur. Ze had zich niet meer zo hopeloos gevoeld sinds ze negen maanden geleden het sjaaltje op haar bed zag liggen. Het kon nooit goed zijn wat Braun met de kinderen van plan was. Misschien zou hij hen buiten het kamp doden en haar met haar hoop en haar onzekerheid achterlaten.

'Nee, Martha,' mompelde ze terwijl ze haar ogen droogveegde. 'Je moet sterk zijn. Je moet sterk zijn!'

Ze dacht weer aan een idee waar ze al zoveel keer 's avonds laat op had zitten broeden en wat ze elke keer weer had bijgeschaafd. Een sprankje hoop, hoe klein ook, voor de kinderen.

Ze rende de trap af en wist dat dit moest gebeuren voor Braun zou terugkeren. Esther lag lekker te slapen. Haar nacht begon om vijf uur, iets waar de commandant op had gestaan. Hij wilde dat het kind zou slapen voor hij in alle rust aan het diner zou plaatsnemen. Martha had gif in zijn diner willen doen toen hij die eis stelde, maar vanavond was ze er blij mee.

Eerst de kluis.

Hoe lang zou Braun wegblijven? Het kon vijf minuten zijn, maar ook enkele uren. Ze rende naar zijn slaapkamer, naar een schitterend gegraveerd, wit juwelenkistje op zijn nachtkastje. Drie maanden terug had ze tijdens het schoonmaken ontdekt dat hij daaronder de sleutel van zijn kluis bewaarde. Ze tilde het kistje op, griste de sleutel eronder vandaan en vloog naar de kelder. Het grootste gedeelte van haar plan moest in het diepste geheim gebeuren, wanneer Braun sliep, maar dit eerste gedeelte kon ze met geen mogelijkheid uitvoeren zonder de rust te verstoren.

Het idee was in haar opgekomen toen ze erover nadacht hoe bekend de Stenen van David waren. Natuurlijk waren ze veel belangrijker voor de wereld dan twee Joodse kinderen, zelfs al waren David en Esther in haar gedachten de ware Stenen. Als haar kinderen kwijt zouden raken, zouden ze worden vergeten tussen de vele duizenden andere kinderen die uit de oorlog tevoorschijn zouden komen. Maar de Stenen zouden altijd opvallen, gezocht door de hele wereld.

Wat als ze beide kinderen op de een of andere manier kon verbinden aan de Stenen van David? Hen door associatie naar elkaar en naar haar liet toe trekken? Rachels bekentenis in de barak, meer dan een jaar geleden, had haar niet losgelaten. Wat als ze David en Esther kon merken, zoals Rachel dat had gedaan? En wat als ze later in privékringen duidelijk kon maken dat ze naar een jongen en een meisje zocht met dit merkteken?

Ze deed met bevende handen de deur van het slot en stapte de koele, donkere kamer in. Het zag er precies hetzelfde uit als de eerste keer dat ze hier was geweest. Maar het dagboek was verdwenen.

Verdwenen?

Martha haastte zich naar het kistje en deed het open. Daar, boven op de vijf Stenen, lag het leren dagboek.

Drie minuten later kwam ze weer uit de kluis tevoorschijn met twee munitiekistjes ter grootte van een schoenendoos onder haar rechterarm. Haar handpalmen waren klam van het zweet, maar ze aarzelde niet. Geen enkele keer. Ze deed de deur op slot, schoof de kistjes onder haar bed en legde de sleutels weer op hun plek onder het juwelenkistje op het nachtkastje van de commandant.

Ze ging terug naar de woonkamer en gluurde door een scheur in het papier dat voor het raam hing. Nog geen Braun. Ze zou het teken op Esther moeten aanbrengen voor hij terugkeerde, anders zou haar gehuil het hele huis op stelten zetten. En huilen zou ze. Arme baby, wat zou ze huilen.

Martha haastte zich naar haar kamer en zocht onder haar dunne matras naar het gebogen stuk metaal. Ze had het symbool een week geleden gemaakt van een paperclip, die ze net zolang verbogen had tot hij de vorm had die ze wilde hebben.

Het zou nooit gaan werken! Ze bleef stilstaan, dacht er nog eens over na en probeerde een betere manier te verzinnen.

Ze had geen tijd.

Het kind lag op haar rug te slapen. Martha keek naar haar soepele, onschuldige lijfje en begon zacht te huilen. Ze bond het brandijzertje aan een houten pollepel en ontblootte toen Esthers borst. Zou ze haar wakker maken?

Lieve help, dit was krankzinnig! Hoe kon ze nou een kind brandmerken? Ze liet het plan bijna varen, maar dit was de enige manier om de hoop te laten voortbestaan waar Ruth voor was gestorven. Die gedachte gaf haar de kracht om het metaal langzaam boven een kaarsvlam te verhitten tot het roodheet was geworden.

Ze moest tot twee keer toe de tranen uit haar ogen vegen voor ze weer iets kon zien. 'Het spijt me, lieve Esther,' fluisterde ze, waarna ze het metaal hard in de huid van de baby drukte.

Esther huilde inderdaad. Ze gilde tussen Martha's vingers door. Maar gelukkig was de schade al aangericht voor het kind zich volledig realiseerde dat haar iets werd aangedaan.

Martha drukte het kind dicht tegen zich aan en wiegde haar. 'Sst, shh, stil zijn.'

Ze depte de diepe brandwond met een zalf die ze uit het medicijnkastje van Braun had gehaald en deed er verband om. Esther zou het eraf kunnen trekken, maar Martha wist dat de brandplek verborgen moest blijven voor Braun, in elk geval zolang hij beide kinderen bij zich had.

Natuurlijk zou hij ze niet allebei houden – dat lag niet in zijn aard. Hij zou zich van David ontdoen; waarom zou hij David houden? Hij had geen enkele reden om een Joodse jongen te houden. De enige reden waarom hij David in leven liet, was dat spelletje van hem. Hij zou zich binnen een dag of twee ontdoen van haar zoon. Misschien wel eerder.

Martha's gedachten brachten haar geen troost. Had ze het kind waarvan ze had beloofd dat ze ervoor zou zorgen alsof het van haarzelf was, voor niets gebrandmerkt? Er rolden nieuwe tranen over haar wangen en ze ging samen met het kind op bed liggen, waarbij ze haar langzaam weer in slaap wiegde. Uitgeput door de pijn en de tranen viel Esther uiteindelijk in slaap.

Ze zou nu moeten wachten. Ze lag in bed en was klam van het zweet. Wachten. En twijfelen.

Een uur later knalde de deur boven dicht en Martha zat rechtop in bed. Er bonkten laarzen over de houten vloer en toen de trap af. Veel laarzen, misschien wel vier paar of meer. Ze liepen langs haar deur en recht naar de kluis toe.

In paniek liet ze zich van haar bed glijden, duwde de munitiekistjes zo ver mogelijk onder haar bed en propte er toen wat vuile kleren achteraan, in de wetenschap dat het zinloos was. Als de commandant merkte dat er iets uit de kluis was verdwenen, zou hij het hele huis doorzoeken, te beginnen bij haar kamer, net zolang tot hij het vond.

Ze had niet zomaar een paar grijpstuivers van hem gestolen. Dat dagboek kon hem de kop kosten. Lieve help, waar was ze mee bezig?

Ze kwamen negentien keer langs en elke keer verloor Martha een liter zweet. En ze kwamen niet terug. Het werd weer stil in huis. Plotseling besprong haar een vreselijke gedachte: wat als hij de kinderen vanavond zou weghalen?

Weer ging ze met een ruk rechtop zitten. Hij had het over morgenochtend gehad, maar wat als hij *tegen* de ochtend bedoelde? Wat als hij David al was gaan ophalen, met de bedoeling om zo terug te komen voor Esther?

Martha gooide de dekens van zich af en sloop op blote voeten in de richting van de trap. Water, als hij ernaar vroeg. Ze ging een glas water halen.

Ze gluurde de gang in en zag dat de deur van zijn slaapkamer dichtzat. Onder de deur door scheen een smalle streep licht. Ze liep weer terug en haar blote voeten fluisterden over het beton. Hij had de kluis leeggehaald, waarschijnlijk zonder dat het hem was opgevallen dat er iets weg was. Waarom was dit geluk haar ten deel gevallen?

En met wat voor doel? Ze zou hier zonder kinderen vertrekken, laat staan dat ze de Stenen zou kunnen meenemen. Het was bijna middernacht, of in elk geval toch wel over half elf. Haar plan zou zinloos zijn als ze David niet wist te bereiken. Ze *moest* naar haar zoon toe. Hoe kon ze dit ooit aan Rachel uitleggen?

Martha liet zich op de grond zakken en bleef met een hopeloos gevoel in de donkere gang zitten. Wat zou Ruth in zo'n situatie doen? Ruth zou bidden. Ze zou het uitschreeuwen naar God, om Zijn genade en om de hoop die Hij kon bieden. Ze zou geloven dat God de Stenen van David zou beschermen. Ze zou geloven dat God de kinderen zou beschermen zonder dat Hij zou hoeven uitleggen waarom Hij niet al die anderen had beschermd in deze afgrijselijke oorlog.

Martha zond een gebed op tot God en verzekerde zich ervan dat Hij inderdaad de ware Stenen van David zou beschermen. Haar tranen droogden langzaam aan op en haar zelfvertrouwen keerde terug. Ten slotte haalde ze diep adem en ging ze doen wat ze moest doen.

Ze haalde de munitiekistjes tevoorschijn, rolde die in een deken en sloop de trap op. Er scheen geen licht meer onder de slaapkamerdeur van de commandant door. Dus waar wachtte ze nog op? Ruth had haar leven gegeven om hun hoop te geven; het werd nu tijd dat ze haar eigen leven in de waagschaal ging stellen.

Ze zou een schop nodig hebben en hoewel ze een idee had van waar ze die zou kunnen vinden, wist ze dat niet zeker. Misschien zou ze dit deel van het plan wel vergeten. Ze had hoe dan ook een van de Stenen in haar ondergoed verborgen. Als de rest mislukte, zou ze de kinderen na de oorlog met deze ene Steen tot zich roepen.

Martha haalde nog een keer diep adem en glipte de achterdeur uit.

40

Duitsland
27 juli 1973
Vrijdag

Stephen stond naast de Volkswagenbus die hij in Hamburg had gehuurd en staarde naar het kleine plaatsje Greifsman. Rechts van hem, in een groepje bomen, tjilpte een vogel. De lucht was blauw en er stond een koel briesje. Het voelde surreëel aan om hier te zijn, zo ver van huis, maar er toch zo dichtbij.

Op het dorpsplein speelden enkele kinderen en in de toren van de kerk, waaromheen zo'n twee- à driehonderd huizen stonden, hing een grote klok. Het dorpje verschilde niet zoveel van een Russisch dorpje, ver van de uitgestrekte steden van de Verenigde Staten. De afgelopen achtenveertig uur was er geen minuut voorbijgegaan dat hij zich dit moment niet had ingebeeld, dat hij naar Greifsman reed en Esther omhelsde, twee zielsgenoten die eindelijk en op wonderlijke wijze werden herenigd. Hij had urenlang naar de foto van Ruth gestaard en elk eventueel scenario bedacht.

Maar de driedimensionale werkelijkheid had hem even stilgezet. Als ze hier niet was, was hij verloren. Als ze hier wel was, maar weigerde met hem mee te gaan, was hij verloren. Als ze hier wel was en met hem mee wilde, en Braun was hier ook, waren ze beiden verloren. Of ze was hier wel en was gelukkig getrouwd en had twaalf kinderen. Al was het er maar één. Ze zou geen Engels spreken. En nog tientallen andere mogelijkheden.

Stephen had bij aankomst in Duitsland contact opgenomen met Chaïm. De rabbi had hem doodsangst aangejaagd met nieuwe details.

Sylvia was dood.

Dood?

Dood.

Het nieuws leek nog steeds onmogelijk waar te kunnen zijn.

Chaïm was naar haar op zoek gegaan na een verklaring over de brand te hebben afgelegd bij de politie. Ze was niet op haar werk verschenen.

Hij had haar gevonden in haar appartement, vastgebonden en liggend op met bloed doorweekte lakens. Gekneveld met een rood sjaaltje. Levenloos.

Chaïm had het nieuws met een door tranen omfloerste stem doorgegeven en had van Stephen geëist dat hij onmiddellijk zou terugkeren. Dit veranderde alles. Maar Stephen kon natuurlijk niet terugkeren. Het leven van een andere vrouw stond op het spel.

Esther. Haar gezicht stond in Stephens geheugen gegrift, smekend om hulp. Zijn hulp. Zijn liefde.

Ze hadden al contact gelegd met de Duitse autoriteiten, maar Stephen had gelijk – dit soort dingen kostte tijd.

En nu hij naar het plaatsje Greifsman stond te kijken, wist Stephen plotseling zeker dat het komende uur alleen maar ellende zou brengen.

Maar in een vlaag van vastberadenheid rende hij naar de Volkswagen toe, stapte in en startte de motor. Door een tekort aan slaap was hij nogal emotioneel. Hij keek naar de foto van Ruth op de passagiersstoel. Dit was waanzin.

Hij ramde de pook in de eerste versnelling, liet de koppeling opkomen en reed met een ruk weg. De gravelweg was steil en hij vroeg zich af hoe ze dat hier in de winter deden. Misschien was er nog een andere weg, hoewel de man van het verhuurbedrijf hem had verzekerd dat dit de enige manier was om in Greifsman te komen, als hij er dan per se naartoe wilde. Niemand ging naar Greifsman. Het was niet meer dan een verzameling opgestapeld puin in een stuk niemandsland.

Stephen gaf gas en schakelde op. Hij zou het dorp in scheuren; hij zou zoeken; hij zou vinden; hij zou vertrekken.

Eerlijk gezegd wist hij helemaal niet zo zeker dat hij haar wel echt wilde vinden. Ja, hoe raar dat ook klonk, hij werd niet echt enthousiast bij de gedachte dat hij op zoek was naar iemand die waarschijnlijk getrouwd of dood was. En dat zei hij niet alleen maar tegen zichzelf om zijn veel te hoge verwachtingen een beetje te temperen. Of wel? Hoe dan ook, hij kon niet door de straten racen en haar naam uit het portierraam schreeuwen, toch? De dorpelingen zouden weleens met hooivorken uit hun huizen kunnen komen stormen.

Nee, het zou een rustig, beheerst gebeuren worden. Hier een vraag stellen, daar een geïnteresseerde opmerking plaatsen. Hij zou de gezichten met de foto van Ruth vergelijken, hem aan anderen laten zien. Als hij de kraag van zijn jack omhoog zou zetten, zou Braun misschien niet eens weten dat hij er was.

Hij wierp een blik op de foto en haalde diep adem. 'God, help me.'

Iedereen die hem over de keienweg Greifsman in zag rijden, staarde. Ze renden niet naar buiten om in hun handen te klappen en te dansen, alsof hij een bevrijdingsleger was; ze staarden hem eenvoudigweg aan, alsof ze dit al eerder hadden meegemaakt. De terugkeer van de revolverheld. Misschien dat de autoverhuurder op het vliegveld iets meer zou kunnen vertellen. Stephen parkeerde het busje in de buurt van het dorpsplein en keek om zich heen. Een bakker, een slager, het van verder weg opklinkende geluid van zingende kinderen. Een school. Een oude man met een gerimpeld gezicht, die tien meter verderop op een bankje zat en hem met lichte interesse bekeek.

Goed, Stephen. Rustig, beheerst en systematisch. Je bent tenslotte al heel ver gekomen.

Hij pakte de foto, stapte uit het busje en liep recht op de oude man af.

'Neem me niet kwalijk.'

De man wierp hem een tandeloze glimlach toe en knikte.

'Neem me niet kwalijk, maar spreekt u Engels?'

'Angels,' zei de man.

Blijkbaar niet. Hij liet hem de foto zien en zei in naar zijn idee verduitst Engels: 'Weet u waar ik deze vrouw kan vinden? Esther?' Waar was hij mee bezig? Hij schraapte zijn keel en zei nu in normaal Engels: 'Weet u waar ik deze vrouw kan vinden?'

'Nein.' De man schudde zijn hoofd en bewoog zijn hand ontkennend heen en weer.

'Dank u.' Hij liep de straat in waar hij een groepje kinderen glimlachend naar hem zag kijken.

Hij hield de foto omhoog. 'Esther? Kent iemand deze vrouw?'

Een meisje van een jaar of acht à negen giechelde. De rest ging ervandoor en gilde van de pret.

Hij liep verder en voelde zich al iets zelfverzekerder dan toen hij uit het busje stapte. Links van hem staken enkele vrouwen de straat over. 'Neem me niet kwalijk.' Ze negeerden hem en liepen door. 'Neem me niet kwalijk, maar spreekt een van u Engels? Ik ben op zoek naar Esther.'

Ze fluisterden iets tegen elkaar en liepen door zonder verder nog aandacht aan hem te schenken. Stephen bleef stilstaan op het trottoir en maakte zich plotseling zorgen. Wat als ze hier echt niet was? Misschien had Braun Stephen wel expres op het verkeerde been gezet. Hij slikte en haastte zich naar de bakker. Een vrouw in een jurk met daaroverheen een wit schort, kwam met een grote tas naar buiten lopen, wierp hem een snelle blik toe en liep haastig verder. Geen goed teken. Hij liep de bakkerij binnen.

Een halve minuut later strompelde hij weer naar buiten. Geen van de zeven mensen binnen leek Engels te spreken. En geen van hen toonde enige herkenning bij het zien van de foto. Ze was hier dus niet! En de mensen behandelden hem als een stuk vuil dat de wind hierheen had geblazen.

De rustige, beheerste benadering werkte dus niet.

Stephen rende naar de hoek van de straat en hield de foto boven zijn hoofd. 'Hé!' schreeuwde hij. 'Engels! Wie spreekt hier Engels!?' Zijn stem echode over straat. Er bevonden zich verscheidene auto's, een tiental fietsers en zeker veertig voetgangers in de buurt. Het werd even stil door zijn geschreeuw. Zo'n vijftig paar ogen draaiden zich in zijn richting.

Hij had hun aandacht.

'Alstublieft, ik ben op zoek naar Esther! Het meisje op deze foto.' Hij wees naar de foto. 'Kan iemand me vertellen waar ik haar kan vinden?'

De stilte duurde ongeveer twee seconden en toen gingen ze als één man door met waar ze mee bezig waren, alsof hij niet eens bestond, zoals hij daar op de hoek van de straat stond te schreeuwen.

'Hé!'

Deze keer negeerden ze hem helemaal. Ze verborgen iets! Natuurlijk! Waarom zouden zoveel mensen hem anders negeren? Duitsers stonden bekend om hun vriendelijkheid, vooral op het platteland. Al had er maar één vriendelijk gereageerd, geprobeerd het uit te leggen – maar nee. Het hele dorp spande tegen hem samen.

De obsessie die in Los Angeles de kop had opgestoken, dreef hem nu voort. Stephen rende over het trottoir en zwaaide met de foto heen en weer voor de ogen van geschrokken dorpelingen. 'Ziet u haar? Dit is Ruth. De moeder van Esther. Vertel me alstublieft waar ze is. Vertel het me!'

Een vrouw van middelbare leeftijd schold hem met een hoge stem uit, maar het enige woord dat hij verstond was 'idioot'.

Het maakte hem eerlijk gezegd niet uit of ze dacht dat hij een idioot was. Als ze zou weten wat hij had moeten doorstaan om hierheen te komen, zou ze met hem meerennen en hem helpen.

Hij liet de foto aan minstens vijftig mensen zien, waarbij hij hun schaamteloze onvriendelijkheid negeerde. De hoofdstraat was een meter of honderd lang en hij rende helemaal tot aan het einde ervan, smekend, schreeuwend, fluisterend en met wat voor benadering hij ook maar kon verzinnen. 'Niet te geloven! Kunnen jullie nou niet een klein beetje fatsoen opbrengen?! Kijk naar die foto!'

Op de enkele lege of meelevende blik en enkele boze opmerkingen na bleven de dorpelingen hem negeren. Hij was gedoemd. Nee, hij weigerde om gedoemd te zijn.

Stephen stond stil en keek de straat in, buiten zichzelf van gefrustreerdheid. 'Jullie, liegende horde ongevoelige…' Hij sprong op en met een wild gebaar zwaaide hij met de foto. 'Zeg iets tegen me!'

'Zelfs als ze iets wisten, zouden ze je het nog niet vertellen,' zei een stem achter hem. Stephen draaide zich met een ruk om. Er stond een jongeman tegen de muur geleund, die over zijn zwarte sikje streek.

'Je spreekt Engels,' zei Stephen.

'Net als de helft van de mensen in dit dorp. De jongeren dan.'

'Maar waarom…'

'Dit dorp wordt beheerst door de… hoe noem je dat? Een soort Duitse maffia. Wil je dat deze mensen worden vermoord? Alleen een dwaas zou je iets vertellen, of hij nu iets weet of niet. En alleen een dwaas zou schreeuwend door het dorp gaan rennen en op en neer springen. Je zou tegen zonsopgang dood zijn.'

Stephen staarde hem aan.

De man wendde zich af.

'Nee, wacht.' Stephen liep achter hem aan en greep hem bij zijn arm. 'Ken jij haar?' fluisterde hij.

De jongeman stond stil. 'Laat mijn arm los.'

Dat deed Stephen.

'Ben je soms doof? Wil je dat mijn hoofd eraf wordt geknald door een sluipschutter?'

'Nee.'

'Vraag het dan niet nog eens.' Hij liep weg. 'Nee, ik ken haar niet,' zei hij nog zo zacht dat Stephen het net kon horen.

Nee? Nee?! Stephen tuurde naar de daken, min of meer in de verwachting dat hij een telescoopvizier zou zien schitteren. Sluipschutters in deze onbetekenende vallei? Dat moest dan bij wijze van spreken zijn.

Hij haastte zich naar een zijstraat toe en voelde zich plotseling nogal dom. Goed, kalm en beheerst zou achteraf bekeken misschien toch beter zijn geweest. Maar nu had hij een ongelofelijk probleem. Hij *moest* geloven dat Esther hier woonde, in dit dorp. Hij had geen alternatief. En als niemand hem vertelde waar hij Esther kon vinden, zou hij haar zelf moeten zoeken.

Stephen stond stil en keek achterom naar het dorpsplein. Hoeveel mensen woonden hier? Duizend? Drieduizend? Veel meer dan drieduizend konden het er niet zijn. Hoe lang zou het duren om dertig straten te doorzoeken? Hij zou van deur tot deur gaan als hij geen andere keus had. Als Esther zich hier bevond, zou hij haar herkennen, dat wist hij zeker.

Aan de andere kant zouden sommigen van hen hem herkennen van zijn circusact op de hoofdstraat – en misschien gaven ze het wel door aan de sluipschutters. De helft van het dorp zou hem ondertussen wel gehoord of gezien hebben. Hij zou wat discreter te werk moeten gaan. Maar hij moest ook haast maken; als Braun haar al niet te pakken had gekregen, zou dat niet lang meer duren.

Hij dacht erover om terug te gaan naar het busje, maar één blik op de foto verdrong die gedachte alweer. Hij verborg de foto onder zijn overhemd, stak zijn handen in zijn zakken en liep verder. Hij kocht een niet al te stevige zwarte hoed van een straatventer, in de hoop in elk geval zijn uiterlijk iets te veranderen.

Hij liep een stille straat met kinderkopjes in die hem langs de hoog oprijzende kerk voerde. Er stond of zat een aantal mensen voor de etalages van enkele winkels. Er lachte iemand, maar hij draaide zich niet om om te zien of dat om hem was. Hij wierp een zo nonchalant mogelijke blik op elk gezicht. Geen van hen leek op Esther. Het was zelfs zo dat geen van hen een vrouw was.

Er borrelde een andere gedachte bij hem op. Misschien zou Esther *hem* wel vinden. Als het waar was dat ze zielsverwanten waren, zou ze dan niet iets speciaals in hem zien? Misschien zou hij zich wat minder druk moeten maken over de vraag of de bewuste maffiatypes hem zouden herkennen en in plaats daarvan iedereen in het dorp juist een duidelijke indruk van zichzelf moeten geven. En de rest zou hij aan God overlaten, als God inderdaad geïnteresseerd was.

Hij wierp een blik op de kerk aan de overkant van de straat. Aan de zijkant van het gebouw, aan het begin van een steeg, stond een vrouw, haar armen over elkaar geslagen. Ze stond naar hem te staren.

Stephen stond stil. Was… was zij het?

Hetzelfde donkere haar, dezelfde mooi gevormde jukbeenderen. Ogen die hem met een heldere blik doorboorden. En ze droeg al net zo'n helderblauwe jurk.

Hij hield zijn adem in.

Hij wierp een blik de straat in – niemand keek naar hem. Behalve zij. Ze keek nog steeds naar hem. Hij wist dat zijn mond openhing, maar hij dacht niet helder genoeg meer om hem dicht te doen. Erger nog, hij zag niet eens kans zijn voeten in beweging te krijgen. Hij stond daar alleen maar, veertig meter bij haar vandaan, en staarde haar aan alsof ze een engel was die vanuit de hemel naar de aarde was gekomen om hem op te halen.

Maar dat leek haar niet van haar stuk te brengen. Ze bleef maar staren. Of keek ze hem woest aan?

Stephen kwam weer bij zinnen en stak de straat over, recht op haar af. Ze liet hem dichterbij komen. Hij stond drie meter bij haar vandaan stil. Dit was Esther, het perfecte evenbeeld van Ruth. Hetzelfde haar, dat bevallig langs gladde wangen golfde. Dezelfde ontwapenende ogen en dezelfde kleine neus. Ze was tenger gebouwd en haalde waarschijnlijk de één meter zestig niet eens.

'Waar sta je naar te staren?' vroeg ze.

'Wat?'

'Je staart me aan alsof je naar een geestverschijning staat te kijken. Heb je nog nooit eerder een vrouw gezien?'

'Natuurlijk wel.' Zijn stem kraakte, maar hij deed geen moeite dat recht te zetten. Ze reageerde natuurlijk geschokt omdat ze hem eindelijk ontmoette. Ze verborg haar eigen verlangen naar hem met deze poppenkast.

'Stop dan met staren alsof dat niet zo is,' zei ze.

Hij knipperde met zijn ogen. 'Je spreekt Engels.'

'Dat is duidelijk.'

'Heb je twaalf kinderen?'

Nu was het haar beurt om met haar ogen te knipperen. 'Zie ik eruit alsof ik twaalf kinderen heb gehad?'

'Nee! Het spijt me.' Hij werd rood. 'Je bent gewoon zo mooi dat ik moest weten…'

'Of ik twaalf kinderen heb gehad?'

'Ben je getrouwd?'

'Nee.'

Het werd Stephen te veel. Hij haastte zich naar haar toe en sloeg zijn armen om haar heen voor ze de kans kreeg zich te bewegen.

'Ik heet Stephen. David. Ik heb overal naar je gezocht!'

Ze was zo afstandelijk als een mannequin. Hij overweldigde haar. *Houd jezelf in bedwang, Stephen. Het is een tere bloesem; je breekt haar bijna. Dit is niet bepaald de meest geschikte manier om je voor te stellen.*

Hij begon haar los te laten en werd geholpen door een duw van haar.

Ze deed een paar stappen achteruit, kwaad en geschrokken. 'Waar denk jij dat je mee bezig bent?' zei ze terwijl haar blik over straat vloog.

'Het spijt me. Ik weet niet wat me bezielde. Jij bent… jij bent Esther, toch?'

'Ik weet niet waar je het over hebt.'

Dit kon niet waar zijn! Was ze misschien bang om hier op straat gezien te worden? Natuurlijk!

'Misschien kunnen we maar beter de steeg ingaan,' zei hij.

Ze haalde uit en gaf hem een klap in zijn gezicht. 'Wie denk je wel niet dat je voor je hebt?'

Voor het eerst begon hij zich af te vragen of hij niet een verschrikkelijke fout had gemaakt.

'En je loopt maar door het dorp te schreeuwen en jezelf voor gek te zetten. Waar ben je mee bezig?' wilde ze weten.

Stephen deed een stap achteruit. 'Zag je me dan?'

'Het halve dorp heeft je gezien. Als er hier al een Esther woont, ken ik haar niet. En ga nu weg, voor ze je een kogel door je hoofd jagen.'

Ze wierp een blik over zijn schouder, groette hem met haar blik en liep weg.

41

Ze had er geen idee van wie deze man was, maar als hij zo raar bleef doen, zouden ze geen van beiden het einde van de dag halen. Ze vreesde net zoveel voor zijn leven als voor dat van haarzelf. Misschien wel meer.

Dat was de reden waarom ze hem had geslagen.

Ja, dat was de reden. Hard genoeg om echt pijn te doen. De tranen sprongen haar in de ogen terwijl ze met grote stappen bij hem vandaan liep. Ze had geen idee hoe hij het wist. Hij had haar mooi genoemd. Ze kon zich niet herinneren wanneer een man haar voor het laatst mooi had genoemd. Dat was niet toegestaan.

Maar deze moedige dwaas uit Amerika met de naam Stephen David, wist dat niet. Hij had haar misschien ergens gezien en vond haar echt knap. En nu kwam hij bij daglicht achter haar aan. Was dit de manier waarop Amerikanen hun vrouwen het hof maakten?

En toch voelde ze zich onmiskenbaar aangetrokken tot de lange man met het warrige donkere haar. Hij had tegen haar gezegd dat ze mooi was. Vond hij echt dat ze knap was? Was *hij* eigenlijk knap? Hij paste niet in haar beeld van de Amerikaanse man. Maar zelfs al zou hij geen oren hebben, ze zou hem misschien toch wel knap vinden. Hij verlangde naar haar.

'Hou op!' fluisterde ze fel. 'Wat denk je dat ik ben? Een hoer?' Haar ogen vulden zich met nog meer tranen. Ze beet op haar onderlip. Sommige feiten stonden nou eenmaal vast.

Het eerste feit: geen enkele man zou van haar kunnen houden.

Tweede feit: ze zou niet van een man kunnen houden, omdat ze nooit van de man zou kunnen houden die haar hier gevangenhield.

Ten derde: ze zat in de val. Als ze ooit één voet buiten dit trieste dorp zou zetten, zou Braun de enige persoon doden om wie ze iets gaf.

Ze liep de hoek om en wierp een blik over haar schouder. Geen spoor van de Amerikaan te bekennen. Ze stond even stil, slikte en haastte zich toen de straat uit. Haar gedachten flitsten terug naar Hansen. Zij was achttien en hij was een sterke jongeman met heldere blauwe ogen en een brede glimlach. Braun had dat ontluikende verlangen om zeep geholpen. Letterlijk. Ze had twee weken lang gehuild. Haar eerste en laatste ware liefde. Brauns verordening had niet duidelijker kunnen zijn. Daarna bleven de mannen uit haar buurt. En zij bij hen uit de buurt.

Haar vroegste herinneringen waren uit de tijd dat ze zes was, toen ze zich voor het eerst begon te realiseren dat ze anders was dan de andere kinderen. Ze had geen vader en geen moeder. Alleen maar ooms. En haar ooms waren gemene mannen die vaak vloekten.

Toen ze acht was, leken de andere kinderen zich tegen haar te keren. Ze herinnerde zich die dag in de speeltuin nog goed. Freddy had haar een hoer genoemd, waar alle andere kinderen bij waren. Ze wist toen niet eens wat een hoer was. En niemand was tegen hem ingegaan.

De waarheid kwam aan het licht toen ze twaalf was – waarom ze zich geen ouders kon herinneren en waarom ze bij gemene ooms en tantes woonde.

Ze zag Armond vanaf de andere kant van de straat naar haar kijken. Hij hield haar altijd in de gaten. Ze rechtte haar schouders.

Wat zouden ze zeggen als de Amerikaan weer naar haar toe rende om haar zijn liefde te betuigen? Was ze echt iemand die je kon liefhebben? Maar ze was toch een vrouw? De Amerikaan leek dat in elk geval niet te zijn ontgaan.

Stiekem hoopte ze dat Stephen David dat inderdaad zou doen. Dat hij haar op topsnelheid achterna zou komen, op zijn knieën zou vallen en ten aanhoren van het hele dorp zijn bewondering voor haar zou uit-schreeuwen.

Maar dat was een dwaze gedachte. En nog gevaarlijk ook.

'Ga alsjeblieft weg,' fluisterde ze. 'Verlaat dit dorp.'

Stephen keek om zich heen. Er kwamen drie mannen in zijn richting. Hun bedoelingen waren duidelijk. Ze schoten een vrouw te hulp die werd aangevallen door een vreemde.

Hij ging de steeg in, nam enkele grote stappen tot hij uit het zicht was en zette het toen op een lopen. Wat had hij gedaan?

De steeg hield op. Hij sloeg af naar rechts en zakte weer af tot een normaal wandeltempo. Hoe kon het dat ze Esther niet was? Hoe groot was de waarschijnlijkheid dat een vrouw, die zo op Ruth leek, in het dorp woonde dat Braun had genoemd, toch Esther niet was?

Aan de andere kant was Stephen niet echt goed in het onthouden van gezichten. Het afgelopen uur had zijn hart bij wel honderd vrouwen een sprongetje gemaakt, omdat ze een klein beetje op Ruth leken. Hij had haar gezicht in de wolken gezien, in de rotspartijen en zelfs in het Volkswagenembleem op het stuur van het busje.

Stephen begon weer te rennen, bang dat hij Esther zojuist had laten gaan. Hij moest haar in elk geval waarschuwen voor Braun. Waar kon ze heen zijn gegaan?

Die vraag werd al snel beantwoord toen ze dezelfde straat in kwam lopen, een meter of vijftig verder. Instinctief verschool hij zich in een portiekje. Nog een keer naar haar toe rennen en haar omhelzen leek hem niet echt de handigste manier om haar vertrouwen te winnen.

Hij gluurde om het hoekje en keek om zich heen. De mannen hadden het blijkbaar opgegeven. De vrouw die Esther niet was, liep weg, verder het dorp in.

Hij kwam weer uit de portiek tevoorschijn, keerde zijn gezicht iets naar de grond en volgde haar. De slappe zwarte hoed was nu net zo opvallend als een vuurtoren in een donkere nacht; hij trok hem van zijn hoofd en gooide hem onopvallend in een ander portiekje. Tien stappen verder waagde hij het om op te kijken. Het leek er niet op dat ze zich zorgen maakte. En zelfs al zou ze Esther niet zijn, ze was een van de mooiste vrouwen die hij ooit had gezien. Dat zou natuurlijk kunnen komen door het feit dat hij zich had ingebeeld dat ze Esther *wel* was en dat zijn hersens dat idee niet meer konden loslaten…

Ze begon zich om te draaien. Hij nam een sprong naar rechts, achter een vuilnisvat, en hurkte neer. Er grinnikte iemand en hij draaide zich om naar de plek waar het geluid vandaan kwam. Het was een wat oudere heer die in een deuropening zat. De man zwaaide en Stephen zwaaide beschaamd terug.

Hij gluurde om het vuilnisvat heen. Ze liep een andere steeg in en liep weer terug naar de kerk! Stephen stond op, heel even verlamd door besluiteloosheid. Als hij de steeg in zou rennen waar ze daarnet uit tevoorschijn was gekomen, zou hij haar misschien kunnen onderscheppen.

Hij begon te rennen. Als dit Esther was, was Braun nog niet gearriveerd. Die gedachte zorgde ervoor dat hij er nog een schepje bovenop deed en de benen uit zijn lijf liep. Het gekakel van de oude man achtervolgde hem de straat door en de hoek om. Hij negeerde een tiental bezorgd opkijkende dorpelingen, sloeg bij de volgende hoek linksaf en sprintte naar de steeg toe waarvan hij wist dat ze er zo uit tevoorschijn zou komen.

Hij kwam bij de hoek glijdend tot stilstand, haalde een keer diep adem en sprong de steeg in. Een seconde later en hij zou zo tegen haar aan geknald zijn. Ze deed een stap achteruit en slaakte een gilletje.

Die sprong was een beetje te veel van het goede geweest, besefte hij meteen. Een nonchalante, beleefde toenadering zou met veel meer subtiliteit hetzelfde effect hebben opgeleverd.

Ze sloeg een hand voor haar borst. 'Wat doe je nou, idioot! Ga weg!'

Hij stak een vinger op. 'Sst!' Nu hij haar in haar ogen keek, wist hij zeker dat het Esther was. Hij had het gevoel alsof hij zijn hele leven al naar die ogen had gezocht.

'Waarom val je me aan?'

Haar beschuldiging schokte hem. 'Ik zou je echt nooit kwaad doen. Hoe kun je dat nou zeggen? Ik ben hierheen gekomen om je te redden!'

'Me vastgrijpen en me dan midden op de dag achtervolgen – noem je dat iemand redden? Ze gaan je nu *zeker* vermoorden.'

'Hou op!' riep hij. Achter zich hoorde hij rennende voetstappen. Ze hadden haar gil gehoord en kwamen eraan. Stephen haalde de foto tevoorschijn en sprak snel. 'Ik smeek je me te helpen. Dit is Ruth, de moeder van Esther. Ze heeft in concentratiekamp Toruń haar leven voor me gegeven. Er is geen tijd om – Braun is op weg hiernaartoe. Voor Esther.'

De vrouw staarde hem aan. De rennende voeten kwamen de steeg in.

'Alsjeblieft,' zei Stephen zacht. 'Ik verzeker je dat ik dacht dat je Esther was, anders zou ik dit nooit hebben gedaan. Alsjeblieft, ik moet haar helpen.'

Een grof klinkende mannenstem zei achter Stephen iets in het Duits.

De vrouw aarzelde. 'Niets aan de hand,' zei ze tegen de man.

De voetstappen verwijderden zich weer.

'Dank je.' Hij hield nog steeds de foto omhoog.

Haar ogen keken enkele momenten lang onderzoekend in die van hem en toen naar de foto.

'Ik wilde dat ik je kon helpen,' zei ze, 'maar dat gaat niet.'

'Je *moet* me helpen!'

Ze keek hem uitdagend aan, maar hij had het idee dat haar ogen vochtig waren.

'Ik weet niet wie Esther is,' zei ze, 'maar ik weet wel dat ze je zullen doden als je hiermee doorgaat. Iedereen hier kent Braun. Hij geeft niet veel om een mensenleven.'

'En hij is nu op weg hiernaartoe.'

Ze liep om hem heen en haastte zich daarna in de richting van de straat.

Stephen liep achter haar aan. 'Alsjeblieft...'

'Je moet weggaan, voor ze ons allebei doden.'

Hij negeerde de boze blikken van de omstanders en haalde haar weer in.

'Ik vertel je de waarheid. Ik heet eigenlijk David, hoewel ik Stephen word genoemd. Ik ben in Toruń geboren. Mijn moeder heette Martha. Weet jij daar iets van?'

Ze liep snel de trap van de kerk op. Ze had haar kaken op elkaar geklemd, maar hij zag een traan over haar ene wang rollen en dat brak zijn hart. Wat had Braun met haar gedaan dat ze zo bang was?

Hij volgde haar een entree met een gewelfd plafond en gebrandschilderde ramen in. 'Ik ben net gearriveerd uit Los Angeles. Braun was daar op zoek naar de Stenen van David. Zegt een van deze dingen je iets?'

Ze draaide zich met een ruk naar hem om. 'Je moest eens weten!' Haar ogen spuwden vuur, maar ze kon niet voorkomen dat er nog een traan over haar ene wang rolde. Dit was dus toch Esther! Dat moest wel.

'Kijk naar deze foto!' zei hij terwijl hij hem haar toestak. 'Dit is jouw moeder! Ze heeft haar leven gegeven!'

Esther keek nogmaals naar de foto. Het leek wel of haar blik eraan vast bleef kleven. Natuurlijk zag ze er haar eigen gelaatstrekken in.

'Jij bent Esther!' Hij draaide de foto om. 'Lees dit maar eens!'

Haar ogen zweefden over de tekst.

Mijn lieve Esther, ik heb deze foto na de oorlog gevonden, in Slowakije. Dit is je moeder, Ruth, een jaar voor je geboorte.

Er gaat geen uur voorbij zonder dat ik God smeek dat jij en David elkaar zullen vinden. Ik zal jullie nooit vergeten. Jullie zijn de ware Stenen van David.

'Nee, dit kan niet waar zijn.'

Haar lippen beefden. Stephen negeerde de impuls om haar nogmaals in zijn armen te nemen.

Lieve Esther, het spijt me verschrikkelijk. Wat hebben ze met je gedaan?

Ze schudde haar hoofd. 'Je hebt de verkeerde voor je.'

Stephen greep zijn boordje, rukte zijn overhemd open en ontblootte het litteken op zijn borst, waarmee hij haar uitdaagde het nog langer te ontkennen.

Ze staarde ernaar, niet in staat haar blik ervan los te rukken. Haar gezicht verzachtte zich en de tranen begonnen over haar wangen te stromen. Ze hief een bevende hand omhoog, langs haar hart, en langzaam, als in een droom, trok ze de hals van haar jurk net ver genoeg naar beneden om hem de huid onder haar sleutelbeen te laten zien. Daar, in haar huid gebrand, bevond zich een identiek teken.

'Esther,' zei hij.

Ze hief langzaam haar ogen op. 'Ja.'

Hij deed een stap naar voren en legde een hand op haar schouder. Iets anders leek ongepast. Ze liet langzaam haar voorhoofd tegen zijn borst zakken en begon te huilen.

42

Het was een jaar geleden dat Roth voor het laatst in het dorp was geweest. Meestal handelden zijn mannen de zaken af. Vanaf de weg leek er niets veranderd te zijn in het dorp.

Gerhard had zijn dagboek terug, maar de Stenen van David waren nog steeds zoek. Nu de dreiging dat het dagboek in verkeerde handen zou kunnen vallen achter Gerhard lag, had Roth niet veel moeite hoeven doen om zijn vaders passie voor de Stenen weer te doen opvlammen.

Gerhard was in dertig jaar niet meer zo opgetogen geweest. Daar was Roth blij om. En hij had een plan.

Toen hij bijna twee uur geleden een telefoontje had gekregen dat de Jood was gearriveerd, had Roth bijna staan huilen van vreugde.

Stephen was gekomen, precies zoals Roth dat door zijn buitengewone scherpzinnigheid had voorspeld. De Jood zou die fantasie van hem desnoods najagen tot in de hel. En dan weer terug naar hier ook. En waarom ook niet? Christus had dat tenslotte ook gedaan.

Maar wat wist Stephen daarvan?

Het was zowel spannend als gekmakend voor Roth om het spel zo op het scherp van de snede te spelen. Wat als de Jood hem te slim af was, zoals Martha bij zijn vader had gedaan? Of nog erger, wat als de Jood alweer was vertrokken?

'Meteen naar haar huis, Lars.'

'En als ze daar niet is?'

'Dan vinden we haar gegarandeerd in de kerk,' zei hij. 'Schiet nou maar op.'

De auto versnelde, de steile helling af.

Hij hief het oude rode sjaaltje van zijn vader op, drukte dat tegen zijn neus en inhaleerde diep. Het rook naar Ruth, vond hij. Naar Esther. Hij wierp een blik over zijn schouder. Ze zouden Esther eens wakker gaan maken.

'Sneller.'

'Als we nog iets sneller gaan, liggen we straks onder aan de berghelling,' snauwde Lars terug.

Roth haalde diep adem. Door de gedachte aan wat voor hen lag, kostte het zelfs hem moeite om zichzelf in bedwang te houden.

Stephen zag Esther achter de laatste kerkbank heen en weer lopen en was er tevreden mee dat hij haar vurige ogen kon bestuderen, en ook haar blauwe jurk, die bij elke draai traag om haar heen zweefde.

Esther. Dit was Esther. Dit adembenemende schepsel dat voor hem heen en weer liep, was echt Esther. Hij kon nog steeds maar nauwelijks geloven dat dit de dochter van Ruth was.

Ze bevonden zich nu al veertig minuten in de kerk, veel langer dan wenselijk was, gezien de situatie waarin ze verkeerden. Maar goed, hij vroeg haar het enige thuis dat ze kende te verlaten en dan nog wel meteen. Een halfuur geleden bezorgde hij haar in die steeg nog de schrik van haar leven en nu vroeg hij haar met hem de wijde wereld in te trekken. En dit was niet iets wat hij kon forceren.

Hij had tussen de banken door gelopen en had op discrete manier in de gaten gehouden hoe ze piekerde over de keuze die voor haar lag. Stephen twijfelde geen moment: hij was voor deze vrouw in de wieg gelegd. En hij zou haar liefde winnen of er het leven bij laten. Geen enkele vrouw kon aan haar tippen, op geen enkele manier. Dat was iets wat hij zeker wist, ook al kende hij haar nauwelijks.

En toch wist hij al het een en ander. Ze had het karakter van een arend die was gekooid door het kwaad. Ze was het slachtoffer van pure wreedheid en toch had ze die het hoofd geboden. Alleen daarom al was hij verliefd geworden op haar. Hij zou haar bevrijden.

Maar er was meer. De bewegingen van haar handen, haar levendige ogen, de geur van haar huid, het geluid van haar stem. Ze had een perzikhuidje. Ze was zijn zielsverwant, voor hem geschapen. En hij voor haar.

Zijn parel van grote waarde, zoals Martha dat had geschreven.

Zijn obsessie was vlees geworden en dat zou hij omarmen. Het beschermen. En het heette Esther. Gerik had gelijk gehad – de mens was geschapen om geobsedeerd te zijn.

Ondanks de gevaren waarmee ze nu te maken kregen, kon hij zijn gedachten nauwelijks bij zijn opdracht houden. Misschien wel omdat die opdracht altijd al liefde was geweest. Het klonk wel logisch dat hij zich net zo druk maakte om de liefde als om het feit dat hij in leven moest zien te blijven of dat hij de Stenen moest zien te vinden. Natuurlijk was in leven blijven wel een van de voorwaarden om Esther voor zich te kunnen winnen.

Hij besefte wel dat zij daar weleens anders over zou kunnen denken. Ze kende hem tenslotte amper. Maar hij hoopte dat ze al aan hem begon te wennen. Hij begreep wel dat ze aarzelde. Wanneer ze eenmaal hier weg waren en alles voorbij was, zou hij haar de tijd en de ruimte geven om van hem te gaan houden. Hij zou haar op de juiste manier het hof maken. Kaarslicht, rozen, strandwandelingen in het maanlicht – de hele santenkraam. Ze zou niet in staat zijn om…

Hij keek op en stond stil. Ze was weg! Zijn hart zat in zijn keel.

'Esther?'

'Ja?'

Haar stem dreef vanuit de entree naar hem toe. Hij vloog tussen de banken uit en de hal in. 'Doe dat alsjeblieft nooit meer!'

'Wat?' Ze stond voor een grote spiegel en keek naar haar litteken. 'Het zijn maar tien stappen vanwaar ik zojuist stond. Dat ik de ruimte heb verlaten, betekent nog niet dat ik ervandoor ben.'

'Ik ben de oceaan overgestoken om jou te zoeken.'

'En als ik van jou had geweten, zou ik hetzelfde hebben gedaan,' zei ze. Dat was een goed teken, toch?

'Ik heb me mijn hele leven verloren gevoeld,' zei Stephen. 'Tot nu toe dan.'

Ze reageerde niet, maar haar ogen spraken boekdelen. Ze was net zo eenzaam als hij, net zo wanhopig. Het enige verschil was dat ze hier niet al weken mee bezig was, zoals hij.

Ze keek weer in de spiegel. Als hij zo naar haar keek, knikten zijn knieën. Hij voelde zich helemaal zacht en wazig van binnen. Echt, zijn hele leven was op deze dag gericht geweest.

'Ga alsjeblieft nergens naartoe zonder het tegen me te zeggen,' zei hij. 'Braun moet ergens in de buurt zijn.'

'Stephen.'

'Ja?'

'Kun je even hierheen komen?'

Hij liep ongemakkelijk naar haar toe. 'Heb je al besloten of je met me meegaat?'

'Ja,' zei ze nogal nuchter.

Hij stond stil. 'Ja?'

Ze keek hem aan. 'Ja.'

'Dus je gaat met me mee?'

'Ik zei toch ja?'

'Dan moeten we er meteen vandoor.'

Ze keek hem geamuseerd aan. 'Wil je eventjes hierheen komen?'

Hij ging naast haar voor de spiegel staan.

'Mag ik je litteken zien?' vroeg ze.

Hij ontblootte het brandmerk op de linkerkant van zijn borst.

'Kom hier staan, aan deze kant.'

De hand die zijn overhemd openhield, beefde. Hij liet het kledingstuk los. 'Esther, alsjeblieft. Als we nu niet verdwijnen, komen we misschien nooit meer weg.'

'Alsjeblieft,' zei ze zacht.

Een vreemde verdoving beroerde Stephen. Haar woorden waren een heerlijke, kalmerende drug. Alleen dat simpele woordje, *alsjeblieft*, en toch had hij het gevoel dat hij ter plekke kon instorten!

Stephen slikte. 'Goed.'

Ze leidde hem naar haar rechterzijde en daar stonden ze dan, schouder aan schouder, terwijl ze beiden hun brandmerk ontblootten. Dat van haar zat zeker dertig centimeter lager dan het zijne.

'Wacht hier.' Ze haalde de stoel die naast de deur stond. 'Hier. Nu moet je hier even geknield op gaan zitten.'

Hij keek naar haar. Ze deed alles met zo'n ongelofelijke gratie. De manier waarop ze de stoel optilde; de manier waarop ze hem hierheen droeg, alsof hij niets woog; de manier waarop ze haar knieën boog om hem neer te zetten; de manier waarop ze zei dat hij erop neer moest knielen. Geen enkele vrouw kon zo gracieus bewegen of op zo'n manier praten.

Hij knielde neer op de stoel. Ze bevonden zich nu ongeveer op dezelfde hoogte.

'Moeilijk te geloven, hè?' zei ze. 'Dat je moeder dit bij ons heeft gedaan, zodat we elkaar konden terugvinden.'

Stephen richtte zich op haar litteken. Daar stonden en zaten ze dan, voor de spiegel, Esther en David, de twee kinderen van het concentratiekamp, met ontblote schouder, gebrandmerkt voor elkaar. Wat een perfect plaatje. Beangstigend gewoon. Met een ruk trok hij zijn overhemd weer op zijn plaats.

'Esther, alsjeblieft, we moeten ervandoor.'

Ze bedekte haar schouder en wendde zich van hem af. Was er iets mis? 'Esther?'

Ze liep naar het raam, tuurde naar buiten en kwam weer terug. 'Je zult moeten begrijpen, Stephen, dat ik hier nog niet weg kan.' Er brandde weer een vuur in haar ogen. 'Niet zolang Braun nog leeft.'

'Wat? Daar hebben we geen tijd voor! We zouden nu al ver weg moeten zijn. Zo ver mogelijk hiervandaan. Waarom kunnen we niet gewoon vertrekken? Hij schiet er niets mee op als hij achter ons aan zou gaan.'

'Nee. Hij zou niet toestaan dat ik vertrek.' Haar kaakspieren stonden gespannen.

'Wat kan hij dan doen?'

'Meer dan jij beseft.'

'Wat bedoel je? We *moeten* gewoon weg. Nu!'

Ze sloot haar ogen en haalde diep adem. 'Ik ben een gevangene van Braun.' Haar ogen schoten weer open. 'Geloof me, hij zal ons allebei weten te vinden en dan zal hij ons doden. Ik kan hier niet weg als hij nog in leven is.'

'Je *moet* wel. We hebben elkaar; we kunnen er gewoon vandoor gaan.'

'Waar kunnen we heen zonder dat hij ons kan volgen? Nee. Ik ga niet vluchten.'

Stephen kreeg nu heel erg haast. 'Hij zal je vermoorden als je blijft.'

'Dat is de reden waarom ik hem moet doden voor hij mij weet te bereiken. Je kunt vertrekken als je denkt dat dat beter is, maar ik kan nog niet met je mee. Ik heb nog andere redenen.'

'Ik kan je hier niet achterlaten!' Hij greep met beide handen naar zijn hoofd en begon te ijsberen. 'Dit is gekkenwerk. Je moest eens weten waar ik allemaal doorheen ben gegaan.'

'Het zal niet meer zijn dan waar ik doorheen ben gegaan. Of mijn moeder. Of die van jou. Dit houdt niet op zolang Braun nog in leven is. De man is helemaal geobsedeerd.'

Stephen stond stil toen ze die term gebruikte. 'Ik ook.'

'Zorg dan dat je de oorzaak van je obsessie vindt.'

'Heb ik al gevonden.'

Haar wenkbrauwen gingen omhoog.

'Jij,' zei hij. 'Ik ben geobsedeerd door jou, mijn hele leven al.'

'Echt waar? Maar we hebben elkaar pas een uur geleden voor het eerst ontmoet. In een steegje, mocht je het vergeten zijn.' Ze keek hem diep in de ogen. 'Hoe ver wil je gaan om die obsessie van jou te beschermen? Zou je het beest doden dat haar bedreigt, of zou je je verbergen, zodat hij haar nog langer kan achtervolgen? Geloof me, Stephen, er zit meer aan vast dan jij beseft. Ik kan hier niet weg zolang Braun in leven is.'

Hij fronste zijn voorhoofd, geraakt door haar suggestie dat hij iets anders zou doen dan haar beschermen, maar net zogoed door het besef dat dat inderdaad was wat hij moest doen.

Hij moest Braun doden.

Hij slikte. Waar zat hij met zijn hoofd? Moest hij Braun doden? Hij moest *vluchten*! Met Esther.

'Maar… maar als we hem doden, worden we dan niet net zoals hij?'

'Nee. Wij doen wat Ruth en Martha zouden hebben gedaan als ze de kans hadden gehad.'

'Goed. Goed, dan moeten we hem misschien inderdaad doden.' Stephen voelde zich duizelig worden toen hij zijn eigen woorden hoorde. Zou hij echt iemand kunnen doden? Kon hij dat?

'Gewoon zomaar?' vroeg Esther.

'Ik sta niet toe dat iemand jou kwaad doet. Nooit meer.'

Ze liep met een onderzoekende blik naar hem toe. 'Ben jij een droom, Stephen?'

'Nee.'

Ze trok een moedig gezicht, maar hij zag de angst in haar ogen. Ze wist niet of ze hem kon vertrouwen. Maar hij liet haar geen keuze. *Lieve Esther, wat hebben ze je aangedaan?*

Plotseling draaide ze zich om en rende terug naar de kerkzaal.

'Kom mee.'

43

De klokkentoren rees hoog boven de kerk uit en aan de oude stenen te zien, was hij ver voor de oorlog gebouwd. Stephen stond tegen de muur en staarde naar Esther, die over de loop van een oud geweer heen, dat ze achter uit de enige kast in de toren had gehaald, de straten afzocht.

'Geen spoor van Braun,' zei ze.

Haar stem klonk net iets hoger dan een alt, onmogelijk lief. Hij wist wat er aan de hand was. Nu het goed tot hem was doorgedrongen wie ze was, was zijn obsessie verschoven van de Stenen van David naar Esther. Hij voelde zich in haar aanwezigheid als een jong hondje. Hij had haar de trap op gevolgd, licht in zijn hoofd van de klim, maar ook van haar parfum, en luisterde naar haar toen ze uitlegde hoe ze aan het geweer was gekomen. Ze zei iets over dat ze het ding hierheen had gesmokkeld toen de aandacht van haar bewakers even was verslapt, maar hij was meer geïnteresseerd in haar.

'Stephen?' Esther keek achterom.

Had ze hem zien staren? Hij rukte zijn blik los van haar, zich bewust van zijn rode kleur. Zou ze zijn gedachten kunnen lezen? Nee, hoe zou ze kunnen weten wat hij dacht door alleen maar naar hem te kijken? Hij overdreef, wat de warme en koude golven verklaarde die langs zijn hals omhoogtrokken.

'Ben je wel in orde?' vroeg ze.

'Ja. Ja, natuurlijk ben ik in orde. Wat ben je aan het doen?'

'Ik wacht op Braun – of wat bedoel je eigenlijk?'

'Eh… ik bedoel, *waarom*? Of… wat wil je nou eigenlijk?'

Stom. Stomme vraag!

Esther draaide zich weer om en begon de straat te bestuderen zonder te laten blijken dat ze problemen had met zijn vraag. 'Wat ik denk, is dat op het moment dat dat varken opduikt, zijn leven is afgelopen.'

'Tuurlijk. Zeker. Lijkt logisch.'

Was dat zo? Hij kon niet helder genoeg denken om zich in te beelden hoe het zou zijn om de man daadwerkelijk te doden. Het hele plan – hierheen komen om Braun te slim af te zijn – leek nu surreëel.

Dacht hij nog wel logisch na?

Er kwam een andere gedachte bij hem op. Hoe kon iets wat afbreuk deed aan zijn redenatievermogen nou iets goeds zijn? Als God de mens had geschapen om geobsedeerd te zijn, had Hij hem dan ook geschapen om gezond verstand in te wisselen tegen instinct? Of erger nog, gezond verstand op te offeren voor emotie? Daar zou de rabbi het nooit mee eens zijn. Zelfs Gerik niet.

Stephen keek naar haar, zoals ze over het geweer heen naar beneden tuurde. Haar lippen weken iets vaneen, maar ze haalde adem door haar neus. Een pluk donker haar lag tegen haar wang. Haar rechterhand, zacht en roomwit, greep de trekker. Hier voor hem stond het beeld van God. Hij staarde naar een stukje van God en hij kon het nauwelijks verdragen.

Chaïm had het vaak over passie voor God gehad. Op dit moment dacht Stephen dat hij begreep wat de rabbi daarmee bedoelde. Als de mens geobsedeerd kon zijn door God zoals Stephen door Esther – wat een gedachte.

En als Chaïm gelijk had, als de emoties van de mens maar een zwakke afspiegeling waren van de emoties van de Schepper, zou God dan ook niet dezelfde gevoelens als Stephen hebben? Was God geobsedeerd? Werd Hij beziggehouden door een enorme liefde voor de mens?

Hoeveel gezond verstand had koning David toen hij zo ongeveer in zijn ondergoed door de straten danste? Hoe goed bij zijn verstand was Noach toen hij een enorme boot in de woestijn bouwde? Of de profeten, die werden gevoed door vogels of die jarenlang op één zijde bleven liggen? Wat die grote namen had gedreven, was een moment van diepe overtuiging en passie geweest – dat misschien niet zoveel verschilde van dat van hem.

Deze hele gedachtegang kostte hem niet meer dan tien seconden en het resultaat ervan was dat Stephen zijn zelfvertrouwen voelde terugkeren.

'Ga je hem echt neerschieten?' vroeg hij.

'Heb jij dan een beter idee?'

'Het lijkt gewoon zo… illegaal.'

'Hoe kun je nou staan bazelen over legaal of illegaal? Deze vent moordt. Zijn vader heeft jouw moeder vermoord en hij wil jou ook vermoorden. En mij. Wat hij mij heeft aangedaan is illegaal. Verdorven!'

Ze ging weer rechtop staan, liep drie stappen naar de stilhangende klok toe en weer terug naar het raam, en streek een pluk haar achter haar oor.

Verdorven?

Razernij verduisterde Stephens blik. 'Wat…' *Nee, niet nu.* Hij haalde diep adem. 'Je hebt gelijk; het spijt me,' zei hij.

'Wat moet ik dan doen? Jij kunt vluchten; ik niet. Hij zal me overal opjagen!' Stephen dacht heel even dat ze in huilen zou uitbarsten.

'Nee, ik had het mis!' riep hij uit. 'Dood hem! We zullen hem doden!' Hij deed twee stappen in haar richting, ziek van de gedachte dat hij haar weer had gekwetst. Wat mankeerde hem?

Chaïms woorden brandden een gat in zijn ziel, dat was het probleem. *Deze obsessie is een gevaarlijke zaak, Stephen. Je kunt in naam der liefde geen wetten overtreden.*

Esthers blik zweefde door de toren en stopte even bij zijn gezicht. Ze zag eruit als een kind dat gevangenzat tussen doodsangst en hopeloosheid.

'Esther…'

Met een ruk draaide ze zich weer om naar het raam en versteende.

'Wat is er?'

Ze sprong naar voren en hurkte neer bij het lage raamkozijn. 'Daar is hij!' fluisterde ze.

Stephen rende naar haar toe en zag de zwarte auto aan de overkant van de straat tot stilstand komen. Hij had geen idee hoe Esther wist dat het Braun was, maar hij twijfelde er geen moment aan. Eén blik op haar gezicht en hij wist dat deze man voor haar een duivel van vlees en bloed was. Haar lippen beefden van een intense woede.

Esther zette het geweer tegen haar schouder en richtte het op de auto. Ze hijgde hard en het wapen ging bij elke ademhaling op en neer.

Een van de achterportieren van de auto zwaaide open. Braun stapte uit.

Stephen hurkte achter Esther neer en vocht tegen de opborrelende paniek. Hoe kon hij hier als een bange muis blijven zitten terwijl zij zich het beest van het lijf moest zien te houden?

338

Esther begon zacht te mompelen. Vol bitterheid.

Stephen staarde verbijsterd naar het tafereel dat zich voor hem ont-vouwde. *Verdorven,* had ze gezegd. Roth had haar misbruikt.

Hij greep naar het wapen. 'Wacht! Ik doe het wel!'

Het wapen donderde luid in de klokkentoren. Stephen sprong achter-uit, het geweer in de hand. Onder hen dook Braun in elkaar en rende de straat over naar de ingang van de kerk.

'Wat doe je nou?!' riep Esther terwijl ze opsprong.

'Ik zou moeten schieten,' zei Stephen.

'Door jou heb ik gemist!' Ze keek hem met open mond aan en hij wilde het uitleggen, maar woorden leken hier niet op hun plaats.

Esther deed met een klap haar mond weer dicht en rende langs hem heen. 'Schiet op, we zijn hier net een stel schietschijven!' Ze rende de deur door.

'Esther!'

Vanuit zijn ooghoek zag Stephen het portier van de bestuurder open-vliegen. Lars dook naar buiten.

'Schiet op, Stephen!' Ze riep hem.

Zijn beminde riep zijn naam.

'Esther!'

Hij trok aan de grendel, stak het geweer uit het raam, richtte het in de richting van de man en haalde de trekker over.

Boem!

Lars wankelde.

Stephen verwijderde de lege huls en schoot nog eens op het grote doelwit. Deze keer draaide de man zich om en hinkte hij terug naar de auto. Hij had hem geraakt! Hij had iemand door zijn been geschoten! Of misschien wel zijn heup.

Stephen draaide zich met een ruk om en vloog naar de trap toe. 'Esther!'

Ze rende recht op Braun af! Stephen nam de trap met drie treden tegelijk, terwijl de loop van het geweer boven hem heen en weer zwaai-de. Hij miste een van de treden en stuiterde over de rand van drie ande-re voor hij weer grip kreeg. Het geweer zeilde door de lucht, omdat hij zich vast wilde grijpen. Het kletterde de trap af en kwam recht voor hem op een overloop tot stilstand.

'Es…' Hij brak de schreeuw halverwege af. Braun zou hem horen schreeuwen! Door die gedachte vloog hij de trap verder af, in de richting van het geweer. Hij moest in de kerk zien te komen om Braun de weg af te snijden, voor de man Esther wist te vinden, aangenomen dat ze hem niet in de armen liep.

Stephen bereikte het wapen, griste het van de vloer en kwam al rennend weer omhoog.

De dreun kwam uit het niets – een moker die zijn hoofd raakte en hem tegen de grond kwakte.

Braun, dacht hij vaag. *Dat was Braun.* Maar hij zag alles niet meer zo helder en hij kon geen wijs worden uit zijn omgeving. Het wapen lag rechts van hem op de vloer. Hij zat ernaast. Misschien was hij tegen een muur aan gerend.

Nee, hij had beweging gezien. Hij probeerde op te staan, maar zijn spieren werkten niet mee.

Hij werd bij zijn kraagje gegrepen en overeind getrokken. 'Waar is ze?'

De stank van de adem van de man klapte tegen zijn gezicht. Stephens wereld werd weer wat helderder. Hij stond net in de kerkzaal, ondersteund door Braun. De witte knokkels van de man grepen een handvol overhemd en duwden die onder Stephens neus. Hij deed bijna zijn mond open om de man in zijn vingers te bijten, maar hij besloot snel dat hij het daarmee alleen maar erger zou maken.

'Waar is ze?' vroeg Braun.

Ze had aan hem weten te ontsnappen! Esther had aan dit monster weten te ontsnappen en gelukkig had Stephen geen flauw idee van waar ze zich kon bevinden. Hopelijk halverwege de heuvel op weg naar Hamburg.

Hij werd in zijn gezicht geslagen. 'Waar is ze?!' Braun sleepte hem de kerkzaal in.

'Ze is weg,' zei Stephen. 'Ze is weggerend toen ik haar over Martha vertelde. Ik zei tegen haar dat Alaska…'

'Joden rennen niet weg. Die wachten geduldig af; ken je je eigen geschiedenis niet?'

'Je zult haar nooit vinden.'

Braun liet hem voor in de zaal op de grond vallen en deed een stap achteruit. Hij had een pistool in zijn rechterhand en richtte terloops op de grond. Maar er was niets terloops aan de grijns van de man. Er lag een laagje zweet op zijn huid en zijn neusvleugels bewogen bij elke ademteug.

Hij trok het rode sjaaltje tevoorschijn dat hij in de kluis had gevonden en veegde zijn gezicht af terwijl hij de zaal rondkeek, zoekend in donkere hoeken en deuropeningen.

'Ze is verdwenen,' zei Stephen. Als hij de man lang genoeg bezig kon houden, zou Esther kunnen ontsnappen. Zonder wapen zou ze nooit een confrontatie met Braun aangaan, hoezeer ze ook van hem walgde.

'Ik weet wat er met de Stenen van David is gebeurd,' zei Stephen. 'Esther weet daar niks van af, maar ik wel.'

De man wierp hem een zijdelingse blik toe. Hij geloofde hem duidelijk niet.

Stephen schraapte zijn keel en probeerde het nog eens. 'Ze weet het niet omdat ze van mijn moeder waren en niet van die van haar. Denk je dat ik haar dat zou vertellen? Ik ben er al mijn hele leven naar op zoek en dan ga ik iemand die ik nauwelijks ken niet in vertrouwen nemen, dat begrijp jij ook wel.'

Braun richtte zich nu op Stephen en bestudeerde hem even. Langzaam gleed er een bepaalde beslistheid over zijn gezicht. 'Jij gaat me vertellen waar ze is,' zei hij.

'Luister je wel naar me?!' reageerde Stephen. 'Zij heeft hier niks mee te maken! Alleen ik heb wat jij zo graag hebben wilt.'

'Heeft de controleur van de gemeente wat ik wil?'

'Denk je dat ik zou liegen als er een wapen op mijn hoofd wordt gericht? Ik wist pas dat ze bestond toen jij me dat vertelde. Ik zit achter hetzelfde aan als jij.'

Brauns linkeroog kneep zich iets samen. 'Dat betwijfel ik.'

Stephen drong verder aan – misschien wel iets te veel.

'Wat ik wil zeggen, is dat we elkaar nodig hebben,' zei Stephen. 'Ik heb wat jij wilt en jij hebt wat ik wil.'

'Wat heb ik dan wat jij zo graag wilt?'

'Mijn leven, natuurlijk! Dat lijkt me nogal duidelijk. Mocht je het nog niet beseffen, je houdt een vuurwapen op me gericht. Laat me in leven en we delen de buit.'

'De Stenen van David – delen? Je bent nog stommer dan ik dacht, controleur. Denk je dat ik de Stenen zou delen met een Jood?'

'Als je me doodt, vind je de andere vier Stenen nooit meer terug.'

Er speelde een glimlach om de lippen van de grote man. 'Mijn leven draait niet om de Stenen.' Braun wierp nog eens een blik om zich heen. Hij liet één uiteinde van het sjaaltje los, zodat het naar beneden hing. 'Ik ben gek op spelletjes. Zullen we een spelletje doen?'

Hij deed een paar stappen in Stephens richting en stak de hand met de rode zijde uit, zodat die boven hem hing. 'Je bent onbruikbaar voor me geworden. De enige reden dat je nog in leven bent, is omdat er een kleine kans bestaat dat die meid al net zo dom is als haar moeder. Maar daar komen we snel genoeg achter.'

Braun liet het sjaaltje vallen. Het daalde zacht neer op Stephens schouder en hing langs zijn borst naar beneden. 'Mijn vader had jouw moeder, Martha, uitgekozen om te sterven. Het lijkt me daarom een goed idee dat ik jou uitkies. Behalve als je beschermengel hierheen komt om je plaats in te nemen, jaag ik je een kogel door je voorhoofd. Tien seconden.' Zijn stem klonk luid door de zaal.

'Laat me in leven en je mag ze alle vier hebben,' zei Stephen. 'Ik zal je precies laten zien waar ze verborgen zijn en dan kun je me doden, als je wilt.'

'Zeven!'

'Ze is verdwenen! Dood me en je verliest alles. Ik heb de juiste informatie.'

'Vijf.'

Stephen besefte dat hij met zijn gedram waarschijnlijk zijn doodvonnis had getekend, maar hij kon hier niet zomaar blijven zitten en sterven. *Lieve Esther, wat heb ik gedaan?*

'Drie!' Braun hief zijn pistool op.

'Goed, jij wint,' zei Stephen. Paniek overviel hem. Hij ging sterven. Nog even en er zat een mooi rond gaatje in zijn voorhoofd. Hij ging overeind zitten en werd woedend. 'Ik zei dat jij gewonnen hebt! Ik vertel je alles!'

'Stop!' De schrille kreet van Esther echode door de ruimte. Stephen draaide zich om naar de bron van het geluid. Ze stond in de deuropening van de toren, haar armen langs haar lichaam en haar voeten tegen elkaar.

44

Stephen voelde het bloed uit zijn gezicht wegtrekken. 'Ga weg,' zei hij nadrukkelijk. 'Verdwijn! Rennen!'

Esther wierp hem een nonchalante blik toe en staarde weer naar Braun. 'Achter me bevindt zich een uitgang,' zei ze. 'Als je hem doodt, ga ik ervandoor en je moet weten dat ik een uitweg uit dit dorp weet die niemand kent. En je zult nooit weten wat ik weet, dat moet je goed beseffen.'

'Ik heb niks van je nodig,' zei Roth. 'En ik denk dat het minder gemakkelijk zal zijn om je te verbergen dan jij zegt.'

'Laat hem gaan, dan werk ik mee.' Haar stem beefde een beetje.

'Esther, alsjeblieft,' smeekte Stephen.

Esther negeerde hem. 'Laat hem gaan.'

Braun kon nauwelijks zijn opwinding verborgen houden. 'Zo moeder, zo dochter. Pak het sjaaltje en ik zal...'

'Ik weet hoe dat walgelijke spelletje van je werkt. Maar hoe weet ik dat je je aan je woord houdt?'

'Heeft mijn vader Martha gedood toen Ruth het sjaaltje overnam?'

Esther keek weer naar Stephen.

'Alsjeblieft, Esther, doe dit niet,' zei hij. 'Hij vermoordt me hoe dan ook.'

'Misschien, maar misschien ook niet. Hoe dan ook, ik ben hier klaar.' Ze verschoof haar blik weer naar Braun. 'Hoor je dat, varken? Ik weet dat mijn leven je iets waard is. Als je hem vermoordt, ga ik ervandoor en dan zul je me moeten neerschieten. Ik weet niet wat je van plan was, maar als ik geen enkele waarde voor je had, zou je me lang geleden al hebben vermoord.'

Braun richtte zijn wapen op het plafond. 'Je hebt mijn woord. Hij kan gaan en staan waar hij wil.'

'Ik heb geen enkel vertrouwen in jouw woord,' zei Esther. 'Gooi dat sjaaltje naar me toe.'

'Kom het hier halen.'

'Denk je nou echt dat ik gek ben? Je hebt me levend nodig, dus gooi dat sjaaltje hierheen.'

Braun bestudeerde haar, duidelijk een beetje van slag door haar brutaliteit. Maar ze had gelijk. Hij wilde haar levend in handen krijgen.

Maar waarom?

Braun griste het sjaaltje van Stephens schouder en gooide het naar Esther. Ze ving het op, keek er even naar en sloeg het toen nonchalant om haar hals.

'Ga staan, Stephen,' zei ze rustig.

Hij krabbelde overeind.

'Je zult een andere uitgang achter die deuren daar vinden,' vertelde ze hem. 'Loop gewoon naar buiten.'

'Nee.'

'Dan breng je mijn leven in gevaar,' zei ze.

'Hij zal je doden!' riep Stephen uit. 'Daar kan ik niet mee leven.'

'Hij doodt me toch wel,' zei Esther.

'Als je er nu vandoor gaat, kun je nog steeds wegkomen. Hij zal me waarschijnlijk niet doden. Ik ben een Amerikaans staatsburger en de officier van justitie van Los Angeles weet dat ik hier bij Braun ben.'

Dat was nu pas bij hem opgekomen, maar het zou een probleem kunnen vormen voor Braun. Aangenomen dat het de man iets kon schelen.

Braun grinnikte. Duidelijk niet, dus.

'Waarom ga je nou tegen me in?' vroeg Esther, wier ogen duidelijk betraand waren.

'Ik ga niet tegen je in – ik probeer je te helpen!'

'Waarom zou je je leven voor me wagen?'

'Omdat… omdat jij Esther bent,' zei hij.

'Dat is zo. Ik ben Esther en niemand heeft ooit van me gehouden.'

Stephen deed een stap in haar richting voor hij zich herinnerde dat Braun ook nog was. 'Dat is niet waar. *Ik* hou van je. Ik hou ongelofelijk veel van je.'

'Maar je *kent* me niet eens.' Er begonnen tranen over haar wangen te rollen.

'Ik ben voor jou *gemaakt*,' zei Stephen.

'Genoeg,' zei Braun.

Stephen negeerde de man. Esther wilde haar leven voor hem opofferen, niet omdat ze zoveel van hem hield, maar omdat ze haar eigen leven geen cent waard vond. De paar minuten dat hij haar vriendelijk had behandeld, waren haar meer waard dan haar eigen leven.

Lieve Esther. Mijn lieve Esther! Je bent bereid je leven te vergooien voor een beetje echte liefde.

'Zie je het dan niet, Esther? Onze harten kloppen al dertig jaar samen. De waarheid is dat ik denk dat Martha de andere vier Stenen van David helemaal niet heeft verborgen. *Wij* zijn de Stenen van David. Ik… ik denk niet dat ik zonder jou kan leven. Dus ga er alsjeblieft vandoor.'

'Ik kan niet zomaar…'

Boem! Stephen schrok zich wild. Braun had in de lucht geschoten.

Hij richtte het wapen op Esther. 'Kom alsjeblieft nu hierheen.'

'Niet voor Stephen is vertrokken,' zei ze.

'Denk je dat je me te slim af kunt zijn in mijn eigen spel?'

'Schiet me maar neer,' daagde ze hem uit.

Het beven van zijn vingers sprak boekdelen. Hun zet zette hem klem. Hij kon Esther niet doden. Nog niet.

Braun keek naar de deur. 'Lars!'

Lars?

Stephen realiseerde zich dat Braun Esther gemakkelijk kon tegenhouden. Gewoon een schot in haar been en ze zou geen kant meer op kunnen. Maar hij had dat niet door of hij speelde gewoon zijn zoveelste spelletje.

Als Stephen nu niks deed, zouden ze over een paar seconden dood zijn.

'Wacht.' Hij kon de gedachte haar hier bij Braun achter te laten nauwelijks verdragen, maar hij had geen keus. 'Ze heeft gelijk.'

Stephen deed een stap achteruit. 'Goed, ik ga weg. Ik ga weg.'

Het leek net een schaakwedstrijd: voor elke zet een tegenzet, voor elke overwinning een nederlaag, voor elke hoop een dosis wanhoop. Het ging de stoutste verwachtingen van Roth te boven.

Hij was er vrij zeker van dat hij uren naar hun wanhopige gesprekken zou kunnen luisteren zonder zich te vervelen. Wat wisten ze toch weinig. Het begon juist de goede kant op te gaan. Echt de goede kant op.

Hij kon met hen spelen alsof het kleipoppetjes waren. En vergeleken met hem waren ze dat ook. Vergeleken met hem waren de meeste mensen niet meer dan stof dat was omgevormd tot een wandelend voorwerp.

Stephen liep achteruit in de richting van de deur. 'Ik vertrek. En omdat ik een Amerikaans staatsburger ben en mensen weten dat ik hier ben, zou het een grove vergissing zijn om me neer te schieten. Ik ben weg.'

Braun richtte zijn wapen op Stephen en gebaarde naar Esther. 'Ik wil dat je hierheen komt en naast me gaat staan voor hij vertrekt.'

Ze liep langzaam naar hem toe. 'Ik kom eraan. Laat hem nu gaan.'

Stephen deed nog een stap achteruit, zijn handen omhoog. 'Rustig aan. Ik ga al. Ik ben al weg.' Zijn rug raakte de deur en hij zocht op gevoel naar de knop.

Braun richtte zijn pistool weer op Esther. Stephen trok de deur open, stapte snel naar buiten en knalde hem dicht.

45

Stephen hoorde een klap die klonk als een van die kleine rotjes, onmiddellijk gevolgd door een gedempte uitroep van Esther. Zijn wereld stond opeens op zijn kop. Hij moest terug naar binnen. Hij greep de deurknop, maar bedacht zich. Braun stond in het Duits tegen haar te schreeuwen.

Zijn tijd begon op te raken. Stephen draaide zich om, in de richting van de buitendeur, en gooide die open. Een steegje; leeg. Hij moest terug naar de kerktoren.

Hou vol, Esther!

Stephen knarste met zijn tanden en rende door de steeg naar de deur van de toren. Hij trok eraan.

Op slot! Oh, nee, op slot!

Hij sprintte de hoek om, maar dat betekende wel dat hij zich verder van haar verwijderde, in plaats van haar te redden. Wat als hij geen andere ingang kon vinden? Binnen mishandelde Braun Esther en haar enige hoop op redding rende de verkeerde kant op.

De paniek die hem op dat moment overspoelde, was van het soort dat je vreselijk in de weg zit in je dromen en dodelijk is als je wakker bent. Zijn benen voelden verdoofd aan en hij rende nog niet half zo snel als het bonken van zijn hart deed vermoeden.

Hij rende recht op de straat af, zich nauwelijks bewust van de drie vrouwen die hem vanaf de andere kant van het laantje nastaarden. Toen hij de hoek van het gebouw greep om snel de draai te kunnen maken, rukte de ruwe steen aan zijn vingers.

Voor hem lagen de treden naar de hoofdingang, grijs en verlaten. Geen andere deuren. De traptreden, de entree en dan de kerkzaal. En in de kerkzaal zou Esther zijn.

Vanuit zijn ooghoek zag hij Lars naar de achterkant van de auto hinken en iets uit de achterbak halen.

Stephen nam de trap op volle snelheid. Uit de kerk dreef hem een gedempte kreet van pijn tegemoet. Zijn tijd raakte op.

Hij knalde door de zware deuren heen, waarna hij in drie grote stappen de entree door was en op volle snelheid het gangpad inrende.

Braun zat op de vloer gehurkt, recht voor hem, en hij boog zich over Esther heen.

Er echode een angstaanjagende schreeuw tegen de boogvormige muren en Stephen realiseerde zich dat die van hem was. Hij haastte zich naar voren, voortgedreven door een blinde razernij. Braun staarde hem aan, versteend door de plotselinge indringer.

Stephen rende nog steeds door. En Stephen schreeuwde nog steeds.

Hij was halverwege de rij kerkbanken voor een gedachte bij hem opkwam die hem een andere kant op dwong, een beeld van het geweer dat hij onder aan de trap van de kerktoren had laten vallen.

Hij week af naar rechts, sprong over een kerkbank, landde met een voet op de zitting van de tweede en rende zo verder naar de kerktoren toe.

Er ging een vuurwapen af, maar hij bukte of stopte niet. Dat ging hoe dan ook niet.

Nog een schot. Hoog boven hem versplinterde er een gebrandschilderd raam en de scherven regenden naar beneden.

De laatste kerkbank kreeg hem uiteindelijk te pakken. Zijn linkervoet gleed weg en hij dook naar voren. Zijn scheenbeen kwam onzacht in aanraking met de houten zitting en hij kantelde voorover, waarna hij grommend op zijn zijde belandde.

Boven zijn hoofd versplinterde er hout – de schoten van Braun rukten aan de kerkbanken, die Stephen tijdelijk afschermden tegen de kogels. Hij kon geen adem krijgen. De deur naar de kerktoren stond open, twee meter bij hem vandaan.

Hij kroop er op handen en voeten naartoe.

Klik! Klik!

De haan van het wapen ketste. Zat Braun zonder kogels?

Stephen kon nog steeds geen adem krijgen. Hij drukte zich omhoog en sprong door de deuropening. Het oude geweer lag nog op de plek waar hij het had laten vallen.

Hij griste het van de grond.

Snel haalde hij de grendel naar achteren, nog steeds snakkend naar adem.

Met een ruk draaide hij zich om.

Hij voelde zich licht in zijn hoofd, maar haastte zich toch weer terug naar de deuropening.

Zijn gezonde verstand begon weer terug te keren en eindelijk was dat in harmonie met zijn passie. Braun doden. Hij moest Braun doden.

Nog steeds geen adem.

Stephen struikelde naar de deuropening, het geweer naar voren, de trekker al half overgehaald, de korrel op Braun gericht.

Maar hij had niet Braun op de korrel. Hij zag Esther.

Stephen knipperde met zijn ogen. Braun had Esther overeind getrokken en stond achter haar. Een groot glimmend lemmet drukte tegen haar keel.

'Laat vallen,' zei de Duitser. 'Laat vallen, anders snij ik haar open en drink ik hier haar bloed voor het tijd is.'

Stephens longen zagen eindelijk kans een hap lucht binnen te krijgen.

'Laat dat wapen zakken.'

Stephen hield het geweer zo stil als hij kon. Het schokte nu niet meer, maar zwaaide alleen maar heen en weer. Hij zou met geen mogelijkheid Brauns hoofd kunnen raken, zoals ze dat in films deden. Haar ogen staarden hem aan, glazig van onverschilligheid. Ze had zich al neergelegd bij de dood.

'Laat haar gaan,' zei Stephen, die nog steeds naar adem hapte.

'Laat dat geweer vallen, dan laat ik haar gaan.'

Stephen probeerde een manier te bedenken om uit deze impasse te komen, maar de ideeënbus bleef leeg.

'Ik kan dit geweer niet neerleggen en dat weet je best,' zei Stephen. 'Maar ik beloof je dat als je dat mes gebruikt, ik je zonder aarzelen neerschiet.'

'Dan dood je haar,' zei Braun.

'Jij vermoordt haar hoe dan ook.'

Een van de voordeuren knalde open. Stephen hoorde een gedempte vrouwenstem gillen.

Hij bevroor.

Er verscheen een zieke grijns op Brauns gezicht.

Lars strompelde de zaal binnen en hij duwde een vrouw voor zich uit. Haar handen waren gebonden. Hij hield een vuurwapen tegen haar rug gedrukt.

Het duurde een paar seconden voor Stephen zich realiseerde naar wie hij stond te kijken. Niet omdat ze er anders uitzag dan hij zou hebben gedacht, niet omdat het tape over haar mond een gedeelte van haar gezicht verborg, maar omdat hij eenvoudigweg niet begreep wat hij zag.

Esther. Maar dan ouder.

Ruth.

Maar dit kon Ruth niet zijn.

Ruth was dood.

'Hallo, Ruth,' zei Braun.

46

Martha liep de tuin in achter het rode huis van de commandant en liet haar ogen aan de duisternis wennen. Gewoonlijk zouden de lampen van de hoge uitkijktorens het hele kamp verlichten, maar dat was veranderd sinds de Russen begonnen waren met bombarderen. Zelfs de hoofdpoort was niet verlicht. Het was vanavond zo donker dat Martha voorzichtig moest lopen. Als het hek niet onder stroom had gestaan, zou ze er misschien samen met de kinderen onder dekking van het duister vandoor hebben kunnen gaan.

Ze was al bij het gereedschapsschuurtje aan de rand van de binnenplaats toen ze schrok van een geluid en onmiddellijk bevroor.

Een kuchje.

Uit de schuur? Hield Braun mensen gevangen in de schuur? Ze keek nergens meer van op, maar waarom zou hij zoiets doen? De meeste barakken beneden waren onbezet.

Daar was het weer. Het kuchje.

Het maakte niet uit; ze moest haar opdracht uitvoeren. En ze moest zich haasten, anders zou het leven van de kinderen in gevaar komen. Het lot van een gevangene in een betonnen cel was niet langer haar probleem. Misschien op de weg terug...

'God, vergeef me. God, vergeef me.' Een zachte, mompelende stem die Martha weer deed stilstaan. Kende ze die stem niet?

Ze hoorde het nogmaals. Het kwam bij een klein tralieraam links van haar vandaan. 'God, vergeef me.'

Martha hield haar adem in en liep naar de tralies toe. 'Hallo?'

Niets.

'Is daar iemand?' fluisterde ze.

'Martha?'

'Ruth?' Een brok in haar keel dreigde haar te verstikken. 'Ben jij dat, Ruth?'

Handen grepen de tralies beet. Er verscheen een gezicht. Ruths gezicht.

'Ruth! Ben jij dat? Hoe…? Ik dacht dat hij…'

'Martha! Gelukkig, Martha. Je leeft dus nog!' Ruth bestudeerde verwilderd haar gezicht. 'De kinderen! Zijn de kinderen…'

'Ja! Ja, Ruth. Niet te geloven dat jij het bent! Ik was er zo zeker van dat… Ik zag je lichaam!'

'Dat was ik niet. Ik weet niet wie wel.'

'Maar jij leeft nog!' Martha kuste haar vingers en toen haar voorhoofd. 'Oh, ik heb zoveel te vertellen. Zoveel! Esther is een heerlijk kind. Maar ik mag David niet van hem zien.'

'Zijn ze hier? Kan ik ze zien?'

Martha wierp een blik achterom naar het huis. 'Ze zijn nog hier, maar de commandant… Ik kan haar niet meenemen naar buiten. Dan wordt ze wakker. Morgen worden we vrijgelaten, Ruth!'

'Weet je dat zeker?'

'Ja! Ja, dat weet ik zeker.' Ze moest weg. Als Gerhard hen vond…

'Luister naar me, Ruth. Ik moet je nog zoveel vertellen. Morgen. Als we elkaar kwijtraken, moet je weten dat ik Esther heb gebrandmerkt en ik ga dat nu ook bij David doen. Allebei met een halve cirkel met een Davidsster erin. De Stenen van David. Ken je die?'

'Ja.'

Ze deed een stap achteruit en hield de kistjes omhoog. 'Ik heb ze. En ik ga ze verbergen. Als we elkaar om de een of andere reden kwijtraken, of de kinderen, moet je dit onthouden.'

Martha vertelde haar waar ze de kostbaarheden wilde verbergen.

'Wat schiet je daar nou mee op? Dat is besmet goud!'

'Wat maakt dat uit? Het is voor de kinderen, Ruth.'

'Ze zullen elkaar hebben.'

'Hij…' Zou ze het aan Ruth vertellen? Ze moest wel. 'Hij neemt de kinderen mee, Ruth.'

'Nee!'

'Jawel. Het spijt me. Maar maak je geen zorgen. God zal hen beschermen. Dat heb je zelf gezegd. Zolang hij denkt dat ik zijn schat heb gestolen, zal hij hun geen kwaad doen. Snap je? Hij zal hen in leven houden tot hij de Stenen terugvindt. Dat is de enige oplossing die ik kan bedenken. We moeten iets achter de hand houden. Ik moet gaan.' Ze kuste Ruth op haar voorhoofd en neus.

'Dank je, Ruth. Je hebt mijn leven gered. Ik hou meer van je dan ik van mijn eigen zus zou houden. Morgen praten we, goed?'

'Bid dat God de kinderen zal roepen met Zijn hoop. Als wanhopige kinderen die de parel van grote waarde zoeken.'

'Dat doe ik, Ruth. Ik zal er elke dag voor bidden.'

'God zij met je.'

'God zij met je.'

Ze haatte het om te vertrekken, maar het leek of er iets meer veerkracht in haar stappen zat. Ruth leefde nog! Niet te geloven. Er was een heel gewicht van haar schouders gevallen.

Het kostte haar een halfuur om de barak te bereiken waarvan ze dacht dat David zich daar zou bevinden. De deur zat niet op slot. Ze glipte naar binnen en deed de deur zachtjes achter zich dicht. 'Rachel?'

Stilte.

Iets luider nu. 'Rachel?'

'Ja?'

Martha rende langs lege britsen heen naar de bron van het geluid. 'Rachel. Ik ben het, Martha.'

'Martha?'

De vrouw lag op de laagste brits, een van de weinige mensen die hier nog waren, zover Martha kon zien. Ze zette haar spullen op het bed en sloeg haar armen om de vrouw, waarbij ze meteen voelde dat de vrouw vel over been was!

'God zij dank dat je nog leeft.'

'Martha?'

'Ja, Martha, lieverd. Heb je mijn baby nog – David? Waar is David?'

Rachel schoof iets op en achter haar werd een kleine, in dekens gerolde bundel zichtbaar.

'Dit is David,' zei ze heel erg zacht, bijna alsof het een vraag was. De vrouw begon haar verstand te verliezen.

Martha staarde naar het bundeltje, bang om verder te vragen. Ze leunde voorover en sloeg de deken terug. Daar lag een jongetje. Zijn witte borst ging langzaam op en neer. Op zijn hoofd groeide donker haar. Haar David.

Ze hief haar vingers op naar haar mond om te voorkomen dat ze zou gaan huilen. Maar dit beeld was meer dan ze op dat moment aankon. Ze zonk neer op haar knieën, vouwde haar handen uit dankbaarheid tot God en begon zacht te snikken.

Haar zoon was mooier dan ze zich had voorgesteld in de duizenden uren dat ze geprobeerd had zich hem voor te stellen. Armpjes, beentjes, neusje en vrolijke lippen en ogen met lange wimpers. En hij ademde.

Martha wist dat ze snel moest zijn, maar ze had niet op zulke diepgaande emoties gerekend. De gedachte dat ze haar kind vannacht weer zou verliezen, slokte haar helemaal op.

Ze kon hem niet wakker maken.

Zou ze hem durven vasthouden? Als hij wakker werd, zou ze nooit de kracht kunnen opbrengen om hem te brandmerken. En als ze hem niet brandmerkte, zag ze hem misschien nooit meer terug. Ze zou hem hoe dan ook misschien nooit meer terugzien. Zou ze hem nu niet gewoon even vasthouden – haar baby in haar armen, zijn zachte wang tegen die van haar, zijn adem in haar oor?

Ze stak een bevende hand uit naar zijn lichaampje en raakte zachtjes zijn hoofd aan, streek over zijn haar. Hij haalde diep adem en draaide zijn gezicht naar haar toe, nog steeds diep in slaap.

'Dit is David,' zei Rachel zacht.

Martha knikte, maar kreeg geen woord over haar lippen. Ze kon hem op geen enkele manier uit handen van de commandant houden. De enige manier om haar baby terug te vinden, was door hem te brandmerken.

Martha sloot haar ogen en balde haar handen tot vuisten. *Wees sterk, Martha. Je moet sterk zijn.*

Terwijl Rachel en twee andere uitgemergelde vrouwen toekeken, verhitte Martha het merkijzer tot het gloeide. Ze had het achterstevoren aan de pollepel vastgemaakt, zodat het een spiegelbeeld van die van Esther zou zijn.

Door alle tranen heen zag ze nauwelijks wat ze deed en wat het nog erger maakte, was dat Rachel naar haar begon te meppen zodra het metaal contact maakte met zijn huid. Net als bij Esther, duurde het enkele momenten voor David goed wakker was, maar toen het eenmaal zover was, begon hij meteen te schreeuwen.

Voor het eerst in negen maanden drukte Martha haar baby in het kuiltje in haar hals en hield ze hem stevig vast. Zijn gehuil stak haar in haar hart als tientallen messen en ze deed haar best om hem te troosten. Hij wist niet wie ze was en herkende de geur van haar huid en de klank van haar stem niet. Langzaam aan kalmeerde hij weer.

'Dat is mijn merkteken, Rachel,' zei ze toen ze de zalf op Davids brandwond deed. 'Begrijp je dat? Mijn merkteken. Zodat ik later in staat zal zijn ze terug te vinden.'

Rachel staarde haar met holle ogen aan, maar Martha dacht dat ze het misschien wel zou begrijpen, zich zou herinneren wat ze ooit met haar eigen zoontje had gedaan. Een van de vrouwen keek uit een donker raam links van hen. Martha volgde haar blik en versteende. Een lamp! Er kwam een bewaker aan!

Zo laat nog? Hoe kon dat nou?!

Ze draaide zich met een ruk om naar Rachel. 'Waar is zijn truitje?'

Rachel knipperde met haar ogen.

'Zijn truitje – we moeten dit verbergen! Vlug!'

De vrouw pakte het kleine kledingstuk van het hoofdeind van het bed en Martha griste het uit haar handen. Als de bewakers haar hier zouden snappen, zou alles verloren zijn.

Het licht bleef alsmaar dichterbij komen, bungelend aan het uiteinde van de arm van de bewaker. Had Braun ontdekt dat ze weg was? Ze begon in paniek te raken. Geen tijd meer. Geen tijd meer!

Ze gaf haar kind aan Rachel. 'Ga liggen! Doe net of je slaapt. Zorg dat ze het niet zien!'

Ze greep de munitiekistjes, rende naar achteren en klom door een raam op het moment dat de voordeur openging. Als ze het licht hadden aangedaan, zouden ze haar hebben gezien, met één been nog over het raamkozijn gehaakt. Maar door de luchtaanvallen konden ze de gok niet wagen.

En toen ging Martha ervandoor, zo snel als ze in dit duister durfde. Haar hart bonkte in haar keel en ze wist zeker dat alles verloren was.

47

Duitsland
27 juli 1973
Vrijdag

'Mam?' Esthers ogen werden groot.

'Esther?'

Esther wilde naar haar toe lopen, maar Braun greep haar bij haar kraagje en rukte haar naar achteren.

'Laat dat geweer vallen,' zei Lars, die zijn pistool nog steviger in Ruths rug drukte.

Ruths gezicht vertrok. Ze keek naar Stephen. En toen naar Esther. Haar ogen stroomden vol. Ruth begon te huilen.

'Ik dacht…' Stephen wist niet wat hij moest zeggen.

'Ja, jij dacht dat ze dood was,' zei Braun. 'Dat is ze ook. Ze is al dertig jaar dood.'

'Mama?' Esther staarde naar haar moeder. Er was iets tussen hen, dacht Stephen. Iets wat zij wel wisten, maar hij niet.

Het geweer zwaaide heen en weer in zijn handen. 'Ze… ze is al die jaren gewoon in leven gebleven?'

'Natuurlijk,' zei Braun. 'De dwaasheid van mijn vader om jullie in leven te laten, heeft heel wat problemen opgeleverd, maar het zou te lang duren om uit te leggen hoe de machten van de lucht werken.'

Hij liet een dikke tong over zijn bovenlip glijden. 'Toen we het dagboek vonden en erachter kwamen dat de Stenen weg waren, was Gerhard… laten we zeggen, enigszins verontrust. Martha was hem te slim af geweest en Gerhard was gedwongen geweest Ruth in leven te laten. Voor het geval we Martha zouden terugvinden, zou ze de bergplaats van de Stenen ophoesten als we het leven van Ruth ervan af zouden laten hangen. En dus hebben we Ruth in leven gehouden, in het huis van mijn vader.'

Hij zweeg even, alsof hij alles even wilde laten bezinken.

'En trouwens, hoe hadden we er beter voor kunnen zorgen dat Ruth ons in alle nederigheid zou dienen dan door haar te laten weten dat haar dochter ook nog in leven was en dat ze dat alleen zou blijven als Ruth zich gedroeg? En we hebben Esther hetzelfde over haar moeder verteld. Ze hebben elkaar nooit ontmoet, zoals je kunt zien, maar ze bleven in leven door het leven van de ander.'

Brauns glimlach vervaagde. 'Zie je nou wat er gebeurt als je de regels niet opvolgt? Mijn vader had Martha moeten doden toen hij haar uitkoos met het sjaaltje. In plaats daarvan stal ze zijn kracht en bezorgde ze hem dertig jaar ellende. En ik ben van plan die kracht vandaag te herstellen.' Hij huiverde.

'Het spijt me, mam,' zei Esther. 'Het spijt me zo vreselijk.'

'Dat hoeft niet. God heeft onze gebeden verhoord.'

Er hing even een ongemakkelijke stilte in de kerkzaal.

'Laat alsjeblieft dat geweer zakken,' zei Braun.

Stephens hoofd gonsde. Langzaam zakte de loop naar de grond, alsof het wapen een eigen wil had.

'Geweer op de vloer,' zei Braun.

'Vergeef me, mama,' zei Esther.

'Geweer op de vloer!'

Stephen legde het geweer neer en deed een stap achteruit.

'Je hoeft je niet te verontschuldigen,' zei Ruth. 'Nooit. Dit moment is elke minuut van de afgelopen dertig jaar waard geweest.'

Braun sloeg zijn handen achter zijn rug en zei zacht: 'Ga maar. Ga naar je moeder.' Er liep een huivering over Stephens rug. In Brauns ogen stond pure slechtheid te lezen.

Esther liep het gangpad uit, begon de laatste paar stappen te rennen en omhelsde Ruth. Ze kuste haar grijzende haar en haar wangen, en draaide zich toen om naar Braun.

'Maak haar los! Wat voor beest houdt nou een zwakke vrouw vastgebonden?'

Een van de wenkbrauwen van Braun ging omhoog. 'De meester van die vrouw. Terug!'

Esther aarzelde en liep toen terug.

'David. Je bent zo'n aantrekkelijke jongen.' Ruth keek van de een naar de ander.

Het viel Stephen op dat Braun zijn pistool aan het herladen was. Hij wisselde een snelle blik met Esther.

'En Martha?' vroeg Ruth. 'Hoe is het met mijn Martha?'

'Ze… ze is overleden,' zei Stephen. 'Ze is twee weken geleden in de Verenigde Staten overleden. Ze is een rustige dood gestorven en heeft mij naar jullie toe geleid.'

'Is dat zo?' Braun klikte de patroonhouder weer in zijn pistool. 'We kunnen Martha wel wat krediet geven, maar niet te veel, goed?'

Wat bedoelde hij daar nou weer mee?

'Dit moment is echt… inspirerend,' zei Braun, 'maar ik ben bang dat we onze aandacht maar weer eens op de Stenen moeten richten.' Hij keek naar Ruth. 'Ik neem aan dat ik je niet verder hoef te overtuigen.'

Ruth leek de man niet eens gehoord te hebben. Ze werd helemaal in beslag genomen door Esther en Stephen.

Braun drukte de loop van zijn pistool tegen Esthers heup. 'Of wel?'

Ruth verplaatste haar aandacht naar Braun en haar kaakspieren spanden zich. Ze keek hem recht aan.

'Je hebt ons al die jaren voor de gek gehouden. Bravo. Je hebt ons ervan weten te overtuigen dat je niet wist wat Martha met de Stenen had gedaan. Martha wist zelfs niet eens dat je je spelletje galgje had overleefd.' Hij trok de haan van zijn pistool naar achteren. 'Maar nu ken ik de waarheid. Jij weet waar Martha de Stenen heeft verborgen. Of niet, beste Ruth? Martha's brief heeft vanuit het graf duidelijk tot ons gesproken.'

Niemand verroerde een vin. Stephens gedachten gingen terug naar de brief. Hij zag de laatste regel voor zich: *Wat de Stenen betreft, het geheim van hun verblijfplaats zal met Ruth en mij het graf ingaan.*

'Zoals je ziet, is je dochter zo gezond als een vis. Je hebt vijf seconden om te beginnen met praten.'

Eén blik op Ruth en Stephen wist dat ze over de informatie beschikte die Braun wilde hebben.

'Als je haar doodt, vertel ik je niets,' zei Ruth.

'Ik ga veel ergere dingen doen dan haar doden.'

Braun hief het pistool op naar Esthers hoofd. Het wapen schokte in zijn hand. Er welde bloed op uit het schampschot op haar wang.

Roth veegde het bloed weg en likte zijn vinger af. 'Dat was een waarschuwing. Ik denk dat ze zeker tien zorgvuldig gemikte schoten kan hebben zonder eraan dood te gaan.'

Ruth staarde de man een paar seconden strak aan. Er zou een tijd geweest kunnen zijn dat ze dat bluf zou hebben genoemd, maar vandaag zag ze eruit als een vrouw die een keer te vaak neer was geknuppeld.

'Ze zijn in Toruń begraven,' zei Ruth zonder met haar ogen te knipperen.

Het geluid van die woorden deed Roth huiveren. De Stenen lagen in Toruń begraven. Dat had hij met zijn scherpe intellect al jaren vermoed. Gerhard had zelfs al een keer vruchteloos het hele kamp onderzocht met elektronische apparatuur.

En toch had Roth het geweten. Hij had het al die jaren geweten. Zijn hele plan berustte praktisch op Toruń. En dat was de reden dat het zo'n opluchting was om die naam te horen noemen.

Toruń.

Toruń, de geestelijke geboorteplaats van Roth. Waar zijn vader hem had laten zien hoe je zielen moet oogsten.

Toruń, waar zijn vader al zijn kracht was kwijtgeraakt door één stompzinnige beslissing.

Toruń, waar Roth uiteindelijk een God zou worden.

Hij kon nauwelijks nog praten door het plezier dat hij had. 'Waar?'

Ruth aarzelde. 'Onder de poort. Maar ik laat het je alleen maar zien als je haar laat gaan, zoals afgesproken.'

Het werd hem bijna te veel! Onder de poort! Het was als een mededeling van Lucifer zelf. *Leid ze als lammeren naar de slachtbank en ik zal mijzelf aan je uitleveren.*

Roth wilde zijn blijdschap wel uitschreeuwen, maar hij deed het niet, in een uiterste poging zijn zelfbeheersing te tonen. Hij zou het in Hamburg moeten gaan vieren, maar pas wanneer hij had afgemaakt wat zijn laffe vader niet had kunnen volbrengen.

Stephen had het idee dat er een vuur in Roths ogen was begonnen te gloeien. Zijn ogen dansten; een obscene grijns trok aan zijn mondhoeken. Er stond een laagje zweet op zijn gezicht.

Hij liep naar Stephen toe. 'Ik wil dat je heel goed naar me luistert, Jood, als je in leven wilt blijven. Ik vermoed inderdaad dat er bij de politie van Los Angeles alarmbellen gaan rinkelen als je verdwijnt, dus ga ze maar geruststellen. Maar als je ooit weer naar ons op zoek gaat, dood ik ze allebei. Eén woord tegen de verkeerde mensen en Esther betaalt ervoor met haar leven. Draag dat maar met je mee tot in je graf.'

De arm van de man schoot uit. Zijn pistool raakte Stephens schedel, als een steen uit een katapult. Hij voelde dat hij viel.

Hij raakte een kerkbank. Hoorde een snik.

Van Esther.

En toen niets meer.

48

Esther zweefde heen en weer tussen droom en werkelijkheid, zich er vaag van bewust dat er iets niet in orde was. Er was iets gebeurd – iets heftigs en explosiefs – gevolgd door de geur van een sterk medicijn. Maar dat zou wel een droom zijn geweest.

Ze bevonden zich in een donkere auto. Zij en haar moeder zaten achterin en voorin klonken mannenstemmen. Ze dacht zich te herinneren dat ze een tijdje geleden door een stad waren gereden en een oude man met buisjes in zijn neus hadden opgehaald. Maar ook hij moest een droom zijn.

In werkelijkheid reed ze met Stephen mee. Stephen en haar moeder, Ruth. Ze waren op weg naar Polen om af te rekenen met Braun, of ze waren voor hem op de vlucht. Ze wist niet zeker welke van de twee mogelijkheden. In elk geval waren ze op weg. Samen. In zijn auto. Zij en Stephen voorin en haar moeder achterin. Stephen die vanachter het stuur door haar was geobsedeerd, zij die op de passagiersstoel over hem nadacht en haar moeder die achterin goedkeurend zat toe te kijken.

Ze gingen de grens met Polen over, achter de Stenen van David aan. Stephen glimlachte en zij glimlachte terug, dromerig en vaag.

Toen de grenswacht gebaarde dat ze door konden rijden, gaf Stephen gas en reed snel genoeg weg om de banden even te laten doorslippen.

'Rustig aan,' protesteerde Esther. 'Je rijdt alsof we zojuist een bank hebben beroofd.'

Stephen vertraagde iets en wierp een blik in de achteruitkijkspiegel. 'Het spijt me. Het gaat goed,' grijnsde hij.

Esther glimlachte. Haar moeder was er, veilig en wel, en, zover ze zich kon herinneren, voor de eerste keer samen met haar. Ze kon niet ophouden met naar haar te kijken, de vrouw die haar had gebaard en haar toen ook nog eens het leven had gered.

En dan had je Stephen nog. Ze vond alles aan Stephen een beetje maf. Niet maf in de zin van raar, maar meer in de zin van leuk. Deze man, die haar in die steeg zo aan het schrikken had gemaakt, die haar eerste schot op Braun had verknald en toen al schreeuwend de kerk weer in was komen rennen om haar te redden, gaf haar een maf gevoel. Een leuk soort mafheid.

Esther draaide zich om en voelde iets dat naar leer rook tegen haar wang drukken. Zat ze nou voorin met Stephen, of achterin bij haar moeder?

Voorin met Stephen, natuurlijk.

Ze had nog nooit zoiets voor een man gevoeld. Hij beweerde een obsessie voor haar te hebben, een redder uit het verleden die haar kwam redden van een eeuwige gevangenis. David, die was geboren omdat haar moeder zich had opgeofferd en die daarom nu zijn leven voor haar wilde geven. Als terugbetaling. Nee, niet als terugbetaling – uit liefde.

Ze begon zich steeds meer te realiseren dat Stephen echt van haar hield, tot ze zich begon af te vragen of ze niet besmet was met die obsessie van hem. Voor hem. Belachelijk! Was zijn ziekte besmettelijk?

Hoe kon een vrouw met gezond verstand zich nou in zo'n korte tijd zo enorm aangetrokken voelen door een man? Dit kon nooit liefde zijn. Het moest een irrationele reactie zijn op de eerste keer sinds jaren dat een man vriendelijk tegen haar deed. Haar gevoelens waren in de kiem gesmoord door de dikke hand van Braun. Ze was een tijger die met de zweep was afgericht, een vlinder die gevangenzat in een web. En nu was ze plotseling vrij door deze twee mensen. Haar moeder en haar...

Haar wat? Dat was de vraag, nietwaar? Dit was het soort man naar wie ze al die jaren had verlangd. Hier was haar ridder in zijn glimmende wapenrusting. Dit was degene die vond dat ze mooi was. Hoe zou ze zo'n liefde kunnen weerstaan? Dat kon ze niet. En Ruth, haar moeder, wilde blijkbaar ook niet dat ze dat deed. Zo hoorde het te zijn en dat wisten ze alle drie. Een sprookje dat werkelijkheid werd. Ze had het gevoel dat ze moest lachen.

Ze zat met haar handen in haar schoot gevouwen en glimlachte. De auto hobbelde op en neer en ze zou best willen kijken of hij misschien naar haar keek. Maar goed, ze kon zich toch niet zomaar omdraaien en hem gaan zitten aanstaren, of wel? Wanneer ze praatten, zou ze de mogelijkheid hebben om hem recht aan te kijken.

'Ik kan maar niet geloven dat ik je echt heb gevonden,' zou hij zeggen.

En dan zou zij hem aankijken. Hij zou net doen alsof hij naar het vee langs de weg keek, maar dan zou ze weten dat zijn gedachten helemaal bij haar waren. Waarom zou hij anders zo slikken of over zijn droge lippen likken en erop kauwen? Zijn haar krulde om zijn oor, donkere plukken die werden bewogen door een verborgen luchtstroom. Hij was zo'n aardige man, mooi en fascinerend. Ze zag hem in gedachten nog steeds schreeuwend over de kerkbanken heen rennen. Welke man zou dat voor haar doen?

'Toch?' vroeg hij terwijl hij een blik op haar wierp.

Had hij haar zien staren? Maar ze had het recht om naar hem te kijken, omdat hij iets had gezegd en een reactie verwachtte. En toch had ze hem al te lang aangekeken. Haar gezicht werd rood. Ze had zichzelf verraden. Maar ze wendde haar blik niet af.

Hij had een vraag gesteld. Wat was de vraag?

'Wat?' vroeg ze.

Een tijdlang staarden ze elkaar diep in de ogen. 'Ik zat net te denken hoe ongelofelijk het is dat ik je heb gevonden,' zei hij.

'Ja.' Ze schraapte haar keel en keek naar de koeien waarin hij geïnteresseerd leek. 'Ongelofelijk. Alsof je een muis in een hooiberg hebt gevonden.'

'Een naald,' verbeterde hij haar.

'Wat maf. Wie verliest er nou een naald in een hooiberg? Wij zeggen muis. Heb je ooit weleens geprobeerd een muis in een hooiberg te vangen?'

'Nee.' Hij grinnikte.

Weer een goede gelegenheid om naar hem te kijken. Dat deed ze ook en ze lachte met hem mee. 'Wat is er zo grappig?'

'Jij.'

'Ben ik grappig?'

'Nee. Jij bent... lief.'

Ze bloosde nogmaals. 'Muizen zijn lief; naalden niet.'

Waarom ging ze nou tegen hem in? Ze zou hem moeten omhelzen en hem uit de grond van haar hart moeten bedanken.

'Touché,' zei hij.

'Ja, touché,' zei Ruth. Ze keken haar allebei aan en glimlachten.

'Praat verder, praat verder,' zei Ruth terwijl ze aanmoedigende gebaren maakte. 'Ik heb mijn hele leven op dit moment gewacht; verknoei het nou alsjeblieft niet voor me. Praat over liefde.'

Tranen vertroebelden Esthers beeld. Ze reikte naar achteren en gaf haar moeder een kneepje in haar hand. 'Ik ben zo gelukkig. Dank je.' Ze keek naar Stephen en raakte met haar andere hand zijn arm aan. 'Dank jullie allebei. Dank je dat jullie me hebben gevonden. Ik voel me...' Ze zweeg, omdat ze niet goed wist wat ze tegen hen moest zeggen. Ze kon niet zeggen dat ze stapelverliefd op Stephen begon te worden. Dat zou belachelijk klinken. Ze kon ook niet zeggen dat ze blij was dat haar moeder haar vrijheid terughad. Dat klonk te oppervlakkig.

Davids rechterwenkbrauw ging omhoog, waarmee hij haar aanmoedigde om verder te gaan.

'... gevonden,' zei ze uiteindelijk.

Esther streelde haar moeders hand en glimlachte door haar tranen heen.

David fronste zijn voorhoofd en knikte. 'Hmm. Gevonden. Zoals de schat in het veld. Wauw, dat is echt perfect.'

Was dat zo? *Wauw.* Die Amerikaanse uitdrukking was nieuw en ze vond hem wel leuk.

'Als ik gelijk heb, is hij al op weg,' zei een helaas al te bekende stem.

Esther kreunde en rolde om. Grappig dat het aanvoelde alsof ze ergens op lag. En waar was Stephen?

Misschien droomde ze dan toch.

Een sterke geur prikkelde zijn neusgaten. Het geluid van rennende voeten. Stephen krabbelde uit het duister omhoog. Langzaam herinnerde hij zich wat er was gebeurd. Wat er gebeurde.

Braun had hem bewusteloos geslagen en hem in de steeg neergegooid. En toen had hij Esther en Ruth meegenomen en was hij op weg gegaan naar Toruń.

Die eenvoudige gedachte stond bol van de gecompliceerde details. Zoals Braun, the beast, Esther, the beauty, Ruth, zijn redder, en Toruń, de plek waar the beast zijn spel met het sjaaltje speelde en the beauty's vermoordde.

En het detail dat iemand hem had wakker gemaakt.

Hij drukte zich omhoog van de kinderkopjes, in een poging te gaan staan. Maar zijn spieren waren er nog niet klaar voor om die manoeuvre uit te voeren en dus viel hij plat op zijn gezicht.

Braun had hem laten gaan. Maar waarom eigenlijk?

Stephen kreunde en dwong zijn lichaam wanhopig om mee te werken. Langzaam aan begonnen zijn armen en benen te reageren. En toen struikelde hij de steeg uit, één hand tegen de muur, de andere heen en weer zwaaiend om in evenwicht te blijven.

De paniek was niet weggetrokken. Dat kon ook niet. Er spoelden scheuten koud en warm door zijn lichaam heen, als golven die waren opgezweept door een storm. Ze hadden Esther meegenomen. Ze namen Esther mee naar Toruń. Ze gingen Esther in Toruń vermoorden.

Stephen strompelde door de steeg en begon oncontroleerbaar te huilen. Zijn gesnik echode langs de muren. Toen hij de straat bereikte, stonden de mensen naar hem te staren.

'Jullie moeten de ogen uit je kop schamen!' riep hij.

Die opmerking klonk absurd. Stephen begon te rennen. Het had geen zin hun te vertellen wat ze zojuist hadden gedaan. Er had een prinses in hun midden gewoond en ze hadden haar gedood. Ze zouden tot op de laatste dorpsbewoner moeten boeten voor hun zonde!

Zijn beeld was vertroebeld. Hij rende te ver door en knalde tegen het Volkswagenbusje op. Hij herstelde zich snel, rukte het portier open en stapte in.

Hoeveel tijd was er voorbijgegaan? Wat als ze niet naar Toruń gingen?

De pijn gaf hem een hol gevoel in zijn borst, een pijn die erger was dan een zwaard door je lichaam. Niets kon erger zijn dan dit. Niets!

Er was niets wat hij ooit zo graag had gewild als Esther redden. Zijn hunkering naar de kluis in Los Angeles verbleekte hier helemaal bij.

En hij wist dat dat precies was wat Roth verwachtte. Stephens reactie was een belangrijke factor in het idiote spel dat hij speelde. Hij wekte hoop op en vertrapte die weer, zoals zijn vader met de vrouwen van Toruń had gedaan.

Hij wist het en was niet in staat er een halt aan toe te roepen.

Stephen schreeuwde tegen de voorruit en ramde met twee handen tegen het stuur. Eén keer, twee keer. Hij startte het busje en maakte met gillende banden een draai van honderdtachtig graden. Een man op een fiets dook opzij.

'Uit de weg!' Hij kreeg even de neiging om dwars over de fiets heen te rijden.

Hij scheurde het dorp uit en het toerental van de kleine motor van de VW ging het rood in voor hij zich realiseerde dat hij moest schakelen. En dat deed hij, waarna hij zo hard mogelijk de straat uitreed.

De helling het dorp uit vertraagde zijn snelheid en hij verwenste zijn beslissing om dit busje te nemen, in plaats van een Porsche.

Ergens verderop deze zelfde weg reed een andere auto met Esther erin, zijn lieve, kostbare Esther, vastgebonden en op weg naar de slachtbank.

En wat als hij het mis had? Wat als Braun zich nog steeds in het dorp bevond en de waarheid uit haar aan het slaan was?

Stephen ging boven op zijn rem staan, waardoor het busje in een gevaarlijke slip terechtkwam. Aan het licht te zien, waren er een paar uur voorbijgegaan. Braun *moest* wel op weg naar Toruń zijn. Hoe dan ook, Stephen had geen tijd om het dorp te doorzoeken, terwijl Esther hoogstwaarschijnlijk op weg naar Polen was.

Hij knarsetandde en gaf weer plankgas.

De eerste vijftig kilometer vloog voorbij. Hij kwam maar drie andere auto's tegen. Maar toen hij de autobahn opschoot en in oostelijke richting reed, werd het een stuk drukker. Hij had het gevoel dat hij zich in een menigte misdadigers bevond, zelfs al wist hij dat dit allemaal gewone mensen waren. Hij was al een stuk of honderd auto's voorbijgevlogen voor hij bedacht dat hij met deze snelheid weleens achter de tralies zou kunnen belanden. Maar goed, hij bevond zich op een autobahn, of niet? Op de borden stond een maximumsnelheid van 130 voor auto's en motoren, en 80 voor vrachtwagens.

Hij wist 140 uit het busje te persen.

Er zweefden zeker honderd scenario's door zijn hoofd. Beelden van Ruth. Van Esther die zei wat ze dacht en Braun op zijn nummer zette. Of gekneveld en gedrogeerd. Of dood.

Alstublieft, God. Ik smeek U. Waar U ook bent en wat ook Uw plannen zijn,
ik smeek U, breng Esther bij me terug.

Hij moest de grens met Polen nog over. Gelukkig had hij nog een Russisch paspoort en de twintigduizend dollar die hij had meegenomen. Hij bad dat het genoeg zou zijn om zonder de juiste visa te komen waar hij wilde. Hij moest Toruń zien te bereiken en hij moest de politie zien te omzeilen terwijl hij alle snelheidslimieten aan zijn laars lapte.

Esther moest nog in leven zijn.

Ruth moest nog in leven zijn.

En zelfs al waren ze dat, wat dan?

49

Esther, Stephen en Ruth hadden een tiental gesprekken, allemaal dromerig, allemaal levendig en allemaal zeer prettig. En dat allemaal terwijl ze recht naar de slangenkuil reden die Toruń heette.

Ze had geen idee wat ze daar zouden aantreffen en ze wilde er ook niet over praten. Er leek een onuitgesproken overeenstemming tussen hen drieën te zijn dat ze niet over die plek zouden praten, wat nogal vreemd was, gezien het feit dat ze ernaartoe reden. Stephens obsessie voor haar was in elk geval afleiding genoeg.

Waarom zaten ze achter de Stenen van David aan? Zij en David waren tenslotte de echte Stenen.

De auto minderde snelheid en Esther realiseerde zich plotseling dat ze tegen het portier aan leunde. En rechts van haar lag haar moeder en die sliep. Ze was blijkbaar in slaap gevallen terwijl zij met Stephen praatte.

Ze ging rechtop zitten en keek naar buiten. Nacht. Het was rustig en donker, op de heldere maan na dan. Ze reden langs een groot, verlaten kamp dat eruitzag alsof het was omgebouwd tot museum. Het bord boven de poort...

Stutthof

Haar hart begon te bonken. Hoge bomen die niet al te ruim in hun bladeren zaten, omringden het enorme complex als beschaamde wachtposten. Om het kamp heen stonden nog steeds met prikkeldraad afgezette hekken en erbinnen stonden tientallen identieke barakken in verschillende stadia van verval.

Met een doordringend gehuil kwam een motorfiets hun tegemoet en reed voorbij. Hoe kon iemand nou in de buurt van zo'n plek gaan wonen? Maar aan de andere kant had zij sinds haar geboorte ook op zo'n soort plek gewoond, toch?

'... na al die jaren. Hoe kunnen we als Duitsers langs de zijlijn blijven staan en toestaan dat ze net doen alsof dit een monument voor de Joden is?' De man spuwde van walging. 'Het is een monument voor de geweldigste periode in de geschiedenis van de mensheid – het Derde Rijk.'

Voor het eerst sinds uren begon Esther te beseffen dat niet alles was zoals ze het zich had ingebeeld. Ze zat niet voorin. En Stephen zat niet naast haar. Ze zat zelfs niet eens in zijn auto!

'Ze is wakker,' zei iemand. De oude man die ze in haar dromen had gezien.

De adrenaline begon Esthers gedachten op te helderen. Ze bewoog haar armen en merkte dat die waren vastgebonden achter haar rug. Ze schreeuwde het uit, maar ontdekte dat haar mond was afgeplakt. En naast haar lag ook haar moeder vastgebonden en gekneveld. En ze was nog steeds onder invloed van het slaapmiddel dat ze hun hadden gegeven.

De realiteit van haar benarde situatie drukte als een enorm rotsblok op haar hart. Braun had Stephen in de kerk buiten westen geslagen en hem voor dood achtergelaten, en was toen met haar en haar moeder het dorp uitgereden, vastgebonden en gedrogeerd. Ze waren onderweg ergens gestopt om de oude man op te halen, die nu op de passagiersstoel zat en die extra zuurstof kreeg door een slangetje in zijn neus. De vader. Degene die de vrouwen had opgehangen. Met de zoon achter het stuur en de vader in de passagiersstoel waren ze door Polen gereden. Ze waren zojuist Stutthof gepasseerd.

Ze waren op weg naar Toruń.

Esther leunde achterover, zwaaide haar voeten omhoog en trapte naar de hoofden aan de andere kant van de stoelen. Haar rechtervoet raakte de oude man. Ze schopte ook naar Roth, maar de auto maakte een slingerbeweging en ze miste hem. Ze trapte nog eens en schreeuwde door de tape heen, waardoor ze hun gevloek niet hoorde.

De zoon stak een hand uit en verdraaide haar voet. De pijn schoot door haar been heen en ze kromde haar rug.

'De volgende keer breek ik hem,' zei hij en daar twijfelde ze geen moment aan. De vader zei niets.

Ze gilde door de tape heen tegen Roth: 'Waar ben je mee bezig?! Laat me los!' Maar hij verstond haar niet en zelfs al zou hij haar wel verstaan, ze zou toch geen reactie krijgen. Ze wist hoe dan ook al wat het antwoord zou zijn.

Ze namen haar mee naar Toruń omdat de schat zich daar bevond. Omdat daar altijd de ophangingen plaatsvonden.

De oude man draaide zich langzaam om en staarde naar haar, en heel even dacht ze dat hij half dierlijk was. Over zijn bleke gezicht liepen zeer diepe rimpels. Zijn ogen leken in het schamele licht wel zwarte gaten. Ze bleef hem aankijken, maar was doodsbang.

Gerhard keek zonder iets te zeggen weer voor zich.

Het werd weer stil om haar heen. Ze bevond zich in een zwarte auto met leren bekleding, was nat van het zweet en zat naast haar moeder, die gelukkig nog steeds bewusteloos was. Het verdovende middel had meer invloed gehad op haar oudere en tengere lichaam. Maar haar moeder was wel een vechter. Ze had hun leven nog even kunnen rekken, in de wetenschap dat als ze zou vertellen waar de Stenen zich bevonden, ze nutteloos zouden zijn geworden.

Esther dacht diep na, zo diep als de na-ijlende effecten van het middel haar toestonden, maar ze kon geen manier verzinnen om zich uit haar netelige positie te bevrijden.

De auto reed een kleine heuvel op en beide mannen keken naar rechts. Tweehonderd meter bij de weg vandaan stonden twee oude houten palen met een dwarsbalk eroverheen. En erachter bevonden zich de ruïnes van langgerekte barakken, die oprezen uit het hoge gras. Rechts van het verwaarloosde kamp rees een tweede heuvel op en op die heuvel stond een oud gebouw dat ooit rood was geweest en dat moeite leek te doen om niet in te storten.

Een bleke maan hing in een grijzer wordende lucht.

Toruń.

Esthers hart begon te bonken. De poort stond nog steeds overeind! Ze had gehoord dat de meeste kampen met de grond gelijk waren gemaakt.

Ze draaiden een grindweg op en reden naar de poort toe.

Roth stopte twintig meter bij de poort vandaan en zette de motor uit.

Ze werden overvallen door de stilte.

De motor tikte zachtjes.

Esther staarde door de poort. Ze kon hen nu zien, als geesten, meer dan duizend uitgemergelde vrouwen, gekleed in grijze kleding, allemaal in de houding en wachtend op de bevelen van een meedogenloze commandant.

'Sommige gedeeltes staan nog steeds overeind,' zei Gerhard. Hij trok de slangetjes uit zijn neus en keek verwonderd naar de poort. 'Dit is beter dan ik had verwacht.' Hij keek Roth aan. 'Wist jij dit?'

Roth reageerde niet. Hij opende zijn portier en stapte uit.

Een nieuw geluid vulde Esthers oren. Krekels die met hun eigen poten aan het zagen waren, als een orkest dat de nieuwe gevangenen begroette.

Roths voeten knerpten over het grind toen hij een paar stappen naar voren deed en bij de motorkap bleef staan. Hij staarde even naar het kamp, hief toen zijn kin op, zette beide handen in zijn zijden en haalde diep adem.

Gerhard stapte ook uit en liep naar de poort toe. Hij raakte het hout aan en wreef in zijn handen.

De krekels leken nu te krijsen. Allemaal tegelijk.

Ten slotte liep Roth naar de achterkant van de auto en haalde iets uit de achterbak. Hij voegde zich bij Gerhard, die nog steeds bij de poort stond. Hij had een schop en een rol touw bij zich.

De schop was om te graven. Het touw…

Esther leunde achterover en wendde haar blik af. Haar moeder sliep verder en snurkte zelfs een beetje.

Toen Esther weer opkeek, stonden ze naar de dwarsbalk te kijken. Zelfs hiervandaan kon ze de slijtplek op het hout zien. Daar had al honderden keren een strop omheen gezeten. Roth wierp het ene eind van het touw over de balk, trok het de groef in en deed toen een paar stappen achteruit.

Dit was hun loodlijn, dacht Esther met een plotselinge hoop. Het neerhangende touw wees een plek recht onder de groef aan. Ze gingen graven op de plek waar ze zoveel jaar geleden hun vrouwen ophingen.

Maar konden ze dat ook niet zonder touw?

Roth Braun voelde de kracht. Wat hij nu voelde, was nieuw. Hoeveel zielen had hij sinds de oorlog gestolen? Te veel om te tellen.

Deze zouden anders zijn.

Dit waren degenen die eerst een deel van *zijn* ziel hadden gestolen, iets wat in geestelijk opzicht veel meer schade had aangericht dan alles wat er sinds die tijd was gebeurd.

Zoals hij het zag, was de enige manier om die pijnlijke zonde van zijn vader uit te wissen, de volledige kracht van Gerhard bij hem terug te laten keren, door deze Joden in hun eigen spelletje te verslaan en net zoveel sluwheid aan de dag te leggen als Martha had gedaan.

Nu zou hij hun te slim af zijn. Niet door de Stenen van David terug te krijgen – hoewel dat niet niks was – maar door deze Joden terug te brengen naar de plek waar ze eigenlijk hun lot hadden moeten aanvaarden.

Door hen op te hangen en hun ziel af te tappen.

Roth was in een zeer goede bui.

Hij wierp een blik op de weg die naar het kamp leidde. Nog steeds geen teken van een achtervolging.

'Ik begrijp waarom je erop staat het ritueel uit te voeren,' zei Gerhard, 'maar vergeet niet dat de Stenen net zo belangrijk zijn.'

Roths goede bui kreeg even een knauw. Maar hij was een geduldig man die de zwakheden van anderen wist te tolereren, als dat nodig was.

Hij kon het niet opbrengen om iets tegen de oude man te zeggen. Zich met hem bemoeien was wel het laatste waar hij op zat te wachten. Tragisch, hoe deze man, die hem de grote oorlog van het leven – de worsteling tussen God en Lucifer en de passies van de mens – had binnengeleid, nu de mindere meester van de hebzucht en het zelfbehoud diende.

Maar dit zou Roth niet tegenhouden.

Hij keerde zich van zijn vader af en ging de jongste van de twee vrouwen halen.

———

De zoon liep terug naar de auto en trok het portier open. 'Eruit.'

Esther duwde zich bij het portier vandaan en trok haar benen in om zich te beschermen.

'Is dat nou nodig?' zei hij ongeduldig. Zijn ogen stonden duister, emotieloos.

Hij greep haar voet en gaf een ruk. Ze probeerde hem te schoppen, hem te raken, zelfs al wist ze dat ze hem daar alleen maar mee tegen zich in het harnas joeg, maar ze hield hem niet tegen. Ze belandde met een doffe bons op haar rug.

'Sta op, anders sleep ik je. En als je me nog eens probeert te trappen, schiet ik je in je been.'

Esther rolde om, trok haar knieën onder zich en worstelde zich overeind, terwijl haar handen nog steeds achter haar rug gebonden waren. Hij gaf haar een duwtje en ze liep verdoofd naar de galg.

Gerhard bekeek haar. 'Ben je nu bang, mijn bloempje?'

Esther kreeg een brok in haar keel. Mamma? Ze wilde het uitschreeuwen, maar haar mond zat nog steeds dichtgeplakt.

Roth pakte Esther bij de arm en duwde haar tegen de grond. Hij wikkelde snel wat tape om haar benen. Zwijgend. Rustige ademhaling.

De oude man staarde gefascineerd naar haar. Zijn handen hingen bevend langs zijn lichaam en zijn ogen glommen van verrukking.

Roth maakte aan één kant van het touw een stevige strop.

Esther begon weer in paniek te raken. Maar voor ze zelfs maar kon jammeren, had Roth haar al overeind getrokken, haar omgedraaid, zodat ze met haar gezicht naar de weg stond, en deed de strop om haar nek. Hij trok hem behoorlijk stevig aan en bond het touw aan de poort vast, zodat er een beetje druk, maar niet te veel, op Esthers nek stond.

Braun liep naar de auto en schudde Ruth wakker. Het duurde zeker een minuut voor hij haar ten slotte van de achterbank hielp. Ruth stond onvast op en staarde met een vage blik naar het kamp. Langzaam stelden haar ogen zich scherp.

Braun had nog meer touw in zijn handen. Esther had niet gezien waar hij dat vandaan had gehaald.

Roth trok de tape van haar mond. 'Geen gegil,' zei hij. 'Je krijgt de kans om iets te zeggen, maar niet nu. Lopen.'

Hij dirigeerde Ruth naar de poort toe, gooide het touw over de dwarsbalk en trok een lus over haar hoofd.

Een derde van de lengte gooide hij over de balk aan Esthers rechterkant.

Ruth keek naar Esther. Er glinsterde een traan op Esthers ene wang, maar ze toonde geen enkel teken van zwakte of verdriet. Haar moeders kracht gaf Esther wat moed.

'Zijn we klaar?' vroeg Gerhard aan zijn zoon.

Roth wierp een blik langs de auto naar de weg en aarzelde. Wachtte hij ergens op?

Ten slotte legde hij een hand op het touw en keek Ruth aan. 'Als je ons niet vertelt waar ze zijn, of als je ons de verkeerde kant op stuurt, zal je dochter vreselijk lijden. Als je meewerkt, blijven jullie allebei in leven. Geloof je me?'

Geen antwoord.

Roth knikte naar zijn vader, die naar Ruth toe liep.

'Waar heeft Martha de Stenen verborgen?' vroeg Gerhard.

Ruth staarde hem emotieloos aan. Op het moment waarop ze hem zou vertellen waar de schat zich bevond, zouden ze beiden sterven, dacht Esther terwijl ze naar de grond keek.

'Jij denkt dat we jullie hoe dan ook doden,' zei Roth. 'Maar wat voor onderpand heb ik dan nog tegen Stephen? Hij zou de hele wereld vertellen wat hij weet en dan zit ik met een probleem. De keus is simpel. Of je vertelt ons waar de Stenen zijn en blijft in leven, of Esther zal eerst sterven, waarna jij aan de beurt bent.'

Hij trok aan het touw, waardoor Esther op haar tenen moest gaan staan.

'Eén stap ten zuiden van het beton,' zei Ruth zacht. De woorden joegen Esther doodsangst aan. Zo snel! Haar moeder was te zwak om nog tegen te spartelen.

Roth staarde Ruth lang aan, alsof hij door haar reactie van zijn stuk was gebracht. Hij had de gezichtsuitdrukking van een teleurgesteld man.

Hij liet het touw iets vieren, zodat de strop niet in Esthers huid zou snijden zolang ze maar op haar tenen bleef staan.

Roth deed zijn jas uit, hing hem zorgvuldig over het hek, pakte de spade en stak hem een stap bij Esther vandaan in de grond.

Ze keek naar haar moeder. Ruth staarde haar met betraande ogen aan. Als Esther geen tape op haar mond had gehad, zou ze tegen haar moeder zeggen dat ze in orde was. Dat haar opoffering niet voor niets was geweest. Dat ze meer van haar hield dan van haar eigen leven.

Roth begon te scheppen. *Tsjunk, grat, tsjunk, grat.* Metaal tegen zand en grond. Maar het geluid kwam niet echt boven haar eigen ademhaling uit. Of boven haar hartslag.

Het klonk luider dan de krekels, maar niet veel.

Geen paniek, Esther. Ze zullen je niet doden. Hij heeft gelijk, ze hebben je nodig om Stephen blijvend de mond te snoeren. Ze hebben je al die jaren al in leven gehouden. Wat maakt die paar jaar extra nou uit?

Maar ze geloofde zichzelf niet. Ze was nog nooit zo bang geweest.

Misschien zou er iemand over de heuvel heen komen en zien wat hier aan de hand was. De auto en de mannen waren zichtbaar vanaf de weg. Natuurlijk zou het de aandacht trekken als er iemand in de ingang van het kamp stond te graven. Dat moest wel! Maar wie zou er nou 's avonds naar zo'n vreselijke plek toe komen?

De oude man stond voorovergebogen. Hij had een wollen broek aan, die hij tot halverwege zijn buik had opgetrokken, en een grijze trui die eruitzag alsof hij nog uit de oorlog stamde. En achter hem, op de heuvel, stond het huis van waaruit hij zijn vrouwen in de gaten had gehouden.

Esther keek naar Roth, die gestaag doorgroef. Er was maar één afloop mogelijk. Geen twee of drie, maar één.

Gerhard liep nu om het gat heen, als een gier die wachtte tot zijn prooi de geest gaf. Als ze naar hem toe sprong, kon ze hem misschien een trap geven...

De spade raakte iets hards. Gerhard deed een stap naar voren en staarde in het gat. Hij liet zich op zijn knieën vallen, stak zijn handen in het gat en trok aan iets wat maar moeilijk los wilde komen.

Een kistje. Klein. Net een kleine schoenendoos. Misschien een munitiekistje, hoewel ze het nauwelijks kon zien.

Ze hadden Martha's schat gevonden.

Ze sloot haar ogen en hoorde een zacht jammeren. Uit haar eigen keel. Paniek borrelde in haar op.

'Ssj, ssj, ssj,' fluisterde Ruth. 'Ik zal je voor altijd in mijn armen houden, mijn lieve meid.'

'Mama...' mompelde ze achter het tape vandaan.

'Wees sterk, Esther.'

Maar Ruth huilde ook.

50

Voor Roth was het vinden van de Stenen niet meer dan een bonus. Niet bepaald een kleine, maar toch niet meer dan een bonus.

Hij kreeg kippenvel van het vooruitzicht. Ze hadden recht voor Esther een tafel opgezet, een meter of tien bij de poort vandaan. Het was een kampeertafeltje, niet het enorme ding waar Gerhard in de oorlog gebruik van had gemaakt. Maar ze hadden een wit tafellaken en drie kristallen bokalen. En één hoge barkruk.

En een zilveren mes.

Het munitiekistje stond op de grond achter hen. Esther stond te balanceren op haar tenen en deed haar best te voorkomen dat ze stikte. Haar moeder stond naast haar. Gerhard stond voor de tafel, naast Roth.

Ze waren er allemaal, behalve Stephen.

Het enige wat Roth irriteerde was de haast waarmee Gerhard het ritueel wilde afraffelen. Het ging hem alleen maar om de Stenen.

Of niet? Hij had het kistje nog niet opengemaakt.

Gerhard wiebelde onrustig heen en weer. 'Misschien komt hij niet.'

Roth keek naar de weg. Nog steeds geen levensteken.

'Waar wacht je op?' wilde Ruth weten. 'Je hebt waarvoor je hierheen bent gekomen en je bent te laf om je woord te houden, dus maak er maar een einde aan. We hebben je al verslagen.'

Hij zou voorzichtig moeten zijn met Ruth. Ze was nog steeds in staat het hoogtepunt te bederven dat hij vandaag verwachtte.

'Ik ben niet van plan je te doden, Ruth,' zei hij. 'Misschien je dochter, maar jou niet.'

'Ik geloof je niet.'

Esthers lichaam beefde van de uitputting.

De weg lag er nog steeds verlaten bij. Roths drang om verder te gaan dwong hem een beslissing te nemen. Hoewel er kracht school in geduld, moest hij een balans vinden tussen ambitie en passie.

En dat betekende voor dit ogenblik dat hij verder moest.

Roth pakte de barkruk. Hij liep om de tafel heen.

'Denk maar eens na, Ruth,' zei hij, maar hij keek naar Esthers paniekerige ogen. Hij had dit al eens geprobeerd toen ze als baby lag te slapen, maar het was oneindig veel bevredigender nu ze zich er elke seconde bewust van was wat er gebeurde.

'Zoals ik al had gezegd, moet Esther blijven leven om Stephen onder de duim te houden. En ik heb jou nodig om haar in bedwang te houden. We zijn gewoon een gelukkig gezinnetje, net zoals het altijd is geweest.'

'Als je ons had willen laten doodbloeden met dat zieke ritueel van je, had je dat jaren geleden al kunnen doen,' zei ze.

'Ja, maar niet met dezelfde resultaten. Dood laten bloeden heeft geen zin, behalve als de persoon in kwestie een bepaalde gemoedstoestand heeft. Maar ik verwacht niet van je dat je dat begrijpt.'

Esther staarde hem met grote ogen aan.

Hij zette de kruk tegen haar benen, rukte de tape van haar mond en benen, en liep naar het hek waar het andere uiteinde van het touw was vastgebonden.

'Ik ga trekken…' Hij maakte het touw los en trok er iets aan, waardoor hij haar dwong zich nog verder uit te strekken. 'Ik adviseer je op de kruk te klimmen zodra ik ga trekken, zodat je je nek niet breekt.'

Roth begon te trekken. Ze sloeg een voet om de kruk en trok hem onder zich. Meteen daarna klauterde ze erop.

Roth maakte het touw vast. Het vervulde hem met trots dat hij haar daar zo zag staan. Zijn macht was superieur aan die van haar. Dat was altijd al zo geweest, maar tot nu toe had hij nooit de mogelijkheid gehad dat echt tot uitdrukking te brengen.

Hij trok harder. 'Prima. Hoger. Hup, hoger.'

Ze kromp ineen toen de lus om haar nek strakker werd getrokken, maar het lukte haar om op haar knieën op de ronde houten zitting te gaan zitten.

'Hoger, hoger.'

Hij hielp haar door haar omhoog te trekken, als een vis die je uit het water trekt. Eén voet erop. De kruk kantelde en viel bijna om. Dat zou teleurstellend zijn geweest. Maar ze was een handige vrouw. Ze stond op de kruk, bevend als een rietje, hoestend en snakkend naar adem. Maar ze stond.

Roth liet het touw iets vieren en bond het vast.

Hij liep naar de tafel toe, pakte het mes en een van de glazen en draaide zich toen om naar Esther, wier polsen nog steeds achter haar rug waren samengebonden. Ruth had niets gezegd. Hij moest uitkijken met haar.

'Ik ga alleen maar een sneetje in je maken, Esther. Als je naar je moeders handen kijkt, zul je een litteken zien. Ze is al eerder gesneden. Nu is het jouw beurt. De enige reden dat ik je op deze kruk heb gezet, is om je in bedwang te houden. Als je probeert me te schoppen terwijl ik wat bloed bij je aftap, kantelt de kruk waarschijnlijk en val je.'

Ze deed haar best om moedig te zijn. Maar haar gezicht zag bleek. Ze balanceerde op het randje tussen hoop en angst.

Hij liep naar haar armen toe en hield het glas onder haar vingertoppen. Hij zette het lemmet tegen haar bleke polsen, net onder het grijze tape, en oefende een lichte druk uit.

Ze jammerde.

'Je bent in goed gezelschap. Er is ooit een Jood doodgebloed door toedoen van Zijn vijanden. Er zijn maar weinig mensen die Jezus als Jood zien, maar Hij was het wel. En dat is de reden dat we hem haten.'

Er stonden zweetdruppeltjes op Roths bovenlip. Zijn hand begon te beven.

En toen kon Roth zich niet langer inhouden. Hij drukte het scherpe zilver naar binnen en trok het naar zich toe.

Esther kreunde. Haar knieën begonnen te knikken, maar vonden toen weer een restje kracht.

Er sijpelde een dun straaltje bloed uit de snee, over haar hand, langs haar wijsvinger en in het glas.

'Je bent de duivel zelf,' zei Ruth.

'Inderdaad,' reageerde hij.

Roth werd even helemaal in beslag genomen door dat moment. Verloren in zijn eigen grootheid.

Er rolde een traan over zijn wang.

Hij stak het glas uit naar zijn vader, die het als gebiologeerd aannam. Onderdanig.

'Drink, vader.'

'Jij niet?'

'Ze heeft uw kracht ondermijnd, niet die van mij.'

'Alles?'

'Alles.'

Gerhard kiepte het glas achterover en slikte het bodempje bloed door.

Roth beefde van verwachting. Hij richtte zich op Ruth.

'Jouw beurt, lieve schat. Alleen maar een beetje bloed.'

'Jij bent echt ziek,' zei Ruth.

'De kracht van het leven zit in het bloed,' reageerde hij.

51

Stutthof.

Stephen scheurde het oude kamp voorbij terwijl de zon dichter naar de horizon kroop. Het stuur was glibberig van het zweet, maar dat maakte niet uit – er zaten geen bochten in deze weg. Stutthof lag langs deze weg en Toruń ook. Ziekte en dood, meer niet. Ziekte en dood en hele bergen begraven Joden.

Hij zou er alles aan doen om te voorkomen dat de namen van Ruth en Esther zouden worden toegevoegd aan die lange lijst.

Misschien was hij ze op de autobahn wel voorbijgereden. Na een uur lang honderdveertig te hebben gereden, had hij plankgas gegeven en dat volgehouden tot de Poolse grens. De grensovergang had hem een half-uur gekost, maar zijn geld had wonderen gedaan. Hij kon alleen maar hopen dat zij ook waren opgehouden bij de grens.

Aangenomen dat ze hierheen waren gegaan.

Hij ging op zijn gevoel af en bad aan één stuk door, in de hoop dat hij Brauns bedoelingen niet verkeerd had begrepen.

Als hij Toruń vóór hen bereikte, zou hij een gat graven en net doen alsof hij de schat had gevonden en hem weer had verborgen. Als...

Plotseling kwam het kamp in zicht, als een zeemonster dat door het wateroppervlak opdook. Er stond een zwarte auto voor de poort gepar-keerd. Er stonden twee mensen bij.

En er hing een lichaam aan de dwarsbalk. En ernaast een ander, maar dan lager.

Stephens hart sloeg een slag over. Hij wierp nauwelijks een blik op de berm voor hij het busje de weg af rukte. Hij vloog door een ondiepe greppel en recht op het kamp af, tweehonderd meter verderop.

Het busje bonkte over graspollen heen en dreigde het stuur uit zijn handen te rukken, maar Stephen merkte het nauwelijks. Zijn ogen waren gefixeerd op de twee lichamen en zijn gedachten waren een en al moord en doodslag.

Esthers benen werden gedeeltelijk aan het oog onttrokken door de zwarte auto. Braun zag hij niet meer. Hij stuiterde over het veld en jammerde en zag alleen nog maar rode vlekken. Rode vlekken en zwarte vormen, handen gebonden, nek gekromd, bungelend aan het einde van een strop.

Er glipte een flintertje logica zijn bewustzijn binnen. Buiten het mes in zijn rechtersok, had hij geen wapen. Maar het busje was een wapen. Ze konden elk moment op het aanstormende busje gaan schieten – hij moest zigzaggen en Braun zien te raken.

Honderd meter. Geen schoten.

Stephen rukte aan het stuur, waardoor de achterkant van de auto uitbrak. Hij begon door het gras te driften.

In eerste instantie dacht Esther dat de beweging aan de horizon een roofvogel was, die naar de grond dook om een prooi te grijpen. Gerhard Braun dronk hun bloed en vanaf de weg dook er een vogel het weiland in.

Nee, een auto die het weiland in gleed.

Stephen!

Esther hoorde het busje dat op hen afraasde niet; de hartslag in haar oren overstemde alles. De oude man mocht dan half doof zijn en Roth te veel afgeleid, maar vroeg of laat zouden ze hem horen. Ze moest hen zien af te leiden!

Maar door de schok van wat er was gebeurd, werkten haar hersens nog lang niet optimaal en haar mond al helemaal niet.

Het busje zigzagde als een bezetene over het gras en was nog maar honderd meter van hen verwijderd. Ze hoorde de gierende motor al.

Achter haar begon Roth te grinniken.

'Die jongen heeft me niet teleurgesteld,' zei hij.

Toen Stephen nog maar vijftig meter van hen verwijderd was, zag hij dat de strop rond Esthers nek loshing.

Ze leefde nog.

De plotselinge opluchting verdween meteen weer. Ze stond op een kruk. Als ze viel, zou ze sterven.

Drie keuzes. Hij kon proberen Braun ondersteboven te rijden. Hij kon de auto rammen en hopen dat die over Braun heen zou rijden. Of hij zou de poort kunnen rammen, in de hoop dat hij daarmee het hele geval omver zou kunnen kegelen, waardoor Esther buiten gevaar zou zijn.

Braun ondersteboven rijden was een probleem, omdat hij de man van dertig meter afstand nog steeds niet zag. De auto rammen kon ook problemen opleveren, omdat het zwarte voertuig er behoorlijk solide uitzag – grote kans dat alleen het busje in schroot zou veranderen. En als hij de poort ramde, zou dat weleens Esthers dood kunnen worden, in plaats van dat hij haar zou redden.

Hij stampte op de rem en bracht het busje glijdend op drie meter afstand van de grote Mercedes tot stilstand. Esther staarde hem met een doodsbleek gezicht aan.

Stephen begon te schreeuwen.

Te krijsen, zo hard hij kon, toen hij het portier opengooide en over de motorkap van de Mercedes sprong. Hij was niets meer dan een razende wilde die over de rand ging door deze smerige aanval op Esther. Zijn geliefde. Zijn leven.

Maar die razernij ging binnen twee stappen over in bewustzijn. Hij stond abrupt stil.

Roth stond naast Esther en greep een van de poten van de kruk beet, klaar om hem onder haar vandaan te rukken. En in de andere hand had hij een pistool, dat losjes langs zijn zij hing. Op zijn gezicht lag een geamuseerde uitdrukking.

'Leuk dat je ook bent gekomen,' zei Roth.

'Stephen?' Esthers stem klonk hees. Hoog.

Ruth stond links naast Esther. Pas toen zag hij het derde touw, rechts van Esther. Was dat voor hem?

Er stond een oude man bij een tafeltje achter Esther. Dat was Gerhard, de beul van Ruth en Martha. Er stonden drie glazen op tafel. Eén ervan was gebruikt; in het tweede zat een laagje bloed; het derde was leeg.

En toen zag hij het bloed van Esthers vastgebonden handen druppelen. En van die van Ruth. Er was in hun polsen gesneden en ze bloedden nog steeds.

Hun netelige situatie begon tot hem door te dringen. Hij klapte bijna dubbel en kotste op de motorkap van Brauns auto.

Roth produceerde een lichte glimlach. 'Inderdaad, de situatie is behoorlijk hopeloos, nietwaar? Voor jou, in elk geval. Voor mij... het geeft me een tevreden gevoel dat ik je zo goed heb weten te bespelen.'

Het duizelde Stephen. Het drong tot hem door dat Roth hen nu alle drie zou vermoorden.

'Me hebt weten te bespelen?'

'Je gelooft toch niet dat je hier bent zonder mijn instemming? Ik jaag op meer dingen dan alleen de Stenen van David. Feit is dat ik je al bespeel vanaf het moment dat je bij het appartement van Martha in Los Angeles voor de deur stond, zoals ik al wist dat je zou doen. Aangenomen dat je nog leefde.'

'Je was daar voor de Stenen,' reageerde Stephen.

'Ik was daar voor jou. Toen ik dat artikel in de *Los Angeles Times* las, wist ik dat Martha vermoedde dat je nog in leven was en dat ze je daarom op die manier riep. En nu ben je dus hier. Zie jezelf maar als geroepen.'

Stephen lachte bitter.

'Ik ben hier omdat Martha je vader een stap voor was,' zei Stephen. 'Ik ben hier omdat ik jou een stap voor ben gebleven.' Er klonk geen overtuiging door in zijn stem.

'Is dat zo? Ik heb je hierheen getrokken, beste jongen. Ik liet je het sjaaltje vinden. Ik liet je hoop groeien tot het een krankzinnige obsessie werd.'

Roth sprak de woorden uit alsof hij met een intense tevredenheid elke lettergreep proefde. Stephen had de macht van deze man onderschat.

'Hoe denk je dat je ongedeerd uit de kelder hebt kunnen komen? Waarom heb ik je laten ontsnappen uit de kerk in Greifsman en heb ik mijn mensen opdracht gegeven je in die steeg wakker te maken? Ik moest je laten geloven dat het allemaal door jouw eigen toedoen was – dat vergrootte je moed – maar je kon dit alleen maar doen met mijn toestemming.'

Roth staarde hem zelfvoldaan aan.

'En waarom vertel ik je dit allemaal, in de wetenschap dat het spel nog niet voorbij is? Omdat ik weet hoezeer dat jou zal vermorzelen. Ik ben van plan jullie allemaal de dood in te jagen die jullie dertig jaar geleden al gesmaakt zouden moeten hebben. Ik ben van plan jullie allemaal dood te laten bloeden en op te hangen.'

Hij stond lichtjes te zwaaien op zijn benen.

'Wanhoop – voel je het al op je gedachten inwerken?'

De woorden bonkten als tennisballen door zijn hoofd.

'Draai je om.'

52

Alles zou nu precies gaan zoals Roth had gepland.

Ze stonden alle drie met hun gezicht naar hem toe, Esther op de kruk, Ruth en Stephen aan beide kanten ernaast, hun nek strak in een strop, hun handen gebonden en bloedend achter hen.

Gerhard sloeg het glas met Stephens bloed achterover en leegde het. Het was een koele avond en behalve het sjirpen van de krekels was het stil. Er rolden tranen over de wangen van alle drie de Joden.

Roth huiverde.

Zijn vader zette het glas terug op tafel. Hij had zijn ogen gesloten en zijn gezicht was naar de donkere lucht gekeerd. *Voel je het, vader? Ik heb je je kracht teruggegeven.*

Gerhard zei niets. Zijn magere lichaam zag er bleek uit in het maanlicht. Heel even leek hij voor Roth net een van die uitgemergelde Joden uit de kampen, een schaduw van wie hij vroeger was.

Maar van binnen, waar het echt om draaide, had Gerhard de volledige kracht terug die hij toen was kwijtgeraakt door zijn eigen stommiteit.

Roth liep langzaam naar de auto, een meester die toegewijd de belangrijkste van alle ceremonies uitvoerde.

Hij haalde een touw uit de achterbak en nam het mee terug. Zonder naar zijn vader te kijken, gooide hij de strop over de dwarsbalk. Hij sloeg luidruchtig tegen het hout en viel toen op zijn plek, ruim twee meter boven de grond.

Gerhards ogen werden groot. Maar van verwondering, niet van angst. Hij begreep het nog steeds niet.

'Hoe voelt u zich, vader?'

Gerhard wierp een blik op het touw. 'Een vierde touw?'

'Voor Martha,' zei Roth. 'Ze moeten alle vier hangen, zelfs al is dat bij Martha symbolisch. Hoe voelt u zich?'

De lippen van de oude man waren rood. Hij keek wazig uit zijn ogen. Dronken van het bloed.

'Je had gelijk,' zei hij. 'Vergeef me dat ik ooit aan je heb getwijfeld. Ik voel me zo gezond als een vis.'

Roth ging naast hem staan, trok het pistool achter zijn broeksriem vandaan en ramde het tegen Gerhards slaap.

Zijn vader zakte bewusteloos in elkaar.

De Joden leken te geschokt om hun verbazing te uiten. Mooi.

Roth tilde zijn vader op onder diens armen, sleepte hem naar het touw en liet hem op de grond vallen. Op zijn gemak plakte hij zijn polsen met tape aan elkaar, net zoals bij de Joden. Toen trok hij de strop naar beneden, liet hem over zijn vaders hoofd glijden en trok hem strak.

Stephen bevatte nog niet echt wat zich voor zijn ogen afspeelde. De pijn in zijn pols, waar Roth hem had gesneden, begon weg te ebben toen Gerhard in elkaar zakte.

Het touw hinderde de bloedcirculatie naar zijn hoofd, maar hij merkte dat als hij op zijn tenen ging staan, zijn bloed weer doorstroming had.

Rechts van hem stond Esther met knikkende knieën op de kruk.

Links van hem lag Gerhard Braun, vastgebonden en met een strop om zijn nek.

Roth ging hen allemaal ophangen, inclusief zijn eigen vader.

'Ik heb besloten jullie allemaal getuige te laten zijn van een ophanging voor ik jullie ophang,' zei Roth. 'Ik wil dat jullie de doodsangst op het gezicht van de man zien wanneer hij zich realiseert dat hij niets van de vrijheid en de overwinning zal proeven. Hij moet sterven, zodat ik zijn kracht zal kunnen overnemen.'

Roths gezicht glom van het zweet, maar niet van de inspanning. Zijn ogen rustten op zijn vader.

'Ik moet zeggen dat het zo beter was. Jullie hebben je hele leven gezocht, of jullie het nu beseften of niet. En vanavond hebben jullie je schat gevonden. Maar het is niet de schat waarop jullie hadden gehoopt, of wel? In elk geval niet wat Martha in gedachten had. Jullie hoop op liefde en dat soort onzin wordt nu gesmoord door doodsangst. Leegte. De dood. Maar die hoop komt mij nu toe.'

Een beeld van Chaïm en Sylvia flitste door Stephens gedachten. Nog maar een week geleden had hij geprobeerd Dan ervan te overtuigen wat een uitstekende investering die parkeerplaats in Santa Monica zou zijn. Hij had alles achter zich gelaten wat hem ooit dierbaar was voor de vrouw die nu naast hem op een kruk stond te beven.

Wat was er met hem gebeurd? Hij was zijn verstand kwijtgeraakt.

Of niet? Nee, hij had zijn hart gevonden.

Esther, het spijt me zo.

'Als je zijn ogen kunt zien, moet je daar eens goed naar kijken,' zei Roth. 'Doodsangst zie je altijd in iemands ogen.'

Hij keek even naar Stephen en fronste toen zijn voorhoofd, alsof hij teleurgesteld was dat Stephen in zijn huidige gemoedstoestand niet geïnteresseerd was in de ogen van Gerhard. Niet echt, in elk geval.

Roth deed plotseling een stap naar voren, greep het andere eind van zijn vaders touw en begon zijn vader van de grond te tillen, zijn hoofd eerst.

De vader zat na enkele momenten op zijn knieën.

Gerhard hoestte een keer, sputterde en hief zijn handen op naar zijn hals. Hij klauwde gedesoriënteerd naar het touw. Uiteindelijk wist hij met moeite op te staan.

'Wat...' piepte hij. Hij begon te hoesten voor hij zijn zin kon afmaken.

Roth bond het einde van het touw om de verticale balk, liep naar Gerhard toe, die nu stond te kuchen en te proesten, en plakte grijs tape over de lippen van de man. De ogen van zijn vader puilden uit en hij moest zijn best doen om wat zuurstof binnen te krijgen.

Roth uitte een vreugdekreetje en sprong naar de plek waar hij het touw had vastgebonden. Hij greep het met beide handen beet en rukte Gerhard de lucht in.

Zijn vader begon wild te schoppen.

'U had me haar moeten laten doden, vader,' zei Roth. 'Kijk nou toch eens wat ervan gekomen is.'

Roth bond het touw weer vast. Gerhards geworstel werd al minder. Zijn gehijg was afgekapt. Alleen de krekels waren nog te horen.

Roth liep snel naar zijn vader toe, ging achter hem staan, haalde een zilveren mes achter zijn broeksband vandaan en zette dat tegen de polsen van de man.

Nog een trap van Gerhard.

'Hang stil!'

Roth sneed hem, waarna hij verrukt naar achteren sprong. Hij rende naar de tafel, pakte een van de glazen en haastte zich terug naar zijn vader. Hij werkte snel, ernaar verlangend de kracht in zijn vader af te tappen en zijn obsessie te bevredigen.

Gerhard werd helemaal slap.

Roth hief het glas op en dronk.

En toen werd het weer doodstil.

Al die tijd had Ruth recht voor zich uit gestaard. Esther had haar moeders voorbeeld gevolgd en stond rechtop, ondanks het beven van haar benen.

En Roth... Roth stond achter hen te hijgen.

Stephen wist niet precies waarom, maar dit hele gedoe leek opeens heel erg kinderachtig, wat nogal vreemd was, omdat Roths zoektocht naar macht zeker geen kinderspelletje was. En toch, relatief gezien, kwam het allemaal belachelijk op hem over.

Een dwaze ambitie in het licht van een veel grotere macht.

Waardoor kon een man zo krankzinnig diep zinken? Wat deed een man hunkeren naar het bloed van een ander?

Een obsessie. Een hunkering naar iets wat hij niet kon krijgen. Macht. Zoals Lucifer die God uitdaagde, in de hoop dat hij zichzelf kon verheffen. Dit moment was niets meer dan de aanvaring van twee obsessies, die van hen en die van Roth. Gods obsessie voor de mens. Lucifers obsessie voor zichzelf. Aan de ene kant de obsessie van de mens voor God en aan de andere kant die voor zichzelf.

Stephen keek naar Esther en Ruth. Hij glimlachte. 'Ik hou van je, Esther. God heeft me jou als obsessie gegeven en ik hou van je.'

'En ik hou van jou, David,' zei Esther moedig.

'Houd moed,' fluisterde Ruth. 'God is onze redder.'

De Joden praatten met elkaar, maar Roth verstond het niet. Zijn hoofd bonkte door een enorme trots die hem ophief naar een staat van hemelse volmaaktheid.

Het was volbracht. Hij had de kracht van zijn vader hersteld en nu zijn ziel genomen. Zelfs de Stenen van David waren nu van hem. De Joden waren bang. Hij zou hen zo meteen ook ophangen.

'Roth!'

De klank van zijn naam snerpte door zijn zware hoofd.

'Roth, je hebt een probleem.'

Het was de Jood, Stephen. Waar had hij het over?

Roth draaide zich om en staarde hen uitdrukkingsloos aan.

'Je realiseert het je misschien niet, omdat je dronken bent van het bloed van je vader, maar je hebt echt een enorm probleem,' zei Stephen doortastend. Te doortastend. 'Je plan om onze ziel onder doodsangst te oogsten, heeft gefaald.'

Roths gedachten begonnen weer helderder te worden. Probeerde die Jood deze glorieuze avond te verknoeien?

'Je hebt onze hoop niet vermorzeld. En dat kun je ook niet.'

Op het moment dat hij Roths verwilderde uitdrukking zag, wist Stephen dat hij een gevoelige snaar had geraakt. Deze eenvoudige maar onvervalste uiting van moed ondermijnde hem op een manier zoals hij die met fysieke kracht nooit voor elkaar zou hebben gekregen.

Stephen lachte, hardop, doelbewust. 'Ha! Je hebt je kaarten verspeeld, man. Onze eenvoudige liefde overweldigt jou met een enkel woord. Hang ons maar op! Hang ons op en merk dat je er niks mee opschiet!'

Hij voelde zich giechelig. Misschien was dat wel het resultaat van de emotionele druk waaronder hij nu al een week leefde. Of misschien school er wel een zekere waarheid in zijn bewering – in elk geval iets. Maar Stephen riep het voornamelijk omdat het hem vervulde met een gevoel van macht.

Hij lachte nogmaals, maar nu luider. 'Je hebt ons niks ontnomen!'

Roth staarde hem aan. Dit was een schijnvertoning.

Stephen glimlachte omdat hij gek geworden was van angst.

Toen keek de Jood naar Esther, maar hij bleef tegen Roth praten. 'Jij dacht dat je me hierheen hebt gebracht voor de dood, maar in plaats daarvan heb ik de liefde gevonden.' Stephen keek hem weer aan en stak zijn kin naar voren. 'Ik hou van Esther!' riep hij uit, zijn ogen wijd open van passie. 'Ik hou van haar. Ik hou geweldig veel van haar. En ik kan met een gerust hart sterven, in de wetenschap dat ik mijn lief heb gevonden.'

Hij bleef lachen. Een oprechte lach.

Roth was te geschokt om zich te bewegen.

'En ook ik heb de liefde gevonden,' zei Esther. 'God heeft me liefde gegeven in plaats van angst.'

Roth ramde met zijn vuist op tafel. 'Hou daarmee op!'

Ruth glimlachte.

Dit kon niet waar zijn! Hij kon ze moeilijk ophangen nu ze in zo'n toestand verkeerden. Dat zou zijn hele plan ondermijnen. Doodsangst! Hij moest ze weer in een staat van doodsangst zien te krijgen!

'Ik sta op het punt jullie op te hangen tot al het leven uit jullie is weggevloeid!' Hij priemde met zijn wijsvinger in de richting van Gerhard. 'Kijk naar mijn vader. Kijk naar zijn dode, witte gezicht!'

Ze keken niet.

De moeder, Ruth, staarde hem recht aan. 'Je hebt *nog* een probleem,' zei ze. 'Het kistje waarvan jij denkt dat de Stenen van David erin zitten, is leeg.'

Wat vertelde ze nou?

'Hou een ander voor de gek.'

'Controleer maar.'

'Je liegt.'

'Controleer maar,' zei nu ook Stephen. 'En hang ons dan op, als je wilt. Je bent hoe dan ook al kwijtgeraakt wat je hier dacht te winnen. We hebben geen spijt van wat we hebben gedaan en ook geen angst. Alleen liefde, omdat we elkaar hebben gevonden.'

Roth wilde niet in het kistje kijken. Hij wist dat hij zwakheid toonde als hij zelfs maar nadacht over hun leugens. Maar de gedachte dat hij de Stenen in bezit kon krijgen, had zijn klauwen dieper in zijn ziel begraven dan hij dacht.

Hij liep zo langzaam mogelijk naar het kistje toe.

Op het moment dat Roth zich omdraaide, tilde Stephen zijn rechterhiel op en greep met zijn gebonden handen naar zijn enkel.

Hij zag kans zijn broekspijp te pakken te krijgen en zijn been te ondersteunen, terwijl hij met zijn andere hand naar het mes greep dat hij nog steeds in zijn sok had zitten. Zijn vingers sloten zich om het heft en trokken het tevoorschijn.

Hij liet zijn been weer zakken. Als hij het mes nu liet vallen, zou hij het nooit meer te pakken krijgen. Hij moest het tape om zijn polsen doorsnijden voor Roth zijn aandacht weer op hen richtte.

En als hij dat deed, wat dan?

Tja, wat dan?

Hij keerde het mes omhoog en stak. Hij miste de tape en stak in plaats daarvan in zijn pols. Stephen negeerde de pijn en sneed nog eens omhoog.

Roth hurkte neer bij het munitiekistje en greep het deksel.

Kom op, Stephen.

Het deksel vloog open. Roth staarde in het kistje.

Hij greep erin en trok er een in doek gewikkeld bundeltje uit. Stephen herkende het als een van die oude overhemden die in het kamp aan de gevangenen werden uitgedeeld. Martha had de Stenen in een overhemd gewikkeld.

Stephen voelde iets snijden, maar hij wist niet hoeveel vooruitgang hij boekte. *Kom op, Stephen, snijden!*

Roth stond langzaam op en kneedde het bundeltje om te voelen of de Stenen erin zaten.

Hij draaide zich met verwilderde ogen om naar Ruth. Of waren ze groot van verrukking?

Hij liet één kant van het stuk overhemd los. De stof ontrolde zich.

Leeg.

Ruth had gelijk; het kistje was leeg.

Hun kwelgeest begon te kreunen. Hij keek hen aan. Zijn ogen schoten heen en weer en hij hield zijn armen gespreid als een revolverheld. Een witte geest in het maanlicht, die nu op pure razernij leefde.

'Waar zijn ze?'

Ruth zei niets.

Stephen bad dat de Duitser hem niet zou zien bewegen terwijl hij het tape doorsneed. Maar hij had geen keus. Hij moest zich nu lossnijden.

'Waar zijn ze?!' schreeuwde Roth. 'Zeg op, smerige Jood!'

Ruth staarde hem uitdagend aan. 'Nu ben jij bang. Je bent al je macht kwijt.'

Roth kwam verrassend snel in beweging. Hij rende om het tafeltje heen, recht op Ruth af. Maar hij ging niet naar Ruth toe.

Hij veranderde van richting, greep met beide handen de kruk beet waarop Esther stond en rukte die onder haar vandaan, net op het moment dat het tape om Stephens polsen het begaf.

Esther viel een centimeter of dertig voor ze het einde van het touw bereikte. Ze veerde iets terug en bleef een meter boven de grond bungelen.

Hij had haar opgehangen!

Toen Esther zag dat Roth op haar afkwam, wist ze dat ze het ergste kon verwachten. Ze haalde instinctief diep adem, spande haar spieren en kneep haar ogen dicht.

En toen was ze los. Ze bereikte het einde van het touw en stuiterde nog iets terug. Er schoot een pijnscheut door haar ruggengraat.

Ze zwaaide heen en weer en het duurde enkele momenten voor ze zich realiseerde dat ze nog leefde. En dat niet alleen; haar nek was ook niet gebroken. En ze kon ademen, hoewel dat haar veel moeite kostte.

Ze deed haar ogen open. Ze hing aan een touw boven de grond, maar volledig bij bewustzijn en zo levend als wat. Voelde het zo aan als je werd opgehangen? Normaal gesproken brak iemands nek bij zoiets, maar niet bij haar. Hoe lang zou ze hier heen en weer blijven zwaaien voor ze stierf?

Stephen zwaaide ook heen en weer! Was hij ook opgehangen?

Ze bewoog haar benen, maar voelde meteen een pijnscheut in haar nek. Die kon elk moment breken. Ze vroeg zich af of ze zich niet beter kon ontspannen, zodat de strop haar snel het leven zou benemen. Er begon al iets in haar oren te zoemen.

Haar zicht begon te vernauwen.

Roth tilde de kruk op en smakte hem op de grond. Hij versplinterde.

Stephen wrong zijn polsen los uit de tape en greep het touw boven zijn hoofd beet. Hij gooide zijn gewicht naar voren, tilde beide benen zo hoog mogelijk op en haalde uit met alle kracht die in hem was.

Roth draaide zich om, verbijsterd door de plotselinge beweging.

Stephens hiel raakte hem keihard tegen zijn slaap. Een minder stevig gebouwde man zou er een schedelbreuk aan over hebben gehouden. De klap bezorgde Stephen een pijnscheut in zijn heup.

Roth struikelde enkele stappen achteruit, viel zwaar op zijn achterwerk en rolde toen bewusteloos op zijn zij.

Stephen had de strop nog maar half over zijn hoofd getrokken toen Roth alweer bewoog.

Nu al?

Stephen rukte de strop af en keek naar de Duitser, die al omhoogkwam.

Achter Stephen hing Esther aan het uiteinde van haar touw.

Roth stond op en knipperde met zijn ogen. Zijn ogen vlogen naar rechts en Stephen volgde zijn blik naar een zwarte vorm op de grond achter het tafeltje.

Zijn pistool.

Esther begon raspend adem te halen.

Je hebt nog tijd om haar te redden. Niet veel, maar genoeg.

Stephen draaide zich met een ruk om en greep Esther voor hij zijn vergissing doorhad. Hij kon Roth natuurlijk niet zijn rug toekeren! Die adder zou een tweede vuurwapen kunnen hebben en hun allebei een kogel door het hoofd kunnen jagen.

Hij draaide zich weer om, met Esther in zijn armen.

Roth haalde een kleine revolver met korte loop uit zijn zak. De man was nog steeds versuft, waardoor hij niet al te snel was.

Stephen liet Esther los, vloog op Roth af en haalde met open hand uit naar het gezicht van de man. Een kletsende klap, als een rotje dat afging.

Stephens hand deed pijn.

Hij balde zijn vuisten en mikte op Roths neus. *Krak!*

Roth gromde en viel weer terug op zijn zitvlak.

'Stephen!' riep Ruth naar hem. 'Esther… je moet haar redden.'

Esthers raspende ademhaling klonk steeds benauwder. Hij greep het gevallen wapen, ramde met de kolf tegen Roths hoofd en gooide het weg toen Roth in elkaar zakte.

Hij had het wapen moeten houden, dacht hij. Geen tijd. Hij moest Esther redden.

'Stephen!' riep Ruth.

Hij vloog op Esther af, greep haar benen en tilde haar iets op om de druk op haar nek te verlichten.

'Gaat het?'

Ze hoestte en snakte naar adem.

'Gaat het?' wilde hij weten.

'Naar beneden!'

Stephen keek om zich heen en wist even niet hoe hij haar naar beneden moest krijgen. Ruth keek hen hulpeloos aan. Wat nu? 'Gaat het?'

'Ik ben opgehangen!' kraakte ze nauwelijks hoorbaar.

'Doet… doet het ergens pijn?'

'Overal!'

'Maar niet erg?' In elk geval geen gebroken nek!

'Behoorlijk!' zei ze.

'Is je nek gebroken?!' riep hij gealarmeerd uit.

Ze keek hem aan en hield zijn blik vast. Ze ademde uit en haar gezicht vertrok. Maar het was van opluchting en niet van de pijn.

Stephens beeld vertroebelde van dankbaarheid. 'God zij dank.'

'Stephen?'

'Ja?'

'Maak mijn handen los.'

'Hoe dan?'

'Stephen!'

Hij keek gealarmeerd om en zag dat Braun zijn best deed om zijn hoofd op te heffen. Tien meter bij hem vandaan lag het pistool dat tijdens de verwarring op de grond terecht was gekomen.

Dit ging niet goed. Hij kon Esther niet loslaten. Hij kon niet bij Braun komen. Hij zou het niet voor elkaar krijgen om Esthers polsen los te maken. Hij zag het allemaal en wist in een enkel, vreselijk moment wat hem te doen stond.

Roth drukte zich langzaam omhoog op zijn knieën.

'Esther, alsjeblieft…'

'Ja!'

'Hou vol!' Hij liet haar langzaam zakken, voelde het touw haar gewicht overnemen en voelde zich misselijk worden. Hij deed twee grote stappen, griste zijn mes van de grond en haastte zich terug. Als hij ervan overtuigd zou zijn geweest dat ze het nog even zou kunnen volhouden, zou hij achter Roth aan zijn gegaan voor hij haar zou losmaken.

Maar het risico dat haar nek zou breken was te groot.

Hij greep haar benen en tilde haar weer op. Ze snakte naar adem.

Braun had al één been onder zich weten te krijgen. Hij begon op te staan. Zakte weer terug en probeerde het nog eens.

'Schiet op!'

'Ik *schiet* ook op!' Hij hield haar met één arm beet en zocht met bevende hand naar het tape. Hij drukte het mes ertegenaan, bang dat hij haar zou snijden.

Braun stond wankelend op en strompelde in de richting van het pistool.

Esther hijgde gealarmeerd.

Stephen zaagde met vertrokken gezicht door. Het tape liet los.

Ze greep de strop onder haar kin en worstelde met het touw. 'Ga maar!'

Hij rende op Braun af als een doelman voor een aftrap en raakte de grote man vol in zijn rug.

Braun gromde en viel plat op zijn gezicht.

Stephen vloog over hem heen en griste het vuurwapen van de grond. 'Ha!' Hij draaide zich snel om, hurkte neer bij de moordenaar en sloeg hem met de kolf hard op zijn hoofd.

'Ha!'

Dat was de derde flinke klap op zijn hoofd. Dat moest hem toch wel even uit de roulatie houden.

Vanuit zijn ooghoek zag hij dat Esther viel.

Ze had zich uit de strop bevrijd en liet zich op de grond vallen, waar ze haar evenwicht probeerde te bewaren en toen moest gaan zitten. Ze probeerde weer op te staan, maar viel weer terug.

Stephen krabbelde overeind. 'Gaat het?'

Esther voelde aan haar hals. Het bloeden van haar pols was opgehouden.

Stephen sprong over Brauns slappe lichaam heen en haastte zich naar de vrouwen toe. Hij greep het mes en viel aan op het tape om Ruths polsen, waarna hij haar uit de strop bevrijdde.

Hij liet het mes vallen.

En keek Esther aan. Ze waren vrij.

Stephen ging zitten en nam Esther in zijn armen. Ze klemde zich aan hem vast en begon zacht te huilen.

'Het is al goed. Het is al goed, je bent nu veilig.'

Hij wilde haar tranen drogen en haar voor altijd vasthouden. In plaats daarvan nam hij haar gezicht in beide handen en kuste haar.

'Ik hou van je.'

Ze zag door haar tranen geen kans te reageren. Dat hoefde ook niet.

Stephen hield haar stevig vast, haar gezicht in het kuiltje van zijn hals. Zijn ogen gleden over het kamp achter haar.

Roth Braun lag stil.

Dit is de plek waar we zijn geboren. Dit is de plek waar het leven van onze moeders ooit werd gestolen.

Hij had zich nog nooit zo levend gevoeld als op dit moment.

Epiloog

Ruth vertelde hun dat het munitiekistje niet voor niets leeg was. Martha had twee kistjes begraven, voor het geval dat ze gedwongen zouden worden de bergplaats van de schat te vertellen. Dan zou ze opbiechten dat ze maar één Steen had meegenomen en een leeg kistje had begraven. En wanneer ze het dan zouden opgraven om haar verhaal te controleren, zouden ze aannemen dat iemand anders tegen het einde van de oorlog de vier andere Stenen had gestolen.

Maar Ruth kende de locatie van beide kistjes. En nu stond het tweede munitiekistje op de grond – groen, vies en afgesloten. Martha had het vijf stappen bij het andere kistje vandaan begraven, onder dezelfde balk.

Ze zaten er alle drie stilzwijgend omheen.

Ze hadden hun polsen met doeken omwonden en er strak tape omheen gewikkeld. Stephen had Braun vastgebonden en gekneveld, Gerhard op de grond gelegd en ze allebei naar het hek gesleept, waar de autoriteiten hen zouden vinden wanneer ze eenmaal een telefoontje hadden gehad. En toen was hij gaan graven op de plek waarvan Ruth dacht dat het de juiste zou zijn.

Ze kreeg gelijk. Wat door dertig jaar mysterie bedekt was geweest, had vijf minuten graven weer naar boven gehaald.

Ruth stak zonder omwegen een hand uit, trok het slotje open en daarna het deksel.

Aan de ene kant wist Stephen niet eens zeker of hij de inhoud wel wilde zien. Gezien alle onmogelijke wendingen die deze geschiedenis kende, keek hij nergens meer van op. In het kistje zouden de Stenen van David kunnen liggen. Maar net zogoed een brief. En hij wist niet zeker wat hij liever had. Hij had Esther. Toch? Ze hadden Ruth. Martha's plan was geslaagd. Uiteindelijk hadden ze het duivelse plan verijdeld om hun hoop, hun liefde en zelfs hun leven van hen af te nemen.

Aan de andere kant wilde hij wanhopig graag zien wat er in het kistje zat.

'Het… het zit vol,' zei Ruth.

'Vol?' Stephen leunde naar voren.

Gouden munten.

Zijn hart bonkte.

'Munten?' Esther stak haar hand erin en pakte een van de munten.

'Die… die zijn Romeins,' zei Stephen. Hij staarde naar een enkele munt die misschien wel een ton waard was.

Hij trok het kistje dichter naar zich toe en kiepte het om. Er kletterde goud uit het kistje, het onmiskenbare geluid van kostbaar metaal. De schat stroomde er in één keer uit: gouden munten, smaragden, robijnen, diamanten en andere edelstenen waarvan hij niet zo gauw de naam wist op te lepelen. Het waren er misschien wel honderd!

Stephen liet het kistje vallen en bleef er met open mond naar zitten kijken. En boven op het bergje lag een klomp goud. Met een zespuntige ster. En nog een… nog drie dezelfde…

De Stenen van David.

Esther raakte er een aan en tilde hem toen op. 'De Stenen van David?'

'Ja,' fluisterde hij. Hij schraapte zijn keel en zei het nog eens. 'Ja.'

Haar ogen waren groot en helder, net als de diamanten.

'Is dit veel waard?'

Ze keken allebei naar Ruth. Ze staarde hen aan en glimlachte. Ze wist het niet. Het kon haar ook niet schelen. Haar ogen rustten op haar eigen schat.

'Eh…' Stephen schraapte zijn keel nogmaals. 'Zo'n honderd…' Hij wist eigenlijk niet hoeveel. 'Ja.'

Ze legde de Steen terug op het bergje goud en edelstenen. 'Wauw,' zei ze.

'Ha.'

Ze keken elkaar aan. Een speelse lach deed haar mondhoeken opkrullen. Stephen wilde het uitschreeuwen, van blijdschap, van uitgelatenheid. Niet alleen om de schat die hier voor hen op de grond lag, maar om de schat vóór hem. Om alles. Om de prijs die hier door zijn moeder voor was betaald. Door Ruth. Door Esther. En nu door hem.

Dit was hun erfenis.

'Jij bent mijn Steen van David,' zei Esther.

'Jij bent mijn Steen van David.'

'Ik ben voor jou geboren,' zei ze.
'En ik ben voor jou geboren.'
Ze leunde langzaam naar voren en kuste hem op zijn lippen.
Naast hen begon Ruth te huilen.

HET KONINKRIJK VAN DE HEMEL IS ALS EEN SCHAT DIE IN HET VELD verborgen ligt. Een man kwam achter het bestaan van de schat en hij raakte er helemaal door geobsedeerd. Hij moest en zou hem in bezit krijgen. Hij verkocht alles wat hij had om het stuk land te kunnen kopen, zodat hij eigenaar zou worden van de schat.

En het koninkrijk van de hemel is ook net een parel van grote waarde. Toen een man hem vond, verkocht hij alles wat hij had om de parel te kunnen kopen.

Als u niet geobsedeerd raakt door het koninkrijk van God, zoals deze man door de schat, zult u het niet vinden.

Klop en blijf kloppen. Zoek en blijf zoeken. En als ze u telkens weer wegsturen, kom dan terug en zoek nog eens. En dan zult u de schat vinden die u zoekt.

Uit de gelijkenissen van Jezus
Vrij verteld en uitgebreid
Uit het Evangelie zoals dat door Mattheüs is opgeschreven